# O MUNDO ASSOMBRADO PELOS DEMÔNIOS

CARL SAGAN

# O MUNDO ASSOMBRADO PELOS DEMÔNIOS

*A ciência vista como uma vela no escuro*

Tradução
Rosaura Eichemberg

33ª reimpressão

Copyright © 1995, 1996 by Carl Sagan
Copyright © 1995 by Carl Sagan, com permissão de Democritus Properties, LLC.
Todos os direitos reservados, inclusive os direitos de reprodução total ou parcial em qualquer meio.

Grafia atualizada segundo o Acordo Ortográfico da Língua Portuguesa de 1990, que entrou em vigor no Brasil em 2009.

*Título original*
The demon-haunted world

*Capa*
Jeff Fisher

*Preparação*
Marcos Luiz Fernandes

*Índice remissivo*
José Muniz Jr.

*Revisão*
Renato Potenza Rodrigues
Vivian Miwa Matsushita

*Atualização ortográfica*
Viviane T. Mendes

---

Dados Internacionais de Catalogação na Publicação (CIP)
(Câmara Brasileira do Livro, SP, Brasil)

Sagan, Carl
 O mundo assombrado pelos demônios : a ciência vista como uma vela no escuro / Carl Sagan ; tradução Rosaura Eichenberg.
— 1ª ed. — São Paulo : Companhia das Letras, 2006.

Título original: The Demon-Haunted World.
ISBN 978-85-359-0834-3

1. Ciência — Estudo e ensino — Obras de divulgação 2. Ciência — Metodologia — Obras de divulgação 3. Ciência e civilização — Obras de divulgação 4. Instrução — Obras de divulgação I. Título.

06-2625                          CDD-306.45

Índice para catálogo sistemático:
1. Ciência e civilização : Sociologia 306.45

---

Todos os direitos desta edição reservados à
EDITORA SCHWARCZ S.A.
Rua Bandeira Paulista, 702, cj. 32
04532-002 — São Paulo — SP
Telefone: (11) 3707-3500
www.companhiadasletras.com.br
www.blogdacompanhia.com.br

*Para Tonio,*
*meu neto.*

*Eu lhe desejo um mundo*
*livre de demônios*
*e cheio de luz.*

*Esperamos pela luz, mas contemplamos a escuridão.*
ISAÍAS 59:9


*É melhor acender uma vela do que praguejar contra a escuridão.*
ADÁGIO

# SUMÁRIO

Prefácio — Meus professores  *11*

1. A coisa mais preciosa  *17*
2. Ciência e esperança  *42*
3. O Homem na Lua e A Face em Marte  *61*
4. Alienígenas  *82*
5. Simulações e sigilo  *101*
6. Alucinações  *121*
7. O mundo assombrado pelos demônios  *138*
8. Sobre a distinção entre visões verdadeiras e falsas  *162*
9. Terapia  *178*
10. O dragão na minha garagem  *198*
11. A cidade das aflições  *221*
12. A arte refinada de detectar mentiras  *232*
13. Obcecado pela realidade  *253*
14. A anticiência  *284*
15. O sono de Newton  *306*
16. Quando os cientistas conhecem o pecado  *322*
17. O casamento do ceticismo e da admiração  *334*
18. O vento levanta poeira  *349*
19. Não existem perguntas imbecis  *361*
20. A casa em fogo*  *382*
21. O caminho para a liberdade*  *399*
22. Viciados em significados  *414*
23. Maxwell e os *nerds*  *426*
24. Ciência e bruxaria*  *451*
25. Os verdadeiros patriotas fazem perguntas*  *472*

\* Escrito com Ann Druyan.

Agradecimentos *486*
Referências *489*
Índice remissivo *497*
Sobre o autor *509*

# Prefácio
# MEUS PROFESSORES

ERA UM TEMPESTUOSO DIA de outono de 1939. Nas ruas ao lado do prédio, as folhas caídas rodopiavam em pequenos redemoinhos, cada um com vida própria. Era bom estar dentro de casa, aquecido e seguro, minha mãe preparando o jantar na cozinha. No nosso apartamento, não havia garotos mais velhos que implicassem com os menores sem motivo. Ainda na semana anterior, eu me envolvera numa briga — não consigo lembrar, depois de todos esses anos, com quem eu tinha brigado; talvez fosse com Snoony Agata, do terceiro andar — e, depois de um murro violento, vi que tinha enfiado o punho pelo vidro laminado da vitrine da farmácia de Schechter.

O sr. Schechter foi solícito:

— Não se preocupe, eu tenho seguro — me disse, enquanto punha um antisséptico incrivelmente doloroso no meu pulso. Minha mãe me levou ao médico que tinha consultório no andar térreo de nosso prédio. Com uma pinça, ele extraiu um fragmento de vidro. Usando agulha e linha, deu dois pontos.

— Dois pontos! — meu pai repetira mais tarde, naquela noite. Ele sabia o que eram pontos, porque trabalhava como cortador na indústria de vestuário; a sua tarefa consistia em usar uma serra mecânica muito assustadora para cortar os moldes de uma enorme pilha de tecidos — as costas, por exemplo, ou as mangas de casacos e trajes femininos. Depois os moldes eram levados para filas intermináveis de mulheres sentadas à frente de máquinas de costura. Ele ficou satisfeito por eu ter me zangado a ponto de superar minha timidez natural.

Às vezes era bom revidar. Eu não tinha planejado fazer nada violento. Apenas acontecera. Num momento, Snoony estava me empurrando, e no momento seguinte o meu punho atravessara a vitrine do sr. Schechter. Eu tinha machucado o pulso, causado uma despesa médica inesperada, quebrado uma vitrine de vidro laminado, e ninguém estava bravo comigo. Quanto a Snoony, estava mais amigo do que antes.

Eu procurava decifrar qual era a lição. Mas era muito mais agradável pensar sobre o assunto no calor do apartamento, olhando pela janela da sala para a baía de Nova York, do que me arriscar em alguma nova desgraça nas ruas lá embaixo.

Como frequentemente fazia, minha mãe tinha mudado de roupa e maquiado o rosto, preparando-se para a chegada de meu pai. Falamos sobre a minha briga com Snoony. O sol estava quase desaparecendo, e juntos ficamos olhando as águas agitadas.

— Há gente lutando lá longe, matando-se uns aos outros — disse ela, acenando vagamente para o outro lado do Atlântico. Eu concentrei meu olhar.

— Sei — respondi. — Posso vê-los.

— Não, você não pode vê-los — replicou ela, ceticamente, quase severamente, antes de voltar para a cozinha. — Estão longe demais.

Como é que ela sabia se eu podia vê-los ou não? Fiquei pensando. Forçando o olhar, eu tinha imaginado distinguir uma faixa estreita de terra no horizonte, onde figuras minúsculas estavam se empurrando, se agredindo e duelando com espadas, como faziam em *Classic Comics*. Mas talvez ela tivesse razão. Talvez tivesse sido apenas a minha imaginação, um pouco como os monstros da meia-noite que, de vez em quando, ainda me despertavam de um sono profundo, meu pijama encharcado de suor, meu coração batendo.

Como se pode saber quando alguém está apenas imaginando? Fiquei olhando as águas cinzentas lá fora até que a noite caísse e me chamassem para lavar as mãos antes do jantar. Quando chegou em casa, meu pai me abraçou. Pude sentir o frio lá de fora quando encostei na sua barba de um dia.

Num domingo daquele mesmo ano, meu pai pacientemente me dera explicações sobre o zero ser uma espécie de variável na aritmética, sobre os nomes dos números grandes que tinham sons desagradáveis, e sobre o fato de não existir o maior número. ("Sempre se pode somar mais um", ele me ensinara.) De repente, fui tomado por uma compulsão infantil de escrever em sequência todos os inteiros de um a mil. Não tínhamos folhas de papel, mas meu pai me ofereceu a pilha de papelões cinza que andara guardando das idas de suas camisas à lavanderia. Comecei o projeto ansiosamente, mas fiquei surpreso ao ver como andava devagar. Ainda não tinha ido além das primeiras centenas, quando minha mãe avisou que estava na hora de tomar banho. Fiquei desconsolado. Eu *tinha* que chegar a mil. Mediador durante toda a sua vida, meu pai interveio: se eu me submetesse de bom grado ao banho, *ele* continuaria a sequência. Fiquei superfeliz. Quando saí do banho, ele estava se aproximando de novecentos, e eu consegui chegar a mil só um pouquinho depois da minha hora habitual de dormir. A magnitude dos números grandes nunca deixou de me impressionar.

Foi também em 1939 que meus pais me levaram à Feira Mundial de Nova York. Ali me foi oferecida a visão de um futuro perfeito que a ciência e a alta tecnologia tornavam possível. Uma cápsula do tempo foi enterrada, cheia de artefatos de nossa época, para o proveito dos seres no futuro distante — que, espantosamente, poderiam não saber muita coisa sobre as pessoas de 1939. O "Mundo de Amanhã" seria luzidio, limpo, aerodinâmico e, pelo que eu podia perceber, não teria nem sinal de pessoas pobres.

"Veja o som" era o comando fantástico de uma das exposições. E efetivamente, quando o diapasão era atingido pelo martelinho, uma bela onda sinusoidal passava pela tela do osciloscópio. "Escute a luz", exortava outro cartaz. E, efetivamente, quando a lanterna brilhava sobre a célula fotoelétrica, eu conseguia escutar algo parecido com a estática de nosso aparelho de rádio Motorola, sempre que o mostrador ficava entre as estações. Estava claro que o mundo continha maravilhas que eu jamais imaginara. Como é que um tom *podia* se tornar imagem e a luz se tornar ruído?

Meus pais não eram cientistas. Não sabiam quase nada sobre ciência. Mas, ao me apresentar simultaneamente ao ceticismo e à admiração, me ensinaram as duas formas de pensar, de tão difícil convivência, centrais para o método científico. Estavam a apenas um passo da pobreza. Mas quando anunciei que queria ser astrônomo, recebi apoio incondicional — mesmo que eles (como eu) só tivessem uma ideia muito rudimentar da profissão de astrônomo. Nunca sugeriram que, consideradas as circunstâncias, talvez fosse melhor eu ser médico ou advogado.

Gostaria de poder lhes contar sobre professores de ciência inspiradores nos meus tempos de escola primária e secundária. Mas, quando penso no passado, não encontro nenhum. Lembro-me da memorização automática da tabela periódica dos elementos, das alavancas e dos planos inclinados, da fotossíntese das plantas verdes, e da diferença entre antracito e carvão betuminoso. Mas não me lembro de nenhum sentimento sublime de deslumbramento, de nenhum indício de uma perspectiva evolutiva, nem de coisa alguma sobre ideias errôneas em que outrora todos acreditavam. Nos cursos de laboratório na escola secundária, havia uma resposta que devíamos obter. Ficávamos marcados se não a conseguíamos. Não havia nenhum encorajamento para seguir nossos interesses, intuições ou erros conceituais. Nas páginas finais dos livros didáticos, havia material visivelmente interessante. O ano escolar acabava sempre antes de chegarmos até aquele ponto. Podiam-se encontrar livros maravilhosos sobre astronomia nas bibliotecas, por exemplo, mas não na sala de aula. A divisão pormenorizada era ensinada como uma receita culinária, sem nenhuma explicação sobre como essa sequência específica de pequenas divisões, multiplicações e subtrações conseguia conduzir à resposta certa. Na escola secundária, a extração da raiz quadrada era dada com reverência, como se fosse um método entregue outrora no monte Sinai. A nossa tarefa era simplesmente lembrar os mandamentos. Obtenha a resposta correta, e esqueça se você não compreende o que está fazendo. Tive um professor de álgebra muito competente, no segundo ano, com quem aprendi muita matemática; mas ele era também um valentão que gostava de fazer as meninas chorarem. Meu interesse pela ciência foi mantido durante todos esses anos escolares pela leitura de livros e revistas sobre a realidade e a ficção científicas.

A escola superior foi a realização de meus sonhos: encontrei professores que não só compreendiam a ciência, mas eram realmente capazes de explicá-la. Tive a sorte de frequentar uma das grandes instituições de ensino da época, a Universidade de Chicago. Estudava física num departamento que girava em torno de Enrico Fermi; descobri a verdadeira elegância matemática com Subrahmanyan Chandrasekhar; tive a oportunidade de falar sobre química com Harold Urey; nos verões, fui estagiário de biologia de H. J. Muller, na Universidade de Indiana; e aprendi astronomia planetária com o único profissional que se dedicava em tempo integral a esse estudo na época, G. P. Kuiper.

Foi com Kuiper que adquiri pela primeira vez uma noção do método conhecido como cálculo do verso do envelope: se lhe ocorre uma explicação possível para determinado problema, você pega um envelope velho, apela para o seu conhecimento de física básica, rabisca algumas equações aproximadas sobre o envelope, substitui as variáveis por valores numéricos prováveis, e vê se a sua resposta roça a solução do problema. Se não, tem que procurar uma solução diferente. Esse método corta as tolices assim como uma faca passa pela manteiga.

Na Universidade de Chicago, também tive a sorte de participar de um programa de educação geral planejado por Robert M. Hutchins, em que a ciência era apresentada como parte integrante da magnífica tapeçaria do conhecimento humano. Considerava-se impensável que alguém desejasse ser físico sem conhecer Platão, Aristóteles, Bach, Shakespeare, Gibbon, Malinowski e Freud — entre muitos outros. Numa aula de introdução à ciência, a visão de Ptolomeu de que o Sol gira ao redor da Terra era apresentada de forma tão convincente que alguns estudantes se flagravam reavaliando seu compromisso com a teoria de Copérnico. No currículo de Hutchins, o status dos professores não tinha quase nada a ver com a sua pesquisa; inflexivelmente — ao contrário do padrão moderno da universidade norte-americana —, os professores eram avaliados pelo seu ensino, pela sua capacidade de informar e inspirar a próxima geração.

Nessa atmosfera inebriante, consegui preencher algumas das muitas lacunas na minha educação. Grande parte daquilo que era profundamente misterioso, e não apenas na ciência, tornou-se mais claro. E também testemunhei em primeira mão a alegria que sentem aqueles que têm o privilégio de revelar um pouco do funcionamento do Universo.

Sempre fui grato aos meus mentores dos anos 50, e tentei me certificar de que cada um deles soubesse do meu apreço. Mas quando recordo o passado, parece-me claro que não aprendi as coisas mais essenciais com os meus professores da escola, nem mesmo com os meus mestres universitários, mas com meus pais, que nada sabiam sobre ciência, naquele remoto ano de 1939.

# 1. A COISA MAIS PRECIOSA

> *Toda a nossa ciência, comparada com a realidade, é primitiva e infantil — e, no entanto, é a coisa mais preciosa que temos.*
>
> Albert Einstein (1879-1955)

QUANDO DESEMBARQUEI DO AVIÃO, ele esperava por mim, erguendo um pedaço de papelão em que se achava rabiscado o meu nome. Eu estava a caminho de uma conferência de cientistas e profissionais de televisão cujo objetivo, aparentemente inútil, era melhorar a apresentação da ciência na televisão. Os organizadores tinham gentilmente enviado um motorista.

— Você se importa se eu lhe perguntar uma coisa? — disse ele enquanto esperávamos pela minha mala.

Não, eu não me importava.

— Não é confuso ter o mesmo nome daquele cientista?

Levei um momento para compreender. Ele estava caçoando de mim? Finalmente, comecei a entender.

— Eu *sou* aquele cientista — respondi.

Ele fez uma pausa e depois sorriu.

— Desculpe. Eu tenho esse tipo de problema. Pensei que também fosse o seu. — Estendeu a mão. — Meu nome é William F. Buckley. (Bem, ele não era *exatamente* William F. Buckley, mas tinha o mesmo nome do famoso e polêmico entrevistador de TV, o que devia lhe render uma boa dose de zombarias bem-humoradas.)

Quando nos acomodamos no carro para a longa viagem, os limpadores de para-brisa batendo ritmicamente, ele me disse que estava contente por eu ser "aquele cientista" — tinha tantas perguntas a fazer sobre ciência. Eu me importaria?

Não, eu não me importaria.

E assim começamos a falar. Mas, como logo ficou claro, não foi sobre ciência que conversamos. Ele queria falar sobre extraterrestres congelados que definhavam na base da Força Aérea perto de San Antonio, sobre "canalização" (um modo de escutar o que se passa nas mentes dos mortos — pouca coisa, pelo visto), sobre cristais, as profecias de Nostradamus, astrologia, o sudário de Turim... Ele introduzia cada um desses assuntos portentosos com um entusiasmo eufórico. E tive de desapontá-lo todas as vezes.

— As evidências são precárias — eu repetia. — Existe uma explicação muito mais simples.

De certa maneira, ele era bem informado. Conhecia as várias nuanças especulativas sobre, digamos, os "continentes afundados" de Atlântida e Lemuria. Sabia na ponta da língua as expedições submarinas que deviam estar partindo para descobrir as colunas derrubadas e os minaretes quebrados de uma outrora grande civilização, cujas ruínas só eram visitadas atualmente pelos peixes luminescentes do fundo do mar e por gigantescos monstros marinhos. Só que... embora o oceano contenha muitos segredos, eu sabia que não existe nem sinal de confirmação oceanográfica ou geofísica para Atlântida e Lemuria. Pelo que a ciência pode afirmar, esses continentes jamais existiram. Já um pouco relutante a essa altura, eu lhe passei a informação.

Enquanto rodávamos pela chuva, podia vê-lo se tornar cada vez mais soturno. Eu não estava apenas negando alguma doutrina falsa, mas uma faceta preciosa de sua vida interior.

Porém, tanta coisa na ciência verdadeira é igualmente emocionante, mais misteriosa, um estímulo intelectual muito maior — além de estar bem mais perto da verdade. Ele sabia dos tijolos moleculares da vida que existem lá fora, no gás frio e rarefeito entre as estrelas? Tinha ouvido falar sobre as pegadas de nossos antepassados que foram encontradas em cinza vulcânica de 4 milhões de anos? E que dizer do Himalaia se erguendo quando a Índia se espatifou contra a Ásia? Ou da maneira pela qual os vírus, construídos como seringas hipodérmicas, introduzem furtivamente o seu DNA pelas defesas do organismo hospedeiro e subvertem o mecanismo reprodutivo das células?; ou da procura de inteligência extraterrestre pelo rádio?; ou da recém--descoberta antiga civilização de Ebla que alardeava as virtudes da cerveja Ebla? Não, ele não tinha ouvido falar. Como também não conhecia, nem mesmo vagamente, a indeterminação quântica, e reconhecia DNA apenas como três letras maiúsculas que frequentemente aparecem juntas.

O sr. "Buckley" — bom papo, inteligente, curioso — não tinha ouvido virtualmente nada sobre a ciência moderna. Ele tinha um apetite natural pelas maravilhas do Universo. *Queria* conhecer a ciência. O problema é que toda a ciência se perdera pelos filtros antes de chegar até ele. Os nossos temas culturais, o nosso sistema educacional, os nossos meios de comunicação haviam traído esse homem. O que a sociedade permitia que escoasse pelos seus canais era principalmente simulacro e confusão. Nunca lhe ensinara como distinguir a ciência verdadeira da imitação barata. Ele não tinha ideia de como a ciência funciona.

Há centenas de livros sobre Atlântida — o continente mítico que dizem ter existido há uns 10 mil anos no oceano Atlântico. (Ou em algum outro lugar. Um livro recente o localiza na Antártida.) A lenda remonta a Platão, que a relatou como uma história de eras remotas que *lhe* chegou aos ouvidos. Livros recentes descrevem com segurança o alto nível da tecnologia, dos costumes e da espiritualidade em Atlântida, bem como a grande tragédia que significa um continente povoado afundar nas ondas. Há uma Atlântida da "Nova Era", "a lendária civilização de ciências avançadas", voltada principalmente para a "ciência" dos cristais. Numa trilogia chamada *Crystal enlightenment*, escrita por Katrina Raphaell — os livros que são os principais responsáveis pela mania de cristais nos Estados Unidos —, os cristais de Atlântida leem a mente, transmitem pensamentos, são repositórios de história antiga, bem como o modelo e a fonte das pirâmides do Egito. Nada que chegue perto de alguma evidência é oferecido para confirmar essas afirmativas. (Talvez haja um ressurgimento da mania de cristais depois da recente descoberta, feita pela ciência verdadeira da sismologia, de que o núcleo interior da Terra pode ser composto de um único cristal imenso e quase perfeito — de ferro.)

Alguns livros — *Legends of the Earth*, de Dorothy Vitaliano, por exemplo — interpretam com simpatia as lendas originais de

Atlântida como uma pequena ilha no Mediterrâneo que foi destruída por uma erupção vulcânica, ou como uma antiga cidade que deslizou para dentro do golfo de Corinto depois de um terremoto. Pelo que sabemos, essa pode ser a origem da lenda, mas está muito longe da destruição de um continente onde surgira uma civilização mística e técnica sobrenaturalmente avançada.

O que quase nunca encontramos — nas bibliotecas públicas, nas revistas das bancas de jornal e nos programas de horário nobre na televisão — é a evidência, fornecida pelo deslocamento do fundo do mar e pelo movimento das placas tectônicas, e também pelo mapeamento do fundo do oceano, mostrando de forma inequívoca a impossibilidade de ter existido um continente entre a Europa e as Américas num período que se aproxime da escala de tempo proposta.

Os relatos espúrios que enganam os ingênuos são acessíveis. As abordagens céticas são muito mais difíceis de encontrar. O ceticismo não vende bem. Uma pessoa inteligente e curiosa, que se baseie inteiramente na cultura popular para se informar sobre uma questão como Atlântida, tem uma probabilidade centenas ou milhares de vezes maior de encontrar uma fábula tratada de maneira acrítica em lugar de uma avaliação sóbria e equilibrada.

Talvez o sr. Buckley tivesse que saber ser mais cético a respeito das informações que lhe são fornecidas pela cultura popular. Mas, fora isso, é difícil achar que a falha é sua. Ele simplesmente aceitou o que as fontes de informação mais difundidas e acessíveis diziam ser verdade. Por ingenuidade, foi sistematicamente enganado e ludibriado.

A ciência desperta um sentimento sublime de admiração. Mas a pseudociência também produz esse efeito. As divulgações escassas e malfeitas da ciência abandonam nichos ecológicos que a pseudociência preenche com rapidez. Se houvesse ampla compreensão de que os dados do conhecimento requerem evidência adequada antes de poder ser aceitos, não haveria espaço para a pseudociência. Mas na cultura popular prevalece uma espécie de Lei de Gresham, segundo a qual a ciência ruim expulsa a boa.

Em todo o mundo, existe um enorme número de pessoas inteligentes e até talentosas que nutrem uma paixão pela ciência. Mas essa paixão não é correspondida. Os levantamentos sugerem que 95% dos norte-americanos são "cientificamente analfabetos". A porcentagem é exatamente igual à de afro-americanos, quase todos escravos, que eram analfabetos pouco antes da Guerra Civil — quando havia penalidades severas para quem ensinasse um escravo a ler. É claro que existe um grau de arbitrariedade em qualquer determinação de analfabetismo, quer ele se aplique à língua, quer à ciência. Mas qualquer índice de analfabetismo próximo de 95% é grave.

Toda geração se preocupa com o declínio dos padrões educacionais. Um dos ensaios curtos mais antigos, escrito na Suméria há 4 mil anos, lamenta que os jovens sejam desastrosamente mais ignorantes do que a geração imediatamente anterior. Há 2400 anos, o idoso e rabugento Platão, no livro VII das *Leis*, deu a sua definição de analfabetismo científico:

> Aquele que não sabe contar um, dois, três, nem distinguir os números ímpares dos pares, ou que não sabe contar coisa alguma, nem a noite nem o dia, e que não tem noção da revolução do Sol e da Lua, nem das outras estrelas [...]. Acho que todos os homens livres devem estudar esses ramos do conhecimento tanto quanto ensinam a uma criança no Egito, quando ela aprende o alfabeto. Naquele país, os jogos aritméticos foram inventados para ser empregados por simples crianças, e elas os aprendem como se fosse prazer e diversão [...]. Com espanto, eu [...] no final da vida, tenho tomado conhecimento de nossa ignorância sobre essas questões; acho que parecemos mais porcos do que homens, e tenho muita vergonha, não só de mim mesmo, mas de todos os gregos.

Não sei até que ponto a ignorância em ciência e matemática contribuiu para o declínio da Atenas antiga, mas sei que as consequências do analfabetismo científico são muito mais perigosas em nossa época do que em qualquer outro período anterior. É perigoso e temerário que o cidadão médio continue a ignorar o aquecimento global, por exemplo, ou a diminuição da camada de ozônio, a poluição do ar, o lixo tóxico e radioativo, a chuva ácida, a erosão da camada superior do solo, o desflorestamento tropical, o crescimento exponencial da população. Os empregos e os salários dependem da ciência e da tecnologia. Se a nossa nação não puder fabricar, com alta qualidade e a preços baixos, os produtos que as pessoas querem comprar, as indústrias continuarão a se deslocar e a transferir um pouco mais de prosperidade para as outras partes do mundo. Considerem-se as ramificações sociais da energia de fissão e fusão, dos supercomputadores, das "rodovias" de informações, do aborto, do radônio, das reduções maciças de armas estratégicas, do vício das drogas, da intromissão do governo nas vidas de seus cidadãos, da TV de alta resolução, da segurança das linhas aéreas e dos aeroportos, dos transplantes de tecidos fetais, dos custos da saúde, dos aditivos alimentares, dos remédios para melhorar a mania, a depressão ou a esquizofrenia, dos direitos dos animais, da supercondutividade, das pílulas anticoncepcionais tomadas após a relação sexual, das alegadas predisposições antissociais hereditárias, das estações espaciais, da ida a Marte, da procura de curas para a AIDS e o câncer.

Como podemos executar a política nacional — ou até mesmo tomar decisões inteligentes sobre nossas próprias vidas — se não compreendemos as questões subjacentes? Enquanto escrevo, o Congresso está dissolvendo seu próprio Departamento de Avaliação de Tecnologia — a única organização que tem a tarefa específica de orientar a Câmara e o Senado sobre ciência e tecnologia. Sua competência e integridade têm sido exemplares durante todos esses anos. Dos 535 membros do Congresso dos Estados Unidos, raramente 1% chegou a ter alguma formação científica significativa no século XX. O último presidente cientificamente alfabetizado foi talvez Thomas Jefferson.*

\* Embora se possam fazer afirmações nesse sentido sobre Theodore Roosevelt, Herbert Hoover e Jimmy Carter. A Grã-Bretanha teve recentemente um primeiro-ministro desse tipo em Margaret Thatcher. Seus estudos anteriores de

Assim, como é que os norte-americanos decidem essas questões? Como é que instruem os seus representantes? Quem de fato toma essas decisões, e baseando-se em que fundamentos?

Hipócrates de Cós é o pai da medicina. Ele é ainda lembrado, 2500 anos depois, por causa do juramento hipocrático (uma forma alterada desse juramento ainda é repetida, em alguns lugares, pelos estudantes de medicina no momento de sua formatura). Mas ele é celebrado sobretudo por seus esforços para arrancar a medicina do terreno da superstição e trazê-la à luz da ciência. Numa passagem típica, Hipócrates escreveu: "Os homens acham a epilepsia divina, simplesmente porque não a compreendem. Mas se chamassem de divino tudo o que não compreendem, ora, as coisas divinas não teriam fim". Em vez de reconhecer que em muitas áreas somos ignorantes, temos nos inclinado a dizer, por exemplo, que o Universo está impregnado com o inefável. A um Deus das Lacunas é atribuída a responsabilidade pelo que ainda não compreendemos. Como o conhecimento da medicina tem se desenvolvido desde o século IV a.C., cada vez mais aumenta o que compreendemos e diminui o que tinha de ser atribuído à intervenção divina — a respeito das causas ou do tratamento da doença. As mortes na hora do parto e a mortalidade infantil decresceram, o tempo de vida foi prolongado, e a medicina melhorou a qualidade de vida para bilhões de seres humanos em todo o planeta.

Hipócrates introduziu elementos do método científico no diagnóstico da doença. Ele recomendava com insistência a observação cuidadosa e meticulosa: "Não deixem nada ao acaso. Não percam nenhum detalhe. Combinem as observações contraditórias. Não tenham pressa". Antes da invenção do termômetro,

---

química, em parte sob a orientação de Dorothy Hodgkins, laureada com o Nobel, foram essenciais para a defesa vigorosa e bem-sucedida do Reino Unido no sentido de que fossem banidos em todo o mundo os CFCs que estão diminuindo a camada de ozônio.

ele fez o gráfico das curvas de temperatura de muitas doenças. Recomendava que os médicos fossem capazes de explicar, somente a partir dos sintomas presentes, o provável desenvolvimento passado e futuro de cada doença. Enfatizava a honestidade. Estava disposto a admitir as limitações do conhecimento médico. Não se envergonhava de contar para a posteridade que mais da metade de seus pacientes morrera das doenças que ele estava tratando. Suas opções de ação eram limitadas; os remédios de que dispunha eram principalmente laxantes, eméticos e narcóticos. Realizavam-se cirurgias e cauterização. Outros progressos consideráveis ainda foram feitos em toda a época clássica, até a queda de Roma.

Enquanto a medicina floresceu no mundo islâmico, o que se seguiu na Europa foi na realidade uma era negra. Grande parte do conhecimento de anatomia e cirurgia se perdeu. Era muito difundido o recurso às orações e às curas milagrosas. Os médicos seculares foram extintos. Empregavam-se por toda parte cantilenas, poções, horóscopos e amuletos. As dissecações de cadáveres foram restringidas ou proscritas, por isso aqueles que praticavam a medicina não podiam adquirir em primeira mão o conhecimento do corpo humano. A pesquisa médica ficou estagnada.

Uma situação muito parecida com a que o historiador Edward Gibbon descreveu para todo o Império do Oriente, cuja capital era Constantinopla:

> Num período de dez séculos, nem uma única descoberta foi feita para exaltar a dignidade ou promover a felicidade da humanidade. Nem uma única ideia foi acrescentada aos sistemas especulativos da Antiguidade, e uma série de discípulos pacientes se transformava, por sua vez, nos professores dogmáticos da geração servil seguinte.

Mesmo em seus melhores momentos, a prática médica pré-moderna não salvou muita gente. A rainha Anne foi a última monarca Stuart da Grã-Bretanha. Nos últimos dezessete anos do século XVII, ela ficou grávida dezoito vezes. Apenas cinco filhos nasceram com vida. Somente um deles sobreviveu aos primeiros anos da infância. Morreu antes de atingir a idade adulta e da coroação da mãe em 1702. Não parece haver evidência de distúrbio genético. Ela tinha os melhores cuidados médicos que o dinheiro podia comprar.

As doenças que outrora vitimavam bebês e crianças têm sido progressivamente mitigadas e curadas pela ciência — por meio da descoberta do mundo microbiano, pela compreensão de que os médicos e as parteiras devem lavar as mãos e esterilizar os seus instrumentos, pela nutrição, por medidas sanitárias e de saúde pública, pelos antibióticos, remédios, vacinas, pela descoberta da estrutura molecular do DNA, pela biologia molecular, e agora pela terapia genética. Pelo menos no mundo desenvolvido, os pais têm hoje em dia muito mais chance de ver os filhos atingirem a idade adulta do que tinha a herdeira do trono de uma das nações mais poderosas da Terra no final do século XVII. A varíola foi eliminada em todo o mundo. A área de nosso planeta infestada com os mosquitos transmissores da malária encolheu drasticamente. O número de anos de expectativa de vida de uma criança com diagnóstico de leucemia tem aumentado progressivamente. A ciência permite que a Terra alimente um número de seres humanos cem vezes maior, e sob condições muito menos penosas, do que era possível há alguns milhares de anos.

Podemos rezar pela vítima do cólera, ou podemos lhe dar quinhentos miligramas de tetraciclina a cada doze horas. (Ainda existe uma religião, a ciência cristã, que nega a teoria que atribui as doenças a micróbios; se a oração não produz efeito, o fiel prefere que os filhos morram a lhes dar antibióticos.) Podemos tentar a quase inútil terapia psicanalítica pela fala com o paciente esquizofrênico, ou podemos lhe dar trezentos a quinhentos miligramas de clazepina. Os tratamentos científicos são centenas ou milhares de vezes mais eficazes do que os alternativos. (E, mesmo quando os alternativos parecem funcionar, não sabemos realmente se desempenharam algum papel: melhoras espontâneas, até de cólera e esquizofrenia, podem ocorrer sem rezas e sem psicanálise.) Renunciar à ciência significa abandonar muito mais do que o ar-condicionado, o toca-disco CD, os secadores de cabelo e os carros velozes.

Nos tempos pré-agrícolas dos caçadores-coletores, a expectativa de vida humana era cerca de vinte-trinta anos. Essa era também a expectativa de vida na Europa ocidental no final do Império Romano e na Idade Média. Ela só aumentou para quarenta por volta de 1870. Chegou a cinquenta em 1915, a sessenta em 1930, a setenta em 1955, e está se aproximando de oitenta hoje em dia (um pouco mais para as mulheres, um pouco menos para os homens). O resto do mundo está repetindo o incremento europeu da longevidade. Qual é a causa dessa transição humanitária espantosa e sem precedentes? A teoria microbiana das doenças, as medidas de saúde pública, os remédios e a tecnologia médica. A longevidade talvez seja a melhor medida da qualidade física da vida. (Se você está morto, pouco pode fazer para ser feliz.) Essa é uma dádiva preciosa da ciência à humanidade — nada menos do que o dom da vida.

Mas os microrganismos sofrem mutações. Novas doenças se disseminam rapidamente. Há uma batalha constante entre as medidas microbianas e as contramedidas humanas. Acompanhamos o ritmo dessa competição, não apenas inventando novos remédios e tratamentos, mas indo cada vez mais fundo na procura de uma compreensão da natureza da vida — a pesquisa básica.

Se o mundo quiser evitar as consequências terríveis do crescimento da população global, com 10 ou 12 bilhões de pessoas no planeta no final do século XXI, temos de inventar meios seguros, porém mais eficientes, de cultivar alimentos — com o auxílio de estoques de sementes, irrigação, fertilizadores, pesticidas, sistemas de transporte e refrigeração. Serão também necessários métodos amplamente acessíveis e aceitáveis de contracepção, passos significativos para a igualdade política das mulheres e melhoramentos nos padrões de vida das pessoas mais pobres. Como será possível fazer tudo isso sem a ciência e a tecnologia?

Sei que a ciência e a tecnologia não são apenas cornucópias despejando dádivas sobre o mundo. Os cientistas não só conceberam as armas nucleares; eles também pegaram os líderes políticos pela lapela, argumentando que a *sua* nação — qualquer que ela fosse — tinha que ser a primeira a fabricar uma dessas armas. E assim eles produziram mais de 60 mil armas nucleares. Durante a Guerra Fria, os cientistas nos Estados Unidos, na União Soviética, na China e em outras nações estavam dispostos a expor os seus conterrâneos à radiação — na maioria dos casos, sem o conhecimento deles — a fim de se preparar para a guerra nuclear. Médicos em Tuskegee, Alabama, enganaram um grupo de veteranos fazendo-os crer que estavam recebendo tratamento médico para a sífilis, quando na verdade eram elementos de controle que não recebiam medicação. As crueldades atrozes dos médicos nazistas são bem conhecidas. A nossa tecnologia produziu a talidomida, os CFCs, o agente laranja, os gases que atacam o sistema nervoso, a poluição do ar e da água, as extinções de espécies, e indústrias tão poderosas que podem arruinar o clima do planeta. Aproximadamente metade dos cientistas na Terra dedica parte de seu tempo de trabalho para fins militares. Embora alguns cientistas ainda sejam vistos como estranhos ao sistema, criticando corajosamente os males da sociedade e dando os primeiros avisos sobre catástrofes tecnológicas potenciais, muitos são considerados oportunistas submissos ou uma fonte complacente de lucros empresariais e de armas de destruição em massa — não importa quais sejam as consequências a longo prazo. Os perigos tecnológicos que a ciência apresenta, seu desafio implícito ao conhecimento recebido e sua visível dificuldade são razões para que as pessoas, desconfiadas, a evitem. Existe uma *razão* para as pessoas ficarem nervosas a respeito da ciência e da tecnologia. E assim a imagem do cientista maluco assombra o nosso mundo — até nos médicos loucos dos programas infantis de TV nas manhãs de sábado e na pletora de barganhas faustianas na cultura popular, do próprio epônimo dr. Faustus ao *Dr. Frankenstein*, *Doutor Fantástico* e *Parque dos Dinossauros*.

Mas não podemos simplesmente concluir que a ciência coloca poder demais nas mãos de tecnólogos moralmente fracos ou de políticos corruptos e ávidos de poder, e tomar a decisão de que precisamos livrar-nos dela. As vidas salvas pelos progressos na medicina e na agricultura são muito mais numerosas do que as perdidas em todas as guerras da história.* Os progressos nos transportes, nas comunicações e na indústria do entretenimento transformaram e unificaram o mundo. Em todas as pesquisas de opinião, a ciência é classificada entre as ocupações mais admiradas e dignas de crédito, apesar dos receios. A espada da ciência tem dois gumes. Sua força terrível impõe a todos nós, inclusive aos políticos, mas especialmente aos cientistas, uma nova responsabilidade — mais atenção às consequências de longo prazo da tecnologia, uma perspectiva que ultrapasse as fronteiras dos países e das gerações, um incentivo para evitar os apelos fáceis do nacionalismo e do chauvinismo. Os erros estão se tornando caros demais.

Nós nos importamos com o que é verdade? Isso faz alguma diferença?

> ... *where ignorance is bliss,*
> *'Tis folly to be wise*
> [... quando a ignorância é felicidade,
> É loucura ser sábio]

escreveu o poeta Thomas Gray. Mas será mesmo? Edmund Way Teale, em seu livro *Circle of the seasons* de 1950, compreendeu melhor o dilema:

> Moralmente, é tão condenável não querer saber se uma coisa é verdade ou não, desde que ela nos dê prazer, quanto não querer saber como conseguimos o dinheiro, desde que ele esteja na nossa mão.

* Recentemente, por ocasião de um grande jantar, perguntei aos convidados reunidos — cujas idades acho que variavam dos trinta aos sessenta — quantos deles estariam vivos hoje em dia, se não fossem os antibióticos, os marca-passos cardíacos e todo o resto da panóplia da medicina moderna. Apenas uma das mãos se ergueu. E não foi a minha.

É desanimador descobrir a corrupção e a incompetência governamentais, por exemplo, mas será melhor *não* saber a respeito? A que interesses a ignorância serve? Se nós, humanos, temos uma propensão hereditária a odiar os estranhos, o único antídoto não é o autoconhecimento? Se ansiamos por acreditar que as estrelas se levantam e se põem para nós, que somos a razão da existência do Universo, a ciência nos presta um desserviço esvaziando nossa presunção?

Em *Para a genealogia da moral*, Friedrich Nietzsche, como tantos outros antes e depois dele, denigre o "progresso ininterrupto da autodepreciação humana" provocado pela revolução científica. Nietzsche lamenta o homem ter perdido a confiança "em sua dignidade, em seu caráter único e no fato de ser insubstituível no projeto da existência". Para mim, é muito melhor compreender o Universo como ele realmente é do que persistir no engano, por mais satisfatório e tranquilizador que possa ser. Qual dessas atitudes se presta melhor à nossa sobrevivência a longo prazo? Qual nos dá maior poder de influenciar o futuro? E se nossa autoconfiança ingênua é um pouco minada no processo, isso é uma perda assim tão grande? Não há razões para acolhê-la como uma experiência de amadurecimento e formação de caráter?

Descobrir que o Universo tem cerca de 8 bilhões a 15 bilhões de anos, em vez de 6 a 12 mil anos,* aumenta a nossa apreciação de sua extensão e grandiosidade; nutrir a noção de que somos uma combinação especialmente complexa de átomos, em vez de um sopro da divindade, pelo menos intensifica o nosso respeito pelos átomos; descobrir, como agora parece provável, que o nosso planeta é um dentre bilhões de outros mundos na galáxia da

---

* "Nenhuma pessoa religiosa inteligente acredita nisso. Isso é coisa do tempo do onça", escreve um dos consultores deste livro. Mas muitos "criacionistas científicos" não só acreditam, como estão fazendo esforços cada vez mais agressivos e bem-sucedidos para que isso seja ensinado nas escolas, museus, zoológicos e livros didáticos. Por quê? Porque a soma das "gerações", as idades dos patriarcas e de outras figuras da Bíblia, chega a esse número, e a Bíblia não "erra nunca".

Via Láctea, e que a nossa galáxia é uma dentre bilhões de outras, expande majestosamente a arena do que é possível; saber que os nossos antepassados eram também os ancestrais dos macacos nos une ao restante da vida e torna possíveis reflexões importantes — ainda que por vezes tristes — sobre a natureza humana.

Evidentemente, não há retorno possível. Querendo ou não, estamos presos à ciência. O melhor é tirar o máximo proveito da situação. Quando chegarmos a compreendê-la e reconhecermos plenamente a sua beleza e o seu poder, veremos que, tanto nas questões espirituais como nas práticas, fizemos um negócio muito vantajoso para nós.

Mas a superstição e a pseudociência estão sempre se intrometendo, aturdindo todos os "Buckleys", fornecendo respostas fáceis, esquivando-se do exame cético, apertando casualmente nossos botões da admiração e banalizando a experiência, transformando-nos em profissionais rotineiros e tranquilos, bem como em vítimas da credulidade. Sim, o mundo *seria* um lugar mais interessante se houvesse UFOs escondidos nas águas profundas, perto das Bermudas, devorando os navios e os aviões, ou se os mortos pudessem controlar as nossas mãos e nos escrever mensagens. Seria fascinante se os adolescentes fossem capazes de tirar o telefone do gancho apenas com o pensamento, ou se nossos sonhos vaticinassem acuradamente o futuro com uma frequência que não pudesse ser atribuída ao acaso e ao nosso conhecimento do mundo.

Esses são exemplos de pseudociência. Eles parecem usar os métodos e as descobertas da ciência, embora na realidade sejam infiéis à sua natureza — frequentemente porque se baseiam em evidência insuficiente ou porque ignoram pistas que apontam para outro caminho. Fervilham de credulidade. Com a cooperação desinformada (e frequentemente com a conivência cínica) dos jornais, revistas, editoras, rádio, televisão, produtoras de filmes e outros órgãos afins, essas ideias se tornam acessíveis em toda parte. Muito mais difíceis de encontrar, como me lembrou o encontro com o sr. "Buckley", são as descobertas alternativas, mais desafiadoras e até mais deslumbrantes da ciência.

A pseudociência é mais fácil de ser inventada que a ciência, porque os confrontos perturbadores com a realidade — quando não podemos controlar o resultado da comparação — são evitados mais facilmente. Os padrões da argumentação, o que passa por evidência, são muito menos rigorosos. Em parte por essas mesmas razões, é muito mais fácil apresentar a pseudociência ao público em geral do que a ciência. Mas isso não é o suficiente para explicar a sua popularidade.

É natural que as pessoas experimentem vários sistemas de crenças, para ver se têm valia. E, se estamos bastante desesperados, logo nos dispomos a abandonar o que pode ser visto como a pesada carga do ceticismo. A pseudociência fala às necessidades emocionais poderosas que a ciência frequentemente deixa de satisfazer. Nutre as fantasias sobre poderes pessoais que não temos e desejamos ter (como aqueles atribuídos aos super-heróis das histórias de quadrinhos modernas e, no passado, aos deuses). Em algumas de suas manifestações, oferece satisfação para a fome espiritual, curas para as doenças, promessas de que a morte não é o fim. Renova nossa confiança na centralidade e importância cósmica do homem. Concede que estamos presos, ligados, ao Universo.* Às vezes parece uma parada no meio do caminho entre a antiga religião e a nova ciência, inspirando desconfiança em ambas.

No âmago de algumas pseudociências (e também de algumas religiões, da Nova e da Antiga Era) reside a ideia de que é o ato de desejar que dá forma aos acontecimentos. Como seria agradável se pudéssemos, à semelhança do folclore e das histórias infantis, satisfazer os desejos de nosso coração pelo simples ato de desejar. Como é sedutora essa noção, especialmente quando comparada com o trabalho duro e a boa sorte geral-

---

* Embora eu ache difícil encontrar uma conexão cósmica mais profunda do que as descobertas espantosas da moderna astrofísica nuclear: à exceção do hidrogênio, todos os átomos que compõem cada um de nós — o ferro no sangue, o cálcio nos ossos, o carbono no cérebro — foram fabricados em estrelas vermelhas gigantes a milhares de anos-luz no espaço e a bilhões de anos no tempo. Somos feitos, como gosto de dizer, de matéria estelar.

mente necessários para concretizar nossas esperanças. O peixe encantado ou o gênio da lâmpada nos concedem três desejos — o que quisermos, exceto aumentar o número de desejos. Quem já não pensou — só por segurança, só para o caso de encontrarmos e acidentalmente esfregarmos uma velha e atarracada lâmpada de latão — no que pedir?

Lembro-me de um mágico de cartola e bigodes que brandia uma bengala de ébano nos gibis e livros da infância. Seu nome era Zatara. Ele podia fazer qualquer coisa acontecer, qualquer coisa. Como o conseguia? Fácil. Ele pronunciava as ordens de trás para diante. Se ele queria 1 milhão de dólares, dizia "seralód ed oãhlim mu em-êd". Só isso. Era como uma reza, mas com resultados muito mais seguros.

Aos oito anos, passei bastante tempo experimentando esse filão, dando ordens para as pedras levitarem: "metivel, sardep". Nunca funcionou. Eu punha a culpa na minha pronúncia.

Pode-se afirmar que a pseudociência é adotada na mesma proporção em que a verdadeira ciência é mal compreendida — a não ser que a linguagem falhe nesse ponto. Se alguém nunca ouviu falar de ciência (muito menos de como ela funciona), dificilmente pode ter consciência de estar abraçando a pseudociência. Está apenas adotando uma das maneiras de pensar que os seres humanos sempre empregaram. As religiões são frequentemente escolas de pseudociência que têm proteção do Estado, embora não haja razão que as obrigue a desempenhar esse papel. De certo modo, é um artefato de tempos muito remotos. Em alguns países, quase todo mundo acredita em astrologia e precognição, inclusive os líderes do governo. Mas isso não lhes é simplesmente incutido pela religião; é tirado da cultura circundante em que todos se sentem à vontade com essas práticas, e encontram-se provas disso por toda parte.

A maioria dos casos que vou relatar neste livro é norte-americana — por serem os que conheço melhor, e não porque a pseudociência e o misticismo sejam mais proeminentes nos Estados Unidos que em outros lugares. No entanto, Uri Geller, o paranormal entortador de colheres e canalizador de extraterrestres, vem de Israel. Enquanto as tensões aumentam entre os secularistas argelinos e os fundamentalistas muçulmanos, um número cada vez maior de pessoas consulta discretamente os 10 mil videntes e adivinhos do país (dos quais mais ou menos a metade opera com licença do governo). Altos funcionários franceses, inclusive um ex-presidente, providenciaram para que milhões de dólares fossem investidos numa empresa fraudulenta (o escândalo da Elf-Aquitaine) que se propunha encontrar novas reservas de petróleo no ar. Na Alemanha, existe uma preocupação com "raios terrestres" cancerígenos indetectáveis pela ciência; só podem ser percebidos por adivinhos experientes brandindo forquilhas. A "cirurgia mediúnica" floresce nas Filipinas. Os fantasmas são uma obsessão nacional na Grã-Bretanha. Desde a Segunda Guerra Mundial, o Japão viu proliferarem inúmeras religiões novas que dão destaque ao sobrenatural. Um número estimado de 10 mil adivinhos viceja no Japão; a clientela é composta principalmente de mulheres jovens. A Aum Shinrikyo, uma seita que se supõe estar envolvida no atentado com gás sarin — que ataca o sistema nervoso — no metrô de Tóquio, em março de 1995, tem a levitação, a cura pela fé e a ESP (percepção extrassensorial) entre seus principais dogmas. Os seguidores, a um preço elevado, bebiam a água do "lago milagroso" — tirada do banho de Asahara, o seu líder. Na Tailândia, as doenças são tratadas com pílulas feitas com a Escritura sagrada pulverizada. Hoje em dia ainda se queimam "bruxas" na África do Sul. As forças australianas de paz no Haiti libertam uma mulher amarrada a uma árvore; ela é acusada de voar de telhado em telhado e de sugar o sangue das criancinhas. A astrologia é disseminada na Índia, a geomancia muito difundida na China.

Talvez a mais recente pseudociência global a ter sucesso — que, segundo muitos critérios, já é uma religião — seja a doutrina hinduísta da meditação transcendental (TM). As homilias soporíficas de seu fundador e líder espiritual, o Maharishi Mahesh Yogi, podem ser vistas na televisão. Sentado na posição iogue, com o cabelo branco salpicado de preto aqui e ali, circundado por guirlandas e oferendas florais, ele é uma *figura que impressiona*. Um dia, enquanto passávamos por vários canais, nos deparamos com sua fisionomia. "Sabem quem é esse cara?", perguntou nosso filho de quatro anos. "Deus." O valor de organização mundial da TM é de aproximadamente 3 bilhões de dólares. Mediante o pagamento de uma contribuição, eles prometem dar às pessoas, através da meditação, o poder de atravessar paredes, tornar-se invisível e voar. Pensando em uníssono, conseguiram, segundo dizem, diminuir a taxa de criminalidade em Washington, D.C., e provocar o colapso da União Soviética, entre outros milagres seculares. Jamais foi apresentado um vestígio de evidência real para essas alegações. A TM vende remédios populares, administra companhias comerciais, clínicas médicas e universidades "de pesquisa", e tem entrado sem sucesso na política. Com seu líder estranhamente carismático, sua promessa de comunidade e a oferta de poderes mágicos em troca de dinheiro e crença fervorosa, ela é representativa de muitas pseudociências vendidas como produto de exportação sacerdotal.

A cada enfraquecimento dos controles civis e da educação científica, ocorre outra pequena manifestação de pseudociência. Leon Trotsky descreveu essa situação na Alemanha às vésperas de Hitler tomar o poder (mas é uma descrição que também se aplicaria à União Soviética de 1933):

> Não é apenas nas casas dos camponeses, mas também nos arranha-céus das cidades, que o século XIII vive ao lado do XX. Cem milhões de pessoas usam a eletricidade e ainda acreditam nos poderes mágicos de sinais e exorcismos [...]. As estrelas de cinema procuram médiuns. Os aviadores que pilotam mecanismos milagrosos criados pelo gênio do homem usam amuletos em seus suéteres. Como são inesgotáveis as suas reservas de trevas, ignorância e selvageria!

A Rússia é um caso instrutivo. Sob os czares, a superstição religiosa era encorajada, mas o pensamento cético e científico — à exceção do produzido por alguns cientistas submissos —

era implacavelmente eliminado. Sob o comunismo, tanto a religião como a pseudociência foram sistematicamente suprimidas — exceto a superstição da religião ideológica do Estado. Esta era apresentada como científica, mas ficava tão aquém desse ideal quanto o culto de mistério mais desprovido de autocrítica. O pensamento crítico — a não ser quando elaborado por cientistas em compartimentos cognitivos hermeticamente fechados — era considerado perigoso, não era ensinado nas escolas e era punido quando chegava a se manifestar. Em consequência, depois do comunismo, muitos russos veem a ciência com desconfiança. Quando se ergueu a tampa, assim como aconteceu com os ódios étnicos violentos, veio à tona o que estivera borbulhando sob a superfície durante todo esse tempo. A região está agora inundada de UFOs, *poltergeists*, curandeiros, falsos remédios, águas mágicas e a superstição dos velhos tempos. Um declínio espantoso da expectativa de vida, o aumento da mortalidade infantil, incidência desenfreada de doenças epidêmicas, padrões médicos abaixo da crítica e o desconhecimento da medicina preventiva contribuem para tornar ainda mais distante o limiar em que o ceticismo é acionado numa população cada vez mais desesperada. Enquanto escrevo, o membro mais popular da Duma em termos eleitorais, sustentáculo importante do ultranacionalista Vladimir Jirinovsky, é um certo Anatoly Kashpirovsky — um curandeiro que cura à distância doenças que vão desde hérnias até AIDS, apenas olhando para a pessoa pelo aparelho de televisão. A sua fisionomia faz os relógios parados funcionarem.

Existe uma situação bastante análoga na China. Depois da morte de Mao Tse-tung e do surgimento gradativo de uma economia de mercado, os UFOs, a canalização e outros exemplos de pseudociência ocidental apareceram junto com práticas chinesas antigas como o culto aos antepassados, a astrologia e a leitura da sorte — especialmente aquela versão que implica jogar gravetos e interpretar os veneráveis tetragramas do I Ching. O jornal do governo lamenta que "a superstição da ideologia feudal esteja revivendo em nosso campo". Era (e continua a ser) um mal essencialmente rural, não urbano.

Os indivíduos com "poderes especiais" ganharam enormes séquitos. Alegam poder projetar de seus corpos Qi, o "campo energético do Universo", para alterar a estrutura molecular de um produto químico a 2 mil quilômetros de distância, para estabelecer comunicação com alienígenas, para curar doenças. Alguns pacientes morreram sob os cuidados de um desses "mestres de Qi Gong", que foi preso e condenado em 1993. Wang Hongcheng, químico amador, alegava ter sintetizado um líquido que se converteria em gasolina ou algo equivalente, quando a pequenas porções dele se adicionasse água. Durante certo tempo, o exército e a polícia secreta financiaram seu projeto, mas quando se descobriu que a invenção era uma fraude ele foi detido e encarcerado. Naturalmente espalhou-se a história de que sua desgraça não seria consequência de fraude, mas de sua recusa a revelar a "fórmula secreta" para o governo. (Histórias semelhantes têm circulado nos Estados Unidos há décadas, sendo o papel do governo em geral ocupado por uma importante companhia petrolífera ou automobilística.) Os rinocerontes asiáticos estão sendo extintos porque dizem que seus chifres, se pulverizados, impedem a impotência; o mercado abrange todo o leste da Ásia.

O governo da China e o Partido Comunista Chinês ficaram alarmados com alguns desses desdobramentos. Em 5 de dezembro de 1994, publicaram uma proclamação conjunta que dizia em certo trecho:

> O ensino público da ciência tem definhado nos últimos anos. Ao mesmo tempo, as atividades da superstição e da ignorância têm crescido, e os casos de anticiência e pseudociência se tornado frequentes. Portanto, medidas efetivas devem ser tomadas o quanto antes para fortalecer o ensino público da ciência. O nível do ensino público da ciência e da tecnologia é um sinal importante do grau de realização científica nacional. É uma questão de importância global para o desenvolvimento econômico, o avanço científico e o progresso da sociedade. Devemos estar atentos a esse problema

e implementar o ensino público da ciência como parte da estratégia para modernizar o nosso país socialista e tornar a nossa nação poderosa e próspera. A ignorância jamais é socialista, tampouco a pobreza.

Assim, a pseudociência nos Estados Unidos faz parte de uma tendência global. É provável que suas causas, perigos, diagnóstico e tratamento sejam semelhantes em toda parte. Nos Estados Unidos, os médiuns vendem seus produtos em longos comerciais de televisão, apoiados pessoalmente por artistas de TV. Eles têm o seu próprio canal, a Psychic Friends Network (a Rede dos Amigos Mediúnicos); 1 milhão de pessoas, por ano, contratam e usam essa orientação em suas vidas diárias. Para os executivos das grandes corporações, para os analistas financeiros, para os advogados e os banqueiros, há um astrólogo/vidente/médium pronto a dar conselhos sobre qualquer assunto. "Se o povo soubesse quantas pessoas, especialmente as muito ricas e poderosas, procuram médiuns, ficaria boquiaberto", disse um médium de Cleveland, Ohio. A realeza tem sido tradicionalmente vulnerável a fraudes mediúnicas. Na China e na Roma antigas, a astrologia era de uso exclusivo do imperador; qualquer emprego privado dessa arte poderosa era considerado delito grave. Provenientes do sul da Califórnia, cuja cultura é especialmente crédula, Nancy e Ronald Reagan consultavam um astrólogo sobre questões privadas e públicas — sem o conhecimento do público eleitor. Parte das decisões que influenciam o futuro de nossa civilização está visivelmente nas mãos de charlatães. Se existir, a prática está relativamente em surdina nos Estados Unidos; o seu palco é o mundo inteiro.

Por mais que algumas pseudociências pareçam divertidas e que acreditemos jamais ser tão crédulos a ponto de nos deixar arrastar por essas doutrinas, sabemos que elas se disseminam ao nosso redor. A meditação transcendental e a Aum Shinrikyo parecem ter atraído um grande número de pessoas cultas, algumas com instrução superior em física e engenharia. Essas doutrinas não são para bobalhões. Há algo mais no ar.

Além disso, ninguém que se interesse pelo que são as religiões e pelo modo como se iniciam pode ignorá-las. Embora imensas barreiras pareçam se interpor entre uma afirmação local de pseudociência, restrita a um só foco, e uma noção de religião mundial, as divisórias são muito finas. O mundo nos apresenta problemas quase insuperáveis. É oferecida uma ampla gama de soluções, algumas de visão de mundo muito limitada, outras de enorme alcance. Na costumeira seleção natural darwiniana das doutrinas, algumas prosperam por um tempo, enquanto a maioria desaparece com rapidez. Mas algumas — às vezes as mais desleixadas e menos atraentes dentre elas, como a história nos tem mostrado — podem ter o poder de mudar profundamente a história do mundo.

É indistinto o *continuum* que se estende da ciência mal praticada, pseudociência e superstição (da Nova ou da Antiga Era) até a respeitável religião dos mistérios, baseada na revelação. Eu tento não usar a palavra "culto" neste livro, no seu sentido habitual de uma religião não apreciada por aquele que fala, mas procuro chegar à pedra fundamental do conhecimento — eles realmente sabem o que alegam saber? Pelo visto, todos têm relevante autoridade.

Em certas passagens deste livro, critico os excessos da teologia, porque nos casos extremos é difícil distinguir a pseudociência da religião doutrinária e rígida. Apesar disso, quero reconhecer desde o início a prodigiosa diversidade e complexidade do pensamento e da prática religiosos durante milênios; o crescimento da religião liberal e da parceria ecumênica durante o século passado; e o fato de que — como na Reforma protestante, na Reforma do judaísmo, no Vaticano II e na assim chamada crítica mais elevada da Bíblia — a religião tem combatido (com graus variados de sucesso) os seus próprios excessos. Mas, assim como muitos cientistas parecem relutantes em debater ou até em discutir publicamente a pseudociência, muitos adeptos das religiões dominantes recusam-se a enfrentar os conservadores e fundamentalistas extremados. Se a tendência se mantiver, o campo será finalmente deles; eles podem vencer o debate evitando-o.

Um líder religioso me escreve sobre o seu desejo de "integridade disciplinada" na religião:

> Nós nos tornamos exageradamente sentimentais [...]. A devoção excessiva e a psicologia barata, de um lado, e a arrogância e a intolerância dogmática, do outro, distorcem a vida religiosa autêntica quase a ponto de não poder ser reconhecida. Às vezes chego perto do desespero, mas depois sigo vivendo com tenacidade e sempre com esperança [...]. A religião honesta, mais familiarizada do que seus críticos com as distorções e os absurdos perpetrados em seu nome, tem um interesse ativo em estimular um ceticismo saudável para seus próprios fins [...]. Existe a possibilidade de a religião e a ciência forjarem uma parceria potente contra a pseudociência. Estranhamente, acho que ela também logo se envolveria na oposição à pseudorreligião.

A pseudociência difere da ciência errônea. A ciência prospera com seus erros, eliminando-os um a um. Conclusões falsas são tiradas todo o tempo, mas elas constituem tentativas. As hipóteses são formuladas de modo a poderem ser refutadas. Uma sequência de hipóteses alternativas é confrontada com os experimentos e a observação. A ciência tateia e cambaleia em busca de melhor compreensão. Alguns sentimentos de propriedade individual são certamente ofendidos quando uma hipótese científica não é aprovada, mas essas refutações são reconhecidas como centrais para o empreendimento científico.

A pseudociência é exatamente o oposto. As hipóteses são formuladas de modo a se tornar invulneráveis a qualquer experimento que ofereça uma perspectiva de refutação, para que em princípio não possam ser invalidadas. Os profissionais são defensivos e cautelosos. Faz-se oposição ao escrutínio cético. Quando a hipótese pseudocientífica não consegue entusiasmar os cientistas, deduz-se que há conspirações para eliminá-la.

A capacidade motora em pessoas saudáveis é quase perfeita. Raramente tropeçamos e caímos, exceto na infância e na velhice. Aprendemos movimentos como andar de bicicleta e de skate, saltar, pular corda ou dirigir um carro, e conservamos essa capacidade pelo resto de nossas vidas. Mesmo que passássemos uma década sem praticá-la, ela nos voltaria sem esforço. Porém, a precisão e a manutenção de nossas habilidades motoras podem nos dar um falso sentimento de confiança em nossos outros talentos. As nossas percepções são falíveis. Às vezes vemos o que não existe. Somos vítimas de ilusões óticas. De vez em quando sofremos alucinações. Somos inclinados ao erro. *How we know what isn't so: the fallibility of human reason in everyday life*, um livro muito esclarecedor escrito por Thomas Gilovich, mostra que as pessoas erram sistematicamente na compreensão dos números, ao rejeitar uma evidência desagradável, ao ser influenciadas pelas opiniões dos outros. Somos bons em algumas coisas, mas não em tudo. A sabedoria está em compreender as nossas limitações. "Pois o homem é um ser leviano", ensina William Shakespeare. É nesse ponto que entra o rigor cético e austero da ciência.

Talvez a distinção mais clara entre a ciência e a pseudociência seja o fato de que a primeira sabe avaliar com mais perspicácia as imperfeições e a falibilidade humanas do que a segunda (ou a revelação "infalível"). Se nos recusamos radicalmente a reconhecer em que pontos somos propensos a cair em erro, podemos ter quase certeza de que o erro — mesmo o engano sério, os erros profundos — nos acompanhará para sempre. Mas, se somos capazes de uma pequena autoavaliação corajosa, quaisquer que sejam as reflexões tristes que possa provocar, as nossas chances melhoram muito.

Se comunicamos apenas as descobertas e os produtos da ciência — por mais úteis e inspiradores que possam ser — sem ensinar o seu método crítico, como a pessoa média poderá distinguir a ciência da pseudociência? As duas são então apresentadas como afirmativas sem fundamentos. Na Rússia e na China, era fácil. A ciência autorizada era o que as autoridades ensinavam.

A distinção entre a ciência e a pseudociência já estava estabelecida. Não era preciso passar pela confusão das perplexidades. Mas, quando ocorreram as profundas mudanças políticas e foram relaxadas as restrições ao pensamento livre, um grande número de afirmativas carismáticas e presunçosas — especialmente aquelas que nos diziam o que queríamos ouvir — ganhou um imenso séquito. Toda noção, por mais improvável que fosse, tornou-se autorizada.

É um desafio supremo para o divulgador da ciência deixar bem clara a história real e tortuosa das grandes descobertas, bem como os equívocos e, por vezes, a recusa obstinada de seus profissionais a tomar outro caminho. Muitos textos escolares, talvez a maioria dos livros didáticos científicos, são levianos nesse ponto. É muitíssimo mais fácil apresentar de modo atraente a sabedoria destilada durante séculos de interrogação paciente e coletiva da Natureza do que detalhar o confuso mecanismo da destilação. O método da ciência, por mais enfadonho e ranzinza que pareça, é muito mais importante do que as descobertas dela.

## 2. CIÊNCIA E ESPERANÇA

> *Dois homens chegaram a um buraco no céu. Um pediu ao outro ajuda para se erguer até a abertura... Mas era tão bonito no céu que o homem que espiou pela beirada esqueceu tudo, esqueceu o companheiro a quem tinha prometido ajudar a subir e simplesmente saiu correndo para entrar em todo o esplendor celeste.*
>
> De um poema em prosa esquimó iglulik, do início do século XX, recitado por Inugpasugjuk a Knud Rasmussen, o explorador ártico da Groenlândia

EU FUI CRIANÇA NUM TEMPO DE ESPERANÇA. Queria ser cientista desde os primeiros dias de escola. O momento que marcou essa vontade foi quando entendi pela primeira vez que as estrelas são sóis poderosos, quando comecei a compreender que elas devem estar tremendamente distantes para surgirem como simples pontos de luz no céu. Nem sei se já conhecia a palavra "ciência" naquele tempo, mas queria de algum modo mergulhar em toda essa grandiosidade. Eu estava seduzido pelo esplendor do Universo, deslumbrado pela perspectiva de compreender como as coisas realmente funcionam, de ajudar a revelar mistérios profundos, de explorar novos mundos — talvez até literalmente. Tive a boa sorte de ver esse sonho em parte concretizado. Para mim, o fascínio da ciência continua tão atraente e novo quanto naquele dia, há mais de meio século, em que me mostraram as maravilhas da Feira Mundial de 1939.

Divulgar a ciência — tentar tornar os seus métodos e descobertas acessíveis aos que não são cientistas — é o passo que se segue natural e imediatamente. *Não* explicar a ciência me parece perverso. Quando alguém está apaixonado, quer contar a todo o mundo. Este livro é um testemunho pessoal de meu caso de amor com a ciência, que já dura toda uma vida.

Mas há outra razão. A ciência é mais do que um corpo de conhecimento, é um modo de pensar. Tenho um pressentimento sobre a América do Norte dos tempos de meus filhos ou de meus netos — quando os Estados Unidos serão uma economia de serviços e informações; quando quase todas as principais indústrias manufatureiras terão fugido para outros países; quando tremendos poderes tecnológicos estarão nas mãos de uns poucos, e nenhum representante do interesse público poderá sequer compreender de que se trata; quando as pessoas terão perdido a capacidade de estabelecer seus próprios compromissos ou questionar compreensivelmente os das autoridades; quando, agarrando os cristais e consultando nervosamente os horóscopos, com as nossas faculdades críticas em decadência, incapazes de distinguir entre o que nos dá prazer e o que é verdade, voltaremos a escorregar, quase sem notar, para a superstição e a escuridão.

O emburrecimento da América do Norte é muito evidente no lento declínio do conteúdo substantivo nos tão influentes meios de comunicação, nos trinta segundos de informações que fazem furor (que agora já são dez segundos ou menos), na programação de padrão nivelado por baixo, na apresentação crédula da pseudociência e da superstição, mas especialmente numa espécie de celebração da ignorância. No momento em que escrevo, o vídeo mais alugado na América do Norte é o filme *Dumb and Dumber* [Débi e Loide]. *Beavis and Butthead* continuam populares (e influentes) entre os jovens que veem televisão. A lição clara é que estudar e aprender — e não se trata apenas de ciência, mas de tudo o mais — é evitável, até indesejável.

Nós criamos uma civilização global em que os elementos mais cruciais — o transporte, as comunicações e todas as outras indústrias, a agricultura, a medicina, a educação, o entretenimento, a proteção ao meio ambiente e até a importante instituição democrática do voto — dependem profundamente da ciência e da tecnologia. Também criamos uma ordem em que quase ninguém compreende a ciência e a tecnologia. É uma receita para o desastre. Podemos escapar ilesos por algum tempo, porém mais cedo ou mais tarde essa mistura inflamável de ignorância e poder vai explodir na nossa cara.

*A candle in the dark* é o título de um livro corajoso, baseado em grande parte na Bíblia, escrito por Thomas Ady e publicado em Londres em 1656, que ataca a caça às bruxas, então na ordem do dia, tachando-a de fraude "para enganar o povo". Qualquer doença ou tempestade, qualquer coisa fora do comum, era atribuída à bruxaria. As bruxas devem existir, escreveu Ady, citando a argumentação dos "negociantes de bruxas", "do contrário como é que essas coisas existem ou vêm a acontecer?". Durante grande parte de nossa história tínhamos tanto medo do mundo exterior, com seus perigos imprevisíveis, que aceitávamos de bom grado qualquer coisa que prometesse suavizar ou atenuar o terror por meio de explicações. A ciência é uma tentativa, em grande parte bem-sucedida, de compreender o mundo, de controlar as coisas, de ter domínio sobre nós mesmos, de seguir um rumo seguro. A microbiologia e a meteorologia explicam hoje o que há alguns séculos era considerado causa suficiente para queimar mulheres na fogueira.

Ady também alertava para o perigo de "as nações perecerem por falta de conhecimento". Com frequência, a desgraça humana evitável é causada menos pela estupidez do que pela ignorância, sobretudo pela nossa ignorância sobre nós mesmos. Minha preocupação é que, especialmente com a proximidade do fim do milênio, a pseudociência e a superstição parecerão mais sedutoras a cada novo ano, o canto de sereia do irracional mais sonoro e atraente. Onde o escutamos antes? Sempre que nossos preconceitos étnicos ou nacionais são despertados, nos tempos de escassez, em meio a desafios à autoestima ou à coragem nacional, quando sofremos com nosso diminuto lugar e finalidade no Cosmos, ou quando o fanatismo ferve ao nosso redor — então, hábitos de pensamento conhecidos de eras passadas procuram se apoderar dos controles.

A chama da vela escorre. Seu pequeno lago de luz tremula. A escuridão se avoluma. Os demônios começam a se agitar.

* * *

Há muita coisa que a ciência não compreende, muitos mistérios que ainda devem ser resolvidos. Num Universo com dezenas de bilhões de anos-luz de extensão e uns 10 ou 15 bilhões de anos de idade, talvez seja assim para sempre. Tropeçamos constantemente em surpresas. Entretanto, para alguns escritores religiosos e da Nova Era, os cientistas acreditam que "só existe aquilo que descobrem". Os cientistas podem rejeitar revelações místicas para as quais não há outra evidência senão o testemunho de alguém, mas dificilmente acreditam que seu conhecimento da natureza seja completo.

A ciência está longe de ser um instrumento perfeito de conhecimento. É apenas o melhor que temos. Nesse aspecto, como em muitos outros, ela se parece com a democracia. A ciência, por si mesma, não pode defender linhas de ação humana, mas certamente pode iluminar as possíveis consequências de linhas alternativas de ação.

O modo científico de pensar é ao mesmo tempo imaginativo e disciplinado. Isso é fundamental para o seu sucesso. A ciência nos convida a acolher os fatos, mesmo quando eles não se ajustam às nossas preconcepções. Aconselha-nos a guardar hipóteses alternativas em nossas mentes, para ver qual se adapta melhor à realidade. Impõe-nos um equilíbrio delicado entre uma abertura sem barreiras para ideias novas, por mais heréticas que sejam, e o exame cético mais rigoroso de tudo — das novas ideias e do conhecimento estabelecido. Esse tipo de pensamento é também uma ferramenta essencial para a democracia numa era de mudanças.

Uma das razões para o seu sucesso é que a ciência tem um mecanismo de correção de erros embutido em seu próprio âmago. Alguns talvez considerem essa caracterização demasiado ampla, mas para mim, toda vez que fazemos autocrítica, toda vez que testamos nossas ideias no mundo exterior, estamos fazendo ciência. Quando somos indulgentes conosco mesmos e pouco críticos, quando confundimos esperanças e fatos, escorregamos para a pseudociência e a superstição.

Toda vez que um artigo científico apresenta alguns dados, eles vêm acompanhados por uma margem de erro — um lembrete silencioso, mas insistente, de que nenhum conhecimento é completo ou perfeito. É uma calibração de nosso grau de confiança naquilo que pensamos conhecer. Se as margens de erro são pequenas, a acuidade de nosso conhecimento empírico é elevada; se são grandes, então é também enorme a incerteza de nosso conhecimento. Exceto na matemática pura (e, na verdade, nem mesmo nesse caso), não há certezas no conhecimento.

Além disso, os cientistas têm em geral o cuidado de caracterizar o status verídico de suas tentativas de compreender o mundo — que vão desde conjecturas e hipóteses, que são altamente experimentais, até as leis da Natureza, que são repetida e sistematicamente confirmadas por muitas pesquisas sobre o funcionamento do mundo. Mas até as leis da Natureza não são absolutamente certas. Pode haver novas circunstâncias nunca antes examinadas — dentro de buracos negros, por exemplo, ou dentro do elétron, ou perto da velocidade da luz — em que até as nossas alardeadas leis da Natureza caem por terra e, por mais válidas que possam ser em circunstâncias comuns, necessitam de correção.

Os seres humanos podem ansiar pela certeza absoluta; podem aspirar a alcançá-la; podem fingir, como fazem os partidários de certas religiões, que a atingiram. Mas a história da ciência — de longe o mais bem-sucedido conhecimento acessível aos humanos — ensina que o máximo que podemos esperar é um aperfeiçoamento sucessivo de nosso entendimento, um aprendizado por meio de nossos erros, uma abordagem assintótica do Universo, mas com a condição de que a certeza absoluta sempre nos escapará.

Estaremos sempre atolados no erro. O máximo que cada geração pode esperar é reduzir um pouco as margens dele e ampliar o corpo de dados a que elas se aplicam. A margem de erro é uma autoavaliação visível e disseminada da confiabilidade de nosso conhecimento. Veem-se frequentemente margens de erro nas pesquisas de opinião pública ("uma incerteza de mais ou menos 3%", por exemplo). Imaginem uma sociedade em que cada discurso nas *Atas do Congresso*, cada comercial de televisão, cada sermão tivesse uma margem de erro anexa ou algo equivalente.

Um dos grandes mandamentos da ciência é: "Desconfie dos argumentos de autoridade". (Sendo primatas, e portanto dados a hierarquias de poder, é claro que os cientistas nem sempre seguem esse mandamento.) Um número muito grande desses argumentos se mostrou dolorosamente errôneo. As autoridades devem provar suas afirmações como todo mundo. Essa independência da ciência, sua relutância ocasional em aceitar o conhecimento convencional, a torna perigosa para doutrinas menos autocríticas ou com pretensões a ter certezas.

Uma vez que a ciência nos leva a compreender como o mundo é na realidade, em vez de como desejaríamos que fosse, suas descobertas podem não ser, em todos os casos, imediatamente compreensíveis ou satisfatórias. É possível que tenhamos um pouco de trabalho para reestruturar a nossa mentalidade. A ciência é muito simples. Quando se torna complicada, em geral é porque o mundo é complicado — ou porque *nós é que somos* complicados. Quando nos afastamos assustados da ciência, porque ela parece difícil demais (ou porque não fomos bem ensinados), abrimos mão da capacidade de cuidar de nosso futuro. Ficamos privados dos direitos civis. A nossa autoconfiança se deteriora.

Mas quando ultrapassamos essa barreira, quando as descobertas e os métodos da ciência se tornam claros para nós, quando compreendemos e empregamos esse conhecimento, sentimos uma profunda satisfação. Isso vale para todo mundo, mas sobretudo para as crianças — nascidas com vontade de conhecer, cientes de que devem viver num futuro moldado pela ciência, mas frequentemente convencidas em sua adolescência de que a ciência não é para elas. Sei pessoalmente, tanto por terem me explicado a ciência como pelas minhas tentativas de explicá-la aos outros, o quanto é gratificante quando a compreendemos, quando os termos obscuros de repente adquirem sentido, quando entendemos afinal do que se trata, quando maravilhas profundas nos são reveladas.

Em seu encontro com a Natureza, a ciência invariavelmente provoca um sentimento de reverência e admiração. O próprio ato de compreender é uma celebração da união, da incorporação, ainda que numa escala muito modesta, à magnificência do Cosmos. E ao longo do tempo o desenvolvimento cumulativo do conhecimento em todo o mundo converte a ciência em algo que é quase uma metainteligência, capaz de ultrapassar as fronteiras das nações e das gerações.

"Espírito" vem da palavra latina que significa "respirar". O que respiramos é o ar, que é certamente matéria, por mais fina que seja. Apesar do uso em contrário, não há na palavra "espiritual" nenhuma inferência necessária de que estamos falando de algo que não seja matéria (inclusive aquela de que é feito o cérebro), ou de algo que esteja fora do domínio da ciência. De vez em quando, sinto-me livre para empregar a palavra. A ciência não é só compatível com a espiritualidade; é uma profunda fonte de espiritualidade. Quando reconhecemos nosso lugar na imensidão de anos-luz e no transcorrer das eras, quando compreendemos a complexidade, a beleza e a sutileza da vida, então o sentimento sublime, misto de júbilo e humildade, é certamente espiritual. Como também são espirituais as nossas emoções diante da grande arte, música ou literatura, ou de atos de coragem altruísta exemplar como os de Mahatma Gandhi ou Martin Luther King. A noção de que a ciência e a espiritualidade são de alguma maneira mutuamente exclusivas presta um desserviço a ambas.

A ciência pode ser difícil de entender. Pode desafiar opiniões que nutrimos. Quando seus produtos são colocados à disposição de políticos ou industrialistas, pode levar a armas de destruição em massa e a graves ameaças ao meio ambiente. Mas uma coisa é preciso reconhecer: ela cumpre a sua parte.

Nem todo ramo da ciência pode prever o futuro — a paleontologia não tem essa capacidade —, mas muitos o conseguem, e com uma exatidão espantosa. Se você quiser saber quando será o próximo eclipse do Sol, pode procurar mágicos ou místicos, mas terá melhor sorte com os cientistas. Eles lhe dirão onde se posicionar na Terra, quando terá de estar nesse lugar, e se vai ser um eclipse parcial, total ou anular. Eles conseguem prever rotineiramente um eclipse solar, com exatidão de minutos, um milênio antes. Você pode ir ao feiticeiro-curandeiro para que ele desfaça o feitiço que causa a sua anemia perniciosa, ou tomar vitamina B12. Se quiser salvar o seu filho da poliomielite, pode rezar ou vacinar. Se está interessado em saber o sexo da criança antes do nascimento, pode consultar todas as oscilações do chumbo na linha de prumo (esquerda/direita, um menino; para a frente/para trás, uma menina — ou talvez seja o contrário), mas elas acertarão, em média, apenas uma em duas vezes. Se quiser uma precisão real (nesse caso, de 99%), tente amniocentese e ultras-som. Tente a ciência.

Pense em quantas religiões tentam se validar com profecias. Pense em quantas pessoas se baseiam nestas, por mais vagas e irrealizadas que sejam, para fundamentar ou sustentar as suas crenças. No entanto, já houve alguma religião com a precisão profética e a confiabilidade da ciência? Não existe nenhuma religião no planeta que não deseje ter uma capacidade comparável — precisa e repetidamente demonstrada diante de céticos convictos — de prever os acontecimentos futuros. Nenhuma outra instituição humana chega perto de seu desempenho.

Serão essas declarações um culto no altar da ciência? Estarei substituindo uma fé por outra, igualmente arbitrária? A meu ver, de forma alguma. O sucesso da ciência, diretamente observado, é a razão por que defendo o seu emprego. Se outra coisa funcionasse melhor, eu a defenderia. A ciência evita a crítica filosófica? Ela se define como tendo o monopólio da "verdade"? Pense de novo naquele eclipse que acontecerá daqui a mil anos. Compare todas as doutrinas de que se lembrar, observe as previsões que oferecem sobre o futuro, verifique quais delas são vagas, quais são precisas, e que doutrinas — todas sujeitas à falibilidade humana — têm dentro de si mecanismos de correção de erros. Leve em consideração o fato de que ninguém é perfeito. E então simplesmente adote aquela que, numa comparação justa, funciona (em oposição a parece) melhor. Se doutrinas diferentes são superiores em campos bem distintos e independentes, temos certamente a liberdade de escolher várias — isto é, se não contradisserem umas às outras. Longe de ser idolatria, esse é o meio pelo qual podemos distinguir os falsos ídolos da realidade.

Qual é o segredo do sucesso da ciência? Em parte, é esse mecanismo embutido de correção de erros. Não existem questões proibidas na ciência, assuntos delicados demais para ser examinados, verdades sagradas. Essa abertura para novas ideias, combinada com o mais rigoroso exame cético de todas as ideias, separa o joio do trigo. Não importa o quanto você é inteligente, augusto ou amado. Tem de provar a sua tese em face de uma crítica determinada e especializada. A diversidade e o debate são valorizados. É estimulada a discussão de ideias — substantivamente e em profundidade.

O processo da ciência pode parecer confuso e desordenado. De certo modo, ele é. Se a ciência é examinada em seu aspecto cotidiano, é claro que se descobre que os cientistas experimentam toda a gama da emoção, personalidade e caráter humanos. Mas há uma faceta realmente extraordinária para quem está de fora: o grau de crítica considerado aceitável ou até desejável. Os cientistas iniciantes recebem um estímulo caloroso e inspirado de seus mentores. Mas, no exame oral para obtenção do título de Ph.D., o pobre estudante de pós-graduação é submetido a um intimidador fogo cruzado de perguntas, formuladas pelos próprios professores que têm o futuro do candidato nas suas mãos. Naturalmente os estudantes ficam nervosos; quem não ficaria? Na verdade, eles se prepararam para isso durante anos. Mas todos compreendem que, nesse momento crítico, têm que ser capazes de responder às perguntas minuciosas feitas pelos especialistas. Assim, ao se preparar para defender as suas teses, eles devem praticar um hábito de pensamento muito útil: antecipar as perguntas. Eles têm que perguntar: em que ponto da minha dissertação existe um ponto fraco que as outras pessoas poderiam encontrar? É melhor identificá-lo antes que elas o façam.

Os encontros científicos vivem cheios de disputas. Há colóquios universitários em que o conferencista mal discursou trinta segundos e já se ouvem perguntas e comentários devastadores da plateia. É instrutivo examinar os procedimentos aos quais um relatório escrito é submetido para possível publicação numa revista científica, sendo depois enviado pelo editor a juízes anônimos que têm como tarefa fazer as seguintes perguntas: O autor fez alguma besteira? Existe alguma coisa nesse trabalho que seja suficientemente interessante para ser publicada? Quais são as deficiências desse artigo? Os resultados mais importantes foram descobertos por outra pessoa? A argumentação é adequada, ou o artigo deveria ser reavaliado depois que o autor realmente demonstrar aquilo que nesse trabalho, por ora, é ainda apenas especulação? E tudo isso é *anônimo*: o autor não sabe quem são os críticos. Essa é a expectativa comum na comunidade científica.

Por que toleramos tudo isso? Gostamos de ser criticados? Não, nenhum cientista gosta disso. Todo cientista tem um sentimento de propriedade em relação a suas ideias e descobertas. Mesmo assim, ninguém responde aos críticos: "Esperem um pouco; essa ideia é realmente boa; gosto muito dela; não lhe fez mal algum; por favor, deixem-na em paz". Em vez disso, a regra dura mas justa é que, se não funcionam, as ideias devem ser descartadas. Não se deve desperdiçar neurônios com o que não funciona. Eles devem ser aplicados em novas ideias que expliquem melhor os dados. O físico britânico Michael Faraday alertou contra a tentação poderosa

> de procurar as evidências e aparências que estão a favor de nossos desejos, e desconsiderar as que lhes fazem oposição [...]. Acolhemos com boa vontade o que concorda com nossas ideias, assim como resistimos com desgosto ao que se opõe a nós, enquanto todo preceito de bom senso exige exatamente o oposto.

A crítica válida presta um favor ao cientista.

Algumas pessoas consideram a ciência arrogante — especialmente quando pretende rebater opiniões arraigadas ou introduz conceitos bizarros que parecem contraditórios ao senso comum. Como um terremoto que confunde a nossa confiança no próprio solo que estamos pisando, pode ser profundamente perturbador desafiar as nossas crenças habituais, fazer estremecer as doutrinas em que aprendemos a confiar. Ainda assim, sustento que a ciência é, em essência, humildade. Os cientistas não procuram impor as suas necessidades e desejos à Natureza; ao contrário, interrogam-na humildemente e levam a sério o que descobrem. Sabemos que cientistas reverenciados cometeram erros. Compreendemos a imperfeição humana. Insistimos na verificação independente e — na medida do possível — quantitativa dos princípios propostos. Com frequência estimulamos, desafiamos, procuramos contradições ou pequenos erros residuais persistentes, propomos explicações alternativas, encorajamos a heresia. Concedemos nossos prêmios mais valorizados àqueles que convincentemente refutam crenças estabelecidas.

Eis um dentre muitos exemplos. As leis do movimento e a lei do inverso do quadrado da gravitação, associadas ao nome de Isaac Newton, são apropriadamente classificadas entre as realizações mais sublimes da espécie humana. Trezentos anos mais tarde, usamos a dinâmica de Newton para predizer os eclipses. Anos depois de seu lançamento, a bilhões de quilômetros da Terra (apenas com correções diminutas feitas por Einstein), a nave espacial chega a um ponto predeterminado na órbita do mundo alvo, justamente quando esse mundo vem passando. A precisão é espantosa. Evidentemente, Newton sabia o que estava fazendo.

Mas os cientistas não se dão por satisfeitos em deixar o razoável em paz. Têm procurado persistentemente fissuras na armadura newtoniana. Em velocidades elevadas e gravidades fortes, a física de Newton se desmantela. Essa é uma das grandes descobertas da relatividade especial e geral de Albert Einstein, uma das razões para sua memória ser tão exaltada. A física newtoniana é válida numa ampla gama de condições, inclusive as da vida cotidiana. Mas em certas circunstâncias muito inusitadas para os seres humanos — afinal, não temos o hábito de viajar quase à velocidade da luz — ela simplesmente não dá a resposta correta; ela não se ajusta às observações da Natureza. A relatividade especial e a geral são indistinguíveis da física newtoniana em sua esfera de validade, mas fazem previsões muito diferentes — previsões que concordam com a observação — nessas outras condições (alta velocidade, forte gravidade). A física de Newton se revela uma aproximação da verdade, boa em algumas circunstâncias com que estamos rotineiramente familiarizados, ruim em outras. É uma maravilhosa e justamente celebrada realização da inteligência humana, mas tem suas limitações.

Entretanto, de acordo com nossa compreensão da falibilidade humana, escutando o conselho de que podemos assintoticamente nos aproximar da verdade, sem jamais alcançá-la em sua plenitude, os cientistas estão estudando condições em que a relatividade geral pode entrar em colapso. Por exemplo, a relatividade geral prevê um fenômeno surpreendente chamado ondas gravitacionais. Elas nunca foram detectadas diretamente. Mas, se não existem, há algo de fundamentalmente errado com a relatividade geral. Os pulsares são estrelas de nêutrons que giram rapidamente e cujas taxas de cintilação já podem ser medidas com uma precisão de quinze casas decimais. Prevê-se que dois pulsares muito densos, em órbita um ao redor do outro, irradiem quantidades copiosas de ondas gravitacionais — que com o tempo vão alterar levemente as órbitas e os períodos de rotação das duas estrelas. Joseph Taylor e Russell Hulse, da Universidade de Princeton, usaram esse método para testar as previsões da relatividade geral de forma inteiramente nova. Pelo que conheciam até então, os resultados seriam incompatíveis com a relatividade geral, e eles teriam derrubado um dos pilares principais da física moderna. Não só estavam dispostos a desafiar a relatividade geral, como foram bastante encorajados a fazê-lo. O resultado foi que as observações dos pulsares binários forneceram uma verificação precisa das predições da relatividade geral, e por isso Taylor e Hulse receberam em conjunto o prêmio Nobel de física de

1993. De diversas maneiras, muitos outros físicos estão testando a relatividade geral — por exemplo, tentando detectar diretamente as esquivas ondas gravitacionais. Esperam forçar a teoria até o ponto de ruptura e descobrir se não há condições da Natureza em que o grande progresso de Einstein no campo do conhecimento comece, por sua vez, a dar sinais de avaria.

Esse empenho continuará enquanto houver cientistas. A relatividade geral é certamente uma descrição inadequada da Natureza em nível quântico, mas mesmo que não o fosse, mesmo que a relatividade geral fosse válida em toda parte e para sempre, que melhor meio de nos convencer de sua validade do que um esforço combinado para descobrir as suas falhas e limitações?

Essa é uma das razões pelas quais as religiões organizadas não me inspiram confiança. Que líderes dos principais credos reconhecem que suas crenças talvez sejam incompletas ou errôneas, e criam institutos para revelar possíveis deficiências doutrinárias? Além do teste da vida cotidiana, quem verifica sistematicamente as circunstâncias em que os ensinamentos religiosos tradicionais talvez já não se apliquem? (É concebível que as doutrinas e a ética que podem ter funcionado muito bem nos tempos patriarcais, patrísticos ou medievais sejam totalmente inválidas no mundo bastante diferente que habitamos hoje.) Que sermões examinam imparcialmente a hipótese de Deus? Que prêmios os céticos religiosos ganham das religiões estabelecidas — ou, nesse aspecto, que recompensas os céticos sociais e econômicos recebem da sociedade em que vivem?

A ciência, observa Ann Druyan, está sempre nos sussurrando ao ouvido: "Lembre-se, você é novo nisso. Pode estar equivocado. Já errou antes". Apesar de todo o discurso da humildade, mostrem-me algo comparável na religião. Acredita-se que as Escrituras sejam de inspiração divina — uma expressão com muitos significados. Mas e se forem simplesmente criadas por seres humanos falíveis? Os milagres são comprovados, mas e se forem, ao contrário, uma mistura de charlatanismo, estados de consciência desconhecidos, percepções errôneas de fenômenos naturais e doença mental? Nenhuma religião contemporânea e nenhum credo da Nova Era me parecem levar realmente em consideração a grandiosidade, a magnificência, a sutileza e a complexidade do Universo revelado pela ciência. O fato de que tão poucas descobertas da ciência moderna estejam prefiguradas nas Escrituras lança, a meu ver, ainda mais dúvida sobre a sua inspiração divina.

Mas é claro que posso estar errado.


Leiam os dois parágrafos seguintes — não para compreender a ciência descrita, mas para ter uma noção do estilo de pensar do autor. Ele está se defrontando com anomalias, aparentes paradoxos na física; "assimetrias", como ele as chama. O que podemos aprender com elas?

Sabe-se que a eletrodinâmica de Maxwell — tal como é geralmente compreendida na atualidade —, quando aplicada a corpos em movimento, leva a assimetrias que não parecem ser inerentes aos fenômenos. Tome-se, por exemplo, a ação eletrodinâmica recíproca de um ímã e um condutor. O fenômeno observável nesse caso só depende do movimento relativo do condutor e do ímã, enquanto a visão habitual traça uma distinção nítida entre os dois casos em que um ou outro desses corpos está em movimento. Pois, se o ímã está em movimento e o condutor está parado, surge na vizinhança do ímã um campo elétrico com certa energia definida, produzindo uma corrente nos lugares em que estão situadas partes do condutor. Mas, se o ímã está estacionário e o condutor em movimento, não surge nenhum campo elétrico na vizinhança do ímã. No condutor, entretanto, encontramos uma força eletromotora, para a qual não existe em si mesma energia correspondente, mas que dá origem — assumindo-se a igualdade de movimento relativo nos dois casos discutidos — a correntes elétricas de mesmo caminho e intensidade que aquelas produzidas pelas forças elétricas no caso anterior.

Exemplos desse tipo, junto com as tentativas frustradas de descobrir algum movimento da Terra relativo ao "éter", sugerem que os fenômenos da eletrodinâmica, assim como os da mecânica, não possuem propriedades que correspondam à ideia de repouso absoluto. Antes sugerem, como já foi demonstrado para a primeira ordem de pequenas quantidades, que as mesmas leis da eletrodinâmica e da óptica serão válidas para todos os sistemas de referência a que se aplicam as equações da mecânica.

O que o autor está tentando nos dizer nesses parágrafos? Tentarei explicar o pano de fundo da questão mais adiante neste livro. Por enquanto, podemos talvez reconhecer que a linguagem é parcimoniosa, técnica, cautelosa, clara e nem uma vírgula mais complicada do que o necessário. Pela forma como está expresso (ou pelo seu título sem ostentação, "Sobre a eletrodinâmica de corpos em movimento"), não se adivinharia de imediato que esse artigo representa a introdução crucial da teoria da relatividade especial no mundo, a passagem para a declaração triunfante da equivalência de massa e energia, o esvaziamento da pretensão de que nosso pequeno mundo ocupa um "sistema de referência privilegiado" no Universo e, sob vários aspectos, um acontecimento memorável na história humana. As palavras iniciais do artigo de Albert Einstein de 1905 são típicas do relatório científico. O texto é revigorantemente desinteressado, circunspecto, moderado em suas afirmações. Contrastem o seu tom contido com os produtos da publicidade moderna, dos discursos políticos, das declarações teológicas autoritárias — ou, se quiserem, com a propaganda na capa deste livro.

Observem como Einstein começa o seu artigo tentando extrair sentido de resultados experimentais. Sempre que possível, os cientistas experimentam. Os experimentos propostos dependem frequentemente das teorias que predominam no momento. Os cientistas estão decididos a testar essas teorias até o ponto de ruptura. Eles não confiam no que é intuitivamente evidente. Que a Terra é chata, era outrora evidente. Que os corpos pesados caem mais rápido do que os leves, era outrora evidente. Que as sanguessugas curam a maioria das doenças, era outrora evidente. Que algumas pessoas são naturalmente e por decreto divino escravas, era outrora evidente. Que existe um centro do Universo e que a Terra está situada nesse local nobre, era outrora evidente. Que existe um padrão absoluto de repouso, era outrora evidente. A verdade pode ser enigmática e ir contra a intuição. Pode contradizer crenças profundamente arraigadas. Os experimentos são um modo de controlá-la.

Por ocasião de um jantar muitas décadas atrás, pediram ao físico Robert W. Wood que respondesse ao brinde: "À física e à metafísica". Por "metafísica", as pessoas então compreendiam algo semelhante à filosofia, isto é, verdades que só podiam ser reconhecidas pelo pensamento. Podiam ter incluído também a pseudociência. Wood respondeu com a seguinte argumentação:

O físico tem uma ideia. Quanto mais ele a examina, mais sentido parece ter. Ele consulta a literatura científica. Quanto mais lê, mais promissora se torna a ideia. Assim preparado, ele vai ao laboratório e delineia um experimento para testá-la. O experimento é trabalhoso. Muitas possibilidades são verificadas. A precisão da medição é refinada, as margens de erro reduzidas. Ele deixa as fichas caírem aleatoriamente. Está voltado apenas para o que o experimento ensina. No final de todo esse trabalho, por meio de experimentação cuidadosa, descobre que a ideia não tem valor. Assim o físico a descarta, liberta a sua mente da confusão do erro e passa a trabalhar em alguma outra coisa.*

A diferença entre a física e a metafísica, concluiu Wood ao levantar seu copo, não é que os profissionais de uma sejam mais inteligentes que os da outra. A diferença é que o metafísico não tem laboratório.

---

\* Como disse o físico pioneiro Benjamin Franklin: "Se continuamos com esses experimentos, quantos sistemas bonitos não construímos que logo nos vemos obrigados a destruir?". Pelo menos, pensava ele, a experiência era o bastante para "ajudar a tornar humilde um homem vão".

\* \* \*

Para mim, há quatro razões principais para um esforço combinado que vise a transmitir a ciência — pelo rádio, TV, cinema, jornais, livros, programas de computadores, parques temáticos e salas de aula — a todos os cidadãos. Em todos os empregos da ciência, é insuficiente — na verdade, é perigoso — produzir apenas um grupo pequeno, altamente competente e bem remunerado de profissionais. Ao contrário, uma compreensão fundamental das descobertas e métodos da ciência deve ser divulgada na mais ampla escala.

• Apesar das inúmeras oportunidades de mau emprego, a ciência pode ser o caminho propício para vencer a pobreza e o atraso nas nações emergentes. Ela faz funcionar as economias nacionais e a civilização global. Muitas nações compreendem essa realidade. É por isso que tantos estudantes de pós-graduação em ciência e engenharia nas universidades norte-americanas — que ainda são as melhores do mundo — vêm de outros países. O corolário, que os Estados Unidos às vezes deixam de compreender, é que abandonar a ciência é o caminho de volta à pobreza e ao atraso.

• A ciência nos alerta contra os perigos introduzidos por tecnologias que alteram o mundo, especialmente o meio ambiente de que nossas vidas dependem. A ciência providencia um sistema essencial de alerta antecipado.

• A ciência nos esclarece sobre as questões mais profundas das origens, naturezas e destinos — de nossa espécie, da vida, de nosso planeta, do Universo. Pela primeira vez na história humana somos capazes de adquirir uma verdadeira compreensão desses temas. Toda cultura sobre a Terra tem tratado deles e valorizado a sua importância. Todos nós nos sentimos tolos, quando abordamos essas questões grandiosas. A longo prazo, a maior dádiva da ciência talvez seja nos ensinar, de um modo ainda não superado por nenhum outro empenho humano, alguma coisa sobre nosso contexto cósmico, sobre o ponto do espaço e do tempo em que estamos, e sobre quem nós somos.

• Os valores da ciência e os da democracia são concordantes, em muitos casos indistinguíveis. A ciência e a democracia começaram — em suas encarnações civilizadas — no mesmo tempo e lugar, na Grécia dos séculos VI e VII a.C. A ciência confere poder a qualquer um que se der ao trabalho de aprendê-la (embora muitos tenham sido sistematicamente impedidos de adquirir esse conhecimento). Ela se nutre — na verdade necessita — do livre intercâmbio de ideias; seus valores são opostos ao sigilo. A ciência não mantém nenhum ponto de observação especial, nem posições privilegiadas. Tanto a ciência como a democracia encorajam opiniões não convencionais e debate vigoroso. Ambas requerem raciocínio adequado, argumentos coerentes, padrões rigorosos de evidência e honestidade. A ciência é um meio de desmascarar aqueles que apenas fingem conhecer. É um baluarte contra o misticismo, contra a superstição, contra a religião mal aplicada a assuntos que não lhe dizem respeito. Se somos fiéis a seus valores, ela pode nos dizer quando estamos sendo enganados. Ela fornece a correção de nossos erros no meio do caminho. Quanto mais difundidos forem a sua linguagem, regras e métodos, melhor a nossa chance de preservar o que Thomas Jefferson e seus colegas tinham em mente. Mas os produtos da ciência também podem subverter radicalmente a democracia, de um modo jamais sonhado pelos demagogos pré-industriais.

Descobrir a gota ocasional da verdade no meio de um grande oceano de confusão e mistificação requer vigilância, dedicação e coragem. Mas, se não praticamos esses hábitos rigorosos de pensar, não podemos ter a esperança de solucionar os problemas verdadeiramente sérios com que nos defrontamos — e nos arriscamos a nos tornar uma nação de patetas, um mundo de patetas, prontos para sermos passados para trás pelo primeiro charlatão que cruzar o nosso caminho.

Um extraterrestre, recém-chegado à Terra — examinando o que em geral apresentamos às nossas crianças na televisão, no rádio, no cinema, nos jornais, nas revistas, nas histórias em quadrinhos e em muitos livros —, poderia facilmente concluir que fazemos questão de lhes ensinar assassinatos, estupros, crueldades, superstições, credulidade e consumismo. Continuamos a seguir esse padrão e, pelas constantes repetições, muitas das crianças acabam aprendendo essas coisas. Que tipo de sociedade não poderíamos criar se, em vez disso, lhes incutíssemos a ciência e um sentimento de esperança?

# 3. O HOMEM NA LUA E A FACE EM MARTE

> *A lua salta*
> *Na corrente do Grande Rio...*
> *Flutuando no vento,*
> *A que me assemelho?*
> Du Fang, "Viajando à noite"
> (China, dinastia Tang, 765)

**CADA ÁREA DA CIÊNCIA** tem o seu próprio complemento de pseudociência. Os geofísicos têm de se haver com Terras chatas, Terras ocas, Terras com eixos loucamente oscilantes, continentes que emergem e afundam rapidamente, além de profetas de terremotos. Os botânicos têm plantas cuja ardente vida emocional pode ser monitorada com detectores de mentiras, os antropólogos têm homens-macacos sobreviventes, os zoólogos têm dinossauros remanescentes, e os biólogos evolutivos têm os literalistas bíblicos mordendo o seu flanco. Os arqueólogos têm astronautas antigos, runas forjadas e estatuária espúria. Os físicos têm máquinas de movimento perpétuo, uma multidão de refutadores amadores da teoria da relatividade, e talvez a fusão fria. Os químicos ainda têm a alquimia. Os psicólogos têm grande parte da psicanálise e quase toda a parapsicologia. Os economistas têm previsões econômicas de longo alcance. Até agora, os meteorologistas têm a previsão do tempo a longo prazo a partir das manchas solares, como no *Farmer's Almanac* (embora previsão do *clima* a longo prazo seja outra história). A astronomia tem, como sua pseudociência mais importante, a astrologia — a disciplina que lhe deu origem. As pseudociências às vezes se cruzam, combinando a confusão — como nas buscas telepáticas dos tesouros enterrados de Atlântida, ou em previsões econômicas astrológicas.

Mas como trabalho principalmente com planetas, e como tenho interesse pela possibilidade de vida extraterrestre, as pseudociências que com mais frequência param à minha porta envolvem outros mundos e o que em nossa época passamos tão facilmente a chamar de "alienígenas". Nos capítulos que imediatamente se seguem, quero apresentar duas recentes doutrinas pseudocientíficas que têm certa relação entre si. Elas compartilham a possibilidade de que as imperfeições cognitivas e perceptivas humanas contribuam para nos enganar sobre questões de grande importância. A primeira afirma que nas areias de Marte uma gigantesca face de pedra de eras passadas fita sem expressão o céu. A segunda sustenta que seres alienígenas de mundos distantes visitam a Terra com impunidade fortuita.

Mesmo quando resumidas tão grosseiramente, não é emocionante considerar essas proposições? E se essas antigas ideias de ficção científica — que certamente repercutem medos e desejos humanos profundos — realmente acontecessem? Quem pode deixar de se interessar? Imerso nesse material, até o cínico mais crasso se perturba. Temos certeza absoluta, nenhuma sombra de dúvida, de que podemos descartar essas proposições? E, se os empedernidos desmascaradores de imposturas sentem esse apelo, o que não devem sentir aqueles que desconhecem o ceticismo científico, como o sr. "Buckley"?

Durante a maior parte da história — antes das naves espaciais, antes dos telescópios, quando ainda estávamos muito imbuídos do pensamento mágico —, a Lua foi um enigma. Quase ninguém pensava que ela fosse um mundo.

O que realmente vemos quando vislumbramos a Lua a olho nu? Percebemos uma configuração de marcas irregulares brilhantes e escuras — que não é uma representação aproximada de nenhum objeto familiar. Mas, quase irresistivelmente, os nossos olhos ligam as marcas, acentuando umas, ignorando outras. Procuramos um padrão e o encontramos. No folclore e nos mitos mundiais, muitas imagens são vistas na Lua: uma mulher tecendo, pés de loureiros, um elefante pulando de um penhasco, uma menina com um cesto nas costas, um coelho, as entranhas lunares derramadas pela superfície depois da evisceração praticada por um irritado pássaro incapaz de voar, uma mulher batendo um pano de padrão geométrico, um jaguar de quatro olhos. As pessoas de uma cultura têm dificuldade em compreender como essas coisas bizarras podem ser vistas pelos membros de outra.

A imagem mais comum é o Homem na Lua. É claro que não se parece realmente com um homem. As feições são tortas, distorcidas, abatidas. Há um bife ou algo parecido sobre o olho esquerdo. E que expressão a boca transmite? Um *O* de surpresa? Uma sugestão de tristeza, até de lamento? O reconhecimento pesaroso da labuta da vida sobre a Terra? Certamente o rosto é redondo demais. Faltam as orelhas. Acho que é careca no topo. Ainda assim, toda vez que olho para a Lua, vejo um rosto humano.

O folclore mundial pinta a Lua como algo prosaico. As gerações pré-Apollo contavam às crianças que a Lua era feita de queijo de minas (isto é, fedorento), e por alguma razão essa caracterização não era considerada maravilhosa, mas hilária. Nos livros infantis e em caricaturas editoriais, o Homem na Lua é frequentemente desenhado apenas como um rosto num círculo, não muito diferente da gentil "face feliz" feita com um par de pontos e um arco virado para cima. Suavemente, ele observa as travessuras noturnas dos animais e das crianças, da faca e da colher.

Considerem mais uma vez as duas categorias de terreno que reconhecemos, quando examinamos a Lua a olho nu: a testa, as bochechas e o queixo mais brilhantes; e os olhos e a boca mais escuros. Pelo telescópio, os trechos brilhantes revelam-se planaltos cobertos de crateras antigas, que remontam a quase 4,5 bilhões de anos, como agora sabemos (pela datação radioativa das amostras recolhidas pelos astronautas da Apollo). As partes escuras são fluxos um pouco mais jovens de lava basáltica chamados *maria* (singular, *mare* — ambas as expressões vêm da palavra latina para oceano, embora a Lua, como agora sabemos, seja seca como um osso). Os *maria* surgiram nos primeiros 100 milhões de anos da história lunar, em parte induzidos pelo impacto em alta velocidade de enormes asteroides e cometas. O olho direito é Mare Imbrium, o bife pendente sobre o olho esquerdo é a combinação de Mare Serenitatis e Mare Tranquilitatis (onde pousou a Apollo 11), e a boca aberta perto do centro é Mare Humorum. (Nenhuma cratera pode ser percebida pela visão humana comum, sem auxílio.)

O Homem na Lua é na verdade o registro de catástrofes antigas — e a maioria aconteceu antes dos seres humanos, antes dos mamíferos, antes dos vertebrados, antes dos organismos multicelulares e provavelmente até antes que a vida surgisse na Terra. É uma vaidade característica de nossa espécie atribuir uma face humana à violência cósmica aleatória.

Os humanos, como outros primatas, são um bando gregário. Gostamos da companhia uns dos outros. Somos mamíferos, e o cuidado dos pais com o filho é essencial para a continuação das linhas hereditárias. Os pais sorriem para a criança, a criança retribui o sorriso, e com isso se forja ou se fortalece um laço. Assim que o bebê consegue ver, ele reconhece faces, e sabemos agora que essa habilidade está instalada permanentemente em nossos cérebros. Os bebês que há 1 milhão de anos eram incapazes de reconhecer um rosto retribuíam menos sorrisos, eram menos inclinados a conquistar o coração dos pais e tinham menos chance de sobreviver. Nos dias de hoje, quase todos os bebês identificam rapidamente uma face humana e respondem com um sorriso bobo.

Como um efeito colateral inadvertido, o mecanismo de reconhecimento de padrões em nossos cérebros é tão eficiente em descobrir uma face em meio a muitos outros pormenores que às vezes vemos faces onde não existe nenhuma. Reunimos pedaços desconectados de luz e sombra, e inconscientemente *tentamos* ver uma face. O Homem na Lua é um desses resultados. O filme *Blowup* [Depois daquele beijo], de Michelangelo Antonioni, descreve outro. Há muitos exemplos mais.

Às vezes é uma formação geológica, como o Velho da Montanha no desfiladeiro de Franconia, New Hampshire. Em vez de algum agente sobrenatural ou de uma antiga civilização local que por outros indícios ainda não foi descoberta, reconhecemos que essa formação é o produto da erosão e colapso de uma face de rocha. De qualquer modo, já não se parece muito com um rosto. Existe a Cabeça do Diabo na Carolina do Norte, a Rocha da Esfinge em Wastwater, Inglaterra, a Velha na França, a rocha Vartan na Armênia. Às vezes é uma mulher reclinada, como o monte Ixtaccihuatl, no México. Às vezes são outras partes do corpo, como as Grandes Tetas em Wyoming — trata-se, para quem vem do oeste, de um par de picos de montanha que recebeu esse nome dos exploradores franceses. (Na realidade, são três.) Às vezes são padrões mutáveis nas nuvens. Na Espanha do final da Idade Média e da Renascença, as visões da Virgem Maria eram "confirmadas" por pessoas que viam santos nas formas das nuvens. (Ao zarpar de Suva, nas ilhas Fiji, vi certa vez a cabeça de um monstro verdadeiramente aterrador, as mandíbulas abertas, numa nuvem de tempestade.)

De vez em quando, um legume, uma disposição de sementes silvestres ou o couro de uma vaca parece uma face humana. Houve uma famosa berinjela que se parecia muitíssimo com Richard M. Nixon. O que devemos deduzir desse fato? Intervenção divina ou extraterrestre? Intromissão republicana na genética das berinjelas? Não. Reconhecemos que há muitas berinjelas no mundo e que, de posse de um grande número delas, mais cedo ou mais tarde encontraremos uma que se assemelha a uma face humana, até mesmo a um rosto em particular.

Quando o rosto é de uma personagem religiosa — como, por exemplo, uma *tortilla* que parecia mostrar a face de Jesus —, os crentes tendem rapidamente a deduzir a mão de Deus. Numa era mais cética, eles anseiam por ver sua certeza renovada. Mesmo assim, parece improvável que um milagre seja produzido num meio tão evanescente. Considerando-se o número de *tortillas* produzidas desde o início do mundo, seria surpreendente que algumas não tivessem traços pelo menos vagamente familiares.*

---

* Esses exemplos são muito diferentes do caso do assim chamado Sudário de Turim, que apresenta algo parecido demais com uma face humana para ser um padrão natural mal compreendido. A datação com carbono 14 provou que o Sudário não é a mortalha de Jesus, mas uma mistificação piedosa do século XIV

Têm se atribuído propriedades mágicas às raízes de ginseng e mandrágora, em parte por causa da vaga semelhança com a forma humana. Alguns brotos de castanha apresentam rostos sorridentes. Alguns corais lembram mãos. O fungo da espiga (também desagradavelmente chamado "orelha-de-judas") se parece realmente com uma orelha, e algo semelhante a enormes olhos pode ser visto nas asas de certas mariposas. Parte dessas semelhanças talvez não seja simples coincidência; as plantas e os animais que sugerem um rosto podem ter mais chances de não serem devorados por criaturas com rostos — ou por criaturas que têm medo de predadores com rostos. O bicho-pau é um inseto que tem um disfarce espetacular de graveto. Naturalmente, tende a viver nas árvores ou ao seu redor. Sua imitação do mundo vegetal o protege contra os pássaros e outros predadores, sendo quase certamente a razão para a sua forma extraordinária ter sido lentamente moldada pela seleção natural darwiana. Esses cruzamentos das fronteiras entre os reinos da vida são enervantes. Ao ver um bicho-pau, uma criança pode facilmente imaginar um exército de paus, ramos e árvores marchando para algum sinistro objetivo vegetal.

Muitos exemplos desse tipo são descritos e ilustrados num livro de 1979 chamado *Natural likeness*, escrito por John Michell, um britânico entusiasta do oculto. Ele leva a sério as proposições de Richard Shaver, que — como é descrito mais adiante — contribuiu para a febre dos UFOs nos Estados Unidos. Shaver quebrou pedras na sua fazenda em Wisconsin e descobriu, escrita numa linguagem pictográfica que só ele conseguia ver, quanto mais compreender, uma história abrangente do mundo. Michell também aceita ao pé da letra as afirmações do dramaturgo e teórico surrealista Antonin Artaud, que, em parte sob a influência do peiote, via nos desenhos das *superfícies* das pedras imagens eróticas, um homem sendo torturado, animais ferozes

---

— uma época em que a fabricação de relíquias religiosas fraudulentas era uma atividade artesanal próspera e lucrativa.

e coisas desse tipo. "Toda a paisagem se revelava", diz Michell, "como a criação de um único pensamento." Mas uma pergunta-chave: esse pensamento estava dentro ou fora da mente de Artaud? Ele concluía, e Michell concorda, que os padrões visíveis nas pedras eram obra de antigas civilizações, nada tendo a ver com o seu estado de consciência alterado, induzido em parte pelos alucinógenos. Quando Artaud voltou do México para a Europa, foi diagnosticado como louco. Michell denigre a "perspectiva materialista" que acolheu os padrões de Artaud com ceticismo.

Michell nos mostra uma fotografia do Sol, tirada à luz de raios X, que parece vagamente uma face, e nos informa que "os discípulos de Gurdjieff veem o rosto de seu Mestre" na coroa solar. Inúmeras faces em árvores, montanhas e penedos por todo o mundo são tidas como produto da sabedoria antiga. Talvez algumas sejam: é uma boa brincadeira, bem como um símbolo religioso tentador, empilhar pedras para que de longe pareçam um rosto gigantesco.

A visão de que a maioria dessas formas é um padrão nos processos de formação de rochas e na simetria bilateral das plantas e dos animais, com um pouco de seleção natural — tudo processado, com viés humano, pelo filtro de nossa percepção —, é descrita por Michell como "materialismo" e uma "ilusão do século XIX". "Condicionada pelas crenças racionalistas, a nossa visão de mundo é mais opaca e mais confinada do que a pretendida pela natureza." Por que processos ele sondou as intenções da Natureza, isso não é revelado.

Quanto às imagens que apresenta, Michell conclui que

> o seu mistério permanece essencialmente intacto, uma constante fonte de deslumbramento, encanto e especulação. Só o que sabemos com certeza é que a Natureza as criou e, ao mesmo tempo, nos deu os meios para percebê-las e a inteligência para apreciar seu interminável fascínio. Para nosso melhor proveito e prazer, elas deveriam ser vistas conforme a natureza desejou, com o olhar da inocência, sem as nuvens

das teorias e dos preconceitos, com a visão múltipla, inata em todos nós, que enriquece e dignifica a vida humana, e não com a cultivada visão unilateral dos insípidos e dogmáticos.

Talvez a afirmativa espúria mais famosa e prodigiosa diga respeito aos canais de Marte. Observados pela primeira vez em 1877, foram aparentemente confirmados por uma série de astrônomos profissionais dedicados que os viram por meio de grandes telescópios em todo o mundo. Relatou-se a existência de uma rede de linhas retas simples e duplas entrecruzando-se pela superfície marciana, e com uma regularidade geométrica tão fantástica que só podiam ter origem inteligente. Tiraram-se conclusões imaginativas sobre um planeta crestado e moribundo, povoado por uma civilização técnica mais antiga e mais sábia que se dedicava à conservação dos recursos hídricos. Centenas de canais foram mapeados e nomeados. Mas, estranhamente, eles evitavam aparecer nas fotografias. Sugeriu-se que o olho humano podia se lembrar dos breves instantes de transparência atmosférica perfeita, enquanto a lâmina fotográfica indiscriminadora igualava os poucos momentos claros aos muitos indistintos. Alguns astrônomos viam os canais. Muitos não conseguiam ver. Talvez certos observadores tivessem mais talento para ver canais. Ou talvez toda a história fosse algum tipo de engano perceptivo.

Grande parte da ideia de Marte ser uma morada da vida, bem como a predominância dos "marcianos" na ficção popular, deriva dos canais. Eu próprio cresci mergulhado nessa literatura, e quando me vi desempenhando a função de experimentador na missão Mariner 9 a Marte — a primeira nave espacial a entrar em órbita ao redor do planeta vermelho — estava naturalmente interessado em conhecer as circunstâncias reais. Com Mariner 9 e com Viking, fomos capazes de mapear o planeta de polo a polo, detectando configurações centenas de vezes menores do que as mais nítidas que se podiam ver da Terra. Não descobri, o que não me surpreendeu muito, nenhum sinal de canais. Havia algumas configurações mais ou menos lineares que tinham sido avistadas pelo telescópio — por exemplo, um *rift valley* de 5 mil quilômetros que teria sido difícil deixar de ver. Mas as centenas de canais "clássicos", que transportavam água das calotas polares pelos desertos áridos até as cidades equatoriais crestadas, simplesmente não existiam. Eram uma ilusão, uma disfunção da combinação mão-olho-cérebro humanos no limite da resolução, quando olhamos por uma atmosfera instável e turbulenta.

Mesmo cientistas profissionais — inclusive astrônomos famosos que fizeram outras descobertas já confirmadas e agora justamente celebradas — podem cometer erros graves, até profundos, de reconhecimento de padrão. Sobretudo quando as implicações do que pensamos estar vendo parecem profundas, podemos não exercer a autodisciplina e a autocrítica adequadas. O mito dos canais marcianos constitui um alerta importante.

Quanto aos canais, as missões das naves espaciais forneceram o meio de corrigir os equívocos. Mas é também verdade que algumas das afirmações mais obsessivas de padrões inesperados nascem *da* pesquisa realizada pelas naves espaciais. No começo dos anos 60, eu insistia para que prestássemos atenção à possibilidade de descobrir artefatos de civilizações antigas — quer os que fossem nativos em um dado mundo, quer os que fossem construídos por visitantes de outro lugar. Não imaginava que isso seria fácil ou provável, e com certeza não sugeri que, numa questão tão importante, valesse a pena considerar o que não fosse evidência sólida.

A partir do relatório imaginativo de John Glenn informando sobre a existência de "vaga-lumes" ao redor de sua cápsula espacial, toda vez que um astronauta dizia ver algo que não era imediatamente compreendido, havia aqueles que deduziam tratar-se de "alienígenas". As explicações prosaicas — como, por exemplo, partículas de tinta soltando-se da nave no meio ambiente espacial — eram descartadas com menosprezo. A sedução do maravilhoso embota nossas faculdades críticas. (Como se não bastasse a maravilha de um homem tornar-se lua.)

Perto da época dos pousos lunares da Apollo, muitos leigos — donos de pequenos telescópios, fanáticos por discos voadores, autores de textos para revistas aeroespaciais — examinavam com atenção as fotografias da missão à procura de anomalias que os cientistas e os astronautas da NASA tinham deixado de ver. Logo havia registros de letras latinas e numerais arábicos gigantescos inscritos na superfície lunar, pirâmides, rodovias, cruzes, UFOs brilhantes. Falou-se de pontes sobre a Lua, antenas de rádio, trilhas de enormes tratores e devastação provocada por máquinas capazes de partir crateras ao meio. Porém, cada uma dessas afirmações se referia de fato a uma formação geológica natural da Lua mal interpretada pelos analistas amadores, reflexos internos na óptica das câmaras Hasselblad dos astronautas, e coisas desse tipo. Alguns entusiastas discerniram longas sombras de mísseis balísticos — mísseis soviéticos, confidenciava-se sinistramente, voltados para os Estados Unidos. Os foguetes, também descritos como "obeliscos", eram morros baixos que projetam longas sombras quando o Sol está perto do horizonte lunar. Um pouco de trigonometria dissipa a miragem.

Essas experiências nos dão um aviso pertinente: no caso de um terreno complexo esculpido por processos desconhecidos, os amadores (e às vezes até os profissionais) podem se ver em apuros ao examinar fotografias, especialmente perto do limite de resolução. Suas esperanças e medos, a emoção de possíveis descobertas de grande importância podem dominar a habitual abordagem cética e cautelosa da ciência.

Se examinamos as imagens da superfície de Vênus de que dispomos, de vez em quando se apresenta aos nossos olhos uma forma de relevo peculiar — como, por exemplo, um retrato tosco de Josef Stalin descoberto por geólogos norte-americanos que analisavam as imagens do radar orbital soviético. Ninguém sustenta, imagino, que stalinistas inconformados tivessem adulterado as fitas magnéticas, nem que os antigos soviéticos estivessem envolvidos com atividades de engenharia em escala sem precedentes e até então não reveladas sobre a superfície de Vênus — onde toda nave espacial é torrada uma ou duas horas depois do pouso. É esmagadora a probabilidade de essa configuração, seja o que for, ter sido causada pela geologia. O mesmo vale para o que parece ser um retrato do Coelho Pernalonga, personagem de desenho animado, na lua Ariel de Urano. Uma imagem de Titã obtida pelo telescópio espacial Hubble em infravermelho próximo mostra nuvens que, grosseiramente, configuram um rosto sorridente do tamanho de um mundo. Todo cientista planetário tem seu exemplo favorito.

A astronomia da Via Láctea também é repleta de semelhanças imaginadas — por exemplo, as nebulosas da Cabeça de Cavalo, do Esquimó, da Coruja, do Homúnculo, da Tarântula e da América do Norte, todas nuvens de gás e poeira, iluminadas por estrelas brilhantes, e todas numa escala que eclipsa o nosso sistema solar. Quando os astrônomos mapearam a distribuição das galáxias até uns 100 milhões de anos-luz, viram se delineando uma forma humana grosseira que tem sido chamada de "o Homem Tracejado". A configuração é compreendida como uma figura semelhante a enormes bolhas de sabão adjacentes, sendo as galáxias formadas na superfície das bolhas adjacentes e quase inexistindo nos interiores. Isso torna muito provável que elas delineiem um padrão com simetria bilateral, algo parecido com a figura de um homem traçada apenas com linhas.

Marte é muito mais clemente que Vênus, embora as naves Viking que pousaram no planeta não tenham fornecido nenhuma evidência convincente de vida. Seu terreno é extremamente heterogêneo e diverso. Com mais ou menos 100 mil *closes* disponíveis, não é surpreendente que ao longo do tempo tivessem surgido afirmações sobre algo inusitado em Marte. Por exemplo, há um animador "rosto feliz" dentro de uma cratera de impacto marciana de oito quilômetros (cinco milhas) de extensão, com um conjunto de marcas radiais salpicadas por fora, fazendo com que pareça a representação convencional de um Sol sorridente. Mas ninguém alega que isso tenha sido produzido por uma civilização marciana adiantada (e excessivamente genial), talvez para atrair nossa atenção. Com objetos de todos os tamanhos caindo do céu, com a superfície ricocheteando, afundando e se reconfigurando depois de cada impacto, sendo esculpida por fluxos antigos de água e lama, junto com a areia recente transportada pelos ventos, reconhecemos que uma enorme variedade de formas de relevo deve ser gerada. Se examinamos 100 mil fotos, não é surpreendente encontrar de vez em quando algo parecido com um rosto. Com nossos cérebros preparados para isso desde a primeira infância, seria surpreendente que não achássemos um aqui e ali.

Algumas montanhas pequenas em Marte parecem pirâmides. No planalto elevado Elysium, há um grupo delas — a base da maior tem alguns quilômetros de extensão —, todas orientadas na mesma direção. Há um quê de mistério sobre essas pirâmides no deserto, que lembram o planalto Gizé, no Egito, e eu gostaria muito de examiná-las mais de perto. Porém, é razoável deduzir a existência de faraós marcianos?

Em miniatura, também se conhecem configurações semelhantes na Terra, especialmente na Antártida. Algumas delas chegam à altura de nossos joelhos. Se nada soubéssemos a seu respeito, seria razoável concluir que foram fabricadas por egípcios minúsculos que viviam nas terras desertas da Antártida? (A hipótese se adapta vagamente às observações, mas muitos outros dados que conhecemos sobre o meio ambiente polar e a fisiologia dos seres humanos a contradizem.) São na verdade geradas pela erosão provocada pelo vento — o respingo de partículas finas levantadas por ventos fortes que sopram sobretudo na mesma direção e que, com o tempo, esculpem pirâmides primorosamente simétricas no que outrora eram cômoros irregulares. São chamadas *Dreikanters*, de uma palavra alemã que significa três lados. Isso é ordem gerada no caos por processos naturais — algo que encontramos repetidamente por todo o Universo (nas galáxias espirais em rotação, por exemplo). Cada vez que isso acontece, somos tentados a imaginar a intervenção direta de um Criador.

Em Marte, há evidência de ventos muito mais violentos do que os já experimentados na Terra, chegando até a metade da velocidade do som. As tempestades de areia por todo o planeta são comuns — transportando grãos finos de areia. Um constante tamborilar de partículas que se movem muito mais rápido do que nos piores vendavais da Terra deve provocar profundas mudanças nas faces das rochas e nas formas de relevo ao longo das eras geológicas. Não seria muito surpreendente que os processos eólicos esculpissem algumas configurações — até mesmo as enormes —, criando as formas piramidais que vemos.

Há um lugar em Marte chamado Cydonia, onde um grande rosto de pedra, com um quilômetro de extensão, fita o céu sem piscar. Não é um rosto amistoso, mas parece reconhecivelmente humano. Em algumas representações, poderia ter sido esculpido por Praxíteles. Está situado numa paisagem onde muitos morros baixos apresentam formas estranhas, tendo sido moldados talvez por uma mistura de antigos fluxos de lama e subsequente erosão eólica. Pelo número de crateras de impacto, o terreno circundante parece ter pelo menos centenas de milhões de anos.

Intermitentemente, A Face tem atraído atenção, tanto nos Estados Unidos como na antiga União Soviética. A manchete de 20 de novembro de 1984 do *Weekly World News*, um tabloide de supermercado que não é famoso por sua integridade, dizia:

AFIRMAÇÃO SURPREENDENTE DE CIENTISTA SOVIÉTICO: TEMPLOS EM RUÍNAS ENCONTRADOS EM MARTE. SONDA ESPACIAL DESCOBRE VESTÍGIOS DE UMA CIVILIZAÇÃO DE 50 MIL ANOS.

As revelações são atribuídas a uma fonte soviética anônima e descrevem num ritmo vertiginoso descobertas feitas por um veículo espacial soviético inexistente.

Mas a história de A Face é quase inteiramente norte-americana. Foi descoberta por uma das Viking que entrou em órbita ao redor de Marte em 1976. Infelizmente, um funcionário do projeto descartou a configuração, considerando-a um truque de luz e sombra, o que inspirou mais tarde a acusação de que a NASA estaria encobrindo a descoberta do milênio. Alguns engenheiros, especialistas em computação e outros — alguns deles empregados contratados pela NASA — trabalharam por sua própria conta para intensificar digitalmente a imagem. Talvez esperassem revelações assombrosas. Isso é permissível na ciência, até encorajado — desde que os padrões de evidência sejam elevados. Alguns deles foram bastante cautelosos e merecem elogios por ter desenvolvido o tema. Outros foram menos contidos, não só deduzindo que A Face era de fato uma escultura monumental de um ser humano, mas afirmando terem encontrado por perto uma cidade com templos e fortificações.* Tomando como base argumentos espúrios, um escritor anunciou que os monumentos tinham uma orientação astronômica específica — que não se aplicava, porém, ao momento atual, mas a meio milhão de anos atrás —, do que se concluía que as maravilhas cydonianas foram erigidas naquela época remota. Mas, nesse caso, como é que os construtores poderiam ter sido seres humanos? Há meio milhão de anos, os nossos antepassados estavam procurando dominar o emprego de ferramentas de pedra e do fogo. Eles não tinham naves espaciais.

A Face marciana é comparada a "rostos semelhantes... construídos em civilizações na Terra. Eles miram o céu, porque estão olhando para Deus". Ou A Face foi construída pelos sobreviventes de uma guerra interplanetária que deixou a superfície de Marte (e da Lua) marcada e devastada. O que causa todas essas crateras, afinal de contas? A Face é a ruína de uma civilização humana há muito extinta? Os construtores eram originariamente da Terra ou de Marte? Ela poderia ter sido esculpida por visitantes interestelares numa breve parada em Marte? Foi deixada ali para que nós a descobríssemos? Eles também teriam vindo à Terra e dado origem à vida em nosso planeta? Ou, pelo

---

* A ideia geral é muito antiga, remontando pelo menos ao século passado, ao mito do canal marciano de Percival Lowell. Como um dentre muitos exemplos, P. E. Cleator especulava em seu livro de 1936, *Rockets through space: the dawn of interplanetary travel*: "Em Marte, podem-se encontrar as ruínas de antigas civilizações, comprovando silenciosamente a glória passada de um mundo moribundo".

menos, à vida humana? Fossem quem fossem, eles eram deuses? Uma especulação intensa é suscitada.

Mais recentemente, tem se afirmado que existe uma conexão entre os "monumentos" em Marte e os "círculos nas plantações" na Terra; que suprimentos inesgotáveis de energia aguardam ser extraídos de antigas máquinas marcianas; e que existe uma grande dissimulação da NASA para esconder a verdade do público norte-americano. Essas declarações vão muito além de uma simples especulação pouco cautelosa sobre formas de relevo enigmáticas.

Em agosto de 1993, quando a nave espacial Mars Observer parou de funcionar a uma pequena distância de Marte, houve os que acusaram a NASA de simular o acidente para poder estudar A Face pormenorizadamente sem ter de mostrar as imagens ao público. (Se assim é, a charada é muito elaborada: todos os especialistas em geomorfologia marciana nada sabem a respeito, e alguns de nós temos trabalhado muito para projetar novas missões a Marte que sejam menos vulneráveis à pane que destruiu a Mars Observer.) Houve até um punhado de piquetes fora dos portões do Laboratório de Propulsão a Jato, protestando contra esse suposto abuso de poder.

O tabloide *Weekly World News* de 14 de setembro de 1993 dedicou sua primeira página à manchete "Nova foto da NASA prova que seres humanos viveram em Marte!". Um rosto falso, numa foto supostamente tirada pela Mars Observer em órbita ao redor de Marte (na verdade, a nave espacial parece ter deixado de funcionar antes de conseguir entrar em órbita), provaria, segundo um "importante cientista espacial" inexistente, que os marcianos colonizaram a Terra há 200 mil anos. A informação está sendo ocultada, ele é obrigado a admitir, para evitar o "pânico mundial".

Vamos pôr de lado a improbabilidade de que tal revelação provocasse realmente o "pânico mundial". Quem presenciou uma descoberta científica prodigiosa em formação — vem à mente o impacto do cometa Shoemaker-Levy sobre Júpiter em julho de 1994 — sabe que os cientistas tendem a ser exaltados e incontidos. Têm uma compulsão incontrolável de divulgar os novos dados. Só por um acordo prévio, e não *ex post facto*, é que conseguem guardar segredo militar. Rejeito a noção de que a ciência seja sigilosa por natureza. Sua cultura e etos são, e por razões muito boas, coletivos, cooperativos e comunicativos.

Se nos restringimos ao que é realmente conhecido, e ignoramos a indústria dos tabloides que fabrica descobertas memoráveis a partir do nada, em que ponto ficamos? Quando sabemos apenas um pouco sobre A Face, sentimos arrepios. Quando sabemos um pouco mais, o mistério deixa rapidamente de ser profundo.

A superfície de Marte tem quase 150 milhões de quilômetros quadrados de área, aproximadamente a mesma dos continentes da Terra. A área coberta pela "esfinge" marciana tem cerca de um quilômetro quadrado. Será tão espantoso que um trecho (comparativamente) do tamanho de um selo em 150 milhões de quilômetros quadrados pareça artificial — especialmente dada a nossa tendência, desde a primeira infância, de procurar rostos? Quando examinamos a confusão circundante de morros baixos, mesas e outras formas complexas da superfície, reconhecemos que a sua configuração tem afinidades muito diferentes de um rosto humano. Por que essa semelhança? Os antigos engenheiros marcianos teriam reelaborado apenas essa mesa (bem, talvez algumas outras) e deixado todas as demais sem nenhum acabamento de escultura monumental? Ou devemos concluir que outras mesas maciças também foram esculpidas em forma de rostos, mas rostos mais estranhos, desconhecidos para nós da Terra?

Se estudamos a imagem original com mais cuidado, descobrimos que uma "narina" estrategicamente colocada — um traço que contribui muito para dar a impressão de um rosto — é na verdade um ponto preto correspondente a dados perdidos na radiotransmissão de Marte para a Terra. A melhor foto da Face mostra um lado iluminado pelo Sol, o outro mergulhado em sombras escuras. Usando os dados digitais originais, podemos realçar intensamente o contraste nas sombras. Quando o fazemos, descobrimos algo que não se parece muito com um rosto. A

Face é, na melhor das hipóteses, a metade de um rosto. Apesar de nossa respiração apressada e das batidas de nossos corações, a esfinge marciana não parece construída, uma cópia de rosto humano — mas um fenômeno natural. Foi provavelmente esculpida por um lento processo geológico ao longo de milhões de anos.

Mas eu posso estar errado. É difícil ter certezas sobre um mundo que vimos tão poucas vezes em *closes* extremos. Essas configurações merecem atenção mais cuidadosa com alta resolução. Fotos muito mais detalhadas da Face certamente decidiriam questões de simetria e ajudariam a resolver o debate entre a geologia e a escultura monumental. Pequenas crateras de impacto encontradas nela ou nos seus arredores podem resolver a questão de sua idade. No caso (muito improvável na minha opinião) de as estruturas próximas serem realmente uma cidade de eras passadas, esse fato também deveria ficar evidente num exame mais pormenorizado. Existem ruas quebradas? Ameias no "forte"? Zigurates, torres, templos de colunas, estátuas monumentais, afrescos imensos? Ou apenas rochas?

Mesmo que essas proposições sejam extremamente improváveis — como acho que são —, vale a pena examiná-las. Ao contrário do fenômeno dos UFOs, temos nesse caso a oportunidade de um experimento definitivo. Esse tipo de hipótese é falsificável, uma propriedade que a insere na arena científica. Espero que as próximas missões norte-americanas e russas a Marte, especialmente as naves que entrarão em órbita ao redor do planeta com câmaras de televisão de alta resolução, façam um esforço especial — entre centenas de outras pesquisas científicas — para examinar muito mais de perto as pirâmides e o que algumas pessoas chamam A Face e a cidade.

Mesmo que se torne claro para todo mundo que essas configurações marcianas não são artificiais, mas geológicas, receio que rostos monumentais (e maravilhas parecidas) não desaparecerão. Já existem tabloides de supermercado anunciando rostos quase idênticos vistos de Vênus a Netuno (flutuando nas nuvens?). As "descobertas" são caracteristicamente atribuídas a fictícias espaçonaves russas e a imaginários cientistas espaciais — o que certamente contribui para que um cético tenha mais dificuldade em checar a história.

Um dos entusiastas da face em Marte anuncia:

> A notícia pioneira do século
> censurada pela NASA
> por medo de revoluções e colapsos religiosos.
> A descoberta de antigas
> RUÍNAS ALIENÍGENAS NA LUA.

A existência de uma "cidade gigantesca, do tamanho da bacia de Los Angeles, coberta por um imenso domo de vidro, abandonada há milhões de anos e estilhaçada por meteoros, tendo uma torre gigantesca de 8 mil metros de altura, com um cubo gigante de 1,6 quilômetro quadrado no topo", é ansiosamente "CONFIRMADA" — sobre a Lua tão bem estudada. A evidência? Fotos tiradas pelas missões robóticas e pela Apollo, cuja importância foi abafada pelo governo e negligenciada por todos aqueles cientistas lunares de muitos países que não trabalham para o "governo".

O número de 18 de agosto de 1992 do *Weekly World News* noticia a descoberta, por "um satélite secreto da NASA", de "milhares, talvez até milhões de vozes" que emanam do buraco negro no centro da galáxia M51, todas cantando sem parar "'Glória, glória, glória a Deus nas alturas'". Em inglês. Existe até a reportagem de um tabloide, totalmente ilustrada, embora as ilustrações sejam obscuras, de uma sonda espacial que fotografou Deus, ou pelo menos os seus olhos e a ponta de seu nariz, lá em cima na nebulosa de Órion.

O *WWN* de 20 de julho de 1993 exibe a manchete extraordinária "Clinton se encontra com JFK!", junto com uma foto falsa de um John Kennedy abatido, plausivelmente envelhecido, sobrevivente da tentativa de assassinato, numa cadeira de rodas em Camp David. Muitas páginas depois, somos informados sobre outro assunto de possível interesse. Em "Asteroides do Juízo Final", um suposto documento altamente confidencial cita supostos cientistas de "alta hierarquia" sobre um suposto asteroide ("M-167") que supostamente colidirá com a Terra em 11 de novembro de 1993, o que "poderia significar o fim do mundo". Afirma-se que o presidente Clinton está sendo "constantemente informado da posição e da velocidade do asteroide". Talvez tenha sido um dos itens que ele discutiu em seu encontro com o presidente Kennedy. De qualquer modo, o fato de que a Terra escapou dessa catástrofe não mereceu nem mesmo um parágrafo depois que o dia 11 de novembro de 1993 passou sem acontecimentos. Pelo menos, foi justificado o bom senso do responsável pelas manchetes de não sobrecarregar a primeira página com a notícia do fim do mundo.

Alguns veem essas histórias apenas como brincadeira. Entretanto, vivemos numa época em que foi identificada, a longo prazo, uma ameaça estatística real de impactos de asteroides com a Terra. (Esses dados da ciência verdadeira são certamente a inspiração, se for essa a palavra adequada, da história do *WWN*.) As agências do governo estão estudando o que fazer a respeito. Histórias desse tipo tingem o assunto de exagero apocalíptico, contribuindo com sua extravagância para que o público tenha dificuldade em distinguir os perigos reais da ficção sensacionalista, ou até mesmo obstruindo nossa capacidade de tomar medidas de precaução para mitigar o perigo.

Os tabloides são com frequência processados — às vezes por atores e atrizes que negam vigorosamente terem cometido atos abomináveis — e de vez em quando grandes somas de dinheiro trocam de mãos. Os tabloides devem considerar esses processos apenas como um dos custos de ter um negócio muito lucrativo. Em sua defesa, afirmam constantemente que estão à mercê de seus redatores e que não têm a responsabilidade de verificar a verdade do que publicam. Ao discutir as histórias que publicam, Sal Ivone, o editor-executivo do *Weekly World News*, diz: "Que eu saiba, poderiam ser o produto de imaginações ativas. Mas, como somos um tabloide, não temos que nos questionar por causa de uma história". O ceticismo não vende jornais. Redatores que abandonaram os tabloides descrevem as sessões "criativas" em que redatores e editores inventam histórias e manchetes fictícias — quanto mais escandalosas, tanto melhor.

Entre seus inúmeros leitores, não haverá muitos que tomam as histórias ao pé da letra, acreditando que os tabloides "não poderiam" publicar a história, se não fosse verdade? Alguns leitores com quem converso insistem em afirmar que os leem para se divertir, assim como assistem à "luta romana" na televisão, que não se deixam enganar de modo algum, que tanto o editor como o leitor sabem que os tabloides são extravagâncias que exploram o absurdo. Tais publicações estão simplesmente fora de qualquer universo embaraçado pelas regras da evidência. Mas a minha correspondência sugere que inúmeros norte-americanos levam os tabloides muito a sério.

Nos anos 90, o universo dos tabloides está em expansão, devorando vorazmente outros meios de comunicação. Jornais, revistas ou programas de televisão que trabalham sob restrições meticulosas, impostas pelo que realmente se conhece, vendem bem menos do que produtos da mídia com padrões menos escrupulosos. Podemos observar esse fato na nova geração da televisão reconhecidamente sensacionalista, e também cada vez mais em supostos programas de notícias e informações.

Essas reportagens persistem e proliferam porque vendem. E elas vendem, acho eu, porque muitos de nós desejam intensamente abandonar as nossas vidas monótonas, reacender aquele sentimento de espanto que lembramos da infância, e também, no caso de algumas das histórias, poder acreditar real e verdadeiramente — em Alguém mais velho, mais inteligente e mais sábio que cuida de nós. É nítido que a fé não basta para muitas pessoas. Elas suspiram por evidência sólida, prova científica. Desejam o selo científico da aprovação, mas não querem se submeter aos padrões rigorosos de evidência que conferem credibilidade a esse selo. Que alívio seria: a dúvida confiavelmente abolida! Então a carga penosa de cuidar de nós mesmos seria eliminada. Preocupamo-nos — justificadamente — com o que significa para o futuro humano o fato de termos apenas nós mesmos com quem contar.

Esses são os milagres modernos — confirmados descaradamente por aqueles que os criam do nada, evitando todo e qualquer exame cético formal, milagres que podem ser encontrados a preços baratos em todos os supermercados, mercearias e lojas de conveniência do país. Uma das pretensões dos tabloides é fazer a ciência — o próprio instrumento de nossa descrença — confirmar nossas crenças antigas e promover a convergência da pseudociência e da pseudorreligião.

De modo geral, as mentes dos cientistas estão abertas ao explorar mundos novos. Se soubéssemos de antemão o que encontraríamos, seria desnecessário partir. Nas futuras missões a Marte ou aos outros mundos fascinantes na nossa área da floresta cósmica, as surpresas — mesmo algumas de proporções míticas — são possíveis, talvez até prováveis. Mas nós, humanos, temos um talento para nos enganar. O ceticismo deve ser um componente do conjunto de ferramentas do explorador, senão perderemos o rumo. Já existem maravilhas demais lá fora, sem que precisemos inventar alguma.

## 4. ALIENÍGENAS

> — *Para falar a verdade, o que me leva a acreditar que não existem habitantes nessa esfera é que me parece que nenhum ser sensato estaria disposto a morar aqui.*
> — *Bem, nesse caso* — disse Micrômegas —, *talvez os seres que a habitam não tenham juízo.*
>
> Um alienígena para o outro, ao se aproximarem da Terra, em *Micrômegas: uma história filosófica*, de Voltaire (1752)

AINDA ESTÁ ESCURO LÁ FORA. Você está deitado na cama, bem desperto. Descobre que se encontra inteiramente paralisado. Sente que há alguém no quarto. Tenta gritar. Não consegue. Vários seres cinzentos, com menos de um metro e vinte de altura, estão ao pé da cama. As cabeças são em forma de pera, glabras e grandes para os corpos. Os olhos são enormes, os rostos sem expressão e idênticos. Eles estão de túnicas e botas. Você espera que seja apenas um sonho. Mas, pelo pouco que pode perceber, está acontecendo de verdade. Eles o levantam e, sobrenaturalmente, vocês passam pela parede do quarto. Você flutua no ar. Ascende em direção a uma espaçonave metálica em forma de disco. Uma vez dentro da nave, é levado a uma sala de exame médico. Um ser semelhante, porém bem maior — evidentemente uma espécie de médico —, assume o comando. O que se segue é ainda mais aterrorizante.

O seu corpo é examinado com instrumentos e máquinas, especialmente os órgãos sexuais. Se você é homem, eles podem tirar amostras de esperma; caso seja mulher, podem remover óvulos, fetos ou injetar sêmen. Podem forçá-lo a fazer sexo. Mais tarde, você talvez seja levado a uma sala diferente onde bebês ou fetos híbridos, em parte humanos e em parte semelhantes a essas criaturas, lhe devolvem um olhar parado. Você pode receber um sermão sobre o mau comportamento humano, especialmente no que diz respeito a estragar o meio ambiente e a permitir a pandemia da AIDS; quadros da devastação futura lhe são mostrados. Por fim, esses sombrios emissários cinzentos o transportam para fora da espaçonave e o fazem passar aos poucos pelas paredes do quarto até chegar a sua cama. Quando você consegue se mover e falar... eles já desapareceram.

Você talvez não se lembre do incidente imediatamente. Ao contrário, é possível que descubra apenas um lapso inexplicável de memória e tente decifrá-lo. Como tudo isso parece muito estranho, você fica um pouco preocupado com a sua sanidade mental. Naturalmente, você se mostra relutante em falar a respeito. Ao mesmo tempo, a experiência é tão perturbadora que é difícil mantê-la reprimida. Tudo extravasa quando você ouve histórias semelhantes, ou quando se acha sob efeito de hipnose com um terapeuta que emprega esses métodos, ou até quando vê a imagem de um "alienígena" numa das muitas revistas, livros e especiais de televisão populares sobre UFOs. Algumas pessoas dizem que podem lembrar experiências desse tipo ocorridas na primeira infância. Acham que agora seus próprios filhos estão sendo raptados por alienígenas. Acontece nas melhores famílias. É um programa de eugenia, dizem, para aperfeiçoar a espécie humana. Talvez os alienígenas sempre tenham feito tal coisa. Talvez, dizem alguns, tenha sido dessas experiências que os seres humanos surgiram primordialmente.

Como foi revelado por repetidas pesquisas de opinião, durante anos, a maioria dos norte-americanos acredita que estamos sendo visitados por seres extraterrestres que se deslocam em UFOs. Numa pesquisa Roper de 1992, que abrangeu quase 6 mil adultos norte-americanos — especialmente encomendada por aqueles que tomam as histórias de rapto por alienígenas ao pé da letra —, 18% informaram terem às vezes acordado paralisados, cientes da presença de um ou mais seres estranhos no quarto. Cerca de 13% relatam episódios estranhos de lapsos de memória e 10% afirmam terem voado pelo ar sem ajuda mecânica. Só por esses resultados, os patrocinadores da pesquisa concluem que 2% de todos os norte-americanos foram raptados, muitos mais de uma vez, por seres de outros mundos. Se os entrevistados haviam sido sequestrados por alienígenas, é uma pergunta que nunca lhes foi realmente proposta.

Se acreditamos na conclusão tirada por aqueles que financiaram e interpretaram os resultados dessa pesquisa, e se os alienígenas não têm preferência exclusiva pelos norte-americanos, o número de raptos em todo o planeta atinge mais de 100 milhões de pessoas. Isso significa um sequestro a cada fração de minuto durante as últimas décadas. É surpreendente que a maioria dos vizinhos não tenha percebido nada.

O que está se passando? Quando falamos com pessoas que se descrevem como sequestrados, a maioria parece muito sincera, embora presa nas garras de poderosas emoções. Alguns psiquiatras que as examinaram afirmam não terem encontrado nenhum sinal mais evidente de psicopatologia do que no restante de nós. Por que alguém afirmaria ter sido raptado por criaturas alienígenas, se tal coisa nunca aconteceu? Poderiam todas essas pessoas estar enganadas, mentindo, imaginando a mesma história (ou uma semelhante)? Ou não será arrogante e insolente questionar o juízo de tanta gente?

Por outro lado, poderia realmente haver uma grande invasão alienígena; procedimentos médicos repugnantes executados em milhões de homens, mulheres e crianças inocentes; seres humanos aparentemente usados como reprodutores durante muitas décadas — e tudo isso sem ser conhecido do público em geral, nem abordado por meios de comunicação responsáveis, médicos, cientistas e pelos governos que juraram proteger a vida e o bem-estar de seus cidadãos? Ou, como muitos têm sugerido, há uma grande conspiração governamental para manter os cidadãos ignorantes da verdade?

Por que seres com um conhecimento tão avançado de física e engenharia — que cruzam imensas distâncias interestelares e passam como fantasmas pelas paredes — seriam tão atrasados em questões de biologia? Se os alienígenas tentam fazer a sua tarefa em segredo, por que não eliminam completamente todas as lembranças dos raptos? Difícil demais para eles? Por que os instrumentos do exame são macroscópicos e lembram tanto o que pode ser encontrado na clínica médica da vizinhança? Por que se dar ao trabalho de encontros sexuais repetidos entre alienígenas e seres humanos? Por que não roubar algumas células de óvulos e espermatozoides, decifrar todo o código genético e fabricar muitas cópias com todas as variações genéticas que a fantasia tiver o capricho de imaginar? Até nós, humanos, que ainda não conseguimos cruzar rapidamente o espaço interestelar, nem passar através das paredes, somos capazes de reproduzir células. Como os seres humanos poderiam ser o resultado de um programa reprodutor alienígena, se partilhamos 99,6% de nossos genes ativos com os chimpanzés? Somos mais intimamente relacionados com os chimpanzés do que os ratos com os camundongos. A preocupação com a reprodução nessas histórias levanta uma bandeira de alerta — especialmente quando se consideram o equilíbrio instável entre o impulso sexual e a repressão social que sempre caracterizou a condição humana e o fato de que vivemos numa época carregada de inúmeras histórias horripilantes, verdadeiras e falsas, de abuso sexual na infância.

Ao contrário de muitos relatos da mídia,* os entrevistadores da pesquisa Roper e os redatores do relatório "oficial" nunca perguntaram se os entrevistados haviam sido raptados por alienígenas. Eles *deduziram* tal fato: aqueles que alguma vez acordaram com presenças estranhas ao redor, que alguma vez tiveram inexplicavelmente a impressão de voar e assim por diante, só podiam ter sido sequestrados. Os entrevistadores nem sequer verificaram se as presenças percebidas, o voo etc. faziam parte dos mesmos incidentes ou de experiências separadas. Sua conclusão — de que milhões de norte-americanos tinham sido raptados — é espúria, baseada em projeto experimental descuidado.

* Por exemplo, o número de 4 de setembro de 1994 de *Publisher's Weekly*: "Segundo uma pesquisa de opinião Gallup [*sic*], mais de 3 milhões de norte-americanos acreditam ter sido raptados por alienígenas".

Ainda assim, pelo menos centenas de pessoas, talvez milhares, que afirmam ter sido sequestradas, procuraram terapeutas compreensivos ou entraram em grupos de apoio aos raptados. Outras podem ter queixas semelhantes, mas, temendo o ridículo ou o estigma da doença mental, deixaram de falar ou procurar ajuda.

Afirma-se também que alguns raptados relutam em falar por medo da hostilidade e rejeição de céticos da linha dura (embora muitos apareçam de boa vontade em entrevistas de rádio e TV). Sua desconfiança se estende supostamente ao público que já acredita em raptos por alienígenas. Mas talvez haja outra razão: os próprios entrevistados não poderiam estar inseguros — pelo menos no início, pelo menos antes de recontar muitas vezes a sua história —, sem saber ao certo se foi um acontecimento externo que agora recordam ou um estado de consciência?

"Uma marca infalível do amor à verdade", escreveu John Locke em 1690, "é não considerar nenhuma proposição com uma convicção maior do que a autorizada pelas provas em que se fundamenta." Sobre a questão dos UFOs, qual é o grau de solidez das provas?

A expressão "disco voador" foi cunhada quando eu estava entrando na escola secundária. Os jornais estavam cheios de histórias sobre naves de outros mundos nos céus da Terra. A história me parecia bem plausível. Havia muitas outras estrelas, e era provável que pelo menos algumas tivessem sistemas planetários como o nosso. Muitas estrelas eram tão antigas quanto o Sol ou ainda mais velhas, por isso havia tempo suficiente para a evolução de vida inteligente. O Laboratório de Propulsão a Jato da Caltech acabara de lançar um foguete de dois estágios bem acima da Terra. Não havia dúvida de que estávamos a caminho da Lua e dos planetas. Por que outros seres mais antigos, mais sábios, não seriam capazes de viajar de sua estrela até a nossa? Por que não?

Isso foi apenas alguns anos antes das bombas de Hiroshima e Nagasaki. Talvez os ocupantes dos UFOs estivessem preocupados conosco e procurando nos ajudar. Ou talvez quisessem assegurar-se de que nós e nossas bombas nucleares não iríamos incomodá-*los*. Muitas pessoas pareciam ver discos voadores — sóbrios pilares da comunidade, policiais, pilotos de aviões comerciais, militares. E, à parte alguns grunhidos e risadinhas, eu não conseguia encontrar argumentos em contrário. Como podiam todas essas testemunhas oculares estar erradas? E, além do mais, os discos tinham sido captados pelo radar, tiraram-se fotos deles. Podiam-se ver as fotos nos jornais e nas revistas sensacionalistas. Havia até reportagens sobre desastres de discos voadores e pequenos corpos de alienígenas com dentes perfeitos definhando rigidamente nos congeladores da Força Aérea no sudoeste.

O clima predominante foi resumido na revista *Life* alguns anos mais tarde, com as seguintes palavras: "Esses objetos não podem ser explicados pela ciência atual como fenômenos naturais — mas unicamente como dispositivos artificiais, criados e operados por uma inteligência elevada". Nada "conhecido ou projetado na Terra poderia ser responsável pelo desempenho desses mecanismos".

No entanto, nem um único adulto que eu conhecia estava preocupado com os UFOs. Não conseguia entender o porquê. Em vez disso, eles se preocupavam com a China comunista, as armas nucleares, o macarthismo e o aluguel. Eu me perguntava se as prioridades deles não estariam erradas.

Na universidade, no início dos anos 50, comecei a entender um pouco como a ciência funciona, os segredos de seu grande sucesso, como os padrões de evidência devem ser rigorosos para realmente sabermos se algo é verdadeiro, quantos pontos de partida falsos e becos sem saída já atormentaram o pensamento humano, como os nossos vieses podem colorir a interpretação da evidência, e quantas vezes sistemas de crenças mantidos por muitas pessoas e apoiados pelas hierarquias políticas, religiosas e acadêmicas revelam estar não apenas um pouquinho errados, mas grotescamente equivocados.

Descobri um livro chamado *Extraordinary popular delusions and the madness of crowds*, escrito por Charles Mackay em 1841, e ainda à venda nas livrarias. Nele encontravam-se as histórias de febres econômicas que experimentaram desenvolvimento e fracasso vertiginosos, inclusive as "Bolhas" do Mississippi e dos Mares do Sul e a extravagante corrida às tulipas holandesas, fraudes que enganaram os ricos e os poderosos de muitas nações; uma legião de alquimistas, inclusive a história pungente do sr. Kelly e do dr. Dee (e de Arthur, o filho de oito anos de Dee, forçado pelo seu insensato pai a se comunicar com o mundo dos espíritos olhando para um cristal); relatos dolorosos de profecias, vaticínios e leituras da sorte que não se cumpriram; a caça às bruxas; casas assombradas; "a admiração popular pelos grandes ladrões"; e muita coisa mais. Um retrato divertido era o do conde de St. Germain, que jantava na casa dos outros sob o pretexto jovial de que tinha séculos de idade, isso se não fosse realmente imortal. (Quando, à mesa do jantar, as pessoas se mostravam incrédulas ao escutar seu relato das conversas que tivera com Ricardo Coração de Leão, ele se virava para o seu criado em busca de confirmação. "O senhor esquece", era a resposta, "que estou apenas há quinhentos anos a seu serviço." "Ah, é verdade", dizia St. Germain, "foi um pouco antes de seu tempo.")

O capítulo sobre as Cruzadas atraía a atenção e começava assim:

> Toda era tem sua loucura peculiar; algum plano, projeto ou fantasia em que mergulha, estimulada pelo amor do ganho, pela necessidade de emoção ou pela simples força da imitação. Se tudo isso falhar, ela ainda assim possui uma loucura, a que é incitada por causas políticas ou religiosas, ou por ambas combinadas.

Quando li a obra pela primeira vez, a edição era adornada por uma citação do financista e conselheiro de presidentes Bernard M. Baruch, afirmando que ler Mackay o ajudara a poupar milhões.

Havia uma longa história de afirmações espúrias no sentido de que o magnetismo podia curar doenças. Paracelso, por exemplo, usava um ímã para chupar as doenças para fora do corpo humano e lançá-las à Terra. Mas a figura-chave era Franz Mesmer. Eu tinha compreendido vagamente a palavra "mesmerismo" como algo semelhante a hipnotismo. Mas meu primeiro conhecimento real de Mesmer foi por intermédio de Mackay. O médico vienense imaginava que as posições dos planetas influenciavam a saúde humana, e ficou arrebatado pelas maravilhas da eletricidade e do magnetismo. Ele prestava seus serviços à nobreza francesa decadente às vésperas da Revolução. Todos se apinhavam num quarto escurecido. Coberto por um manto de seda com flores douradas e brandindo uma varinha de marfim, Mesmer fazia suas vítimas se sentarem ao redor de uma cuba de ácido sulfúrico diluído. O Magnetizador e seus jovens assistentes examinavam profundamente os olhos de seus pacientes e esfregavam os seus corpos. Esses agarravam barras de ferro que saíam para fora da solução ou ficavam de mãos dadas. Num frenesi contagioso, os aristocratas — especialmente as jovens mulheres — eram curados à direita e à esquerda.

Mesmer se tornou uma sensação. Ele chamava o fenômeno de "magnetismo animal". No entanto, essa história era prejudicial aos negócios dos médicos mais convencionais, razão pela qual os médicos franceses pressionaram o rei Luís XVI a castigar o vienense. Mesmer, afirmavam, era uma ameaça à saúde pública. A Academia Francesa de Ciências nomeou uma comissão que incluía o químico pioneiro Antoine Lavoisier e o diplomata norte-americano e especialista em eletricidade Benjamin Franklin. Eles executaram o óbvio experimento de controle: quando os efeitos magnetizadores eram criados sem o conhecimento do paciente, não se produziam curas. A comissão concluiu que as curas, se é que houve alguma, existiam apenas na mente do espectador. Mesmer e seus seguidores não se deixaram intimidar. Um deles insistia mais tarde na seguinte atitude mental para se conseguir os melhores resultados:

> Esqueça por um momento todo o seu conhecimento de física [...]. Retire da cabeça todas as objeções que possam ocorrer [...]. Não raciocine durante seis semanas [...]. Seja

muito crédulo; seja muito perseverante; rejeite toda a experiência passada, e não dê ouvidos à razão.

Oh, sim, um último aviso: "Jamais magnetize diante de pessoas indagadoras".

Outro livro que abriu meus olhos foi *Fads and fallacies in the name of science*, de Martin Gardner. Ali estava Wilhelm Reich revelando a chave para a estrutura das galáxias na energia do orgasmo humano; Andrew Crosse criando eletricamente insetos microscópicos a partir de sais; Hans Hörbiger, sob a égide nazista, anunciando que a Via Láctea não era feita de estrelas, mas de bolas de neve; Charles Piazzi Smyth descobrindo nas dimensões da Grande Pirâmide de Gizé uma cronologia mundial desde a Criação até o Segundo Advento; L. Ron Hubbard escrevendo um manuscrito capaz de enlouquecer os leitores (terá sido testado alguma vez?, eu me perguntava); o caso Bridey Murphy, que levou milhões de pessoas a concluir que finalmente havia evidências sérias da reencarnação; as "demonstrações" de percepção extrassensorial de Joseph Rhine; a cura de apendicites por lavagens de água fria, doenças bacterianas por cilindros de latão, e gonorreia por luz verde — e entre todos esses relatos de autoengano e charlatanice, para minha surpresa, um capítulo sobre UFOs.

É claro que, só por escrever livros catalogando crenças espúrias, Mackay e Gardner davam a impressão de ser, pelo menos um pouco, ranzinzas e superiores. Não havia nada que aceitassem? Ainda assim, era espantoso quantas proposições apaixonadamente sustentadas e defendidas não tinham resultado em nada. Comecei a compreender com vagar que, dada a falibilidade humana, poderia haver outras explicações para os discos voadores.

Eu me interessara pela possibilidade de vida extraterrestre desde a infância, desde muito antes de ouvir falar de discos voadores. Continuei fascinado por muito tempo depois que diminuiu meu primeiro entusiasmo pelos UFOs — quando compreendi melhor esse capataz implacável chamado método científico: tudo depende da questão da evidência. Sobre um tema tão importante, a evidência deve ser irrefutável. Quanto mais desejamos que seja verdade, mais cuidadosos temos que ser. Nenhum depoimento de testemunhas é bom o suficiente. As pessoas cometem erros. As pessoas fazem brincadeiras. As pessoas exageram a verdade para conseguir dinheiro, atenção ou fama. As pessoas de vez em quando compreendem errado o que veem. As pessoas às vezes até veem coisas que não existem.

Em sua essência, todos os casos de UFO eram anedóticos, afirmavam alguns. Os UFOs eram descritos de várias maneiras: deslocando-se rapidamente ou pairando; em forma de disco, em forma de charuto ou em forma de bola; movendo-se silenciosa ou ruidosamente; com uma descarga faiscante ou sem descarga alguma; acompanhados de luzes cintilantes, luzindo uniformemente com um matiz de prata, ou tendo fulgor próprio. A diversidade das observações sugeria que elas não tinham origem comum, e que o uso de termos como UFO ou "discos voadores" servia apenas para confundir a questão, ao agrupar genericamente um conjunto de fenômenos sem relação entre si.

Havia algo estranho sobre a própria invenção da expressão "disco voador". Enquanto escrevo este capítulo, tenho diante de mim a transcrição de uma entrevista de 7 de abril de 1950, feita por Edward R. Murrow, o famoso repórter da CBS, com Kenneth Arnold, o piloto civil que viu algo peculiar perto do monte Rainier, no estado de Washington, em 24 de junho de 1947. Foi Arnold quem de certa maneira cunhou a expressão. Ele afirma que os jornais

> não me citaram corretamente [...]. Quando relatei o fato à imprensa, eles reproduziram mal as minhas palavras, e, em meio a toda a comoção, alguns jornais complicaram tanto a história que ninguém sabia exatamente do que estava falando [...]. Esses objetos esvoaçavam mais ou menos como se fossem, oh, eu diria barcos em mar muito encapelado [...]. E quando descrevi como voavam, disse que voavam como quando alguém pega um disco e o atira pela água. A maioria dos jornais me compreendeu mal e também me citou er-

radamente. Afirmaram que eu tinha dito que eles eram semelhantes a discos; eu disse que eles voavam como discos.

Arnold julgava ter visto uma série de nove objetos, um dos quais produzia um "formidável clarão azul". Concluiu que eram um novo tipo de aeronave com asas. Murrow resumia: "Foi um erro de citação histórico. Enquanto a explicação original do sr. Arnold foi esquecida, o termo 'disco voador' se tornou uma palavra familiar". Quanto à sua aparência e comportamento, os discos voadores de Kenneth Arnold eram muito diferentes daquilo que, em apenas alguns anos, se tornou rigidamente estereotipado na compreensão pública do termo: algo semelhante a um *frisbee* muito grande e facilmente manobrável.

A maioria das pessoas informava honestamente o que via, mas o que elas viam eram fenômenos naturais, ainda que pouco familiares. Algumas visões de UFO eram na verdade aviões pouco convencionais, aviões convencionais com padrões de iluminação inusitados, balões de alta altitude, insetos luminescentes, planetas vistos em condições atmosféricas incomuns, miragens e aparições ópticas, nuvens lenticulares, fogos de santelmo, parélios, meteoros incluindo bolas de fogo verdes, satélites, ogivas e lançadores de foguetes reentrando espetacularmente na atmosfera.* Também é possível que fossem pequenos cometas dissipando-se na atmosfera superior. Pelo menos algumas das informações de radar eram causadas por "propagação anômala" — ondas de rádio viajando em trajetórias curvas devido a inversões da temperatura atmosférica. Tradicionalmente, eram também chamadas "anjos" de radar — algo que parece estar ali, mas não está. Era possível a ocorrência de visões percebidas simultaneamente pelas pessoas e pelo radar, sem que nada houvesse "naquele ponto".

---

* Há tantos satélites lá em cima que eles estão sempre oferecendo espetáculos espalhafatosos em algum lugar do mundo. Dois ou três se deterioram todos os dias na atmosfera da Terra, sendo os destroços flamejantes frequentemente visíveis a olho nu.

Quando observamos algo estranho no céu, alguns de nós nos tornamos excitáveis e pouco críticos, testemunhas ruins. Suspeitava-se que essa área atraía marotos e charlatães. Muitas fotos de UFOs se revelaram falsas — modelos pequenos pendurados por fios finos, em geral fotografados com exposição dupla. Um UFO visto por milhares de pessoas num jogo de futebol revelou-se uma brincadeira da associação dos estudantes da universidade — um pedaço de papelão, algumas velas e um desses sacos de plástico fino de lavanderia, tudo atado grosseiramente, de modo a formar um balão de ar quente rudimentar.

O relato original do desastre de discos voadores (com os pequenos alienígenas e seus dentes perfeitos) se revelou uma rematada mistificação. Frank Scully, colunista da *Variety*, passou adiante uma história contada por um amigo que trabalhava no ramo de petróleo; essa história recebeu um papel dramático central no *best-seller* que ele escreveu em 1950, *Behind the flying saucers*. Dezesseis venusianos mortos, cada um com um metro de altura, tinham sido encontrados num dos três discos voadores acidentados. Folhetos com pictogramas alienígenas haviam sido recuperados. Os militares estavam encobrindo as investigações. As implicações eram profundas.

Os responsáveis pela fraude eram Silas Newton, que afirmava usar ondas de rádio para procurar jazidas de ouro e petróleo, e um misterioso "dr. G.", que, como veio a se saber mais tarde, era um certo sr. GeBauer. Newton produziu um aparelho com mecanismos do UFO e tirou *closes* do disco. Mas não permitia uma inspeção minuciosa desses itens. Quando um cético experiente, por meio de escamoteação, trocou o aparelho por outro e mandou o artefato alienígena para análise, revelou-se que era feito de alumínio de panela.

O falso acidente de discos voadores foi um pequeno interlúdio num quarto de século de fraudes armadas por Newton e GeBauer — que consistiam principalmente em vender arrendamentos de jazidas de petróleo sem valor e máquinas capazes de identificar depósitos de combustíveis naturais. Em 1952, eles foram presos pelo FBI, e condenados no ano seguinte por passar contos do vigário. Suas façanhas — relatadas pelo historiador Curtis Peebles — deveriam ter acautelado para sempre os entusiastas dos UFOs quanto a histórias de acidentes de discos voadores no sudoeste norte-americano perto de 1950. Não se teve tanta sorte.

Em 4 de outubro de 1957, foi lançado o Sputnik 1, o primeiro satélite artificial a entrar em órbita ao redor da Terra. Das 1178 visões de UFOs registradas na América do Norte naquele ano, 701, ou 60% — em vez dos 25% que seriam de se esperar —, ocorreram entre outubro e dezembro. A implicação clara é que o Sputnik e a publicidade ao seu redor geraram de alguma forma as notificações de UFOs. Talvez as pessoas estivessem olhando mais para o céu noturno e vendo um número maior de fenômenos naturais que não compreendiam. Ou seria possível que estivessem olhando mais para o céu e percebendo melhor as naves espaciais alienígenas que sempre se encontram ali?

A noção de discos voadores teve antecedentes dúbios, que remontavam a uma fraude consciente intitulada *I remember Lemuria!*, história escrita por Richard Shaver e publicada no número de março de 1945 do periódico sensacionalista *Amazing Stories*. Era exatamente o tipo de leitura que eu devorava quando criança. Os continentes perdidos foram colonizados por alienígenas espaciais há 150 mil anos, informavam-me, o que deu origem a uma raça de seres subterrâneos demoníacos, responsáveis pelas tribulações humanas e pela existência do mal. O editor da revista, Ray Palmer — que tinha, como os seres subterrâneos contra os quais alertava, aproximadamente um metro e vinte de altura —, promovia a ideia, bem antes de Arnold ter avistado os objetos voadores, de que a Terra estava sendo visitada por espaçonaves alienígenas em forma de disco e que o governo encobria o seu conhecimento desses fatos e a sua cumplicidade. Só pelas capas dessas revistas nas bancas de jornais, milhões de norte-americanos se familiarizaram com a ideia de discos voadores bem antes de o termo ser cunhado.

Levando-se tudo em consideração, a evidência alegada parecia fraca — degenerando muito frequentemente em credulidade, fraude, alucinação, compreensão errônea do mundo natural, esperanças e medos disfarçados como evidências, e um desejo de atenção, fama e fortuna. Que pena, lembro-me de ter pensado.

Desde então, tive a sorte de estar envolvido com o envio de espaçonaves a outros planetas em busca de vida, e com a escuta de sinais de rádio de civilizações alienígenas, caso existam, em planetas de estrelas distantes. Tivemos alguns momentos tantalizantes. Mas se o suposto sinal não está à mão para que todo cético ranzinza possa examiná-lo, não podemos chamá-lo de evidência de vida extraterrestre — por mais fascinante que nos pareça a ideia. Teremos simplesmente que esperar até conseguir melhores dados, se é que esse tempo chegará algum dia. Ainda não encontramos evidência convincente de vida fora da Terra. Mas estamos apenas nas primeiras etapas da investigação. Pelo que sabemos, novas e melhores informações podem surgir amanhã.

Não acho que alguém possa ter mais interesse do que eu em saber se estamos sendo visitados. Muito tempo e esforço me seriam poupados, se pudéssemos estudar a vida extraterrestre diretamente e de perto, em vez de indiretamente e a uma grande distância, na melhor das hipóteses. Ainda que os alienígenas sejam baixos, sombrios e obcecados por sexo — se eles estão por aqui, quero conhecê-los.

A saga dos círculos nas plantações demonstra como são modestas nossas expectativas sobre os "alienígenas" e inferiores os padrões que muitos de nós estão dispostos a aceitar. Originando-se na Grã-Bretanha e espalhando-se por todo o mundo, tratava-se de um fenômeno mais do que estranho.

Os fazendeiros ou os passantes descobriam círculos (e, anos mais tarde, pictogramas muito mais complexos) gravados sobre campos de trigo, aveia, cevada e colza. Começando por simples círculos na metade dos anos 70, o fenômeno progrediu ano a ano, até que no final dos 80 e início dos 90 a paisagem do campo, especialmente no sul da Inglaterra, estava ornamentada com imensas figuras geométricas, algumas do tamanho de um campo de futebol, gravadas com grãos de cereais antes da colheita — círculos tangentes a círculos ou conectados por eixos, linhas paralelas que se curvavam, "insetoides". Alguns dos padrões apresentavam um círculo central circundado por quatro círculos menores simetricamente posicionados — evidentemente causados, como se concluiu, por um disco voador e seus dispositivos de aterrissagem.

Uma fraude? Impossível, dizia quase todo mundo. Havia centenas de casos. Às vezes o círculo era feito em apenas uma ou duas horas, na calada da noite, e numa escala *muito* grande. Não se viam pegadas dos fraudadores aproximando-se ou afastando-se dos pictogramas. E, além disso, que motivo poderia haver para uma brincadeira dessas?

Conjecturas muito menos convencionais eram propostas. Pessoas com algum treinamento científico examinaram os locais, teceram argumentos, chegaram a criar periódicos dedicados ao assunto. Seriam as figuras causadas por estranhos redemoinhos chamados "vórtices colunares", ou por alguns ainda mais estranhos chamados "vórtices anulares"? E que dizer dos fogos de santelmo? Investigadores japoneses tentaram simular, no laboratório e em pequena escala, a física dos plasmas que eles achavam estar atuando na distante Wiltshire.

No entanto, especialmente à medida que as figuras nas colheitas se tornavam mais complexas, as explicações meteorológicas ou elétricas se tornavam mais forçadas. Não havia dúvida, o fenômeno era causado por UFOs, os alienígenas procuravam se comunicar conosco em linguagem geométrica. Ou talvez fosse o diabo, ou a Terra de tão longos sofrimentos queixando-se das depredações efetuadas pela mão do homem. Os turistas da Nova Era chegavam em bandos. Os entusiastas equipados com gravadores e instrumentos de visão infravermelha empreendiam vigílias a noite toda. A mídia eletrônica e impressa de todo o mundo acompanhava os intrépidos cerealogistas. Um público ansioso e admirador comprava os *best-sellers* sobre os desfiguradores das colheitas. É verdade, nenhum disco foi realmente visto pousando sobre o trigo, nenhuma figura geométrica foi filmada enquanto estava sendo gerada. Mas os adivinhos autenticaram a sua origem alienígena, e os canalizadores estabeleceram contatos com as entidades responsáveis. Detectou-se "energia orgástica" dentro dos círculos.

Formularam-se perguntas no Parlamento. A família real chamou para uma consulta especial lord Solly Zuckerman, ex-conselheiro científico do Ministério da Defesa. Dizia-se que fantasmas estavam envolvidos; e também os Cavaleiros do Templo de Malta e outras sociedades secretas. Havia satanistas implicados. O Ministério da Defesa estava encobrindo a questão. Alguns círculos malfeitos e deselegantes foram considerados tentativas feitas pelos militares para despistar a população. A imprensa sensacionalista teve a sua grande oportunidade. O *Daily Mirror* contratou um fazendeiro e seu filho para fazer cinco círculos, na esperança de que o tabloide rival, o *Daily Express*, ficasse tentado a publicar a história. Pelo menos nesse caso, o *Express* não se deixou enganar.

As organizações "cerealógicas" cresceram e se dividiram. Os grupos rivais trocavam entre si textos mal escritos e intimidadores. Acusavam-se de incompetência ou de coisa pior. O número de "círculos" nas plantações atingiu a casa do milhar. O fenômeno se espalhou para os Estados Unidos, Canadá, Bulgária, Hungria, Japão, Holanda. Os pictogramas — especialmente os mais complexos — começaram a ser cada vez mais citados nos argumentos a favor das visitas alienígenas. Estabeleceram-se conexões forçadas com A Face em Marte. Um cientista meu conhecido me escreveu dizendo que uma matemática extremamente sofisticada estava oculta nas figuras; elas só podiam ser o resultado de uma inteligência superior. Na verdade, uma questão consensual entre quase todos os cerealogistas rivais é que as figuras mais recentes nas colheitas eram demasiado complexas e elegantes para serem resultado da mera intervenção humana, muito menos de alguns mistificadores imperfeitos e irresponsáveis. A inteligência extraterrestre era visível num simples olhar de relance...

Em 1991, Doug Bower e Dave Chorley, dois sujeitos de Southampton, anunciaram que vinham fazendo as figuras nas plantações havia quinze anos. Eles imaginaram a brincadeira ao tomar cerveja preta certa tarde no seu *pub* habitual, The Percy Hobbes. Eles tinham achado engraçadas algumas notícias de UFOs, e pensaram que seria divertido lograr os que acreditavam nos objetos não identificados. No início, achatavam o trigo com a pesada barra de aço que Bower usava como tranca na porta dos fundos de sua loja de molduras. Mais tarde, empregaram pranchas e cordas. Suas primeiras tentativas levaram apenas alguns minutos. Mas, sendo brincalhões inveterados e também artistas sérios, o desafio começou a crescer dentro deles. Aos poucos, planejaram e executaram figuras cada vez mais elaboradas.

A princípio, ninguém parecia ter percebido. Não havia notícias nos meios de comunicação. Suas formas de arte foram desprezadas pela tribo dos ufologistas. Estavam a ponto de abandonar os círculos nas plantações e passar para outra brincadeira emocionalmente mais gratificante.

De repente, os círculos nas plantações se tornaram populares. Os ufologistas caíram como patinhos. Bower e Chorley ficaram encantados — especialmente quando os cientistas e outras pessoas começaram a dar sua opinião ponderada de que a simples inteligência humana não poderia ser responsável pelas figuras.

Os dois planejavam cuidadosamente cada excursão noturna — às vezes seguindo diagramas meticulosos que haviam preparado em aquarelas. Eles acompanhavam de perto os seus interpretadores. Quando um meteorologista local inferiu um tipo de redemoinho, porque todas as plantações estavam flectidas para baixo num círculo em sentido horário, eles procuraram confundi-lo criando nova figura com um anel exterior achatado em sentido contrário ao dos ponteiros do relógio.

Em breve apareciam outras figuras nas plantações do sul da Inglaterra e de outros lugares. Haviam surgido imitadores. Bower e Chorley gravaram uma mensagem no trigo: "NÓSNÃOESTAMOSSOZINHOS". Houve quem tomasse essas palavras como uma mensagem extraterrestre genuína (embora tivesse sido mais correta se dissesse "VOCÊSNÃOESTÃOSOZINHOS"). Doug e Dave começaram a assinar seus trabalhos artísticos com dois Ds; até isso foi atribuído a um misterioso propósito alienígena. As ausências noturnas de Bower despertaram suspeitas em sua mulher, Ilene. Só com grande dificuldade — Ilene acompanhando Dave e Doug certa noite, e depois juntando-se aos crédulos que admiravam a obra no dia seguinte — é que ela se convenceu de que suas ausências eram, nesse aspecto, inocentes.

Por fim, Bower e Chorley se cansaram da brincadeira cada vez mais elaborada. Apesar de ainda apresentarem excelente forma física, estavam ambos na casa dos sessenta e um pouco velhos para incursões noturnas nos campos de fazendeiros desconhecidos e frequentemente pouco compreensivos. Talvez tenham se incomodado com a fama e a fortuna acumuladas por aqueles que simplesmente fotografavam a sua arte e afirmavam que os artistas eram alienígenas. E também começaram a se preocupar com o fato de que, se demorassem muito mais tempo, ninguém acreditaria na sua história.

Por isso confessaram. Demonstraram aos repórteres como é que faziam até os padrões insetoides mais elaborados. Era de se esperar que nunca mais alguém afirmaria ser impossível uma brincadeira prolongada durante muitos anos, e que nunca mais ouviríamos que nenhuma pessoa teria motivos para enganar os crédulos, fazendo-os crer na existência de alienígenas. Mas a mídia deu pouca atenção. Os cerealogistas insistiam para que tivessem calma; afinal de contas, eles estavam roubando de muitos o prazer de imaginar acontecimentos extraordinários.

Desde então, outros têm continuado a brincadeira dos círculos nas plantações, mas em geral de forma mais irregular e menos inspirada. Como sempre, a confissão do logro foi ofuscada pela excitação inicial prolongada. Muitos têm ouvido falar dos pictogramas nos grãos de cereais e de sua alegada conexão com os UFOs, mas lhes dá um branco quando se mencionam os nomes de Bower e Chorley ou a própria ideia de que toda a história não passa de uma brincadeira. Foi publicada uma exposição informativa do jornalista Jim Schnabel (*Round in circles*, Penguin Books, 1994) — da qual é tirada grande parte do meu relato. Schnabel aderiu cedo aos cerealogistas e acabou fazendo ele próprio alguns pictogramas de sucesso. (Ele prefere um rolo de jardim a uma prancha de madeira, e descobriu que simplesmente pisotear os grãos já produz um pictograma aceitável.) Mas a obra de Schnabel, que um crítico descreveu como "o livro mais engraçado que li em muitos anos", teve um sucesso apenas modesto. Os demônios vendem; os fraudadores são aborrecidos e de mau gosto.

Não é preciso um diploma de nível superior para conhecer a fundo os princípios do ceticismo, como bem demonstram muitos compradores de carros usados que fazem bons negócios. A ideia da aplicação democrática do ceticismo é que todos deveriam ter as ferramentas essenciais para avaliar efetiva e construtivamente as alegações de quem se diz possuidor do conhecimento. O que a ciência exige é tão somente que façamos uso dos mesmos níveis de ceticismo que empregamos ao comprar um carro usado ou ao julgar a qualidade dos analgésicos ou da cerveja pelos seus comerciais na televisão.

Mas as ferramentas do ceticismo em geral não estão à disposição dos cidadãos de nossa sociedade. Mal são mencionadas nas escolas, mesmo quando se trata da ciência, que é seu usuário mais ardoroso, embora o ceticismo continue a brotar espontaneamente dos desapontamentos da vida diária. A nossa política, economia, propaganda e religiões (Antiga e Nova Era) estão inundadas de credulidade. Aqueles que têm alguma coisa para vender, aqueles que desejam influenciar a opinião pública, aqueles que estão no poder, diria um cético, têm um interesse pessoal em desencorajar o ceticismo.

# 5. SIMULAÇÕES E SIGILO

> *Só confie numa testemunha quando ela fala de questões em que não se acham envolvidos nem o seu interesse próprio, nem as suas paixões, nem os seus preconceitos, nem o amor pelo maravilhoso. No caso de haver esse envolvimento, requeira evidência corroborativa em proporção exata à violação da probabilidade provocada pelo seu testemunho.*
> Thomas Henry Huxley (1825-95)

QUANDO A MÃE DE TRAVIS WALTON, uma famosa vítima de rapto, recebeu a notícia de que um UFO atacara o seu filho com um raio, carregando-o depois para o espaço, replicou desinteressadamente: "Bem, é assim que essas coisas acontecem". Será?

Concordar com a ideia de que os UFOs estão em nosso céu não significa comprometer-se com muita coisa: UFO é a sigla inglesa de "objeto voador não identificado". É um termo mais inclusivo que "disco voador". É inevitável que existam coisas perceptíveis que nem o observador comum, nem mesmo um especialista eventual compreendem. Mas, se vemos algo que não reconhecemos, por que devemos concluir que é uma nave estelar? Uma ampla variedade de possibilidades mais prosaicas se apresenta.

Depois que eventos naturais mal compreendidos, brincadeiras e aberrações psicológicas são eliminados do conjunto de dados, ainda permanece algum resíduo de casos muito plausíveis, porém extremamente bizarros, em especial aqueles apoiados por evidência física? Existe um "sinal" escondido em todo esse ruído? A meu ver, nenhum sinal foi detectado. Há casos confiavelmente relatados que não são exóticos, e casos exóticos que não são confiáveis. Não existe nenhum caso — apesar das bem mais de 1 milhão de notificações de UFOs desde 1947 — em que o relato de algo muito estranho, só passível de explicação extraterrestre, tenha sido tão confiável que as hipóteses de compreensão errônea, brincadeira ou alucinação pudessem ser confiavelmente excluídas. Ainda há uma parte minha que diz: "Que pena!".

Somos bombardeados regularmente com relatos extravagantes de UFOs divulgados por publicações sensacionalistas, mas é raro ouvirmos algo sobre a sua merecida reprovação. Isso não é difícil de compreender: o que vende mais jornais e livros, o que acumula ibopes mais elevados, o que é mais divertido de acreditar, o que repercute mais os tormentos de nosso tempo — naves alienígenas acidentadas ou trapaceiros experientes pilhando os crédulos? Extraterrestres de imensos poderes brincando com a espécie humana, ou o fato de esses relatos se originarem de fraquezas e imperfeições humanas?

Há anos venho me dedicando ao problema dos UFOs. Recebo muitas cartas sobre a questão, frequentemente com relatos pormenorizados em primeira mão. Às vezes me são prometidas revelações importantes, se eu apenas telefonar para o autor da carta. Depois que dou palestras — sobre quase todos os assuntos —, é comum me fazerem a pergunta: "Você acredita em UFOs?". Sempre me impressionou o modo como a questão é formulada, a sugestão de que não se trata de um problema de evidência, mas de crença. Nunca me perguntaram: "É de boa qualidade a evidência de que os UFOs são espaçonaves alienígenas?".

Descobri que a atitude crédula de muitas pessoas é bastante predeterminada. Algumas estão convencidas de que o depoimento de testemunhas oculares é confiável, de que as pessoas não inventam histórias, de que são impossíveis alucinações ou brincadeiras em tão grande escala, e de que só pode haver uma conspiração governamental de alto nível e longa duração para nos manter ignorantes da verdade. A credulidade a respeito dos UFOs se nutre da desconfiança difundida contra o governo, que nasce muito naturalmente de todas aquelas circunstâncias em que — na tensão entre o bem-estar público e a "segurança nacional" — o governo mente. Como enganos e conspirações secretas por parte do governo têm sido revelados em tantas outras questões, é difícil argumentar que seria impossível uma tentativa de encobrir esse tema estranho, que o governo nunca esconderia informações importantes de seus cidadãos. Uma explicação comum para a eventual dissimulação é evitar o pânico mundial ou a erosão da confiança no governo.

Eu participei da comissão do Conselho Consultivo Científico da Força Aérea dos Estados Unidos que investigou o estudo da Força Aérea sobre UFOs — o chamado Projeto Bluebook, antes reveladoramente chamado Projeto Grudge.* A nossa avaliação considerou vazio e desdenhoso o trabalho que estava sendo desenvolvido. Na metade dos anos 60, o Projeto Bluebook tinha o seu centro de operações na Base Wright-Patterson da Força Aérea em Ohio — onde estava também sediado o projeto Inteligência Técnica Estrangeira (que consistia principalmente em compreender as novas armas que os soviéticos possuíam). Eles usavam tecnologia de ponta para recuperar dados de arquivos. Perguntávamos sobre certo incidente envolvendo UFOs e, um pouco à maneira dos suéteres e ternos nas lavanderias modernas, montes de arquivos passavam por nós até a máquina parar, quando o arquivo desejado chegava à nossa frente.

Mas o que havia *nos* arquivos não valia grande coisa. Por exemplo, cidadãos idosos informavam ter visto luzes pairando sobre sua pequena cidade em New Hampshire por mais de uma hora, e o caso é explicado como uma esquadrilha de bombardeiros estratégicos de uma base próxima da Força Aérea num exercício de treinamento. Os bombardeiros levariam uma hora para passar sobre a cidade? Não. Os bombardeiros voaram no horário em que os UFOs foram vistos? Não. Poderia nos explicar, coronel, como é que bombardeiros estratégicos podem ser descritos como luzes "pairando"? Não. As investigações desleixadas do Bluebook tinham pouco valor científico, mas serviam à importante finalidade burocrática de convencer grande parte do público de que a Força Aérea estava envolvida na questão; e de que talvez os relatos sobre UFOs nada significassem.

---

* Projeto Má-Vontade. (N. T.)

É claro que isso não exclui a possibilidade de que um estudo mais sério, mais científico sobre UFOs estivesse sendo realizado em outro lugar — chefiado, digamos, por um general de brigada, e não por um tenente-coronel. Acho que uma coisa dessas é até provável, não porque acredite nas visitas de alienígenas, mas porque, ocultos nos fenômenos UFOs, devem existir dados outrora considerados de grande interesse militar. Sem dúvida, se os UFOs correspondem às suas descrições — naves bastante velozes, muito manobráveis —, é um dever militar descobrir como funcionam. Se os UFOs fossem construídos pela União Soviética, seria responsabilidade da Força Aérea nos proteger. Considerando-se as extraordinárias características de desempenho relatadas, seriam inquietantes as implicações estratégicas de UFOs soviéticos sobrevoando flagrantemente instalações nucleares e militares norte-americanas. Por outro lado, se eles fossem construídos por extraterrestres, poderíamos copiar a tecnologia (se pudéssemos pôr a mão num único disco) e com isso assegurar uma enorme vantagem na Guerra Fria. E mesmo que os militares não acreditassem que os UFOs fossem fabricados por soviéticos ou extraterrestres, havia boas razões para examinar os relatórios com cuidado.

Nos anos 50, a Força Aérea estava fazendo amplo uso de balões — e não apenas como plataformas de medição do tempo, conforme era manifestamente anunciado, e como refletores de radar, conforme era reconhecido, mas também, secretamente, como naves de espionagem robóticas, com câmaras de alta resolução e dispositivos para captar sinais inteligentes. Embora os próprios balões não fossem muito secretos, não se podia dizer o mesmo dos equipamentos de reconhecimento que transportavam. Os balões de alta altitude podem parecer discos, quando vistos do solo. Se calculamos mal a distância em que se encontram, podemos facilmente imaginar que estão se deslocando numa velocidade absurda. De vez em quando, impelidos por uma rajada de vento, eles fazem mudanças abruptas de direção, o que não é característico de aviões e parece desafiar a conservação do impulso — se não nos damos conta de que são ocos e não pesam quase nada.

O mais famoso desses sistemas militares de balões, amplamente testado nos Estados Unidos no início dos anos 50, era chamado Shyhook. Outros sistemas e projetos de balões tinham os nomes de Mogul, Moby Dick, Grandson e Genetrix. Urner Lidell, que tinha alguma responsabilidade por essas missões no Laboratório de Pesquisa Naval, e que mais tarde foi funcionário da NASA, me falou certa vez que para ele *todas* as notificações de UFOs se deviam a balões militares. Embora falar em "todas" seja exagerado, o papel dos balões tem sido, a meu ver, insuficientemente avaliado. Que eu saiba, nunca houve uma experiência de controle sistemática e intencional — em que balões de alta altitude fossem secretamente lançados e rastreados, e em que se anotassem as notificações de UFOs feitas por observadores que os teriam avistado a olho nu ou pelo radar.

Em 1956, começaram os voos de balões norte-americanos de reconhecimento sobre a União Soviética. No auge desse programa, eram lançadas dezenas de balões por dia. Os sobrevoos deles foram depois substituídos por aviões de alta altitude, como os U-2, que por sua vez foram em grande parte substituídos por satélites de reconhecimento. Muitos UFOs que datam desse período eram claramente balões científicos, como continuam a ser alguns desde então. Balões de alta altitude ainda estão sendo lançados para muitos pontos acima da atmosfera da Terra — inclusive plataformas que carregam sensores de raios cósmicos, telescópios ópticos e infravermelhos, receptores de rádio que sondam a radiação cósmica de fundo, e outros instrumentos.

Fez-se um grande escarcéu sobre um ou mais discos voadores supostamente acidentados perto de Roswell, Novo México, em 1947. Alguns dos primeiros informes e fotografias do ocorrido são inteiramente coerentes com a ideia de que os destroços eram de um balão de alta altitude acidentado. Mas outros habitantes da região — especialmente décadas mais tarde — lembram-se de materiais mais exóticos, hieroglifos enigmáticos, ameaças dos militares às testemunhas se elas não calassem o que sabiam, e a história aceita de que máquinas e partes dos corpos alienígenas foram acondicionadas num avião e transportadas para o Comando de Equipamento Aéreo na Base Wright-Patterson da Força Aérea. Algumas das histórias dos corpos alienígenas recuperados, mas não todas, estão ligadas a esse incidente.

Philip Klass, há muito tempo cético em relação aos UFOs e dedicado ao seu estudo, revelou uma carta secreta, mais tarde divulgada ao público, datada de 27 de julho de 1948, um ano depois do "incidente" em Roswell, escrita pelo general de divisão C. B. Cabell — então diretor do Serviço Secreto da Força Aérea dos Estados Unidos (e mais tarde, já como funcionário da CIA, figura capital na frustrada invasão norte-americana da baía dos Porcos, em Cuba). Cabell perguntava àqueles que lhe passavam as informações o que seriam os UFOs. Ele não tinha a menor ideia. Numa resposta sucinta de 11 de outubro de 1948, que incluía explicitamente as informações em poder do Comando de Equipamento Aéreo, vemos o diretor do Serviço Secreto ser informado de que ninguém na Força Aérea tampouco fazia ideia. Isso torna muito improvável que os fragmentos e os ocupantes dos UFOs tenham sido levados a Wright-Patterson no ano anterior.

A maior preocupação da Força Aérea era que os UFOs fossem russos. A razão de os russos estarem testando discos voadores sobre os Estados Unidos era um enigma para o qual se apresentavam as quatro respostas seguintes: "(1) Para anular a confiança norte-americana na bomba atômica como a arma mais avançada e decisiva na guerra. (2) Para executar missões de reconhecimento fotográfico. (3) Para testar as defesas aéreas norte-americanas. (4) Para realizar voos de familiarização [para bombardeiros estratégicos] sobre o território dos Estados Unidos". Sabemos agora que os UFOs não eram, nem são russos, e que, por maior que tenha sido o interesse soviético pelos objetivos de (1) a (4), não foi com discos voadores que eles procuraram alcançá-los.

Grande parte da evidência relativa ao "incidente" de Roswell parece apontar para um grupo de balões secretos de alta altitude, lançados talvez do vizinho Campo de Aviação do Exército Alamagordo ou do Campo de Provas White Sands, que caíram perto de Roswell; os destroços dos instrumentos secretos teriam sido recolhidos apressadamente por militares sérios, e as primeiras reportagens anunciaram que se tratava de uma espaçonave de outro planeta ("RAAF captura disco voador em rancho na região de Roswell"). Diversas lembranças se conservaram em banho-maria durante anos, sendo refrescadas pela oportunidade de um pouco de fama e fortuna. (Dois museus de UFOs em Roswell são pontos turísticos importantes.)

Um relatório de 1994, encomendado pelo secretário da Força Aérea e pelo Departamento de Defesa em resposta às alfinetadas de um deputado do Novo México, identifica os destroços de Roswell como restos de um sistema de detecção acústica de baixa frequência e longo alcance, altamente secreto e transportado em balão, chamado Projeto Mogul — uma tentativa de captar as explosões de armas nucleares soviéticas em altitudes da tropopausa na América do Norte. Os investigadores da Força Aérea, ao esquadrinhar pormenorizadamente os arquivos secretos de 1947, não encontraram nenhuma evidência de maior intercâmbio de mensagens:

> Não havia registro de indicações, avisos, comunicações de alertas, nem de um ritmo mais intenso de atividade operacional, o que seria logicamente provocado se uma nave alienígena, de intenções desconhecidas, entrasse no território dos Estados Unidos [...]. Os registros indicam que nada disso aconteceu (ou, se ocorreu, foi controlado por um sistema de segurança tão eficiente e impermeável que ninguém, nos Estados Unidos ou em outros lugares, foi capaz de reproduzi-lo desde então. Se um sistema dessa qualidade estivesse operando na época, teria sido usado para proteger nossos segredos atômicos dos soviéticos, o que a história tem demonstrado que evidentemente não aconteceu).

Os alvos de radar carregados pelos balões eram em parte fabricados por companhias de brinquedos e de pequenos enfeites em Nova York, cujo estoque de ícones decorativos parece ter sido lembrado muitos anos mais tarde como hieroglifos alienígenas.

O apogeu dos UFOs corresponde à época em que os mísseis começavam a substituir os aviões como principal veículo para lançar armas nucleares. Um primeiro problema técnico importante dizia respeito à reentrada — fazer uma ogiva carregada de armas nucleares voltar a percorrer todo o volume da atmosfera da Terra sem queimá-la durante o processo (como acontece com asteroides e cometas pequenos, que são destruídos na sua passagem pela camada superior do ar). Certos materiais, certas geometrias de ogiva e ângulos de entrada são melhores que outros. A observação de reentradas (ou os lançamentos mais espetaculares) poderia muito bem revelar o progresso dos Estados Unidos nessa tecnologia estratégica vital ou, na pior das hipóteses, ineficiências no projeto; poderia também sugerir as medidas defensivas que os adversários deveriam tomar. Compreensivelmente, o tema era considerado muito delicado.

É inevitável que tenham ocorrido casos em que o pessoal militar recebeu ordens para não falar sobre o que tinha visto, ou em que visões aparentemente inócuas foram de repente classificadas como altamente secretas, com critérios muito restritos sobre quem devia saber do assunto. Ao reconsiderar tudo isso anos mais tarde, os oficiais da Força Aérea e os cientistas civis podem muito bem concluir que o governo tinha planejado encobrir um caso de UFO. Se as ogivas são consideradas UFOs, a acusação é justa.

Considerem-se as simulações. No confronto estratégico entre os Estados Unidos e a União Soviética, a adequação das defesas aéreas era uma questão vital. Era o item (3) na lista do general Cabell. Se houvesse um ponto fraco, ele seria a chave para a "vitória" numa guerra nuclear total. A única maneira segura de testar as defesas do adversário é fazer um avião ultrapassar as fronteiras do território inimigo e verificar quanto tempo eles levam para perceber a violação. Os Estados Unidos faziam essa operação rotineiramente para testar as defesas aéreas soviéticas.

Nos anos 50 e 60, os Estados Unidos tinham excelentes sistemas de defesa por radar protegendo as suas costas leste e oeste, e especialmente as passagens ao norte (pelas quais viriam muito provavelmente um bombardeiro ou um ataque de mísseis soviéticos). Mas havia uma área vulnerável — não havia nenhum sistema significativo de alerta antecipado para proteger a via de acesso ao sul, geograficamente muito mais onerosa. Essa é com certeza uma informação vital para um potencial adversário. Sugere imediatamente uma simulação: um ou mais aviões de alta velocidade saem zunindo do Caribe, por exemplo, e entram no espaço aéreo norte-americano, percorrendo, vamos supor, algumas centenas de quilômetros ao longo do rio Mississippi, antes que um radar da defesa aérea dos Estados Unidos os detecte. Então os intrusos somem rapidamente da região. (Ou, numa experiência de controle, um avião norte-americano de alta velocidade é sequestrado e enviado em surtidas não anunciadas, para determinar o grau de vulnerabilidade das defesas aéreas dos Estados Unidos.) Nesse caso, é possível que observadores civis e militares avistem o objeto a olho nu e pelo radar, resultando num grande número de notificações independentes. O que é relatado não corresponde a nenhum avião conhecido. A Força Aérea e as autoridades da aviação civil afirmam sinceramente que nenhuma de suas aeronaves é responsável. Mesmo que esteja pressionando o Congresso a financiar um sistema de alerta antecipado para a fronteira sul, é improvável que a Força Aérea reconheça que um avião soviético ou cubano conseguiu chegar até New Orleans, muito menos até Memphis, antes que alguém o detectasse.

Mais uma vez, temos todas as razões para esperar a presença de uma equipe investigadora de alto nível técnico, observadores civis e da Força Aérea recebendo ordens para se calar e uma eliminação de dados não apenas aparente, mas real. De novo, essa conspiração de silêncio não se refere necessariamente a espaçonaves alienígenas. Mesmo décadas mais tarde, ainda há razões burocráticas para o Departamento de Defesa silenciar sobre essas dificuldades. Há um potencial conflito de interesses entre as preocupações paroquiais do Departamento de Defesa e a solução do enigma dos UFOs.

Além disso, algo que nessa época preocupava tanto a Agência Central de Inteligência (CIA) como a Força Aérea dos Estados Unidos era que os UFOs pudessem obstruir os canais de comunicação numa crise nacional e confundir as visões de aeronaves inimigas percebidas a olho nu e pelo radar — um problema de sinal/ruído que é de certo modo o lado impertinente da simulação.

Em vista de tudo isso, estou totalmente inclinado a acreditar que pelo menos algumas notificações e análises de UFOs, e talvez até arquivos volumosos, tenham sido subtraídas ao público que paga as contas. A Guerra Fria terminou, a tecnologia de balões e mísseis é em grande parte obsoleta ou amplamente acessível, e aqueles que ficariam embaraçados já não estão na ativa. O pior que poderia acontecer, do ponto de vista militar, é revelar-se mais um exemplo reconhecido de que a população norte-americana é iludida e enganada em nome da segurança nacional. É hora de os arquivos deixarem de ser confidenciais e se tornarem acessíveis ao público em geral.

Outra interseção instrutiva da cultura da conspiração com a cultura do sigilo diz respeito à Agência de Segurança Nacional (NSA). Essa organização monitora telefones, rádios e outros meios de comunicação tanto de amigos como de adversários dos Estados Unidos. Sub-repticiamente, lê a correspondência do mundo. Seu movimento de interceptações diárias é imenso. Em épocas de tensão, enormes grupos de funcionários da NSA, fluentes nas línguas importantes, ficam sentados com fones de ouvido, monitorando em tempo real todas as informações, desde comandos cifrados do estado-maior da nação-alvo até conversas íntimas. Em relação a outros materiais, há palavras-chaves que fazem os computadores selecionar, para escrutínio humano, mensagens ou conversas específicas de interesse atual urgente. Tudo é armazenado, de modo que seja retrospectivamente possível voltar às fitas magnéticas — para se pesquisar a primeira aparição de um código, por exemplo, ou a responsabilidade de um comando numa crise. Algumas das interceptações são feitas a partir de postos de escuta em países vizinhos (a Turquia no caso da Rússia, a Índia no caso da China), em aviões e navios que estejam patrulhando por perto, ou em satélites furões na órbita da Terra. Há uma dança contínua de medidas e contramedidas entre a NSA e os serviços de segurança de outras nações, que compreensivelmente não desejam que suas conversas sejam escutadas.

Agora acrescente-se a essa mistura já intoxicante a Lei da Liberdade de Informação (FOIA). Faz-se um requerimento à NSA para que forneça todas as informações de que dispõe sobre os UFOs. A resposta é exigida por lei, mas, claro, sem revelar "métodos e fontes". A NSA também sente uma profunda obrigação de não alertar as outras nações, amigas ou inimigas, de forma indiscreta e politicamente embaraçosa, sobre as suas atividades. Assim, uma interceptação mais ou menos típica, liberada pela NSA em resposta a um requerimento com base na FOIA, será um terço da página escurecido, o fragmento de uma linha dizendo "informada a presença de um UFO em baixa altitude", seguido por dois terços da página escurecidos. A posição da NSA é que liberar o resto da página comprometeria potencialmente fontes e métodos, ou pelo menos alertaria a nação em questão sobre o fato de que as comunicações de rádio de sua aviação estão sendo facilmente interceptadas. (Se a NSA liberasse as transmissões circundantes, aparentemente amenas, dos aviões para a torre de controle, a nação em questão poderia reconhecer que seus diálogos de controle militar do tráfego aéreo estão sendo monitorados, e talvez passasse a empregar meios de comunicação — pulos de frequência, por exemplo — que dificultariam as interceptações.) Mas ao receber, em resposta aos seus requerimentos FOIA, dezenas de páginas de material, quase todas escurecidas, os teóricos de uma conspiração a respeito dos UFOs deduzem, muito compreensivelmente, que a NSA possui um grande número de informações sobre o tema e não as fornece.

Ao falar sem compromisso com funcionários da NSA, escutei a seguinte história: interceptações típicas são as de aviões civis e militares radiotransmitindo a visão de um UFO, o que para eles significa um objeto não identificado no espaço aéreo circundante. Pode até ser um avião norte-americano em missões de reconhecimento ou simulação. Na maioria dos casos, trata-se de algo muito mais comum, e o esclarecimento é também informado em interceptações posteriores da NSA.

Pode-se empregar uma lógica semelhante para fazer com que a NSA pareça fazer parte de *qualquer* conspiração. Por exemplo, dizem que um requerimento FOIA solicitou uma declaração sobre o que a NSA sabia a respeito do cantor Elvis Presley. (Aparições do sr. Presley e curas miraculosas resultantes têm sido relatadas.) Bem, a NSA sabia algumas coisas. Por exemplo, um relatório sobre a saúde econômica de uma certa nação informava quantas fitas e CDs de Elvis Presley tinham sido vendidos ali. Essa informação também foi fornecida sob a forma de algumas linhas claras num imenso oceano de censura negra. A NSA estava empenhada em encobrir a verdade sobre Elvis Presley? Embora eu não tenha investigado pessoalmente as comunicações da NSA relacionadas aos UFOs, a sua história me parece muito plausível.

Se estamos convencidos de que o governo está nos escondendo as visitas de alienígenas, devemos enfrentar a cultura do sigilo dos estabelecimentos militares e dos serviços de informações. No mínimo, o que podemos fazer é pressionar para que deixem de ser confidenciais informações relevantes de décadas atrás — como, por exemplo, o relatório da Força Aérea sobre o "incidente Roswell".

Pode-se ter uma ideia do estilo paranoide de muitos ufologistas, bem como da ingenuidade a respeito da cultura do sigilo, no livro de um antigo repórter do *New York Times*, Howard Blum (*Out there*, Simon and Schuster, 1990):

> Por mais criativas que fossem as minhas tentativas, não conseguia deixar de dar com a cara em repentinos becos sem saída. Toda a história estava sempre fugindo, deliberadamente, passei a acreditar, ao meu entendimento.
> 
> Por quê?
> 
> Essa era a única pergunta, prática e impossível, que se equilibrava ameaçadoramente sobre o alto cume de minhas suspeitas acumuladas. Por que todos esses porta-vozes e instituições oficiais estavam de conluio, fazendo o possível para atrapalhar e dificultar as minhas tentativas? Por que as histórias eram verdadeiras num dia, e falsas no outro? Por que

todo o sigilo tenso, obstinado? Por que os agentes secretos militares espalhavam desinformação, levando os ufologistas à loucura? O que o governo tinha descoberto a respeito? O que estava tentando esconder?

É claro que há resistência. Algumas informações são legitimamente confidenciais; assim como acontece com as armas militares, o sigilo às vezes é de fato motivado pelo interesse nacional. Além disso, as comunidades militares, políticas e dos serviços de informações tendem a valorizar o sigilo pelo sigilo em si. É um modo de silenciar os críticos e esquivar-se da responsabilidade — pela incompetência ou coisas piores. Gera uma elite, um grupo de irmãos em quem a confiança nacional pode ser depositada com segurança, ao contrário da grande massa de cidadãos em cujo nome a informação é presumivelmente encoberta em primeiro lugar. Com algumas exceções, o sigilo é profundamente incompatível com a democracia e com a ciência.

Uma das supostas interseções mais provocadoras entre os UFOs e o sigilo são os assim chamados documentos MJ-12. No final de 1984, segundo se conta, alguém jogou um envelope contendo uma lata de filmes usados, mas não revelados, na caixa do correio na casa de um produtor de cinema, Jaime Shandera, interessado em UFOs e nos encobrimentos do governo — por incrível que pareça, quando ele estava prestes a sair para almoçar com o autor de um livro sobre os supostos acontecimentos em Roswell, Novo México. Quando revelados, os filmes "continham" todas as páginas de uma ordem executiva altamente secreta "para ser lida apenas pelo destinatário", datada de 24 de setembro de 1947, na qual o presidente Harry S. Truman criava uma comissão de doze cientistas e funcionários do governo para examinar um conjunto de discos voadores acidentados e corpos pequenos de alienígenas. Os membros da comissão MJ-12 impressionam por serem exatamente os engenheiros, cientistas, militares e profissionais do serviço de informações que teriam sido chamados para investigar os acidentes, se eles tivessem ocorrido. Nos documentos MJ-12, há referências tantalizantes a apêndices sobre a natureza dos alienígenas, a tecnologia de suas naves e assim por diante, mas os apêndices não foram incluídos no misterioso filme.

A Força Aérea diz que o documento é falso. O especialista em UFOs Philip J. Klass e outros encontram incoerências lexicográficas e tipográficas que sugerem que tudo não passa de uma brincadeira. Os compradores de obras de arte se preocupam em saber a procedência das pinturas — isto é, quem foi o último dono, e quem possuía o quadro antes dele... e assim por diante, até chegar ao artista original. Se há rupturas na cadeia — se uma pintura de trezentos anos só pode ser acompanhada por sessenta anos e depois disso não sabemos em que casa ou em que museu estava dependurada —, as bandeiras de alerta contra a falsificação se agitam. Como são elevadas as recompensas da falsificação no mercado de arte, os colecionadores devem ser muito cautelosos. O ponto muito vulnerável e suspeito dos documentos MJ-12 é exatamente essa questão da procedência — a evidência caindo por milagre no degrau da porta como um elemento de conto de fadas, talvez de "O sapateiro e os duendes".

Há muitos casos na história humana de natureza semelhante — em que de repente aparece um documento de procedência dúbia, trazendo informações de grande importância que confirmam vigorosamente as ideias dos que o descobriram. Depois de uma investigação cuidadosa e, em alguns casos, corajosa, comprova-se que o documento é uma mistificação. Não é difícil compreender a motivação dos mistificadores. Um exemplo mais ou menos típico é o livro do Deuteronômio — descoberto escondido no templo de Jerusalém pelo rei Josias, que, milagrosamente, em meio a uma importante luta por reformas, encontrou no Deuteronômio a confirmação de todas as suas ideias.

Outro caso é a chamada doação de Constantino. Constantino, o Grande, é o imperador que transformou o cristianismo na religião oficial do Império Romano. A cidade de Constantinopla (agora Istambul), que durante mais de mil anos foi a capital do Império Romano do Oriente, recebeu esse nome em sua homenagem. Ele morreu no ano de 335. No século IX, apareceram repentinamente em textos cristãos várias referências a uma doação de Constantino; nesse documento, Constantino lega ao papa Silvestre I, seu contemporâneo, todo o Império Romano do Ocidente, inclusive Roma. Esse pequeno presente, assim continuava a história, era em parte uma prova de gratidão por Silvestre ter curado a lepra de Constantino. No século XI, os papas já se referiam regularmente à doação de Constantino para justificar suas pretensões a não serem apenas os governantes eclesiásticos, mas também os soberanos seculares da Itália central. Durante a Idade Média, a doação foi julgada genuína tanto por aqueles que apoiavam as pretensões temporais da Igreja, como por aqueles que se opunham a essa ideia.

Lorenzo de Valla foi um dos polímatas da Renascença italiana. Polemista, insolente, crítico, arrogante, pedante, ele foi alvo de ataques de seus contemporâneos por sacrilégio, impudência, temeridade e presunção — entre outras imperfeições. Depois que ele chegou à conclusão de que, por razões gramaticais, o credo dos apóstolos não podia ter sido escrito pelos doze apóstolos, a Inquisição o declarou herege, e só a intervenção de seu protetor, Alfonso, rei de Nápoles, impediu que fosse sacrificado. Sem se deixar intimidar, ele publicou em 1440 um tratado demonstrando que a doação de Constantino era uma falsificação grosseira. A língua em que foi escrita estava para o latim da corte no século IV como o *cockney* está para o inglês padrão. Devido a Lorenzo de Valla, a Igreja católica romana já não insiste em seu direito de governar as nações europeias por causa da doação de Constantino. A opinião geral é que esse texto, cuja procedência tem uma lacuna de cinco séculos, foi forjado por um clérigo ligado à cúria da Igreja perto da época de Carlos Magno, quando o papado (e especialmente o papa Adriano I) estava lutando pela unificação entre Igreja e Estado.

Supondo que ambos pertençam à mesma categoria, os documentos MJ-12 são uma falsificação mais inteligente que a doação de Constantino. Mas em questões de procedência, interesses envolvidos e incoerências lexicográficas, eles têm muito em comum.

Uma operação de acobertamento para manter quase inteiramente secretas por 45 anos as informações sobre vida extraterrestre ou raptos por alienígenas, com centenas, se não milhares, de funcionários do governo a par das histórias, é algo extraordinário. É certamente rotina manter segredos no governo, até mesmo segredos de substancial interesse geral. Mas o ponto ostensivo desse sigilo é proteger o país e seus cidadãos. Em nosso caso, porém, é diferente. A alegada conspiração das autoridades é para impedir que os cidadãos fiquem sabendo de um contínuo ataque alienígena à espécie humana. Se os extraterrestres estivessem realmente raptando milhares de nós, seria muito mais do que uma questão de segurança *nacional*. Causaria um impacto sobre a segurança de todos os seres humanos em toda a Terra. Dadas essas condições, será plausível supor que, em quase duzentas nações, tendo conhecimento e evidências reais, ninguém abrisse a boca para defender os seres humanos, em vez de tomar o partido dos alienígenas?

Desde o fim da Guerra Fria, a NASA tem atuado erraticamente, tentando encontrar missões que justifiquem sua existência — especialmente uma boa razão para a presença de seres humanos no espaço. Se a Terra estivesse sendo visitada diariamente por alienígenas hostis, a NASA não agarraria essa oportunidade de aumentar seus financiamentos? E, se uma invasão alienígena estivesse em andamento, por que a Força Aérea, tradicionalmente liderada por pilotos, desistiria do voo espacial tripulado e lançaria todas as suas cargas úteis em impulsores auxiliares sem tripulação?

Considere-se a antiga Organização da Iniciativa de Defesa Estratégica, encarregada do projeto Guerra nas Estrelas. Está passando por tempos difíceis no momento, particularmente em seu objetivo de instalar defesas no espaço. Seu nome e perspectiva foram rebaixados. Hoje em dia chama-se Organização da Defesa contra Mísseis Balísticos. Já não se reporta diretamente ao secretário de Defesa. É manifesta a incapacidade dessa tecnologia para proteger os Estados Unidos contra um ataque maciço de mísseis com armas nucleares. Mas pelo menos não tentaríamos instalar defesas no espaço, se estivéssemos enfrentando uma invasão alienígena?

O Departamento de Defesa, como os ministérios semelhantes em todas as outras nações, prospera devido aos inimigos, reais ou imaginados. É extremamente implausível que a existência de um adversário desse porte fosse abafada pela própria organização que mais se beneficiaria com a sua presença. Toda a postura pós-Guerra Fria dos programas espaciais civis e militares dos Estados Unidos (e de outras nações) fala com vigor contra a ideia de que haja alienígenas entre nós — a menos, é claro, que a notícia também esteja sendo sonegada àqueles que planejam a defesa nacional.

Assim como há os que aceitam todo relato de UFO ao pé da letra, existem os que descartam a ideia de visitas alienígenas sem hesitar e com grande paixão. Dizem ser desnecessário examinar a evidência, e julgam "não científico" até considerar a questão. Certa vez ajudei a organizar, para o encontro anual da Associação Norte-Americana para o Progresso da Ciência, um debate público entre cientistas que defendiam e alguns que contestavam a proposição de que alguns UFOs eram naves espaciais; em consequência disso, um eminente físico, cujas opiniões sobre muitos outros assuntos eu respeitava, ameaçou colocar o vice-presidente [*sic*] dos Estados Unidos no meu encalço, se eu persistisse nessa loucura. (Ainda assim, o debate foi realizado e publicado, as questões ficaram um pouco mais esclarecidas, e não escutei nenhuma palavra de Spiro T. Agnew.)

Embora reconhecendo que há relatos que "não são facilmente explicáveis", um estudo de 1969, realizado pela Academia Nacional de Ciência, concluía que "a explicação menos provável para os UFOs é a hipótese de visitas extraterrestres por seres inteligentes". É só pensar em quantas outras "explicações" seriam possíveis: viajantes no tempo; demônios da terra das feiticeiras; turistas de outra dimensão — como o sr. Mxyztplk (ou seria Mxyzptlk? Sempre esqueço) da terra de Zrfff em Quinta Dimensão nos antigos gibis do Super-Homem; as almas dos mortos; ou um fenômeno "não cartesiano" que não obedece às leis da ciência, nem às da lógica. Na verdade, cada uma dessas "explicações" tem sido proposta a sério. Falar em "menos provável" é realmente forte. Essa retórica exagerada é uma indicação de como todo o tema se tornou abominável para muitos cientistas.

É impressionante como as emoções podem se acirrar sobre uma questão a respeito da qual conhecemos de fato muito pouco. Isso vale especialmente para a recente comoção causada pelos relatos de raptos por alienígenas. Afinal de contas, se verdadeiras, qualquer uma das duas hipóteses — invasão de extraterrestres sexualmente manipuladores ou epidemia de alucinações — nos ensina algo que certamente devemos conhecer. Talvez a razão para os sentimentos fortes seja que as duas alternativas têm implicações muito desagradáveis.

## AURORA

> *O número de relatos e sua coerência sugerem que pode haver outro fundamento para essas visões além das drogas alucinógenas.*
> "Aeronave misteriosa", relatório, Federação dos Cientistas Norte-Americanos, 20 de agosto de 1992

Aurora é uma aeronave de reconhecimento norte-americana extremamente secreta que voa em altitudes elevadas — sucessora do U-2 e do Blackbird SR-17. Ou existe, ou não existe. Em 1993, perto da Base Edwards da Força Aérea, na Califórnia, e em Groom Lake, Nevada, especialmente numa região chamada Área 51, onde são testadas aeronaves experimentais do Departamento de Defesa, observadores informaram ter visto objetos voadores, e suas histórias pareciam de modo geral coerentes entre si. Registraram-se relatos confirmadores vindos de todas as partes do mundo. Ao contrário de suas antecessoras, diz-se que a aeronave é hipersônica, atingindo uma velocidade talvez seis ou oito vezes maior que a do som. Produz uma esteira de vapor estranha descrita como "roscas num cordão". É possível que também seja um meio de colocar pequenos satélites secretos em órbita, desenvolvido, imagina-se, depois que o desastre do Challenger deixou clara a eventual falta de confiabilidade do ônibus espacial para cargas úteis de defesa. Mas a CIA "jura de pés juntos que não existe tal programa", diz o senador norte-americano e ex-astronauta John Glenn. O principal projetista de algumas das aeronaves norte-americanas mais secretas afirma a mesma coisa. Um secretário da Força Aérea negou veementemente a existência da aeronave, ou de um programa para construí-la, na Força Aérea dos Estados Unidos ou em qualquer outro lugar. Estaria mentindo? "Examinamos todas essas visões, como fizemos com os relatos de UFOs", diz um porta-voz da Força Aérea, empregando palavras talvez cuidadosamente escolhidas, "e não conseguimos explicá-las." Enquanto isso, em abril de 1995, a Força Aérea se apossou de mais 4 mil acres perto da Área 51. A zona vedada ao público está crescendo.

Considerem-se então duas possibilidades: que Aurora existe e que ela não existe. Se existe, é impressionante que se tenha tentado encobrir oficialmente a sua existência, que o sigilo tenha sido tão eficaz, e que a aeronave tenha sido testada ou reabastecida em todo o mundo, sem que uma única fotografia ou qualquer outra evidência sólida fosse publicada. Por outro lado, se Aurora não existe, é impressionante que um mito tenha se propagado com tanta força e ido tão longe. Por que as insistentes negativas oficiais têm tido tão pouco peso? A própria existência de um nome — Aurora, nesse caso — não serviria para rotular uma série de fenômenos diversos? De uma ou de outra forma, Aurora parece relevante para os UFOs.

# 6. ALUCINAÇÕES

> *Assim como as crianças tremem e têm medo de tudo na escuridão cega, também nós, à claridade da luz, às vezes tememos o que não deveria inspirar mais temor do que as coisas que aterrorizam as crianças no escuro...*
>
> Lucrécio, *Sobre a natureza das coisas*
> (cerca de 60 a.C.)

**OS PUBLICITÁRIOS DEVEM** conhecer o seu público. É uma simples questão de sobrevivência do produto e da empresa. Por isso, podemos ficar sabendo como os Estados Unidos do comércio e da livre iniciativa encaram os aficionados de UFOs, examinando os anúncios nas revistas especializadas. Eis alguns títulos de anúncios (típicos) de um exemplar de UFO *Universe*:

• Cientista graduado descobre segredo de 2 mil anos que propicia riqueza, poder e amor romântico.

• Confidencial! Mais do que ultrassecreto! A mais sensacional conspiração governamental de nosso tempo é finalmente revelada ao mundo por um oficial militar da reserva.

• Qual é a sua "missão especial" na Terra? Teve início o despertar cósmico dos trabalhadores da luz, dos guerreiros e de todos os representantes dos nascidos nas estrelas!

• Isso é o que você estava esperando! 24 selos dos espíritos de UFOs! Magníficos, incríveis, com poderes para melhorar a vida.

• Eu tenho uma garota. E você? Pare de perder as oportunidades! Arrume garotas já!

• Assine hoje a revista mais surpreendente do universo.

• Ponha sorte, amor e dinheiro na sua vida! Esses poderes funcionam há séculos! Podem funcionar para você.

• Surpreendente descoberta pioneira da pesquisa mediúnica. Apenas cinco minutos para provar que os poderes mágicos mediúnicos realmente funcionam!

- Você tem coragem de ser feliz, amado e rico? Garantido! A sorte cruzará o seu caminho! Consiga tudo o que você quer com os talismãs mais poderosos do mundo.
- Homens de preto: agentes do governo ou alienígenas?
- Aumente o poder das pedras preciosas, amuletos, selos e símbolos. Melhore a eficiência de tudo o que você faz. Amplie o seu poder e capacidades mentais com o AMPLIFICADOR de poder mental.
- O famoso ímã do dinheiro: você não gostaria de ganhar mais dinheiro?
- O testamento de Lael, escrituras sagradas de uma civilização perdida.
- Um novo livro do "Comandante X" da luz interior: identificados os controladores, os governantes ocultos da Terra. Nós somos propriedade de uma inteligência alienígena!

Qual é o fio comum que une todos esses anúncios? É certamente a expectativa de uma credulidade ilimitada por parte do público. É por isso que são colocados em revistas de UFOs — porque de modo geral o próprio ato de comprar esse tipo de revista caracteriza dessa forma o leitor. Sem dúvida, há compradores dessas revistas, moderadamente céticos e plenamente racionais, que são humilhados por essas expectativas dos anunciantes e editores. Mas, se estes estão certos sobre a maior parte de seus leitores, o que isso significaria para o paradigma do rapto por alienígenas?

De vez em quando, recebo uma carta de alguém que está em "contato" com extraterrestres. Sou convidado a "lhes fazer qualquer pergunta". E assim, com o passar dos anos, acabei preparando uma pequena lista de questões. Os extraterrestres são muito adiantados, lembrem-se. Por isso faço perguntas como: "Por favor, dê uma prova breve do último teorema de Fermat". Ou a conjectura de Goldbach. E depois tenho de explicar do que se trata, porque os extraterrestres não devem conhecer esses problemas por esses nomes. Assim, escrevo a equação simples com os expoentes. Nunca recebo resposta. Por outro lado, se pergunto coisas como "Deveríamos ser bons?", quase sempre obtenho uma resposta. Esses alienígenas sentem-se extremamente felizes em responder qualquer questão vaga, especialmente envolvendo juízos morais convencionais. Mas acerca de qualquer problema específico, em que há uma chance de descobrir se eles realmente sabem algo mais do que a maioria dos humanos, há apenas silêncio.* Podem-se tirar algumas deduções dessa capacidade diferenciada de responder perguntas.

Nos bons velhos tempos, antes do paradigma do rapto por alienígenas, as pessoas levadas a bordo dos UFOs recebiam sermões edificantes sobre os perigos da guerra nuclear, pelo menos era o que relatavam. Hoje em dia, quando tais instruções são ministradas, os extraterrestres parecem fixados em degradação ambiental e na AIDS. O que me pergunto é como os ocupantes dos UFOs podem estar tão ligados nos interesses urgentes ou em moda sobre esse planeta? Por que nem sequer um aviso incidental sobre os CFCs e a diminuição da camada de ozônio nos anos 50, ou sobre o vírus HIV nos anos 70, quando o alerta poderia ter feito realmente algum bem? Por que não nos advertir agora sobre alguma ameaça ao meio ambiente ou à saúde pública que ainda não descobrimos? Será possível que os extraterrestres só conheçam o que conhecem aqueles que relatam a sua presença? E, se um dos principais objetivos das visitas alienígenas é alertar sobre os perigos globais, por que falar apenas a algumas pessoas cujos relatos são de qualquer forma suspeitos? Por que não tomar as redes de televisão por uma noite, ou aparecer com audiovisuais de alertas bem vigorosos diante do Conselho de Segurança da Organização das Nações Unidas. Certamente isso não seria muito difícil para quem atravessa voando milhares de anos-luz.

---

* É um exercício estimulante pensar em perguntas que nenhum ser humano hoje em dia saberia responder, mas para as quais uma resposta correta seria imediatamente reconhecida como tal. É ainda mais desafiador formular essas perguntas em áreas que não sejam a matemática. Talvez devêssemos fazer um concurso e reunir as melhores respostas em "Dez perguntas para fazer a um alienígena".

O ser humano que pela primeira vez teve sucesso comercial usando seu "contato" com UFOs foi George Adamski. Ele administrava um pequeno restaurante ao pé do monte Palomar, na Califórnia, e montou um pequeno telescópio no quintal. No cume da montanha estava o maior telescópio da Terra, o refletor de 508 centímetros da Instituição Carnegie de Washington e do Instituto de Tecnologia da Califórnia. Adamski se autodenominava *professor* Adamski do *Observatório* de monte Palomar. Publicou um livro — causou bastante sensação, lembro-me bem — em que descrevia o seu encontro no deserto vizinho com alienígenas bonitos, de longos cabelos loiros e, se me recordo corretamente, vestidos com mantos brancos, os quais alertaram Adamski sobre os perigos da guerra nuclear. Eles vinham do planeta Vênus (cuja temperatura de 900° Fahrenheit na superfície reconhecemos agora como uma barreira à credibilidade de Adamski). Pessoalmente, ele era 100% convincente. O oficial da Força Aérea encarregado formalmente das investigações sobre os UFOs na época descreveu Adamski com as seguintes palavras:

> Só de olhar para o homem e escutar a sua história, tinha-se um impulso imediato de acreditar nas suas palavras. Talvez fosse a sua aparência. Ele usava um macacão velho, mas limpo. Tinha cabelos levemente grisalhos e o par de olhos mais honesto que já vi.

A estrela de Adamski perdeu lentamente o brilho à medida que ele envelheceu, mas ele pagou a publicação de outros livros seus e foi um acessório duradouro nas convenções "dos que acreditam em discos voadores".

A primeira história de rapto por alienígenas em estilo moderno foi a de Betty e Barney Hill, um casal de New Hampshire — ela, assistente social, e ele, funcionário dos Correios. Em 1961, durante um passeio de carro, tarde da noite, pelas montanhas White, Betty avistou um UFO brilhante, de início semelhante a uma estrela, que parecia segui-los. Como Barney temia que o objeto pudesse atacá-los, eles saíram da rodovia principal e entraram nas estradas estreitas das montanhas, chegando em casa duas horas mais tarde do que esperavam. A experiência levou Betty a ler um livro que descrevia os UFOs como espaçonaves de outros mundos; seus ocupantes eram homenzinhos que às vezes raptavam seres humanos.

Pouco depois, Betty começou a ter um pesadelo aterrorizador e recorrente em que ela e Barney eram raptados e levados a bordo do UFO. Barney ouviu-a descrever esse sonho a amigas, colegas de trabalho e investigadores voluntários de UFOs. (É curioso que Betty não o tenha discutido diretamente com seu marido.) Cerca de uma semana depois da experiência, eles estavam descrevendo um UFO em forma de "panqueca", com figuras uniformizadas vistas pelas janelas transparentes da nave.

Vários anos mais tarde, o psiquiatra de Barney o mandou a um terapeuta hipnotizador, dr. Benjamin Simon. Betty também foi hipnotizada. Sob hipnose, separadamente eles detalharam o que lhes acontecera durante as duas horas "perdidas": tinham visto o UFO pousar na rodovia e foram levados, parcialmente imobilizados, para a nave — onde criaturas humanoides baixas, cinzentas e de narizes longos (um detalhe que discorda do paradigma corrente) os submeteram a exames médicos não convencionais, inclusive introduzindo uma agulha no umbigo de Betty (antes que a amniocentese tivesse sido inventada na Terra). Há os que agora acreditam que foram tirados óvulos dos ovários de Betty e esperma de Barney, embora isso não faça parte da história original.* O capitão mostrou a Betty um mapa do espaço interestelar com o traçado das rotas da nave.

Martin S. Kottmeyer mostrou que muitos dos itens no relato dos Hill podem ser encontrados num filme de 1953, *Invaders from Mars* [Os invasores de Marte]. E a descrição dos alienígenas dada por Barney, especialmente os seus olhos enormes, sur-

* Mais recentemente, a sra. Hill tem escrito que nos raptos reais por alienígenas "não é demonstrado nenhum interesse sexual. Entretanto, eles frequentemente ficam com alguns dos pertences (do raptado), como varas de pescar, joias de diferentes tipos, óculos ou uma xícara de sabão em pó".

giu numa sessão de hipnose apenas doze dias depois de ter sido apresentado um episódio da série de televisão *The outer limits*, em que um alienígena desse tipo era retratado.

O caso Hill foi amplamente discutido. Transformado num filme de TV em 1975, introduziu na mente de milhares de pessoas a ideia de que raptores alienígenas, baixos, cinzentos estão entre nós. Mas até os poucos cientistas que achavam na época que alguns UFOs poderiam ser de fato espaçonaves alienígenas ficaram desconfiados. Foi notória a ausência do suposto encontro na lista de casos sugestivos de UFOs compilados por James E. McDonald, físico atmosférico da Universidade do Arizona. Em geral, os cientistas que levam os UFOs a sério têm se inclinado a manter os relatos de raptos por alienígenas à distância — enquanto os que tomam os sequestros ao pé da letra veem poucas razões para analisar simples pontos de luz no céu.

A visão de McDonald sobre os UFOs não se fundamentava, dizia ele, em evidências irrefutáveis, mas era uma conclusão de última instância: todas as explicações alternativas lhe pareciam ainda menos plausíveis. Na metade dos anos 60, organizei um encontro privado para que McDonald apresentasse seus melhores casos aos principais físicos e astrônomos que ainda não tinham arriscado uma afirmação sobre a questão dos UFOs. Ele não só foi incapaz de convencê-los de que estamos recebendo visitas de extraterrestres, como nem sequer conseguiu despertar o seu interesse. E se tratava de um grupo cujo quociente de capacidade de admirar-se era muito elevado. A questão era simplesmente que, onde McDonald via alienígenas, eles encontravam explicações muito mais prosaicas.

Fiquei contente por ter uma oportunidade de passar várias horas com o sr. e a sra. Hill e com o dr. Simon. Não havia dúvida quanto à seriedade e sinceridade de Betty e Barney, nem quanto a seus sentimentos confusos sobre o fato de terem se tornado figuras públicas em circunstâncias tão estranhas e incômodas. Com a permissão dos Hill, Simon mostrou para mim (e, a meu convite, para McDonald) algumas das fitas de suas sessões sob hipnose. Minha impressão mais forte foi indubitavelmente o absoluto terror na voz de Barney, enquanto ele descrevia — "revivia" seria uma palavra mais adequada — o encontro. Embora um defensor influente das virtudes da hipnose na guerra e na paz, Simon não se deixara arrebatar pelo frenesi público sobre os UFOs. Ele tinha uma participação generosa nos direitos autorais do *best-seller* de John Fuller, *Interrupted journey*, sobre a experiência dos Hill. Se tivesse declarado que o relato era autêntico, as vendas do livro poderiam ter atingido as alturas, e o seu ganho financeiro teria sido bem maior. Mas ele não fez nada disso. Também rejeitou imediatamente a noção de que seus pacientes estivessem mentindo, ou, como foi sugerido por outro psiquiatra, que fosse uma *folie à deux* — uma ilusão partilhada, na qual em geral o parceiro submisso aceita a ilusão do parceiro dominante. Assim, o que nos resta? Os Hill, disse o seu psicoterapeuta, tinham experimentado uma espécie de "sonho". Juntos.

É bem possível que haja mais de uma fonte para os relatos de raptos por alienígenas, assim como há para as visões de UFOs. Vamos considerar rapidamente algumas das possibilidades:

Em 1894, foi publicado em Londres *The international census of waking hallucinations*. Daquela época até o presente, repetidos levantamentos demonstraram que 10% a 25% das pessoas comuns, de comportamento normal, experimentaram, pelo menos uma vez em sua vida, uma alucinação muito vívida — em geral escutaram uma voz, ou viram uma forma quando nada havia ao seu redor. Mais raramente, as pessoas sentem um aroma obsessivo, escutam música, ou recebem uma revelação que lhes advém independentemente dos sentidos. Em alguns casos, essas sensações se tornam acontecimentos pessoais transformadores ou profundas experiências religiosas. As alucinações podem ser uma passagem negligenciada para a compreensão científica do sagrado.

Provavelmente, não foram poucas as vezes, desde a morte de ambos, em que escutei minha mãe ou meu pai me chamar num tom de voz coloquial. É claro que eles me chamavam com frequência durante nossa vida em comum — para fazer qualquer tarefa, para jantar ou para ouvir comentários sobre um acontecimento do dia. Ainda sinto tanta saudade deles que não me parece de modo algum estranho que minha mente recupere de vez em quando uma lembrança lúcida de suas vozes. Alucinações mundanas são comuns.

Essas alucinações podem ocorrer com pessoas perfeitamente normais em circunstâncias perfeitamente comuns. Elas também podem ser *provocadas*: pela fogueira de um acampamento à noite, por estresse emocional, por ataques epilépticos, enxaquecas ou febre alta, por jejum prolongado, insônia\* ou privação dos sentidos (por exemplo, em reclusão solitária), ou por meio de alucinógenos como LSD, psilocibin, mescalina ou haxixe. (O *delirium tremens*, o temido DT induzido pelo álcool, é uma manifestação bem conhecida da síndrome de abstinência do alcoolismo.) Existem também moléculas, como as fenotiazinas (torazina, por exemplo), que fazem as alucinações desaparecer. É muito provável que o corpo humano gere substâncias — talvez inclusive as pequenas proteínas do cérebro semelhantes à morfina chamadas endorfinas — que causam alucinações e outras que as eliminam. Exploradores famosos (e não histéricos), como o almirante Richard Byrd, o capitão Joshua Slocum e sir Ernest Shackleton, experimentaram alucinações vívidas ao enfrentar situações de isolamento e solidão incomuns.

Sejam quais forem seus antecedentes neurológicos e moleculares, as alucinações parecem reais. São buscadas em muitas

---

\* Os sonhos são associados a um estado chamado sono REM, abreviatura inglesa para movimento rápido dos olhos. (Sob as pálpebras fechadas, os olhos se movem, talvez seguindo a ação do sonho, talvez aleatoriamente.) O estado REM tem uma forte correlação com a excitação sexual. Fizeram-se experimentos em que indivíduos adormecidos são acordados sempre que surge o estado REM, enquanto membros de um grupo de controle são acordados o mesmo número de vezes à noite, porém quando não estão sonhando. Depois de alguns dias, o grupo de controle estava um pouco grogue, mas o grupo experimental — os que foram impedidos de sonhar — estava tendo alucinações durante o dia. Isso não significa que dessa maneira se possa induzir algumas pessoas com uma anormalidade particular a ter alucinações; *qualquer um* é capaz de experimentá-las.

culturas e consideradas um sinal de iluminação espiritual. Entre os índios norte-americanos das planícies ocidentais, por exemplo, ou entre muitas culturas indígenas siberianas, o futuro de um jovem era prenunciado pela natureza da alucinação que ele experimentava depois de uma bem-sucedida "busca da visão"; seu significado era discutido com grande seriedade entre os anciãos e os xamãs da tribo. Há inúmeros exemplos, em todas as religiões, de patriarcas, profetas ou salvadores que se retiram para o deserto ou para a montanha e, assistidos pela fome e pela privação dos sentidos, encontram deuses ou demônios. Experiências religiosas induzidas por drogas psicodélicas foram a marca registrada da cultura dos jovens ocidentais nos anos 60. A experiência, independentemente de como tenha sido provocada, é com frequência descrita de forma respeitosa, com palavras como "transcendente", "sobrenatural", "sagrada" e "santa".

As alucinações são comuns. Se alguém tem uma alucinação, isso não significa que está louco. A literatura antropológica está repleta de etnopsiquiatria da alucinação, sonhos REM e transes de possessão, que apresentam muitos elementos comuns nas diferentes culturas e ao longo de diversas eras. As alucinações são rotineiramente interpretadas como possessão por espíritos bons ou maus. O antropólogo de Yale Weston La Barre chega ao ponto de afirmar que "seria surpreendentemente razoável propor que grande parte da cultura *é* alucinação", e que "todo o propósito e função do ritual parece ser [...] o desejo de [um] grupo de alucinar a realidade".

Eis uma descrição das alucinações como problema de sinal-ruído, formulada por Louis J. West, ex-diretor médico da Clínica de Neuropsiquiatria da Universidade da Califórnia, Los Angeles. Foi extraída da 15ª edição da *Enciclopédia Britânica*:

> [V]amos imaginar um homem de pé, ao lado do vidro da janela fechada e em frente a sua lareira, olhando para o jardim ao crepúsculo. Está tão absorto na visão do mundo exterior que deixa de visualizar o interior da sala. Quando se torna mais escuro lá fora, no entanto, o reflexo indistinto das ima-

gens dos objetos às suas costas pode ser visto no vidro da janela. Por algum tempo, ele consegue ver o jardim (se fixa os olhos ao longe) ou o reflexo do interior da sala (se focaliza o vidro a alguns centímetros de seu rosto). A noite cai, mas o fogo ainda arde brilhantemente na lareira e ilumina a sala. O observador agora vê no vidro o reflexo nítido do interior da sala às suas costas, que parece estar no lado de fora da janela. Essa ilusão se torna mais vaga à medida que o fogo esmorece, e, finalmente, quando fica escuro tanto lá fora como dentro da sala, nada mais se vê. Se o fogo se aviva de tempos em tempos, as visões no vidro reaparecem.

De forma análoga, as experiências alucinatórias, assim como as dos sonhos normais, ocorrem quando se reduz a "luz do dia" (dados sensoriais de entrada), ao passo que a "iluminação interior" (o nível geral da excitação mental) permanece "brilhante", e as imagens que se originam dentro das "salas" de nossas mentes podem ser percebidas (alucinadas) como se viessem de fora das "janelas" de nossos sentidos.

Outra analogia poderia ser a de que os sonhos, como as estrelas, brilham o tempo todo. Embora as estrelas não sejam vistas com muita frequência à luz do dia, pois o brilho do Sol é demasiado intenso, se há um eclipse solar, ou se o espectador decide observar o firmamento um pouco depois do pôr do sol ou um pouco antes do amanhecer, ou se ele é acordado de tempos em tempos numa noite clara para fitar o céu, então as estrelas, como os sonhos, embora frequentemente esquecidas, podem ser sempre vistas.

Um conceito mais relacionado com a mente é o de uma atividade contínua de processamento de informações (uma espécie de "fluxo pré-consciente"), influenciada ininterruptamente tanto pelas forças conscientes como pelas inconscientes, que constitui o suprimento potencial do conteúdo dos sonhos. O sonho é uma experiência durante a qual, por alguns minutos, o indivíduo tem alguma consciência do fluxo de dados sendo processado. As alucinações em estado desperto também implicariam os mesmos fenômenos, produzidos por um conjunto um pouco diferente de circunstâncias psicológicas ou fisiológicas [...].

Todo comportamento e experiência humanos (normal e anormal) parecem ser bem assistidos por fenômenos ilusórios e alucinatórios. Embora a relação desses fenômenos com a doença mental seja bem documentada, o seu papel na vida cotidiana não foi talvez suficientemente considerado. Uma compreensão mais aprofundada das ilusões e alucinações das pessoas normais pode fornecer explicações para experiências que do contrário ficam relegadas ao estranho, ao "extrassensorial", ou ao sobrenatural.

Estaríamos certamente perdendo algo importante sobre a nossa natureza, se nos recusássemos a enfrentar o fato de que as alucinações são uma característica humana. Entretanto, isso não as torna parte de uma realidade mais exterior que interior. De 5% a 10% dos seres humanos são extremamente sugestionáveis, capazes de se mover em resposta a uma ordem dada em profundo transe hipnótico. Aproximadamente 10% dos norte-americanos afirmam ter visto um ou mais fantasmas. Esse número é superior ao dos que alegam lembrar-se de terem sido raptados por alienígenas, quase igual ao dos que disseram ter visto um ou mais UFOs, e inferior ao daqueles que, na última semana do mandato de Richard Nixon — antes de ele renunciar para evitar o impedimento —, achavam que o presidente estava tendo um desempenho bom/excelente. Pelo menos 1% de todos nós é esquizofrênico. Isso significa mais de 50 milhões de esquizofrênicos no planeta, mais do que, por exemplo, a população da Inglaterra.

Em seu livro de 1970 sobre pesadelos, o psiquiatra John Mack — sobre quem terei mais a dizer — escreve:

Há um período na primeira infância em que os sonhos são considerados reais e em que a criança toma os acontecimentos, as transformações, as gratificações e as ameaças de que são compostos como se fossem equivalentes às experiências diárias e fizessem igualmente parte da vida cotidiana real. A capacidade de estabelecer e manter distinções claras entre a vida dos sonhos e a vida no mundo exterior é conquistada com grande esforço e requer vários anos para ser alcançada, não estando completa nem mesmo em crianças normais antes dos oito a dez anos. Por sua nitidez e intensidade afetiva convincente, os pesadelos mostram-se mais difíceis de serem julgados de forma realista pelas crianças.

Quando a criança conta uma história fabulosa — a bruxa que faz caretas no quarto escuro; o tigre emboscado embaixo da cama; o vaso que foi quebrado por um pássaro multicolorido que voou pela janela, e não porque, em desobediência a regras familiares, alguém estava chutando bola dentro de casa —, está mentindo conscientemente? É certo que os pais muitas vezes agem como se ela não pudesse distinguir plenamente entre a fantasia e a realidade. Algumas crianças têm imaginações ativas; outras são menos dotadas nesse aspecto. Algumas famílias podem respeitar a capacidade de fantasiar e estimular a criança, sem deixar de dizer ao mesmo tempo coisas como: "Oh, isso não é real; é apenas a sua imaginação". Outras podem não ter paciência com as histórias inventadas — torna-se mais difícil, pelo menos de certa forma, administrar a casa e resolver as disputas — e desestimulam a fantasia dos filhos, quem sabe levando-os até a pensar que é algo vergonhoso. Alguns pais talvez não façam eles próprios uma distinção clara entre realidade e fantasia, ou podem se deixar envolver seriamente por esta. De todas essas propensões e práticas de educação opostas, algumas pessoas saem com uma capacidade intacta de fantasiar e uma história, que adentra pela vida adulta, de tramas inventadas. Outras crescem acreditando que é louco quem não sabe a diferença entre realidade e fantasia. A maioria de nós está num meio-termo entre esses dois extremos.

As vítimas dos raptos afirmam frequentemente ter visto "alienígenas" em sua infância — entrando pela janela, saindo de dentro do armário ou embaixo da cama. Mas em toda parte do mundo as crianças contam histórias semelhantes — com fadas, gnomos, duendes, fantasmas, diabretes, bruxas, diabinhos e uma rica variedade de "amigos" imaginários. Devemos imaginar dois grupos diferentes de crianças — as que veem seres terrestres imaginários e as que veem extraterrestres genuínos? Não será mais razoável supor que ambos os grupos estejam vendo a mesma coisa ou experimentando alucinações parecidas?

A maioria de nós se lembra do terror experimentado, com dois anos ou já mais velhos, diante de "monstros" de aparência real, mas inteiramente imaginários, sobretudo à noite ou no escuro. Ainda me recordo de ocasiões em que ficava totalmente aterrorizado, escondido sob os lençóis até não poder mais aguentar, quando então disparava para a segurança do quarto de meus pais — isso se conseguisse chegar até lá antes de cair nas garras da... Presença. O caricaturista norte-americano Gary Larson, que explora o gênero do horror em seus desenhos, escreve a seguinte dedicatória em um de seus livros:

> Quando era menino, a nossa casa era repleta de monstros. Eles viviam nos armários, embaixo das camas, no sótão, no porão e — quando estava escuro — praticamente em toda parte. Este livro é dedicado a meu pai, que me protegeu de todos esses monstros.

É talvez o que os terapeutas das vítimas dos raptos deveriam fazer com mais eficiência.

Parte dos motivos para as crianças terem medo do escuro pode ser o fato de que, até há bem pouco, em toda a nossa história evolutiva, elas nunca dormiam sozinhas. Em vez disso, aninhavam-se em segurança, protegidas por um adulto — em geral, a mamãe. No Ocidente esclarecido, nós as enfiamos sozinhas num quarto escuro, damos boa-noite e temos dificuldade em compreender por que elas às vezes ficam perturbadas. Em termos da evolução da espécie, faz sentido que as crianças tenham fantasias de monstros assustadores. Num mundo povoado por leões e hienas, essas fantasias ajudavam a impedir que filhotes indefesos se aventurassem longe demais de seus guardiães. Como esse mecanismo de segurança pode funcionar para um jovem animal forte e curioso senão pela produção artificial de um forte terror? Os que não têm medo de monstros tendem a não deixar descendentes. Por fim, assim imagino, com o desenrolar da evolução humana, quase todas as crianças incorporaram o medo de monstros. Porém, se somos capazes de invocar monstros aterrorizadores na infância, por que alguns dentre nós não poderíamos, pelo menos de vez em quando, fantasiar algo semelhante, algo verdadeiramente horripilante, mesmo sendo já adultos?

É revelador que os raptos por alienígenas ocorram principalmente quando as pessoas adormecem ou acordam, ou em longas viagens de carro, quando existe o perigo bem conhecido de cair num devaneio auto-hipnótico. Os terapeutas das vítimas dos raptos ficam intrigados quando seus pacientes dizem gritar de terror, enquanto suas esposas dormem um sono pesado ao seu lado. Mas isso não é típico dos sonhos — nossos gritos de ajuda que não são escutados? Teriam essas histórias algo a ver com o sono e, como Benjamin Simon propôs para o caso dos Hill, com uma espécie de sonho?

Embora não seja bastante conhecida, uma síndrome psicológica comum, um tanto parecida com o rapto por alienígenas, é a chamada paralisia do sono. Muitas pessoas a experimentam. Acontece naquele mundo crepuscular que fica entre o estar plenamente acordado e o totalmente adormecido. Por alguns minutos, talvez mais do que isso, a pessoa fica imóvel e agudamente ansiosa. Sente um peso sobre o peito, como se um ser ali estivesse sentado ou deitado. A batida do coração é rápida, a respiração penosa. Pode-se passar por alucinações auditivas ou visuais — de pessoas, demônios, fantasmas, animais ou pássaros. No ambiente adequado, a experiência pode ter "toda a força e todo o impacto da realidade", segundo Robert Baker, psicólogo na Universidade de Kentucky. Às vezes há um componente sexual marcante na alucinação. Baker afirma que esses distúrbios comuns do sono estão por trás de um grande número, se não da maioria, dos relatos de raptos por alienígenas. (Ele e outros sugerem que há também outros tipos de registros de rapto, feitos, por exemplo, por indivíduos com propensão a fantasiar ou por quem gosta de pregar uma peça.)

De forma semelhante, *Harvard Mental Health Letter* (setembro de 1994) comenta:

> A paralisia do sono pode durar vários minutos, sendo às vezes acompanhada de alucinações vívidas parecidas com sonhos, que dão origem a histórias sobre visitas de deuses, espíritos e criaturas extraterrestres.

A partir dos primeiros estudos do neurofisiologista canadense Wilder Penfield, sabemos que a estimulação elétrica de certas regiões do cérebro provoca alucinações plenamente desenvolvidas. As pessoas com epilepsia do lobo temporal — o que implica uma cascata de impulsos elétricos gerados naturalmente na parte do cérebro abaixo da testa — experimentam uma série de alucinações quase indistinguíveis da realidade: inclusive a presença de um ou mais seres estranhos, ansiedade, sensação de flutuar no ar, experiências sexuais e lapsos de memória. Há também o que é sentido como uma compreensão sagaz das questões mais profundas e a necessidade de divulgá-la. Um *continuum* de estimulação do lobo temporal se estende das pessoas com epilepsia grave aos mais comuns dentre nós. Em pelo menos um caso relatado por outro neurocientista canadense, Michael Persinger, o emprego da droga antiepilética carbamazepina eliminou numa mulher a sensação recorrente de cumprir o roteiro padrão do rapto por alienígenas. Assim, essas alucinações, geradas espontaneamente ou com ajuda de produtos químicos e experiências, podem desempenhar um papel — talvez central — nas histórias de UFOs.

Mas essa opinião é fácil de desdenhar: o enigma dos UFOs decifrado como "alucinações de massa". Todo mundo sabe que não há alucinações partilhadas. Certo?

Quando a possibilidade da vida extraterrestre começou a ser popularizada por toda parte — especialmente perto da virada do século passado, por Percival Lowell com seus canais marcianos —, as pessoas passaram a relatar contatos com alienígenas, sobretudo marcianos. O livro de 1901 do psicólogo Theodore Flournoy, *From India to the planet Mars*, descreve um médium de língua francesa que, em estado de transe, desenhava retratos dos marcianos (eles se parecem bastante conosco) e apresentava o seu alfabeto e linguagem (extraordinariamente parecidos com o francês). Na sua dissertação de doutorado de 1902, o psiquiatra Carl Jung descrevia uma jovem suíça que ficou nervosa ao descobrir, sentado à sua frente no trem, um "morador dos astros" originário de Marte. Os marcianos ignoram a ciência, a filosofia e as almas, foi a informação que recebeu, mas têm uma tecnologia avançada. "Máquinas voadoras existem há muito tempo em Marte; todo o planeta é coberto por canais", e assim por diante. Charles Fort, um colecionador de relatos anômalos que morreu em 1932, escreveu: "Talvez haja habitantes de Marte que secretamente enviam relatórios sobre os costumes de nosso mundo a seus governos". Nos anos 50, um livro de Gerald Heard revelava que os ocupantes dos discos eram abelhas marcianas inteligentes. Quem mais sobreviveria às fantásticas voltas em ângulo reto descritas pelos UFOs?

Mas depois que a Mariner 9 demonstrou que os canais eram ilusórios, em 1971, e depois que Viking 1 e 2 não encontraram nenhuma evidência convincente nem mesmo de micróbios, em 1976, o entusiasmo popular pelo Marte de Lowell esmoreceu e pouco se ouviu falar de visita de marcianos. Passou-se então a relatar que os alienígenas vinham de outros lugares. Por quê? Por que já não eram marcianos? E, depois que se descobriu que a superfície de Vênus é suficientemente quente para fundir o chumbo, sumiram os visitantes venusianos. Alguma parte dessas histórias se adapta aos cânones correntes de opiniões? O que isso sugere sobre a sua origem?

Não há dúvida de que os seres humanos comumente têm alucinações. Há muitas dúvidas sobre o fato de os extraterrestres existirem, frequentarem o nosso planeta ou nos raptarem e molestarem. Podemos discutir sobre detalhes, mas uma categoria de explicação é certamente mais bem fundamentada que a outra. A principal ressalva que se pode fazer é: por que tantas pessoas hoje em dia relatam *esse* conjunto *específico* de alucinações? Por que pequenos seres sombrios, discos voadores e experimentação sexual?

# 7. O MUNDO ASSOMBRADO PELOS DEMÔNIOS

> *Há mundos assombrados pelos demônios, regiões de absoluta escuridão.*
> O *Isa Upanishad* (Índia, cerca de 600 a.C.)

> *O medo de coisas invisíveis é a semente natural daquilo que todo mundo, em seu íntimo, chama de religião.*
> Thomas Hobbes, *Leviatã* (1651)

OS DEUSES CUIDAM DE NÓS e orientam nossos destinos, é o que ensinam muitas culturas humanas; outras entidades, mais malévolas, são responsáveis pela existência do mal. Ambas as classes de seres, tanto faz se consideradas naturais ou sobrenaturais, reais ou imaginárias, servem às necessidades humanas. Mesmo que sejam inteiramente fantásticos, as pessoas se sentem melhor acreditando neles. Assim, numa época em que as religiões tradicionais têm estado sob o fogo fulminante da ciência, não é natural cobrir os antigos deuses e demônios com vestes científicas e chamá-los de alienígenas?

A crença em demônios era difundida no mundo antigo. Eram considerados seres naturais, e não sobrenaturais. Hesíodo os menciona de passagem. Sócrates descrevia sua inspiração filosófica como obra de um demônio pessoal e benigno. Sua professora, Diotima de Mantineia, lhe diz (no *Banquete* de Platão) que: "Todo o demoníaco é intermediário entre Deus e os mortais. Deus não tem contato com os homens". Ela continua: "Só por meio do demoníaco é que existem relações e diálogos entre os homens e os deuses, quer em estado desperto, quer durante o sono".

Platão, o discípulo mais famoso de Sócrates, atribuía um papel elevado aos demônios: "Nenhuma natureza humana investida de poder supremo é capaz de ordenar os assuntos humanos", diz ele, "sem transbordar de insolência e iniquidade...".

Não nomeamos bois para ser os senhores dos bois, nem bodes para ser os senhores dos bodes, mas somos nós próprios, uma raça superior, que os governamos. De maneira semelhante, Deus, por amor à humanidade, colocou acima de nós os demônios, que são uma raça superior, e eles, de forma fácil e prazerosa para si mesmos, e não menos prazerosa para nós, tornam as tribos dos homens felizes e unidas, ao cuidar de nós e nos dar paz, reverência, ordem e justiça que nunca falham.

Ele negava firmemente que os demônios fossem uma fonte do mal, e não representava Eros, o guardião das paixões sexuais, como um deus, mas como um demônio, "nem mortal, nem imortal", "nem bom, nem mau". Mas todos os platônicos posteriores, inclusive os neoplatônicos que influenciaram poderosamente a filosofia cristã, sustentavam que alguns demônios eram bons e outros maus. O pêndulo balançava. Aristóteles, o famoso discípulo de Platão, considerava com seriedade a afirmação de que o roteiro dos sonhos é escrito pelos demônios. Plutarco e Porfírio afirmaram que os demônios, que preenchiam o ar superior, vinham da Lua.

Apesar de impregnados pelo neoplatonismo da cultura em que estavam imersos, os primeiros padres da Igreja ansiavam por se separar dos sistemas de crença "pagãos". Ensinavam que a essência da religião pagã consistia no culto de demônios e homens, ambos interpretados erradamente como deuses. Quando são Paulo se queixou (Efésios 6:14) da maldade em lugares celestiais, não estava se referindo à corrupção do governo, mas aos demônios, que viviam naqueles locais:

Pois não temos que lutar contra a carne e o sangue, mas contra os principados, contra as potestades, contra os príncipes das trevas desse século, contra as hostes espirituais da maldade, nos lugares celestiais.

Desde o início, os demônios significavam muito mais do que uma simples metáfora poética para o mal no coração dos homens.

Santo Agostinho ficava exasperado com os demônios. Ele cita o pensamento pagão prevalecente na sua época: "Os deuses ocupam as regiões mais elevadas, os homens as mais baixas, os demônios a região intermediária... Eles têm a imortalidade do corpo, mas as paixões da mente em comum com os homens". No livro VIII de *A Cidade de Deus* (iniciado em 413), Agostinho assimila essa antiga tradição, substitui os deuses por Deus, e converte os demônios em diabos — afirmando que eles são, sem exceção, malignos. Não têm virtudes redentoras. São a fonte de todo o mal espiritual e material. Ele os chama de "animais aéreos [...] muito ansiosos por infligir dano, totalmente opostos à retidão, inchados de orgulho, pálidos de inveja, sutis no engano". Podem se declarar mensageiros entre Deus e os homens, disfarçando-se como anjos do Senhor, mas essa sua atitude é uma armadilha que nos leva à destruição. Podem assumir qualquer forma, e sabem muitas coisas — "demônio" *significa* "conhecimento" em grego\* —, especialmente sobre o mundo material. Por mais inteligentes que sejam, não têm caridade. Atacam "as mentes cativas e ludibriadas dos homens", escreveu Tertuliano. "Eles têm a sua moradia no ar, as estrelas são os seus vizinhos, e as suas relações são com as nuvens."

No século XI, o influente teólogo, filósofo e político bizantino de reputação duvidosa, Miguel Psellos, descreveu os demônios com as seguintes palavras:

> Esses animais existem em nossa própria vida, que é repleta de paixões, pois sua presença é abundante nas paixões, e o lugar que habitam é o da matéria, como também a ela per-

---

\* "Ciência" significa "conhecimento" em latim. Uma disputa de jurisdição fica sugerida, mesmo que não se aprofunde o exame da questão.

tencem a sua categoria e classe. Por essa razão, também estão sujeitos a paixões e a elas acorrentados.

Um certo Richalmus, abade de Schönthal, escreveu por volta de 1270 um tratado completo sobre demônios, rico em experiências diretas: ele vê (mas somente de olhos fechados) inúmeros demônios malévolos, como grãos de poeira, zunindo ao redor de sua cabeça — e da cabeça de todos os demais. Apesar de ondas sucessivas de visões de mundo racionalistas, persas, judaicas, cristãs e muçulmanas, apesar do fermento social, político e filosófico revolucionário, a existência, grande parte do caráter e até o nome dos demônios permaneceram inalterados de Hesíodo até as Cruzadas.

Os demônios, os "poderes do ar", descem do céu e têm relações sexuais ilícitas com as mulheres. Agostinho acreditava que as bruxas eram o produto dessas uniões proibidas. Na Idade Média, assim como na Antiguidade clássica, quase todo mundo acreditava nessas histórias. Os demônios eram também chamados diabos ou anjos caídos. Os sedutores demoníacos das mulheres eram denominados íncubos; os dos homens, súcubos. Há casos em que as freiras falavam, com algum atordoamento, de uma semelhança extraordinária entre o íncubo e o padre confessor ou o bispo, e despertavam na manhã seguinte, segundo um cronista do século XV, "descobrindo-se sujas como se tivessem estado com um homem". Há relatos semelhantes na China antiga, só que em haréns, e não em conventos. São tantas as mulheres que relataram casos com íncubos, argumentava o escritor religioso presbiteriano Richard Baxter (em seu livro *Certainty of the world of spirits*, 1691), "que é impudência negá-los".*

* Além disso, na mesma obra: "A produção de tempestades pelas bruxas é atestada por tantas pessoas que acho desnecessário citar os seus testemunhos". O teólogo Meric Casaubon argumentava — em seu livro de 1668, *Of credulity and incredulity* — que as bruxas devem existir porque, afinal de contas, todo mundo acredita nelas. Qualquer coisa em que um grande número de pessoas acredita deve ser verdade.

Ao seduzir, os íncubos e os súcubos eram sentidos como um peso sobre o peito do sonhador. Apesar de seu significado latino, *mare* é a palavra do inglês antigo para íncubo, e *nightmare* (pesadelo) significava originalmente o demônio que se senta sobre o peito dos adormecidos, atormentando-os com sonhos. Em *A vida de santo Antônio*, de Atanásio (escrita em torno de 360), os demônios são descritos movimentando-se à vontade em quartos trancados; 1400 anos mais tarde, em sua obra *De daemonialitae*, o erudito franciscano Ludovico Sinistrari nos assegura que os demônios passam através das paredes.

A existência exterior dos demônios transcorreu quase inteiramente sem questionamentos desde a Antiguidade até o final da Idade Média. Maimônides negava a sua realidade, mas a maioria esmagadora dos rabinos acreditava em *dibuks*. Um dos poucos casos que consegui encontrar, em que se chega a sugerir que os demônios poderiam ser *internos*, gerados em nossas mentes, é quando perguntam a Abba Poemen — um dos padres do deserto da Igreja primitiva:

— Como é que os demônios lutam contra mim?

— Os demônios lutam contra você? — perguntou o padre Poemen por sua vez. — Os nossos próprios desejos se tornam demônios, e são eles que nos atacam.

As atitudes medievais para com os íncubos e súcubos foram influenciadas pelo livro de Macróbio do século IV, *Comentário sobre o sonho de Cipião*, que teve dezenas de edições antes do Iluminismo europeu. Macróbio descrevia fantasmas (*phantasma*) vistos "no intervalo entre o estado desperto e o cochilo". O sonhador "imagina" os fantasmas como predatórios. Macróbio tinha um lado cético que seus leitores medievais tendiam a ignorar.

A obsessão com os demônios começou a atingir um crescendo quando, em sua famosa bula de 1484, o papa Inocêncio VIII declarou:

Tem chegado a nossos ouvidos que membros de ambos os sexos não evitam manter relações com anjos, íncubos e súcubos malignos, e que por meio de suas feitiçarias, palavras mágicas, amuletos e conjuros eles sufocam, extinguem e abortam os filhos das mulheres,

além de gerar muitas outras calamidades. Com essa bula, Inocêncio dava início à acusação, tortura e execução sistemáticas de inumeráveis "bruxas" em toda a Europa. Elas eram culpadas do que Agostinho descrevera como "o ato criminoso de bulir com o mundo invisível". Apesar do imparcial "membros de ambos os sexos" na linguagem da bula, não causou surpresa o fato de as meninas e as mulheres terem sido as principais perseguidas.

Muitos protestantes influentes dos séculos seguintes, apesar de suas diferenças com a Igreja católica, adotaram visões quase idênticas. Até humanistas como Erasmo de Roterdã e Thomas More acreditavam em bruxas. "Não acreditar em bruxarias", disse John Wesley, o fundador do metodismo, "é na verdade não acreditar na Bíblia." William Blackstone, o famoso jurista, em seus *Commentaries on the laws of England* (1765), afirmava: "Negar a possibilidade ou, mais ainda, a existência real da bruxaria e da feitiçaria é contradizer a palavra de Deus revelada em várias passagens do Antigo e do Novo Testamento".

Inocêncio elogiava "nossos queridos filhos Henry Kramer e James Sprenger", que "foram nomeados, por Cartas Apostólicas, inquisidores dessas [de]pravações heréticas". Se "as abominações e enormidades em questão permanecerem impunes", as almas de multidões enfrentarão a danação eterna.

O papa indicou Kramer e Sprenger para escreverem uma análise abrangente, usando toda a armadura acadêmica do final do século XV. Com citações exaustivas da Escritura e de eruditos antigos e modernos, eles produziram o *Malleus maleficarum*, o "Martelo das bruxas" — descrito apropriadamente como um dos livros mais terríveis da história humana. Thomas Ady, em *A candle in the dark*, acusou-o de ser "doutrinas & invenções infames", "mentiras e impossibilidades horríveis", servindo para esconder "uma crueldade sem paralelo dos ouvidos do mundo". O que o *Malleus* significa, mais ou menos, é que, se a pessoa for acusada de bruxaria, ela é uma bruxa. A tortura é um meio infalível de demonstrar a validade da acusação. O réu não tem direitos. Não há oportunidade de acareação com os acusadores. Pouca atenção é dada à possibilidade de que as acusações sejam causadas por objetivos ímpios — inveja, vingança ou a ganância dos inquisidores, que rotineiramente confiscavam para seu proveito pessoal as propriedades do acusado. Esse manual técnico para torturadores também inclui métodos de castigo talhados para liberar os demônios do corpo da vítima, antes que o processo a matasse. Com o *Malleus* na mão e o incentivo do papa garantido, os inquisidores começaram a surgir por toda a Europa.

Os processos logo se tornaram fraudulentos no item despesas. Todos os custos da investigação, julgamento e execução eram pagos pela acusada ou seus parentes — até as diárias dos detetives particulares contratados para espioná-la, o vinho para os seus guardas, os banquetes para os seus juízes, as despesas de viagem de um mensageiro enviado para buscar um torturador mais experiente em outra cidade, e os feixes de lenha, o alcatrão e a corda do carrasco. Além disso, os membros do tribunal ganhavam uma gratificação para cada feiticeira queimada. O que sobrava das propriedades da bruxa condenada, se ainda houvesse alguma coisa, era dividido entre a Igreja e o Estado. Quando esse assassinato e roubo em massa, legal e moralmente sancionados, se tornaram institucionalizados, quando surgiu uma imensa burocracia para servi-lo, a atenção se desviou das velhas megeras pobres para os membros das classes média e alta de ambos os sexos.

Quanto mais as pessoas, sob tortura, confessavam participar de bruxarias, mais difícil ficava sustentar que toda a história não passava de fantasia. Como cada uma das "bruxas" era forçada a implicar outras, o número crescia exponencialmente. Tudo isso constituía "provas assustadoras de que o Diabo ainda está vivo", como mais tarde se afirmou na América do Norte por ocasião dos julgamentos das bruxas de Salem. Numa era crédula, o testemunho mais fantástico era levado a sério — de que dezenas de milhares de bruxas tinham se reunido para um sabá em praças públicas na França, ou de que 12 mil feiticeiras escureceram os céus ao voar para Terra Nova. A Bíblia tinha aconselhado: "Não deves tolerar que uma bruxa viva". Legiões de mulheres foram queimadas até a morte.* E as torturas mais horrendas eram rotineiramente aplicadas a todas as rés, jovens ou velhas, depois que os padres abençoavam os instrumentos de tortura. O próprio Inocêncio morreu em 1492, após tentativas frustradas de mantê-lo vivo por meio de transfusões (o que resultou na morte de três meninos) e amamentação no peito de uma ama de leite. Foi pranteado pela amante e pelos filhos de ambos.

Na Grã-Bretanha, empregavam-se perseguidores de bruxas, também chamados "alfinetadores", que recebiam um belo prêmio para cada menina ou mulher que entregavam para execução. Não eram estimulados a ser cautelosos em suas acusações. Em geral procuravam "marcas do diabo" — cicatrizes, marcas de nascença ou nevos — que, ao serem picadas com um alfinete, não doíam, nem sangravam. Uma simples prestidigitação dava a impressão de que o alfinete penetrava fundo na carne da bruxa. Quando não havia marcas aparentes, bastavam as "marcas invisíveis". Sobre o patíbulo, um alfinetador da metade do século XVII "confessou que provocara a morte de mais de 220 mulheres na Inglaterra e na Escócia, ao preço de vinte xelins cada".**

Nos julgamentos das bruxas, evidências atenuantes ou testemunhas de defesa eram inadmissíveis. De qualquer modo, era quase impossível apresentar álibis convincentes para as bruxas acusadas: as regras de evidência tinham um caráter especial. Por exemplo, em mais de um caso o marido atestava que sua mulher estava dormindo nos braços dele no exato momento em que era

---

\* A Santa Inquisição adotava esse modo de execução aparentemente para garantir uma concordância literal com uma bem-intencionada sentença da lei canônica (Concílio de Tours, 1163): "A Igreja abomina o derramamento de sangue".

\*\* No território sombrio dos caçadores de gratificações e informantes pagos, a corrupção torpe é frequentemente a regra — em todo o mundo e em toda a história humana. Tomando um exemplo quase ao acaso, em 1994, por uma quantia de dinheiro, alguns inspetores postais de Cleveland concordaram em fazer investigações secretas e desmascarar os transgressores da lei; eles então inventaram ações penais contra 32 trabalhadores postais inocentes.

acusada de estar brincando com o diabo num sabá de bruxas; mas o arcebispo explicava pacientemente que um demônio tomara o lugar da mulher. Os maridos não deviam imaginar que seus poderes de percepção podiam superar os poderes de simulação de Satã. As belas jovens eram forçosamente entregues às chamas.

Havia fortes elementos eróticos e misóginos — como era de se esperar numa sociedade sexualmente reprimida e dominada pelos homens, em que os inquisidores eram tirados da classe de padres pretensamente celibatários. Nos julgamentos, prestava-se bastante atenção à qualidade e à quantidade de orgasmos nas supostas cópulas das rés com os demônios ou com o Diabo (embora Agostinho tivesse se mostrado seguro de que "não podemos chamar o Diabo de fornicador"), e à natureza do "membro" do Diabo (frio, em todos os relatos). As "marcas do Diabo" eram encontradas "em geral sobre os seios ou nas partes pudendas", segundo o livro escrito por Ludovico Sinistrari em 1700. Em consequência, raspavam-se os pelos púbicos e as genitálias eram cuidadosamente inspecionadas por inquisidores do sexo masculino. Na imolação da jovem de vinte anos Joana d'Arc, depois que seu vestido pegou fogo, o carrasco de Rouen apagou as chamas para que os espectadores pudessem ver "todos os segredos que podem ou devem existir numa mulher".

A crônica dos que foram consumidos pelo fogo, somente na cidade alemã de Wurtzburg, e apenas no ano de 1598, apresenta estatísticas e permite que nos confrontemos com um pouco da realidade humana:

> O intendente do Senado, chamado Gering; a velha sra. Kanzler; a mulher gorda do alfaiate; a cozinheira do sr. Mengerdorf; um estranho; uma mulher estranha; Baunach, senador, o cidadão mais gordo de Wurtzburg; o velho ferreiro da corte; uma velha; uma menina de nove ou dez anos; uma menina mais moça, sua irmãzinha; a mãe das duas meninas acima mencionadas; a filha de Liebler; a filha de Goebel, a menina mais bonita de Wurtzburg; um estudante que sabia muitas línguas; dois meninos do Minster, cada um com

doze anos; a filhinha de Stepper; a mulher que guardava o portão da ponte; uma velha; o filhinho do intendente do conselho da cidade; a mulher de Knertz, o açougueiro; a filhinha de colo do dr. Schultz; uma menina cega; Schwartz, cônego em Hatch...

E assim por diante. Alguns recebiam atenção humanitária especial: "A filhinha de Valkenberger foi executada e queimada privadamente". Houve 28 imolações públicas, cada uma com quatro a seis vítimas em média, nessa pequena cidade num único ano. Isso era um microcosmo do que estava acontecendo por toda a Europa. Ninguém sabe quantos foram mortos ao todo — talvez centenas de milhares, talvez milhões. Os responsáveis pela acusação, tortura, julgamento, morte na fogueira e justificação eram altruístas. Perguntem a eles.

Eles não podiam estar errados. As confissões de bruxaria não podiam ser alucinações, por exemplo, nem tentativas desesperadas de satisfazer os inquisidores e interromper a tortura. Nesse caso, explicava o juiz de bruxas Pierre de Lancre (em seu livro de 1612, *Description of the inconstancy of evil angels*), a Igreja católica estaria cometendo um grande crime ao queimar as bruxas. Aqueles que apresentam tais hipóteses estão, portanto, atacando a Igreja e *ipso facto* cometendo um pecado mortal. Puniam-se os que criticavam a morte das bruxas na fogueira e, em alguns casos, eles próprios eram queimados. Os inquisidores e os torturadores estavam fazendo a obra de Deus. Estavam salvando almas. Estavam derrotando os demônios.

A bruxaria não era certamente o único delito que merecia tortura e morte na fogueira. A heresia era um crime ainda mais sério, e tanto católicos como protestantes o puniam com crueldade. No século XVI, o erudito William Tyndale teve a temeridade de pensar em traduzir o Novo Testamento para o inglês. Mas se as pessoas pudessem ler a Bíblia em sua própria língua, e não em latim arcaico, talvez formassem opiniões religiosas próprias e independentes. Poderiam conceber sua própria comunicação privada com Deus. Era um desafio à segurança de emprego dos padres católicos romanos. Quando Tyndale tentou publicar a sua tradução, foi caçado e perseguido por toda a Europa. Acabou capturado, garroteado e depois, por boas razões, queimado na fogueira. Seus exemplares do Novo Testamento (que um século mais tarde se tornaram a base da refinada tradução do rei Jaime) foram então procurados de casa em casa por destacamentos armados — cristãos defendendo piedosamente o cristianismo, ao impedir que outros cristãos conhecessem as palavras de Cristo. Esse estado de espírito, esse clima de absoluta certeza de que o conhecimento deve ser recompensado com a tortura e a morte, era pouco auspicioso para os acusados de bruxaria.

Queimar bruxas é uma característica da civilização ocidental que, com exceções políticas ocasionais, tem declinado desde o século XVI. Na última execução judicial de feiticeiras na Inglaterra, uma mulher e sua filha de nove anos foram enforcadas. O seu crime era ter provocado uma tempestade quando despiram as meias. Na nossa época, bruxas e djins são uma presença constante em brincadeiras infantis, o exorcismo de demônios ainda é praticado pela Igreja católica romana e outras religiões, e os adeptos de um culto ainda denunciam como feitiçaria as práticas rituais de outro. Ainda empregamos a palavra "pandemônio" (literalmente, todos os demônios). Ainda se diz que uma pessoa enlouquecida e violenta é demoníaca. (Foi só no século XVIII que a doença mental deixou de ser em geral atribuída a causas sobrenaturais; até a insônia tinha sido considerada um castigo infligido por demônios.) Mais da metade dos norte-americanos declaram aos pesquisadores de opinião que "acreditam" na existência do Diabo, e 10% tiveram contato com ele, experiência que Martinho Lutero afirmava ter regularmente. Num "manual de guerra espiritual" de 1992, intitulado *Prepare for war*, Rebecca Brown nos informa que o aborto e o sexo fora do casamento "resultarão quase sempre em infestação demoníaca"; que a meditação, a ioga e as artes marciais são construídas de modo a levar cristãos ingênuos a cultuar os demônios; e que "'o rock não aconteceu pura e simplesmente', foi um plano arquitetado com muito cuidado por ninguém menos do que o próprio Satã". Às vezes "as pessoas amadas ficam diabolicamente presas e cegas". A demonologia ainda é, hoje em dia, parte de muitos credos sérios.

E o que é que os demônios fazem? No *Malleus*, Kramer e Sprenger revelam que "os diabos [...] procuram interferir no processo de cópula e concepção normal, obtendo sêmen humano e transferindo-o eles próprios". A inseminação artificial demoníaca na Idade Média remonta pelo menos a são Tomás de Aquino, que nos diz em *Sobre a Trindade* que "os demônios podem transferir o sêmen que coletaram e injetá-lo nos corpos de outros". Seu contemporâneo, são Boaventura, entra em mais detalhes: os súcubos "se entregam aos machos e recebem o seu sêmen; com habilidade astuciosa, os demônios preservam a sua potência, e mais tarde, com a permissão de Deus, tornam-se íncubos e despejam o sêmen em repositórios femininos". Ao crescer, os produtos dessas uniões ímpias mediadas pelos demônios são também visitados pelos demônios. Forja-se um laço sexual entre várias gerações e entre várias espécies. E lembramos que essas criaturas são famosas por voar; na verdade, elas habitam o ar.

Não há nave espacial nessas histórias. Mas a maioria dos elementos centrais das histórias de rapto por alienígenas está presente, inclusive os seres não humanos sexualmente obsessivos que vivem no céu, passam através de paredes, comunicam-se por telepatia e realizam experiências reprodutoras com a espécie humana. A não ser que *nós* acreditemos que os demônios realmente existem, como podemos compreender um sistema de crença tão estranho, adotado por todo o mundo ocidental (inclusive por aqueles considerados os mais sábios dentre nós), reforçado por experiências pessoais em todas as gerações, e ensinado pela Igreja e pelo Estado? Existe alguma alternativa real além de uma ilusão partilhada que se baseia nas ligações e na química do cérebro?

No Gênesis, lemos sobre anjos que copulam com "as filhas dos homens". Os mitos culturais da Grécia e Roma antigas falavam de deuses que apareciam às mulheres sob a forma de touros, cisnes ou chuvas de ouro e as fecundavam. Em uma tradição cristã primitiva, a filosofia não provinha do engenho humano, mas de conversas íntimas com os demônios — os anjos caídos revelavam os segredos do Céu para as suas consortes humanas. Histórias com elementos semelhantes aparecem em culturas de todo o mundo. Equivalentes aos íncubos são os djins árabes, os sátiros gregos, os *bhuts* hindus, os *hotua porco* de Samoa, os *dusii* celtas e muitos outros. Numa época de histeria em relação aos demônios, era bastante fácil atribuir características demoníacas aos que temíamos ou odiávamos. Assim, dizia-se que Merlin fora concebido por um íncubo. O mesmo se dizia de Platão, Alexandre, o Grande, Augusto e Martinho Lutero. De vez em quando todo um povo — por exemplo, os hunos ou os habitantes de Chipre — era acusado por seus inimigos de ter sido gerado pelos demônios.

Na tradição talmúdica, o súcubo arquetípico era Lilith, a quem Deus criou do barro junto com Adão. Ela foi expulsa do Éden por insubordinação — não a Deus, mas a Adão. Desde então, ela passa as suas noites seduzindo os descendentes de Adão. No Irã antigo e em muitas outras culturas, acreditava-se que as ejaculações noturnas de sêmen eram provocadas por súcubos. Santa Teresa de Ávila descreveu uma vívida relação sexual com um anjo — um anjo de luz, e não da escuridão, disso ela tinha certeza —, experiência também vivenciada por outras mulheres mais tarde santificadas pela Igreja católica. Cagliostro, o mágico e trapaceiro do século XVIII, deu a entender que ele, como Jesus de Nazaré, era produto da união "entre os filhos do céu e da terra".

Em 1645, uma adolescente da Cornualha, Anne Jefferies, foi encontrada grogue, encolhida no chão. Muito mais tarde, ela lembrou ter sido atacada por meia dúzia de homenzinhos, conduzida paralisada a um castelo no ar, seduzida, e trazida de volta para casa. Ela chamava os homenzinhos de duendes. (Para muitos cristãos piedosos, como para os inquisidores de Joana d'Arc, essa distinção era irrelevante. Os duendes eram demônios, pura e simplesmente.) Eles voltaram para aterrorizá-la e atormentá-la. No ano seguinte, ela foi presa por bruxaria. Os duendes têm tradicionalmente poderes mágicos, e podem causar paralisia ao simples toque de suas mãos. O tempo transcorre de forma mais lenta no país encantado. Os duendes têm problemas de reprodução, por isso fazem sexo com seres humanos e roubam os bebês dos berços — deixando às vezes um duende substituto, uma "criança trocada". Agora esta me parece uma boa pergunta: se Anne Jefferies tivesse crescido numa cultura que fizesse propaganda de alienígenas em vez de duendes, e de UFOs em vez de castelos no ar, a sua história seria diferente, em qualquer aspecto significativo, das narradas pelas "vítimas de rapto por alienígenas"?

Em seu livro de 1982, *The terror that comes in the night: an experience-centered study of supernatural assault traditions*, David Hufford fala de um executivo de trinta e poucos anos, com educação superior, que se lembrava de um verão passado na casa de sua tia, quando ainda era adolescente. Certa noite, ele viu luzes misteriosas movendo-se no ancoradouro. Mais tarde, adormeceu. De sua cama, vislumbrou então uma figura branca e luminosa subindo a escada. Ela entrou no seu quarto, parou e depois disse — numa espécie de anticlímax, a meu ver: "É o linóleo". Em algumas noites, era a figura de uma velha; em outras, a de um elefante. Às vezes o jovem estava convencido de que toda a história era um sonho; outras vezes tinha certeza de estar acordado. Ficava premido em sua cama, paralisado, incapaz de se mover ou gritar. O coração disparava. Ele ficava sem fôlego. Eventos semelhantes se passaram em muitas noites consecutivas. O que está acontecendo nesse caso? Essas ocorrências se deram antes que raptos por alienígenas fossem divulgados por toda parte. Se o jovem tivesse conhecimento dos raptos por alienígenas, a sua velha não teria apresentado uma cabeça e olhos maiores?

Em várias passagens famosas de *Declínio e queda do Império Romano*, Edward Gibbon descreveu o equilíbrio entre a credulidade e o ceticismo no final da Antiguidade clássica:

> A credulidade desempenhava o papel da fé; permitia-se que o fanatismo assumisse a linguagem da inspiração, e os efei-

tos do acaso ou dos planos eram atribuídos a causas sobrenaturais [...].

Na época moderna [Gibbon está escrevendo na metade do século XVIII], um ceticismo latente e até involuntário adere à mais piedosa das disposições. Admitir verdades sobrenaturais é muito menos uma aprovação ativa do que uma aquiescência fria e passiva. Há muito tempo acostumada a observar e respeitar a ordem invariável da natureza, a nossa razão, ou pelo menos a nossa imaginação, não está suficientemente preparada para suportar a ação visível da divindade. Mas nas primeiras eras do cristianismo, a situação da humanidade era extremamente diferente. Os mais curiosos, ou os mais crédulos, entre os pagãos eram frequentemente persuadidos a entrar numa sociedade que afirmava ter realmente poderes milagrosos. Os cristãos primitivos pisavam perpetuamente em terreno místico, e as suas mentes eram exercitadas pelo hábito de acreditar nos acontecimentos mais extraordinários. Sentiam, ou fantasiavam, que de todos os lados eram incessantemente atacados por demônios, consolados por visões, instruídos pela profecia e surpreendentemente salvos do perigo, da doença e até da morte pelas súplicas da Igreja [...].

Eles tinham a firme convicção de que o ar que respiravam estava povoado de inimigos invisíveis; de inumeráveis demônios, que observavam todos os acontecimentos e assumiam todas as formas para aterrorizar e, acima de tudo, para tentar a sua virtude desprotegida. A imaginação e até os sentidos eram enganados pelas ilusões do fanatismo imoderado; e o eremita, que via sua oração da meia-noite ser dominada pelo cochilo involuntário, podia facilmente confundir os fantasmas de horror ou prazer que tinham preenchido o seu sono e os seus sonhos acordados [...].

[A] prática da superstição é tão congenial à multidão que, se as pessoas são forçadas a despertar, elas ainda lamentam a perda de sua visão prazerosa. O seu amor ao maravilhoso e ao sobrenatural, a sua curiosidade em relação a acontecimentos futuros e a sua forte propensão a colocar as suas esperanças e medos além dos limites do mundo visível foram as principais causas que favoreceram o estabelecimento do politeísmo. É tão premente no povo a necessidade de acreditar em alguma coisa que a queda de qualquer sistema mitológico será muito provavelmente seguida pela introdução de algum outro modo de superstição [...].

Vamos deixar de lado o esnobismo social de Gibbon: o diabo também atormentava as classes altas, e até um rei da Inglaterra — Jaime I, o primeiro monarca Stuart — escreveu um livro crédulo e supersticioso sobre demônios (*Daemonologie*, 1597). Ele foi também o patrocinador da excelente tradução da Bíblia para o inglês que ainda leva o seu nome. O rei Jaime achava que o tabaco era a "erva daninha do diabo", e várias bruxas foram descobertas por terem o vício dessa droga. Mas, em 1628, ele se tornara um cético rematado — principalmente porque adolescentes foram descobertos fingindo possessão demoníaca, em cujo estado tinham acusado pessoas inocentes de bruxaria. Se consideramos que o ceticismo que Gibbon afirma ter caracterizado a sua época diminuiu na nossa, e se até um pouco da credulidade desenfreada que ele atribui ao final da época clássica ainda sobrevive na nossa, não é de se esperar que alguma coisa semelhante a demônios encontre um nicho na cultura popular do presente?

Como os entusiastas de visitas extraterrestres são rápidos em me lembrar, há certamente outra interpretação desses paralelos históricos: os alienígenas, dizem eles, *sempre* nos visitaram, intrometendo-se na nossa vida, roubando nossos espermas e ovos, fecundando-nos. Nos tempos antigos, nós os reconhecíamos como deuses, demônios, duendes ou espíritos; só agora compreendemos que são os alienígenas que têm nos enganado durante todos esses milênios. Jacques Vallee tem empregado esse tipo de argumentação. Mas, nesse caso, por que não há virtualmente nenhum relato de discos voadores antes de 1947? Por que nenhuma das principais religiões usa discos como ícones do divino? Por que não nos avisaram sobre os perigos da alta tecnologia? Por que esse experimento genético, seja qual for o seu objetivo, ainda não está completo — milhares de anos ou mais depois de ser iniciado por seres supostamente capazes de realizações tecnológicas muito superiores? Por que enfrentamos tantos problemas, se o programa de reprodução é destinado a aperfeiçoar a nossa espécie?

Seguindo essa linha de argumentação, poderíamos prever que os adeptos atuais das crenças antigas passassem a compreender os "alienígenas" como duendes, deuses ou demônios. Na verdade, várias seitas contemporâneas — os "raelianos", por exemplo — sustentam que os deuses ou Deus vieram à Terra em UFOs. Algumas vítimas de rapto descrevem os alienígenas, por mais repulsivos que sejam, como "anjos" ou "emissários de Deus". E há os que ainda acham que se trata de demônios.

Em *Communion*, de Whitley Streiber, uma narrativa em primeira mão de "rapto por alienígenas", o autor relata:

> O que quer que ali estivesse parecia monstruosamente feio, imundo, escuro e sinistro. É claro que eram demônios. Tinham que ser... Ainda me lembro daquela coisa ali agachada, terrivelmente feia, os braços e as pernas parecendo os membros de um grande inseto, os olhos me fitando.

Sabe-se que Streiber está agora aberto à possibilidade de esses terrores noturnos terem sido sonhos ou alucinações.

Os artigos sobre UFOs em *The Christian News Encyclopedia*, uma compilação fundamentalista, incluem "Obsessão fanática anticristã" e "Cientista acredita que os UFOs são obra do demônio". O Projeto de Falsificações Espirituais de Berkeley, Califórnia, ensina que os UFOs têm origem demoníaca; a Igreja Aquariana do Serviço Universal de McMinnville, Oregon, que todos os alienígenas são hostis. Um boletim de 1993 de "Comunicações da consciência cósmica" nos informa que os ocupantes dos UFOs consideram os humanos animais de laboratório, querem que nós os adoremos, mas tendem a ser intimidados pela Oração ao Senhor. Algumas vítimas de rapto foram expulsas de suas congregações religiosas evangélicas; suas histórias se pareciam demais com o satanismo. Um tratado fundamentalista de 1980, *The cult explosion*, escrito por Dave Hunt, revela que

> os UFOs [...] evidentemente não são concretos, e parecem ser manifestações demoníacas de outra dimensão calculadas para alterar o modo de pensar dos homens [...]. [A]s alegadas entidades UFO que presumivelmente estabelecem contato físico com os seres humanos sempre pregaram as mesmas quatro mentiras que a serpente apresentou a Eva [...]. [E]stes seres são demônios e estão se preparando para o Anticristo.

Várias seitas sustentam que os UFOs e os raptos por alienígenas são premonições do "fim do mundo".

Se os UFOs vêm de outro planeta ou de outra dimensão, será que foram enviados pelo mesmo Deus que nos tem sido revelado em qualquer uma das religiões predominantes? Nada nos fenômenos dos UFOs, reza a queixa fundamentalista, exige a crença num Deus único e verdadeiro, embora muita coisa contradiga o Deus retratado na Bíblia e na tradição cristã. *The New Age: a Christian critique*, de Ralph Rath (1990), discute os UFOs — e, como é típico nessa literatura, com extrema credulidade. Cumpre o seu propósito de aceitá-los como reais e de vilipendiá-los como instrumentos de Satã e do Anticristo, em vez de usar a lâmina do ceticismo científico. Essa ferramenta, uma vez afiada, faria mais do que apenas uma heresiotomia limitada.

Em seu *best-seller* religioso *Planet Earth — 2000 A. D.*, Hal Lindsey, o autor fundamentalista cristão, escreve:

> Estou plenamente convencido de que os UFOs são reais [...]. São operados por seres alienígenas de grande inteligência e poder [...]. Acredito que esses seres não são apenas extraterrestres, mas têm origem sobrenatural. Para ser franco, acho que são demônios [...] parte de uma trama satânica.

E qual é a evidência para essa conclusão? São principalmente os versículos 11 e 12 de Lucas, capítulo 21, em que Jesus fala sobre "grandes sinais do Céu" — nada semelhante a um UFO é descrito — nos últimos dias. Tipicamente, Lindsey ignora o versículo 32 em que Jesus deixa bem claro que não está falando sobre o século XX, mas sobre o século I.

Há também uma tradição cristã segundo a qual a vida extraterrestre não pode existir. Em *Christian News* de 23 de maio de 1994, por exemplo, W. Gary Crampton, doutor em teologia, nos explica a razão:

> A Bíblia, explícita ou implicitamente, trata de todas as áreas da vida; ela nunca nos deixa sem resposta. Em nenhum trecho, a Bíblia afirma ou nega de forma declarada a vida extraterrestre inteligente. Implicitamente, entretanto, a Sagrada Escritura nega, sim, a existência desses seres, com isso também negando a possibilidade de discos voadores [...]. A Sagrada Escritura considera a Terra o centro do universo [...]. Segundo Pedro, um Salvador "saltando de planeta em planeta" está fora de cogitação. Eis uma resposta para a vida inteligente em outros planetas. Se esses seres existissem, quem os redimiria? Certamente não seria Cristo [...]. As experiências que não se coadunam com os ensinamentos da Sagrada Escritura devem ser sempre rejeitadas como falaciosas. A Bíblia tem o monopólio da verdade.

Mas muitas outras seitas cristãs — os católicos romanos, por exemplo — são completamente liberais, sem aprender objeções *a priori* contra alienígenas e UFOs e sem insistir na sua existência.

No começo dos anos 60, eu afirmava que as histórias de UFOs eram criadas principalmente para satisfazer desejos religiosos. Numa época em que a ciência tem complicado a adesão acrítica às religiões dos velhos tempos, é oferecida uma alternativa à hipótese de Deus. Vestidos com jargão científico, tendo os seus imensos poderes "explicados" por uma terminologia superficialmente científica, os deuses e os demônios de outrora descem do céu para nos assombrar, para oferecer visões proféticas e para nos tantalizar com visões de um futuro mais promissor: o nascimento de uma religião de mistério na era espacial.

O folclorista Thomas E. Bullard escreveu em 1989 que "os relatos de raptos por alienígenas parecem novas versões das velhas tradições de encontros sobrenaturais, com os alienígenas desempenhando os papéis funcionais de seres divinos". Ele conclui:

> A ciência pode ter expulsado os fantasmas e as bruxas das nossas crenças, mas com igual rapidez preencheu o espaço vazio com alienígenas que desempenham as mesmas funções. Só os enfeites exteriores dos extraterrestres são novos. Todo o medo e todos os dramas psicológicos de lidar com o problema parecem simplesmente ter encontrado mais uma vez o seu lugar, constituindo como sempre a atividade do reino das lendas, onde as coisas explodem à noite.

Será possível que pessoas de todas as épocas e lugares experimentem de vez em quando alucinações vívidas e realistas, de conteúdo quase sempre sexual, sobre raptos por criaturas estranhas, telepáticas e aéreas que desaparecem aos poucos pelas paredes — sendo os detalhes preenchidos pelos estilos culturais predominantes, sugados do *Zeitgeist*? Outras pessoas, que não viveram pessoalmente a experiência, acham-na perturbadora e de certo modo familiar. Passam a história adiante. Logo ela adquire vida própria, inspira outros a tentar compreender as suas próprias visões e alucinações, e entra no reino do folclore, do mito e da lenda. A conexão entre o conteúdo de alucinações espontâneas do lobo temporal e o paradigma do rapto por alienígenas é coerente com essa hipótese.

Quando é do conhecimento de todos que os deuses descem à Terra, nós talvez tenhamos alucinações com deuses; quando todos nós estamos familiarizados com demônios, aparecem os íncubos e os súcubos; quando os duendes são aceitos por toda parte, vemos duendes; numa era de espiritualismo, encontramos espíritos; e quando os antigos mitos se enfraquecem e começamos a pensar que os seres extraterrestres são plausíveis, é para eles que tendem as nossas imagens hipnagógicas.

Trechos de canções ou de línguas estrangeiras, imagens, acontecimentos que presenciamos, histórias que ouvimos por acaso na infância podem ser recordados com acuidade décadas mais tarde, sem nenhuma lembrança consciente de como entraram em nossas cabeças. "[N]as febres violentas, homens, de todo ignorantes, falaram em línguas antigas", diz Herman Melville em *Moby Dick*; "e [...] quando o mistério é sondado, sempre se descobre que, em suas infâncias totalmente esquecidas, essas línguas antigas tinham sido realmente faladas ao seu redor". Em nossa vida diária, incorporamos sem esforço e inconscientemente normas culturais que transformamos em coisas nossas.

Uma absorção semelhante de temas está presente nas "alucinações de comandos" esquizofrênicas. Nesse caso, as pessoas sentem que uma figura mítica ou imponente lhes ordena o que fazer. Recebem ordens para assassinar um líder político ou um herói popular, para derrotar os invasores britânicos ou para causar danos a si mesmas, porque é o desejo de Deus, de Jesus, do Diabo, dos demônios, dos anjos ou — recentemente — dos alienígenas. O esquizofrênico fica paralisado pelo comando claro e poderoso de uma voz que ninguém mais consegue escutar, e que o sujeito deve identificar de alguma forma. Quem *daria* uma ordem dessas? Quem *falaria* dentro de nossas cabeças? A cultura em que fomos criados oferece uma resposta.

Pensem na força das imagens repetitivas na propaganda, especialmente para os espectadores e leitores sugestionáveis. Elas podem nos induzir a acreditar em quase tudo — até na ideia de que fumar cigarros é agradável. Em nossa época, os supostos alienígenas são o tema de inúmeras histórias, romances, dramas de TV e filmes de ficção científica. Os UFOs são uma presença regular nos tabloides semanais empenhados em falsificação e mistificação. Segundo a revista *Set* (apud *Variety*), *ET* é o filme de maior bilheteria na história do cinema. O filme de maior bilheteria de todos os tempos versa sobre alienígenas muito semelhantes aos descritos pelas vítimas de sequestro.

As histórias de rapto por alienígenas eram relativamente raras até 1975, quando uma crédula dramatização televisiva do caso Hill foi ao ar; outro salto para a notoriedade pública ocorreu depois de 1987, quando o pretenso relato em primeira mão de Streiber, com uma ilustração obcecante de um "alienígena" de olhos grandes na capa, se tornou *best-seller*. Em oposição, ultimamente ouvimos muito pouco a respeito de íncubos, gnomos e duendes. O que lhes aconteceu?

Longe de serem globais, as histórias de rapto por alienígenas são desapontadoramente locais. A imensa maioria emana da América do Norte. Mal transcendem a cultura norte-americana. Em outros países, são relatados alienígenas robôs, com cabeça de pássaro, com cabeça de inseto, semelhantes a répteis, loiros e de olhos azuis (os últimos, previsivelmente, no norte da Europa). A cada grupo de alienígenas é atribuído um comportamento diferente. Os fatores culturais desempenham, de forma nítida, um papel importante.

Muito antes de os termos "disco voador" ou "UFO" serem inventados, a ficção científica estava repleta de "homenzinhos verdes" e "monstros com olhos de inseto". De alguma forma, seres pequenos e sem pelos, com cabeças (e olhos) grandes, têm constituído o padrão de nossos alienígenas há bastante tempo. Era possível vê-los rotineiramente nas revistas sensacionalistas de ficção científica dos anos 20 e 30 (e, por exemplo, na ilustração de um marciano enviando mensagens de rádio para a Terra, no número de dezembro de 1937 da revista *Short Wave and Television*). Essa imagem remonta talvez à descrição de nossos descendentes distantes feita pelo pioneiro britânico da ficção científica, H. G. Wells. Ele afirmava que os seres humanos haviam evoluído de primatas que tinham cérebros menores, porém mais pelos, com uma energia que superava em muito a dos acadêmicos vitorianos; extrapolando essa tendência para o futuro remoto, sugeria que nossos descendentes seriam quase desprovidos de pelos, com imensas cabeças, embora mal pudessem se locomover sozinhos. Os seres avançados de outros mundos poderiam ter características parecidas.

O extraterrestre moderno típico, conforme relatado na América do Norte nos anos 80 e no início dos 90, é pequeno, com olhos e cabeça desproporcionalmente grandes, feições pouco desenvolvidas, sem sobrancelhas ou genitália, e com uma pele cinzenta lisa. Estranhamente, ele me lembra um feto mais ou menos na duodécima semana de gravidez ou uma criança faminta. Por que tantos de nós estariam obcecados por fetos ou crianças mal nutridas, e imaginando que eles nos atacam e manipulam sexualmente, é uma questão interessante.

Nos últimos anos, alienígenas diferentes do padrão cinzento têm aparecido com mais frequência na América do Norte. O psicoterapeuta Richard Boylan, de Sacramento, diz:

> Há tipos de um metro a um metro e vinte de altura; tipos de um metro e meio a um metro e oitenta de altura; tipos de dois metros e dez a dois metros e quarenta de altura; tipos de três, quatro e cinco dedos, com enchimentos nas pontas ou ventosas de sucção; dedos com membrana interdigital ou não; grandes olhos amendoados inclinados para cima, para fora ou horizontalmente; em alguns casos, grandes olhos ovoides sem a inclinação amendoada; extraterrestres com pupilas rasgadas; outros tipos diferentes de corpo — o assim chamado tipo louva-a-deus, os tipos semelhantes a répteis... Há alguns de que ouço falar várias vezes. Com alguns relatos exóticos e de caso único, tendo a ser mais cauteloso, até obter um conjunto de histórias mais corroborativo.

Apesar dessa aparente variedade de extraterrestres, a síndrome do rapto por UFO retrata, a meu ver, um Universo banal. A forma dos supostos alienígenas é marcada por um fracasso da imaginação e uma preocupação com interesses humanos. Nem um único ser apresentado em todas essas histórias é tão espantoso quanto seria uma cacatua para quem nunca tivesse contemplado um pássaro. Qualquer livro didático de protozoologia, bacteriologia ou micologia contém maravilhas que eclipsam as mais exóticas descrições das vítimas dos raptos por extraterrestres. Os que acreditam nesses relatos tomam os elementos comuns em suas histórias como sinais de verossimilhança, e não como prova de que as histórias foram construídas a partir de uma cultura e biologia partilhadas.

# 8. SOBRE A DISTINÇÃO ENTRE VISÕES VERDADEIRAS E FALSAS

*A mente crédula [...] experimenta um grande prazer em acreditar em coisas estranhas, e quanto mais estranhas forem, mais facilmente serão aceitas; mas nunca leva em consideração as coisas simples e plausíveis, pois todo mundo pode acreditar nelas.*
Samuel Butler, *Characters* (1667-9)

APENAS POR UM INSTANTE percebo algo no quarto escurecido — seria um fantasma? Ou há uma leve oscilação no ar; eu vejo o movimento pelo canto dos olhos, mas quando viro a cabeça não há nada ali. O telefone está tocando, ou é apenas a minha "imaginação"? Com espanto, tenho a impressão de estar respirando a maresia de Coney Island dos verões da minha infância. Dobro a esquina na cidade estrangeira que estou visitando pela primeira vez, e diante de mim estende-se uma rua tão familiar que sinto como se a tivesse conhecido a vida inteira.

Nessas experiências comuns, em geral não sabemos o que fazer a seguir. Estariam os meus olhos (ouvidos, nariz ou memória) pregando "peças" em mim? Ou eu, na realidade e de verdade, presenciei alguma coisa fora do curso normal da natureza? Devo silenciar a respeito, ou devo falar?

A resposta depende muito de meu ambiente, dos amigos, das pessoas amadas e da cultura. Numa sociedade obsessivamente rígida, orientada para a prática, eu talvez fosse cauteloso em admitir essas experiências. Elas poderiam me deixar marcado como desequilibrado, insensato, pouco confiável. Mas numa sociedade que acredita de pronto em fantasmas, por exemplo, ou em "materializações", os relatos dessas ocorrências poderiam receber aprovação, até prestígio. Na primeira, eu seria penosamente tentado a reprimir toda a história; na última, talvez até a exagerar ou elaborar um pouco os detalhes para torná-la ainda mais milagrosa do que parecia ser.

Charles Dickens, que viveu numa época de florescente cultura racional em que, no entanto, o espiritualismo também prosperava, descreveu o dilema com as seguintes palavras (extraídas de seu conto "Para ser tomado com um grão de sal"):

> Sempre notei uma predominante falta de coragem, até entre pessoas de inteligência e cultura superiores, quanto a comunicar as suas próprias experiências psicológicas, quando estas são de natureza estranha. Quase todos os homens temem que aquilo que poderiam relatar nesse sentido não encontraria equivalente ou resposta na vida interior do ouvinte, provocando suspeitas ou risos. Tendo visto alguma criatura extraordinária sob a forma de serpente marinha, o viajante sincero não teria medo de mencionar o que viu; mas o mesmo viajante, tendo experimentado algum pressentimento singular, algum impulso, alguma excentricidade de pensamento, alguma (assim chamada) visão, algum sonho ou qualquer outra impressão mental marcante, hesitaria bastante antes de confessá-la. A essa reticência atribuo grande parte da obscuridade em que esses assuntos se acham envolvidos.

Em nossa época, muitas risadinhas e zombarias ainda descartam tais assuntos. Mas a reticência e a obscuridade são mais facilmente superadas — por exemplo, num ambiente "de apoio" providenciado por um terapeuta ou um hipnotizador. Infelizmente — e, para algumas pessoas, incrivelmente —, a distinção entre a imaginação e a memória é com frequência pouco nítida.

Algumas "vítimas de rapto" afirmam recordar a experiência sem recorrer à hipnose; muitas não o conseguem. Mas a hipnose é um meio pouco confiável de refrescar a memória. Frequentemente desperta a imaginação, a fantasia e o espírito de brincadeira junto com as recordações verdadeiras, sem que nem o paciente, nem o terapeuta sejam capazes de distinguir uma coisa da outra. Ela parece envolver, em sua essência, um estado de sugestionabilidade intensificada. Os tribunais proibiram o seu emprego como evidência ou até como ferramenta de investigação criminal. A Associação Médica Norte-Americana considera as lembranças que vêm à tona sob hipnose menos confiáveis que as recordadas sem esse recurso. Um livro didático padrão de medicina (Harold I. Kaplan, *Comprehensive textbook of psychiatry*, 1989) alerta para "a elevada probabilidade de que as opiniões do hipnotizador sejam comunicadas ao paciente e incorporadas no que este acredita ser lembranças, frequentemente com forte convicção". Por isso, o fato de as pessoas às vezes relatarem, sob hipnose, histórias de rapto por alienígenas tem pouca importância. Além do mais, há o perigo de que os sujeitos — pelo menos em algumas questões — estejam tão ansiosos por agradar o hipnotizador que às vezes respondem a dicas sutis de que nem este tem consciência.

Num estudo realizado por Alvin Lawson, da Universidade Estadual da Califórnia, Long Beach, oito indivíduos, pré-selecionados entre os não aficionados por UFOs, foram hipnotizados por um médico e informados de que tinham sido raptados, levados a bordo de uma nave espacial e examinados. Sem nenhum outro estímulo, solicitou-se que descrevessem a experiência. Os seus relatos, a maioria dos quais facilmente evocados, eram quase indistinguíveis das histórias apresentadas por aqueles que se descrevem como vítimas de rapto. Certo, Lawson tinha passado sugestões aos indivíduos de forma sucinta e direta; mas em muitos casos os terapeutas que tratam rotineiramente de vítimas de sequestro por alienígenas fornecem dicas a seus pacientes — alguns de forma muito detalhada, outros mais sutil e indiretamente.

O psiquiatra George Canway (conforme relato de Lawrence Wright) propôs certa vez a uma paciente hipnotizada altamente sugestionável que cinco horas de um certo dia haviam desaparecido de sua memória. Quando ele mencionou uma luz brilhante no alto, ela prontamente começou a lhe falar de UFOs e alienígenas. Quando ele insistiu que ela fora objeto de experimentos, surgiu uma história pormenorizada de rapto. Mas quando saiu do transe e examinou um vídeo da sessão, ela reconheceu que viera à tona uma espécie de sonho. Durante o ano seguinte, entretanto, ela repetidamente recordou o material do sonho.

A psicóloga Elizabeth Loftus, da Universidade de Washington, descobriu que indivíduos não hipnotizados podem ser facilmente levados a acreditar que viram algo que não viram. Num experimento típico, os indivíduos assistem ao filme de um acidente de carro. Enquanto são questionados sobre o que viram, recebem de passagem informações falsas. Por exemplo, um sinal de parada é mencionado fortuitamente, embora não houvesse nenhum no filme. Muitos indivíduos então recordam terem visto um sinal de parada. Quando o engano é revelado, alguns protestam veementemente, enfatizando serem nítidas as suas lembranças do sinal. Quanto maior o intervalo entre o momento de ver o filme e o de receber a informação falsa, mais as pessoas permitem que suas lembranças sejam adulteradas. Loftus afirma que "as lembranças de um acontecimento guardam mais semelhança com uma história que passa por constantes revisões do que com um pacote de informações inalteradas".

Há muitos outros exemplos, alguns — como, por exemplo, uma lembrança espúria de se perder, quando criança, num grande centro comercial — de maior impacto emocional. Uma vez sugerida a ideia-chave, o paciente com frequência dá substância plausível aos pormenores confirmadores. Lembranças lúcidas, mas totalmente falsas, podem ser induzidas com facilidade por algumas dicas e perguntas, sobretudo no ambiente terapêutico. A memória pode ser contaminada. Lembranças falsas podem ser implantadas até em mentes que não se consideram vulneráveis e desprovidas de senso crítico.

Stephen Ceci, da Universidade Cornell, Loftus e seus colegas descobriram, sem surpresa, que crianças em fase pré-escolar são excepcionalmente vulneráveis à sugestão. A criança que, a uma primeira pergunta, nega de forma correta ter prendido a mão numa ratoeira, mais tarde se lembra do evento com detalhes vívidos por ela inventados. Quando ouvem relatos mais diretos sobre "coisas que lhes aconteceram em criança", elas assentem com bastante facilidade às lembranças implantadas. Os profissionais que observam as fitas de vídeo das crianças só conseguem distinguir por acaso as lembranças falsas das verdadeiras. Há alguma razão para pensar que os adultos sejam totalmente imunes às falibilidades demonstradas pelas crianças?

O presidente Ronald Reagan, que passou a Segunda Guerra Mundial em Hollywood, descrevia com detalhes como libertara vítimas dos campos de concentração nazistas. Vivendo no mundo do cinema, ele aparentemente confundia um filme que tinha visto com uma realidade que não conhecera. Em muitas ocasiões, nas suas campanhas presidenciais, o sr. Reagan contou uma história épica de coragem e sacrifício da Segunda Guerra Mundial, uma inspiração para todos nós. Só que ela nunca aconteceu; era o enredo do filme *A wing and a prayer* [Uma asa e uma prece] — que também muito me impressionou, quando o vi com nove anos. Muitos outros exemplos desse tipo podem ser encontrados nas declarações públicas de Reagan. Não é difícil imaginar os sérios perigos públicos que nascem de ocasiões em que os líderes religiosos, científicos, militares ou políticos são incapazes de distinguir os fatos da ficção vívida.

Ao se preparar para o depoimento no tribunal, as testemunhas recebem instruções de seus advogados. Com frequência, são forçadas a repetir determinada história inúmeras vezes, até saberem todos os detalhes "corretos". Por isso, ao depor, o que elas lembram é aquilo que contaram tantas vezes no escritório do advogado. As nuanças sofreram variações. Ou o relato talvez já não corresponda, nem mesmo em suas características principais, ao que de fato aconteceu. Convenientemente, as testemunhas podem ter esquecido que suas lembranças foram reprocessadas.

Esses fatos são relevantes na avaliação dos efeitos sociais da publicidade e da propaganda nacional. Mas aqui eles sugerem que, no caso de rapto por alienígenas — quando as entrevistas em geral acontecem anos depois do evento alegado —, os terapeutas devem ser muito cuidadosos para não implantar, nem selecionar, acidentalmente, as histórias que evocam.

Aquilo de que realmente lembramos talvez seja um conjunto de fragmentos de memória alinhavados sobre um tecido de nossa própria invenção. Se costuramos com bastante inteligência, criamos para nós mesmos uma história memorável, fácil de recordar. Os fragmentos em si, livres das associações, são mais difíceis de recuperar. A situação é semelhante ao método da própria ciência, quando muitos dados isolados podem ser lembrados, resumidos e explicados na estrutura de uma teoria. Lembramos então muito mais facilmente a teoria do que os dados.

Na ciência, as teorias estão sendo sempre reavaliadas e confrontadas com novos fatos; se estes são seriamente discordantes — ultrapassando as margens de erro —, talvez seja preciso rever a teoria. Mas, na vida cotidiana, é bastante raro sermos confrontados com novos fatos sobre acontecimentos de muito tempo atrás. As nossas lembranças quase nunca são desafiadas. Podem ficar inalteradas no seu lugar, por mais imperfeitas que sejam, ou podem se tornar uma obra que passa por contínua revisão artística.


Mais do que os deuses e os demônios, as aparições mais comprovadas são as dos santos — especialmente as da Virgem Maria na Europa ocidental, desde o final da Idade Média até os tempos modernos. Embora as histórias de rapto por alienígenas tenham muito mais o sabor de aparições demoníacas e profanas, pode-se também aprofundar a compreensão do mito dos UFOs examinando as visões descritas como sagradas. Talvez as mais famosas sejam as de Joana d'Arc, na França; santa Brígida, na Suécia; e Girolamo Savonarola, na Itália. Porém, mais apropriadas para o nosso propósito são as aparições vistas por pastores, camponeses e crianças. Num mundo afligido pela incerteza e pelo horror, essas pessoas desejavam o contato com o divino. Um registro pormenorizado desses acontecimentos em Castela e Catalunha é fornecido por William A. Christian Jr., em seu livro *Apparitions in late medieval and Renaissance Spain* (Princeton University Press, 1981).

Num caso típico, uma mulher ou uma criança da área rural relata o encontro com uma menina ou uma mulher estranhamente diminuta — talvez com um metro ou um metro e vinte de altura — que revela ser a Virgem Maria, a Mãe de Deus. Ela pede que a aterrorizada testemunha vá falar com os padres da vila ou com as autoridades da Igreja, e lhes transmita as ordens de rezar pelos mortos, obedecer aos mandamentos ou construir um altar naquele lugar do campo. Se as ordens não forem cumpridas, há a ameaça de castigos terríveis, talvez a peste. Por outro lado, em tempos infestados de pragas, Maria promete curar a doença, mas somente se seu pedido for satisfeito.

A testemunha tenta fazer o que lhe foi pedido. Mas quando conta a história ao pai, marido ou padre, recebe ordens para não repeti-la a mais ninguém; é apenas tolice ou frivolidade feminina, ou então alucinação demoníaca. Assim, ela silencia. Dias mais tarde, vê-se novamente diante de Maria, um pouco aborrecida pelo fato de seu pedido não ter sido atendido.

"Eles não acreditam em mim", queixa-se a testemunha. "Dê-me um sinal." É necessário uma *prova*.

Assim, Maria — que aparentemente não sabia de antemão que uma prova teria de ser providenciada — dá um sinal. Os habitantes da vila e os padres são convencidos de imediato. O altar é construído. Ocorrem curas milagrosas nos arredores. Os peregrinos vêm de toda parte. A economia da região experimenta um crescimento explosivo. A testemunha original é nomeada guardiã do altar sagrado.

Na maioria dos casos que conhecemos, uma comissão de inquérito, composta de líderes cívicos e eclesiásticos, comprovou a autenticidade da aparição — apesar do ceticismo inicial, quase exclusivamente masculino. Mas os padrões de evidência não eram em geral elevados. Num dos casos, o testemunho delirante de um menino de oito anos, tomado dois dias antes de ele morrer vítima da peste, foi aceito com seriedade. Algumas dessas comissões deliberaram décadas e até um século depois do evento.

Em *On the distinction between true and false visions*, um especialista no assunto, Jean Gerson, por volta de 1400, resumiu os critérios empregados para reconhecer a testemunha fidedigna de uma aparição: um deles era a boa vontade para aceitar os conselhos da hierarquia política e religiosa. Assim, qualquer um que percebesse uma visão perturbadora para os que detinham o poder era *ipso facto* uma testemunha pouco confiável, e podia-se fazer com que os santos e as virgens dissessem aquilo que as autoridades queriam ouvir.

Os "sinais" alegadamente fornecidos por Maria, as evidências oferecidas e consideradas convincentes, incluíam uma vela comum, um pedaço de seda e uma pedra magnética; um pedaço de ladrilho colorido; pegadas; a rapidez inusitada com que a testemunha conseguia colher cardos; uma simples cruz de madeira enterrada no chão; vergões e ferimentos na testemunha; e uma variedade de contorções — uma menina de doze anos com a mão estendida de forma esquisita, as pernas viradas para trás, ou de boca fechada, o que a tornava temporariamente muda — que são "curadas", assim que a história é aceita.

Em alguns casos, os relatos podem ter sido comparados e coordenados, antes que se prestasse o testemunho. Por exemplo, várias testemunhas numa cidadezinha poderiam falar de uma mulher alta, brilhante, toda vestida de branco, carregando nos braços o filho pequeno, e rodeada por uma radiância que teria iluminado a rua na noite anterior. Mas, em outros casos, as pessoas que estavam bem ao lado da testemunha nada viram, como neste relatório de uma aparição de 1617, em Castela:

"Sim, Bartolomeu, a dama que me apareceu nos últimos dias está vindo pelo prado, e ela está se ajoelhando e abraçando a cruz — olha para ela, olha para ela!" Embora procurasse olhar com a maior atenção possível, o jovem não conseguia ver nada além de alguns passarinhos voando ao redor, acima da cruz.

Os possíveis motivos para inventar e aceitar essas histórias não são difíceis de encontrar: empregos para padres, notários, carpinteiros e mercadores, e outros incentivos para a economia regional numa época de depressão; a elevação do status social da testemunha e de sua família; novas orações oferecidas aos parentes enterrados em cemitérios mais tarde abandonados por causa da peste, da seca e da guerra; o despertar do espírito público contra os inimigos, especialmente os mouros; o aperfeiçoamento da civilidade e da obediência ao direito canônico; e a confirmação da fé dos piedosos. O fervor dos peregrinos nesses altares era impressionante; não era incomum que raspas de pedra ou poeira do altar fossem misturadas com água e tomadas como remédio. Mas não estou sugerindo que a maioria das testemunhas tivesse criado todo esse movimento. Algo mais estava acontecendo.

Quase todos os pedidos urgentes de Maria eram notáveis pelo seu caráter prosaico — por exemplo, nesta aparição de 1483, na Catalunha:

> Eu a encarrego, pela sua alma, de incumbir as almas dos homens das paróquias de El Torn, Milleras, El Salent e Sant Miquel de Campmaior de encarregar as almas dos padres de pedir ao povo que paguem os dízimos e todas as obrigações da igreja, e devolvam a seus legítimos donos, dentro de trinta dias, coisas que não são suas, mas que eles mantêm secreta ou abertamente, pois assim será necessário, e observem o domingo santo.
>
> Em segundo lugar, que eles parem e desistam de blasfemar, e que paguem a *charitas* habitual determinada pelos antepassados mortos.

Com frequência, a aparição é vista pouco depois que a testemunha desperta. Francisca la Brava declarou em 1523 que acabara de sair da cama, "sem saber se estava em plena posse de seus sentidos", embora em testemunho posterior afirmasse estar totalmente acordada. (Isso foi em resposta a uma pergunta que permitia uma gradação de possibilidades: totalmente acordada, cochilando, em transe, adormecida.) Às vezes certos detalhes estão de todo ausentes, como a aparência dos anjos acompanhantes; ou Maria é descrita como alta e baixa, mãe e filha — características que se afiguram inequivocamente como material de sonho. No diálogo sobre milagres que Caesarius de Heisterbach escreveu por volta de 1223, as visões clericais da Virgem Maria ocorriam em geral durante as *matinas*, que aconteciam no sonolento horário da meia-noite.

É natural suspeitar que muitas dessas aparições, ou talvez todas, sejam uma espécie de sonho, com a pessoa acordada ou adormecida, composto de logros (e de falsificações; havia um próspero comércio de milagres inventados: pinturas e estátuas religiosas desencavadas por acaso ou comando divino). A questão foi tratada nas *Siete partidas*, o códice do direito civil e canônico compilado por ordem de Alfonso, o Sábio, rei de Castela, por volta de 1248. Nele podemos ler o seguinte:

> Alguns homens fraudulentamente descobrem ou constroem altares nos campos ou nas cidades, dizendo que há relíquias de certos santos naqueles lugares e pretextando que elas realizam milagres; por essa razão, pessoas de muitas regiões são induzidas a se deslocar até o altar em peregrinação, para que delas se possa roubar alguma coisa; e outros, influenciados por sonhos ou fantasmas vãos que lhes aparecem, erigem altares e fingem descobri-los nas localidades acima nomeadas.

Ao listar a razão para as crenças errôneas, Alfonso estabelece um *continuum* que vai da seita, opinião, fantasia e sonho até a alucinação. Um tipo de fantasia chamado *antoiança* é definido da seguinte maneira: "*Antoiança* é algo que se detém diante dos olhos e depois desaparece, como se alguém o visse e ouvisse em transe, e por isso não tem substância". Uma bula papal de 1517 faz distinção entre visões que aparecem "em sonhos ou divinamente". Sem dúvida, as autoridades seculares e eclesiásticas, mesmo em tempos de extrema credulidade, estavam alertas para as possibilidades de logro e engano.

Ainda assim, na maior parte da Europa medieval, essas aparições eram saudadas calorosamente pelo clero católico romano — sobretudo porque as admoestações marianas agradavam bastante aos sacerdotes. Uns "sinais" patéticos de evidência — uma pedra, uma pegada, jamais alguma coisa que não pudesse ser falsificada — eram o suficiente. Mas a partir do século XV, por volta da época da Reforma protestante, a atitude da Igreja mudou. Aqueles que afirmavam ter um canal de comunicação independente com o Céu estavam passando a perna nos canais competentes da Igreja que levavam até Deus. Além disso, algumas das aparições — as de Joana d'Arc, por exemplo — tinham incômodas implicações políticas ou morais. Em 1431, os perigos representados pelas visões de Joana d'Arc foram descritos pelos seus inquisidores nos seguintes termos:

> Mostrou-se a ela o grande perigo que decorre de alguém ser tão presunçosa a ponto de acreditar que tem essas visões e revelações, e que, portanto, mente sobre questões referentes a Deus, proferindo falsas profecias e vaticínios que não são de inspiração divina, mas inventados. Do que poderia resultar a sedução de povos, o início de novas seitas e muitas outras impiedades que subvertem a Igreja e os católicos.

Tanto Joana d'Arc como Girolamo Savonarola foram queimados na fogueira por causa de suas visões.

Em 1516, o Quinto Concílio de Latrão reservou à Santa Sé o direito de examinar a autenticidade das aparições. Para os pobres camponeses que tinham visões sem conteúdo político, os castigos ficavam aquém da severidade máxima. A aparição mariana vista por Francisca la Brava, uma jovem mãe, foi descrita por Licenciado Mariana, o senhor inquisidor, como algo "que prejudica a nossa santa fé católica e diminui a sua autoridade". A aparição "era só vaidade e frivolidade". "Por direito poderíamos tê-la tratado com mais rigor", continuava o inquisidor.

> Mas, em deferência a certas razões justas que nos levam a mitigar o rigor das sentenças, decretamos, como castigo para Francisca la Brava e como exemplo para que outros não tentem coisas semelhantes, que ela seja condenada a montar um jumento e a receber cem chibatadas em público pelas ruas familiares de Belmonte, nua da cintura para cima, e que ve-

nha a receber o mesmo número de chibatadas na cidade de El Quintanar, da mesma maneira. E que a partir desse momento ela não diga, nem afirme, em público ou secretamente, com palavras ou insinuações, as coisas que disse em suas confissões, senão será processada como uma impenitente e alguém que não acredita no credo de nossa santa fé católica, nem o aceita.

Apesar dos castigos, é impressionante o número de vezes em que a testemunha se mantinha firme e — ignorando o encorajamento oferecido para que confessasse estar mentindo, sonhando ou confusa — insistia em ter realmente visto a aparição.

Numa época em que todos eram analfabetos, antes dos jornais, do rádio e da televisão, como se explica que os pormenores religiosos e iconográficos dessas aparições fossem tão semelhantes? William Christian acredita encontrar uma resposta fácil na dramaturgia das catedrais (especialmente nos dramas de Natal), nos pregadores e peregrinos itinerantes e nos sermões da igreja. As lendas sobre altares próximos se espalhavam rapidamente. As pessoas às vezes percorriam centenas de quilômetros ou mais para que o filho doente, por exemplo, pudesse ser curado por um seixo que a Mãe de Deus pisara. As lendas influenciavam as aparições e vice-versa. Numa época atormentada pela seca, pela peste e pela guerra, sem serviços sociais ou médicos à disposição das pessoas comuns, sem conhecimento de instrução pública e método científico, o pensamento cético era raro.

Por que as admoestações são tão prosaicas? Por que a visão de uma personagem tão ilustre quanto a Mãe de Deus é necessária para que, num minúsculo condado povoado por umas poucas mil almas, um altar seja restaurado ou o povo se abstenha de blasfemar? Por que não mensagens importantes e proféticas cuja importância seria reconhecida em anos posteriores como algo que só poderia ter emanado de Deus ou dos santos? Isso não teria fomentado a causa católica na sua luta moral contra o protestantismo e o Iluminismo? Mas não temos aparições alertando a Igreja contra a aceitação do engano de um Universo centrado na Terra, nem prevenindo-a da cumplicidade com a Alemanha nazista — duas questões de importância moral e histórica, sobre as quais o papa João Paulo II, para seu crédito, admitiu o erro da Igreja.

Nem um único santo criticou a prática de torturar as "bruxas" e os heréticos. Por que não? Não tinham consciência do que estava se passando? Não se davam conta do mal? E por que Maria sempre ordena que o pobre camponês informe as autoridades? Por que não admoesta ela própria as autoridades? Ou o rei? Ou o papa? Nos séculos XIX e XX, é verdade, algumas das aparições assumiram maior importância — em Fátima, Portugal, em 1917, quando a Virgem se enfureceu pelo fato de um governo secular ter substituído um governo controlado pela Igreja, e em Garabandal, Espanha, em 1961-5, quando se veiculou a ameaça do fim do mundo, se as doutrinas políticas e religiosas conservadoras não fossem adotadas sem demora.

Penso existir muitos paralelos entre as aparições marianas e os raptos por alienígenas — mesmo que as testemunhas nos primeiros casos não fossem imediatamente carregadas para o céu, nem houvesse alguém mexendo em seus órgãos reprodutivos. Segundo os relatos, os seres são minúsculos, muito frequentemente com 75 centímetros a um metro e vinte de altura. Eles vêm do céu. O conteúdo da sua comunicação é mundano, apesar da pretensa origem celeste. Parece haver uma conexão clara com o sono e os sonhos. As testemunhas, em geral femininas, encontram dificuldades para contar o que viram, sobretudo depois de serem ridicularizadas pelos homens que detêm a autoridade. Ainda assim, elas persistem: de fato viram tal coisa, insistem. Existem os meios para divulgar as histórias; estas são discutidas ansiosamente, permitindo que pormenores sejam ajustados até entre testemunhas que jamais se conheceram. Outros que estavam presentes no momento e no lugar da aparição não veem nada de inusitado. Os supostos "sinais" ou evidências são, sem exceção, coisas comuns, que os seres humanos podiam adquirir ou fabricar por si próprios. Na verdade, Maria não parece simpatizar com a necessidade de evidências, e de vez em quando mostra-se disposta a curar apenas aqueles que acreditaram no relato de sua aparição *antes* de ela fornecer os "sinais". E embora não haja terapeutas propriamente ditos, a sociedade está permeada por uma rede de párocos influentes e seus superiores hierárquicos, que têm um interesse pessoal na realidade das visões.

Em nossa época, ainda há aparições de Maria e outros anjos, mas também de Jesus — como foi sintetizado por G. Scott Sparrow, psicoterapeuta e hipnotizador. Em *I am with you always: true stories of encounters with Jesus* (Bantam, 1995), são apresentados relatos em primeira mão desses encontros, alguns comovedores, outros banais. Estranhamente, a maioria são simples sonhos, reconhecidos como tais, e afirma-se que as assim chamadas visões só diferem dos sonhos "porque nós as experimentamos enquanto estamos acordados". Mas, para Sparrow, considerar algo "apenas um sonho" não compromete sua realidade externa. Ele acredita que qualquer ser ou acontecimento de um sonho existem realmente no mundo exterior. Ele nega que os sonhos sejam "puramente subjetivos". A evidência não tem nada a ver com isso. Se alguém sonhou com alguma coisa, se sentiu prazer, se o sonho despertou admiração, ora, então ele realmente aconteceu. Não há nenhum osso cético no corpo de Sparrow. Quando Jesus aconselha uma mulher que vive um casamento conflituoso e "intolerável" a expulsar o vagabundo de casa, Sparrow admite que isso cria problemas para os "defensores de uma posição coerente com as Escrituras". Nesse caso, "[e]m última análise, talvez fosse possível afirmar que virtualmente toda a suposta orientação é gerada a partir de dentro". E se alguém relatasse um sonho em que Jesus aconselhasse, vamos dizer, o aborto — ou vingança? E se em algum lugar e de algum modo vamos ter de traçar a linha divisória e concluir que *alguns* sonhos são inventados pelo sonhador, por que não todos?

Por que as pessoas inventariam as histórias de rapto? E, nesse aspecto, por que apareceriam em programas de auditório na TV que se dedicam a humilhar sexualmente os "convidados" —

a atual coqueluche na terra devastada do vídeo na América do Norte? Descobrir que somos vítimas de rapto por alienígena é pelo menos uma quebra na rotina da vida cotidiana. Ganhamos a atenção dos colegas, dos terapeutas, talvez até da mídia. Há um senso de descoberta, animação, terror. De que mais vamos nos lembrar? Começamos a acreditar que podemos ser o arauto ou até o instrumento de eventos solenes que ora avançam em nossa direção. E não queremos desapontar o nosso terapeuta. Ansiamos pela sua aprovação. Acho que é bem possível haver recompensas psíquicas para quem se torna vítima de rapto.

Para efeito de comparação, consideremos os casos de adulteração de produtos, que quase não provocam o sentimento de deslumbramento que envolve os UFOs e os raptos por alienígenas: alguém diz ter encontrado uma seringa hipodérmica na lata de um refrigerante popular. É compreensível que isso incomode. O fato é noticiado nos jornais e especialmente nos noticiários da televisão. Logo há uma avalanche, uma virtual epidemia de notícias semelhantes por todo o país. Mas é muito difícil entender como uma seringa hipodérmica pôde entrar na lata dentro da fábrica, e em nenhum dos casos há testemunhas que presenciaram a lata intacta ser aberta e a descoberta da seringa em seu interior.

Lentamente, cresce a evidência de que é um crime de "macaqueação". As pessoas estão apenas fingindo que descobrem seringas em latas de refrigerantes. Por que alguém faria uma coisa dessas? Que motivos poderia ter? Alguns psiquiatras afirmam que os motivos fundamentais são a ganância (elas vão processar o fabricante por perdas e danos), a necessidade de atenção e o desejo de serem retratadas como vítimas. Note-se que não há terapeutas apregoando a realidade de agulhas em latas, nem pressionando seus pacientes — sutil ou abertamente — a divulgar a notícia. É também verdade que se impõem graves sanções a quem adultera produtos, e até mesmo a quem alega falsamente que eles foram adulterados. Por outro lado, *há* terapeutas que encorajam as vítimas de rapto a contar as suas histórias para grandes públicos, e não há sanções legais para quem afirma falsamente ter sido raptado por um UFO. Seja qual for a razão para alguém trilhar esse caminho, deve ser muito mais satisfatório convencer os outros de que seres superiores o escolheram para seus enigmáticos propósitos do que persuadi-los de que, por um simples capricho do acaso, havia uma seringa hipodérmica no seu refrigerante.

## 9. TERAPIA

*É um erro capital teorizar antes de ter os dados. Insensivelmente, começa-se a distorcer os fatos para adaptá-los às teorias, em vez de fazer com que as teorias se adaptem aos fatos.*
Sherlock Holmes, em *A scandal in Bohemia*, de Conan Doyle (1891)

*As lembranças verdadeiras pareciam fantasmas, enquanto as lembranças falsas eram tão convincentes que substituíam a realidade.*
Gabriel García Márquez, *Doze contos peregrinos* (1992)

JOHN MACK É UM PSIQUIATRA da Universidade Harvard que conheço há muitos anos.

— Há alguma verdade nessas histórias de UFOs? — ele me perguntou há muito tempo.

— Nada de significativo — respondi. — A não ser, é claro, do ponto de vista psiquiátrico.

Ele examinou a questão, entrevistou vítimas de rapto e se converteu. Agora toma os relatos dos sequestrados ao pé da letra. Por quê?

— Não estava em busca disso — afirma. — Nada na minha formação me preparou para essa história (de rapto por alienígenas). Mas ela é totalmente convincente por causa da intensidade emocional dessas experiências.

Em seu livro, *Abductions*, Mack propõe de forma clara a doutrina muito perigosa de que "a força ou a intensidade com que se sente alguma coisa" é uma indicação para sabermos se é verdade.

Posso atestar pessoalmente a intensidade emocional das vítimas. Mas as emoções fortes não são um componente rotineiro de nossos sonhos? Às vezes não acordamos completamente aterrorizados? O próprio Mack, autor de um livro sobre pesadelos, não conhece a intensidade emocional das alucinações? Alguns dos pacientes de Mack dizem ter sofrido alucinações desde a infância. Os hipnotizadores e os psicoterapeutas que trabalham com "sequestrados" fizeram tentativas cuidadosas de inteirar-se a fundo do corpo de conhecimento sobre alucinações e disfunções perceptivas? Por que eles acreditam *nessas* testemunhas, mas não naquelas que afirmam, com uma convicção comparável, ter se encontrado com deuses, demônios, santos, anjos e duendes? E que dizer dos que escutam ordens irresistíveis de uma voz interior? Serão verdadeiras todas as histórias sentidas profundamente?

Uma cientista minha conhecida afirma: "Se os alienígenas ao menos ficassem com todas essas pessoas que raptam, o nosso mundo seria um pouco mais sadio". Mas a sua opinião é demasiado severa. Não me parece ser uma questão de sanidade. É outra coisa. O psicólogo canadense Nicholas Spanos e seus colegas concluíram que não há patologias óbvias naqueles que dizem ter sido raptados por alienígenas. Entretanto,

> é mais provável que as experiências intensas com UFOs aconteçam com indivíduos que são dados a crenças esotéricas em geral, e a crenças alienígenas em particular, e que interpretam experiências imaginativas e sensoriais inusitadas em termos da hipótese extraterrestre. Entre os que acreditam em UFOs, aqueles que têm propensões mais fortes para a produção de fantasias são os que apresentam maior probabilidade de criar essas experiências. Além disso, constatou-se ser provável que essas experiências sejam geradas e interpretadas como eventos reais, e não como produtos da imaginação, quando estão associadas com ambientes sensoriais restritos [...] (por exemplo, as experiências que ocorrem à noite e que estão associadas com o sono).

O que uma inteligência mais crítica poderia reconhecer como alucinação ou sonho, uma inteligência mais crédula interpreta como o vislumbre de uma realidade externa impalpável, mas profunda.

Algumas histórias de rapto por alienígenas podem muito bem ser lembranças disfarçadas de estupro e abuso sexual na infância, sendo o pai, o padrasto, o irmão ou o namorado da mãe representado como extraterrestre. Certamente é mais confortador acreditar que um alienígena abusou de nós do que saber que o abuso foi cometido por alguém que amamos e em quem confiamos. Os terapeutas que tomam as histórias de rapto por alienígena ao pé da letra negam essa hipótese, dizendo que saberiam se os seus pacientes tivessem sofrido abuso sexual. Algumas estimativas de pesquisas de opinião chegam a indicar que uma em quatro norte-americanas e um em seis norte-americanos sofreram abuso sexual na infância (embora esses dados sejam provavelmente demasiado elevados). Seria espantoso que um número significativo dos pacientes que procuram terapeutas especializados nesses sequestros *não* tivesse sofrido esse tipo de abuso, talvez até em proporção maior do que na população em geral.

Tanto os terapeutas de abuso sexual como os terapeutas de rapto por alienígenas passam meses, às vezes anos, encorajando os seus pacientes a se lembrar de abusos. Seus métodos são semelhantes e os objetivos de certo modo iguais — recuperar lembranças dolorosas, frequentemente de muito tempo atrás. Nos dois casos, o terapeuta acredita que o paciente esteja sofrendo com o trauma resultante de um acontecimento tão terrível que tem de ser reprimido. Acho extraordinário que os terapeutas de rapto por alienígenas encontrem tão poucos casos de abuso sexual e vice-versa.

Por razões muito compreensíveis, aqueles que de fato sofreram abuso sexual na infância ou cometeram incesto são sensíveis a qualquer coisa que pareça minimizar ou negar a sua experiência. Estão com raiva, e têm todo o direito de estar. Nos Estados Unidos, pelo menos uma em dez mulheres foi estuprada, quase dois terços antes dos dezoito anos. (E essa é a categoria de estupro menos provável de ser notificada.) Uma quinta parte dessas meninas foi estuprada pelos pais. Foram traídas. Quero ser bastante claro sobre esse ponto: há muitos casos reais de ataques sexuais cometidos pelos pais ou por aqueles que desempenham o papel de pais. Evidências físicas convincentes — fotos, por exemplo, diários, gonorreia ou clamídia na criança — têm vindo à luz em alguns casos. O abuso sexual de crianças tem sido apresentado como uma provável causa significativa de problemas sociais. Segundo um dos levantamentos, 85% de todos os presidiários violentos sofreram abuso na infância. Dois terços de todas as mães adolescentes foram estupradas ou sofreram abuso sexual na infância ou na adolescência. As vítimas de estupro são dez vezes mais propensas a ter o vício da bebida ou das drogas do que as outras mulheres. O problema é real e grave. Entretanto, a maioria desses casos trágicos e incontestáveis de abuso sexual na infância é continuamente lembrada na idade adulta. Não há lembranças ocultas a serem recuperadas.

Embora sejam mais notificados hoje em dia do que no passado, parece realmente haver um aumento significativo nos casos de abuso infantil registrados a cada ano pelos hospitais e pelos agentes da lei, chegando nos Estados Unidos a dez vezes mais (1,7 milhão de casos) no período entre 1967 e 1985. O álcool e as outras drogas, bem como os problemas econômicos, são apontados como as "razões" para os adultos serem atualmente mais propensos a abusar das crianças do que no passado. Talvez a crescente publicidade dada a casos contemporâneos de abuso infantil estimule os adultos a lembrar e focalizar o abuso que sofreram no passado.

Há um século, Sigmund Freud introduziu o conceito de repressão, o fato de esquecermos certos acontecimentos para evitar intensa dor psíquica, como um mecanismo de luta essencial para a saúde mental. Parecia se manifestar especialmente em pacientes com diagnóstico de histeria, cujos sintomas incluíam alucinações e paralisia. A princípio, Freud acreditava que por trás de cada caso de histeria havia uma lembrança reprimida de abuso sexual na infância. Mas acabou mudando a sua explicação, para afirmar que a histeria é causada por *fantasias* — nem todas desagradáveis — de ter sofrido abuso sexual quando criança. O peso da culpa foi transferido do pai ou da mãe para a criança. Um debate semelhante se alastra hoje em dia. (A razão para Freud ter mudado de ideia ainda está em discussão — as explicações vão desde ele ter provocado escândalo entre seus colegas vienenses do sexo masculino de meia-idade até ter levado a sério as histórias dos histéricos.)

São muito questionáveis os casos em que a "lembrança" vem à tona de repente, especialmente com a ajuda de um psicoterapeuta ou hipnotizador, e em que as primeiras "recordações" têm uma qualidade fantasmagórica ou onírica. Muitas dessas afirmações de abuso sexual parecem ser inventadas. O psicólogo Ulric Neisser, da Universidade Emory, afirma:

> Existem abusos infantis, e existem lembranças reprimidas. Mas há também lembranças falsas e inventadas, e elas não são de modo algum raras. As lembranças errôneas são a regra, e não a exceção. Acontecem todo dia. Ocorrem até em casos em que o sujeito está absolutamente confiante — mesmo quando a lembrança é aparentemente uma luminosidade inesquecível, uma dessas fotografias metafóricas mentais. Sua ocorrência é ainda mais provável nos casos em que a sugestão é uma possibilidade expressiva, em que as lembranças podem ser modeladas e remodeladas para satisfazer as fortes exigências interpessoais de uma sessão de terapia. E quando a lembrança foi reconfigurada dessa maneira, é muito, muito difícil mudar.

Esses princípios gerais não nos ajudam a determinar com certeza onde está a verdade em cada caso ou afirmação individual. Mas em média, num grande número dessas afirmações, é bem evidente no que devemos apostar. As lembranças errôneas e a reelaboração retrospectiva fazem parte da natureza humana; estão associadas ao nosso território e sempre acontecem.

Os sobreviventes dos campos de extermínio nazistas fornecem a demonstração mais clara possível de que até os abusos mais monstruosos podem ser continuamente mantidos na memória humana. Na verdade, o problema de muitos sobreviventes do Holocausto tem sido criar uma distância emocional entre si mesmos e os campos de extermínio, esquecer. Mas se, em algum outro mundo de maldade indizível, fossem obrigados a *viver* na Alemanha nazista — vamos dizer, numa próspera nação pós-Hitler com sua ideologia intacta, exceto que teria mudado de ideia sobre o antissemitismo —, imagine-se o ônus psicológico para eles. Nesse caso, talvez *fossem* capazes de esquecer, porque recordar tornaria insuportáveis as suas vidas no presente. Se existe a possibilidade de repressão e subsequente recordação de lembranças horríveis, isso requer talvez duas condições: (1) que o abuso tenha realmente acontecido; (2) que a vítima tenha sido obrigada a fingir por longo tempo que ele jamais ocorreu.

O psicólogo social Richard Ofshe, da Universidade da Califórnia, explica:

> Quando solicitados a explicar como as lembranças lhes voltaram à mente, os pacientes dizem reunir fragmentos de imagens, ideias, sentimentos e sensações, e com esse material formar histórias longinquamente coerentes. Quando esse assim chamado trabalho de recordação se estende por meses, os sentimentos se tornam imagens vagas, as imagens se tornam figuras, e as figuras se tornam pessoas conhecidas. Um desconforto vago em certas partes do corpo é reinterpretado como estupro na infância [...]. As sensações físicas originais, às vezes intensificadas pela hipnose, são então rotuladas como "lembranças corporais". Não existe mecanismo concebível que torne os músculos do corpo capazes de armazenar memórias. Se esses métodos não conseguem persuadir o paciente, o terapeuta pode lançar mão de práticas ainda mais opressivas. Alguns pacientes são convocados a participar de grupos de sobreviventes em que se emprega a pressão dos colegas, e em que se requer dos pacientes soli-

dariedade politicamente correta, levando-os a se afirmar como membros de uma subcultura de sobreviventes.

Uma declaração cautelosa da Associação Psiquiátrica Norte-Americana de 1993 aceita a possibilidade de que alguns de nós esquecem o abuso na infância como uma forma de lidar com o problema, mas alerta:

> Não se sabe distinguir, com absoluta precisão, as lembranças baseadas em acontecimentos verdadeiros daquelas derivadas de outras fontes [...]. Um interrogatório repetido pode levar os indivíduos a relatar "lembranças" de eventos que nunca ocorreram. Dentre os adultos que afirmam ter lembranças de abuso sexual, não se conhece a proporção dos que realmente sofreram abuso [...]. Se o psiquiatra tem uma forte convicção prévia de que abusos sexuais, ou outros fatores, são ou não a causa dos problemas do paciente, isso provavelmente interfere no diagnóstico e no tratamento adequados.

Por um lado, descartar insensivelmente as acusações de abusos sexuais horripilantes pode ser uma cruel injustiça. Por outro, mexer com as lembranças das pessoas, incutir histórias falsas de abuso infantil, destroçar famílias intactas e até mandar pais inocentes para a prisão também é uma cruel injustiça. O ceticismo é essencial em ambos os lados. Escolher o caminho entre esses dois extremos pode ser muito difícil.

As primeiras edições do influente livro de Ellen Bass e Laura Davis (*The courage to heal*: *a guide for women survivors of child sexual abuse*; Perennial Library, 1988) fornecem conselhos esclarecedores aos terapeutas:

> *Acredite na sobrevivente*. Você deve acreditar que sua cliente sofreu abuso sexual, mesmo que ela própria tenha dúvidas [...]. A cliente precisa que você se mantenha firme em sua convicção de que ela sofreu abuso. Partilhar a dúvida da cliente seria como partilhar a crença de um suicida de que

o suicídio é a melhor saída. Se uma cliente não tem certeza de que sofreu abusos, mas acha que poderia ter sofrido, faça o seu trabalho como se ela tivesse sofrido. Até agora, dentre as centenas de mulheres com quem falamos e as outras centenas de que ouvimos falar, nenhuma suspeitou que tivesse sofrido abusos, examinou a questão e concluiu que nada havia ocorrido.

Mas Kenneth V. Lanning, agente especial de supervisão na Unidade de Pesquisa e Instrução de Ciências Comportamentais da Academia do FBI em Quantico, Virginia, um conceituado especialista em vitimização sexual de crianças, se pergunta: "Não estamos compensando séculos de negação, quando aceitamos cegamente *qualquer* alegação de abuso infantil, por mais absurda ou improvável que seja?". "Não me interessa saber se é verdade", replica um terapeuta da Califórnia, segundo *The Washington Post*. "O que realmente aconteceu é irrelevante para mim... Nós todos vivemos uma ilusão."

A existência de *algumas* acusações falsas de abuso sexual na infância — especialmente as criadas com a ajuda de uma figura de autoridade — tem, a meu ver, importância para a questão do rapto por alienígenas. Se algumas pessoas podem ser induzidas, com grande paixão e convicção, a ter lembranças falsas de abusos cometidos pelos próprios pais, outras não poderiam ser induzidas, com paixão e convicção comparáveis, a ter lembranças falsas de abusos cometidos por alienígenas?

Quanto mais examino as denúncias de rapto por alienígenas, mais semelhantes elas me parecem com os relatos de "lembranças recuperadas" de abuso sexual na infância. E há uma terceira categoria de denúncias afins, as "lembranças" reprimidas de cultos rituais satânicos — em que se diz que a tortura sexual, a coprofilia, o infanticídio e o canibalismo são as atrações principais. Num levantamento de 2700 membros da Associação Psicológica Norte-Americana, 12% responderam que tinham tratado casos de abuso de rituais satânicos (enquanto 30% mencionaram casos de abusos cometidos em nome da religião). Atualmente, cerca de

10 mil casos são notificados por ano nos Estados Unidos. Um número significativo daqueles que apregoam o perigo de um satanismo desenfreado na América do Norte, inclusive os agentes da lei que organizam seminários sobre o assunto, são fundamentalistas cristãos; suas seitas requerem explicitamente um diabo literal interferindo no cotidiano da vida humana. A conexão é traçada claramente no ditado: "Sem Satã, não há Deus".

Aparentemente, há um problema de credulidade policial disseminada a respeito dessa questão. Eis alguns trechos da análise do especialista Lanning do FBI sobre "O crime ritualístico, oculto e satânico", baseada em experiência amarga, e publicada no número de outubro de 1989 do periódico profissional *The Police Chief*:

> Quase todas as discussões sobre satanismo e bruxaria são interpretadas à luz das crenças religiosas do público. É a fé, e não a lógica e a razão, que governa as crenças religiosas da maioria das pessoas. O resultado é que alguns agentes da lei, normalmente céticos, aceitam as informações disseminadas nessas conferências sem avaliá-las criticamente, sem questionar as fontes [...]. Para algumas pessoas, o satanismo é qualquer sistema de crença religiosa diferente do seu.

Lanning fornece então uma longa lista de sistemas de crença que ele pessoalmente ouviu serem descritos como satanismo nessas conferências. Inclui o catolicismo romano, as igrejas ortodoxas, o islamismo, o budismo, o hinduísmo, o mormonismo, o rock-and-roll, a canalização, a astrologia e as crenças da Nova Era em geral. Não temos aí uma pista de como a caça às bruxas e o *pogrom* tiveram início?

"Dentro do sistema de crença religiosa pessoal de um agente da lei", ele continua,

> o cristianismo pode ser bom e o satanismo mau. Segundo a Constituição, entretanto, os dois são neutros. Esse é um conceito importante, mas de difícil aceitação para muitos agentes da lei. Eles não são pagos para defender os Dez Manda-

mentos, mas o código penal [...]. O fato é que o número de crimes e abusos infantis cometidos por fanáticos em nome de Deus, Jesus e Maomé é muito maior do que o dos cometidos em nome de Satã. Muitas pessoas não gostam dessa afirmação, mas poucas conseguem questioná-la.

Muitos dos que alegam abusos satânicos descrevem rituais orgiásticos grotescos em que bebês são assassinados e devorados. Alguns grupos vilipendiados têm sido alvo desse tipo de acusação por parte de seus detratores ao longo de toda a história europeia — como aconteceu com os conspiradores de Catilina em Roma, o "libelo de sangue" contra os judeus na Páscoa judaica e os templários quando estavam sendo desmantelados na França do século XIV. Ironicamente, denúncias de orgias incestuosas, infanticidas e canibalescas estavam entre as informações usadas pelas autoridades romanas para perseguir os primeiros cristãos. Afinal de contas, o próprio Jesus é citado como tendo dito (João 6: 53): "Na verdade, na verdade vos digo que, se não comerdes a carne do Filho do homem, e não beberdes o seu sangue, não tereis vida em vós mesmos". Embora o próximo versículo deixe claro que Jesus está falando de comer a sua própria carne e beber o seu próprio sangue, críticos pouco compreensivos poderiam ter interpretado a expressão grega "Filho do homem" como "criança" ou "bebê". Tertuliano e outros padres primitivos da Igreja se defendiam contra essas acusações grotescas da melhor maneira possível.

Hoje em dia, explica-se a inexistência, nos arquivos da polícia, do registro de números correspondentes de bebês e criancinhas desaparecidos através da ideia de que em todo o mundo bebezinhos estão sendo criados para esse fim — o que certamente lembra as declarações das vítimas de rapto de que os experimentos reprodutivos alienígenas/humanos são generalizados. Lembrando também o paradigma de rapto por alienígena, diz-se que o abuso do culto satânico passa de geração a geração em certas famílias. Ao que me é dado saber, como no paradigma de rapto por alienígenas, jamais foi apresentada uma evidência física perante um tribunal de Justiça para fundamentar tais declarações. Sua força emocional é, porém, evidente. A simples possibilidade de que essas coisas estejam se passando nos desperta, a nós, mamíferos, para a ação. Quando damos crédito aos rituais satânicos, também elevamos o status social daqueles que nos avisaram do suposto perigo.

Considerem-se estes cinco casos: (1) Myra Obasi, uma professora de Louisiana, estava possuída por demônios — era o que ela e suas irmãs passaram a acreditar depois de uma consulta a um praticante de vodu. Por isso partiram rumo a Dallas, abandonaram os cinco filhos, e as irmãs então arrancaram os olhos da sra. Obasi. No julgamento, ela defendeu as irmãs. Estavam tentando ajudá-la, disse. Mas o vodu não é culto ao diabo; é um cruzamento entre o catolicismo e a religião nativista africano-haitiana. (2) Os pais matam a filha de pancadas porque ela não queria abraçar a sua forma de cristianismo. (3) Um molestador de crianças justifica seus atos lendo a Bíblia para as suas vítimas. (4) O globo ocular de um menino de catorze anos é arrancado de sua cabeça numa cerimônia de exorcismo. Seu agressor não é satanista, mas um ministro fundamentalista protestante envolvido em pesquisas religiosas. (5) Uma mulher acha que seu filho de doze anos está possuído pelo diabo. Depois de uma relação incestuosa com o menino, ela o decapita. Mas não há conteúdo de ritual satânico na "possessão".

O segundo e o terceiro caso pertencem aos arquivos do FBI. Os dois últimos provêm de um estudo de 1994, realizado pela dra. Gail Goodman, psicóloga da Universidade da Califórnia, em Davis, e seus colegas para o Centro Nacional de Abuso e Abandono Infantil. Eles examinaram mais de 12 mil denúncias de abuso sexual envolvendo cultos de rituais satânicos, e não conseguiram encontrar um único que resistisse a um exame criterioso. Os terapeutas relatavam abusos nesses casos baseando-se apenas nas "revelações do paciente via hipnoterapia", por exemplo, ou no "medo de símbolos satânicos". Em certos casos, o diagnóstico foi feito com base no comportamento comum a muitas crianças. "Somente em alguns deles é que se mencionou evidência física — em geral, 'cicatrizes'." Mas na maioria das vezes as "cicatrizes" eram muito tênues ou nem sequer existiam. "Mesmo quando existiam, não ficou determinado se as próprias vítimas não as teriam causado." Isso é também muito semelhante aos casos de rapto por alienígenas, conforme descrito mais adiante. George K. Ganaway, professor de psiquiatria na Universidade Emory, propõe que "a causa comum mais provável de lembranças ligadas a cultos pode vir a ser um engano mútuo entre o paciente e o terapeuta".

Um dos casos mais espinhosos de "memória recuperada" de abusos cometidos em rituais satânicos foi narrado por Lawrence Wright num livro extraordinário, *Remembering Satan* (Knopf, 1994). Diz respeito a Paul Ingram, um homem que pode ter deixado que os outros arruinassem a sua vida por ser demasiado crédulo, demasiado sugestionável, demasiado inexperiente em ceticismo. Em 1988, Ingram era o principal dirigente do Partido Republicano em Olympia, Washington, além de ser o principal agente civil no departamento do xerife local, bem conceituado, muito religioso, e responsável por alertar as crianças sobre os perigos das drogas nas reuniões da escola. Sobreveio então o pesadelo, quando uma de suas filhas — depois de uma sessão altamente emocional num retiro religioso fundamentalista — dirigiu contra ele a primeira de muitas acusações, cada uma mais terrível que a outra, de que Ingram a teria atacado sexualmente, engravidado, torturado, iniciado em ritos satânicos, de que ele a teria oferecido a outros agentes do xerife, de que ele esquartejava e comia bebês... Isso vinha acontecendo desde a sua infância, afirmou ela, quase até o dia em que começou a se "lembrar" de tudo.

Ingram não via razão para sua filha mentir — embora ele próprio não se recordasse de nada. Mas os investigadores da polícia, um psicoterapeuta e seu ministro na Igreja da Água Viva, todos lhe explicaram que os infratores sexuais com frequência reprimem as lembranças de seus crimes. Estranhamente imparcial, mas ansioso por cooperar, Ingram tentou recordar. Depois de um psicólogo empregar uma técnica hipnótica de olhos fechados para induzir o transe, Ingram começou a visualizar algo semelhante ao que os policiais estavam descrevendo. O que lhe vinha à mente não pareciam recordações reais, mas algo que lembrava fragmentos de imagens no meio de uma neblina. Toda vez que produzia uma lembrança — de conteúdo cada vez mais odioso —, ele era estimulado e reforçado. Seu pastor lhe assegurou que Deus só permitiria que lembranças genuínas aflorassem nos seus devaneios.

"Cara, é quase como se eu estivesse inventando", disse Ingram, "só que não estou." Ele sugeriu que um demônio seria o responsável por tudo. Sob o mesmo tipo de influências, com os boatos da Igreja fazendo circular os últimos horrores confessados por Ingram, e sob a pressão da polícia, os seus outros filhos e a sua mulher também começaram a se "lembrar". Muitos cidadãos ilustres foram acusados de participar nos ritos orgiásticos. Os agentes da lei de outros lugares da América do Norte começaram a prestar atenção. Era apenas a ponta do *iceberg*, diziam alguns.

Convidado pela acusação, Richard Ofshe, de Berkeley, realizou um experimento de controle. Foi um sopro de ar fresco. Sugerindo a Ingram que ele teria forçado o filho e a filha a cometer incesto, e pedindo-lhe que usasse a técnica de "recuperação de memória" que tinha aprendido, o psicólogo fez com que essa "lembrança" fosse imediatamente evocada. Não foi necessário pressão, nem intimidação — bastaram a sugestão e a técnica. Mas os supostos participantes, que tinham se "lembrado" de tantas outras coisas, negaram que o incesto tivesse acontecido. Confrontado com essa evidência, Ingram negou veementemente que estivesse inventando coisas ou sendo influenciado por outros. Sua lembrança desse incidente era tão clara e "real" quanto todas as suas outras recordações.

Uma das filhas descreveu cicatrizes terríveis em seu corpo causadas por tortura e abortos forçados. Mas quando ela finalmente passou por um exame médico, não havia cicatrizes correspondentes à vista. A acusação não processou Ingram por abusos satânicos. Ingram contratou um advogado que nunca atuara num caso penal. A conselho de seu pastor, ele nem sequer leu o relatório de Ofshe: isso só o confundiria, foi o que lhe disseram.

Ele se confessou culpado de seis acusações de estupro, e acabou sendo mandado para a prisão. Na cadeia, enquanto esperava a sentença, longe das filhas, dos colegas da polícia e de seu pastor, Ingram reconsiderou. Pediu que se retirasse a confissão de culpado. Suas lembranças tinham sido obtidas sob coerção. Não soubera distinguir as lembranças reais de uma espécie de fantasia. Seu pedido foi negado. Está cumprindo uma sentença de vinte anos. Se essa história não tivesse acontecido no século XX, mas no século XVI, talvez toda a família tivesse sido queimada na fogueira — junto com uma boa fração dos cidadãos influentes de Olympia, Washington.

A existência de um relatório bastante cético do FBI sobre o tema geral de abusos satânicos (Kenneth V. Lanning, "Guia do investigador para alegações de abuso infantil em 'rituais'", janeiro de 1992) é amplamente ignorada por aqueles que acreditam. Da mesma forma, um estudo de 1994, realizado pelo Departamento Britânico de Saúde, sobre as denúncias de abusos satânicos concluiu que, dos 84 supostos casos, nem um único resistiu ao exame. Qual é então a causa de todo esse furor? O estudo explica:

> A campanha cristã evangélica contra os novos movimentos religiosos tem sido uma influência poderosa que estimula a identificação do abuso satânico. Importância igual, se não maior, para a divulgação da ideia de abuso satânico na Grã-Bretanha, têm os "especialistas" norte-americanos e britânicos. Podem ter pouca ou nenhuma qualificação como profissionais, mas atribuem suas habilidades à "experiência de casos".

Entretanto, aqueles convictos de que os cultos ao diabo representam um perigo sério para a nossa sociedade tendem a ser impacientes com os céticos. Considerem essa análise de Corydon Hammond, Ph.D., ex-presidente da Sociedade Norte-Americana de Hipnose Clínica:

A minha sugestão é que essas pessoas [os céticos] são (1) ingênuas e têm experiência clínica limitada; ou (2) têm o mesmo tipo de noções ingênuas que as pessoas possuem sobre o Holocausto, ou são esses racionalizadores e céticos que duvidam de tudo; ou (3) são eles próprios adeptos de cultos. E posso assegurar que há pessoas que estão nesta posição [...]. Há médicos, profissionais da saúde mental, que participam dos cultos, que estão criando cultos que influenciam várias gerações [...]. Acho que a pesquisa é bem clara; temos três estudos: um encontrou 25%, o outro encontrou 20% de pacientes externos múltiplos [desordens de múltipla personalidade] que parecem ser vítimas de abusos de cultos, e ainda outro, sobre uma unidade especializada de pacientes internos, encontrou 50%.

Em algumas de suas declarações, ele parece acreditar que a CIA realizou experiências nazistas satânicas de controle mental em dezenas de milhares de cidadãos norte-americanos sem o seu conhecimento. O motivo principal, acredita Hammond, é "criar uma ordem satânica que governará o mundo".

Em todas as três classes de "memórias recuperadas", há especialistas — especialistas em raptos por alienígenas, especialistas em cultos satânicos e especialistas em reavivar lembranças reprimidas de abuso sexual na infância. Como é comum na prática da saúde mental, os pacientes escolhem um terapeuta, ou são recomendados a um, cuja especialidade parece relevante à sua queixa. Em todas as três classes, os terapeutas ajudam a suscitar imagens de eventos que se alega terem ocorrido há muito tempo (em alguns casos, décadas atrás); em todas as três classes, ficam profundamente sensibilizados pela angústia sem dúvida genuína de seus pacientes; em todas as três classes, sabe-se que pelo menos alguns terapeutas fazem perguntas capciosas — que são virtualmente ordens dadas por figuras de autoridade a pacientes sugestionáveis insistindo para que se lembrem (quase escrevi "confessem"); em todas as três classes, os profissionais sentem a necessidade de defender a sua prática contra os colegas mais céticos; em todas as três classes, a hipótese iatrogênica é eliminada sumariamente; em todas as três classes, a maioria dos que denunciam abusos são mulheres. E em todas as três classes — com as exceções já mencionadas — inexiste evidência física. Por isso, é difícil não se perguntar se os raptos por alienígenas não fariam parte de um quadro mais amplo.

O que poderia ser esse quadro mais amplo? Fiz essa pergunta ao dr. Fred H. Frankel, professor de psiquiatria na Escola de Medicina de Harvard, chefe de psiquiatria do Hospital Beth Israel em Boston e renomado especialista em hipnose. Sua resposta:

> Se os raptos por alienígenas fazem parte de um quadro mais amplo, qual é na realidade esse quadro mais amplo? Receio me precipitar em terreno que os anjos têm medo de pisar; mas todos os fatores que você delineia preenchem o que foi descrito na virada do século como histeria. O termo, lamentavelmente, passou a ser usado de forma tão ilimitada que nossos contemporâneos, em sua duvidosa sabedoria [...] não só o abandonaram, como perderam de vista os fenômenos que ele representava: altos níveis de sugestionabilidade, capacidade imaginativa, sensibilidade a dicas e expectativas, e o elemento de contágio [...]. Um grande número de clínicos praticantes parece reconhecer muito pouco de tudo isso.

Frankel observa que, em paralelo exato com o ato de fazer as pessoas regredir para que supostamente recuperem lembranças esquecidas de "vidas passadas", os terapeutas podem com igual facilidade fazê-las *pro*gredir sob hipnose, para que venham a se "lembrar" de seus futuros. Isso provoca a mesma intensidade emotiva da regressão ou da hipnose que Mack emprega com os sequestrados por extraterrestres. "Essas pessoas não têm a intenção de enganar o terapeuta. Elas enganam a si próprias", diz Frankel. "Não conseguem distinguir as suas fantasias das suas experiências."

Se não conseguimos lidar com a vida, se estamos sobrecarregados de culpa por não ter desenvolvido nossas potencialidades, não acolheríamos de bom grado a opinião profissional de um terapeuta, com diploma na parede, de que a falha não é nossa, de que nada temos a ver com o problema, de que satanistas, estupradores ou alienígenas são os responsáveis? Não estaríamos dispostos a pagar um bom dinheiro por essa confiança renovada? E não resistiríamos a céticos sabichões que nos dizem que é tudo invenção de nossas cabeças, ou que as histórias foram implantadas pelos próprios terapeutas que nos tornaram mais felizes a respeito de nós mesmos?

Qual foi o aprendizado de método científico e investigação cética, de estatística, ou até de falibilidade humana, que esses terapeutas receberam? A psicanálise não é uma profissão muito autocrítica, mas pelo menos muitos de seus profissionais têm títulos de mestre. A maioria dos currículos médicos compreende contato significativo com métodos e resultados científicos. Mas muitos dos que tratam dos casos de abuso parecem ter, na melhor das hipóteses, um conhecimento casual da ciência. É mais provável, numa proporção de aproximadamente dois para um, que os provedores de saúde mental na América do Norte sejam assistentes sociais do que médicos psiquiatras ou psicólogos.

A maioria desses terapeutas afirma que sua responsabilidade não é questionar, ser cético ou levantar dúvidas, mas dar apoio a seus pacientes. O que quer que seja apresentado, por mais bizarro que pareça, é aceito. Às vezes, as sugestões dadas pelos terapeutas não são absolutamente sutis. Eis um relatório que não é atípico (tirado do boletim da Fundação da Síndrome da Falsa Memória, vol. 4, nº 4, p. 3, 1995):

> Meu ex-terapeuta declarou que ainda acredita que minha mãe é satanista, [e] que meu pai me molestou [...]. Foi o sistema de crenças enganoso de meu terapeuta, junto com as técnicas que envolvem sugestão e persuasão, que me levou a acreditar que as mentiras eram lembranças. Quando duvidei da realidade das lembranças, ele insistiu que eram verdadeiras. Não apenas insistiu que eram verdadeiras, ele me

informou que, se eu quisesse melhorar, deveria não só aceitá-las como reais, mas também me lembrar de todas elas.

Num caso ocorrido em 1991, no condado de Allegheny, Pensilvânia, uma adolescente, Nicole Althaus, estimulada por um professor e um assistente social, acusou o pai de tê-la violentado, o que resultou na prisão do pai. Nicole também relatou ter dado à luz três filhos que os parentes haviam matado, ter sido estuprada num restaurante cheio de gente e que sua avó voava pelos arredores montada numa vassoura. No ano seguinte, Nicole retirou suas queixas e todas as suas acusações contra o pai foram impronunciadas. Nicole e seus pais instauraram uma ação cível contra o terapeuta e a clínica psiquiátrica aos quais Nicole fora encaminhada pouco depois de começar a fazer suas acusações. O júri chegou à conclusão de que o médico e a clínica haviam sido negligentes e concedeu quase 250 mil dólares a Nicole e seus pais. O número de casos desse tipo tem aumentado cada vez mais.

A competição por pacientes e o óbvio interesse financeiro dos terapeutas em terapias prolongadas não diminuiriam a probabilidade de contrariarem os pacientes, manifestando um pouco de ceticismo a respeito de suas histórias? Até que ponto eles têm consciência do dilema de um paciente ingênuo que entra no consultório de um profissional e ouve que a sua insônia ou obesidade é causada (em ordem crescente de estranheza) por abusos dos pais, rituais satânicos ou rapto por alienígena totalmente esquecidos? Embora haja restrições éticas e de outra natureza, é preciso que haja uma espécie de experimento de controle: talvez o mesmo paciente enviado a especialistas em todos os três campos. Algum deles diz: "Não, o seu problema não é causado por abuso infantil esquecido" (ou ritual satânico esquecido, ou rapto por alienígena, conforme for apropriado)? Quantos deles dizem: "Haverá uma explicação muito mais prosaica"? Em vez disso, Mack chega ao ponto de dizer a um de seus pacientes, num tom de admiração que infunde segurança, que está seguindo a "trilha de um herói". Um grupo de "sequestrados" — cada um com sua experiência isolada, mas semelhante — escreve:

[V]ários de nós tinham finalmente reunido bastante coragem para apresentar nossas experiências a conselheiros profissionais, mas só para vê-los evitar nervosamente o assunto, erguer uma sobrancelha em silêncio, ou interpretar o ocorrido como sonho ou alucinação consciente, "assegurando-nos" que essas coisas acontecem às pessoas, "mas não se preocupe, a sua saúde mental é basicamente boa". Ótimo! Não somos loucos, mas se levamos nossas experiências a sério podemos ficar loucos!

Com enorme alívio, eles encontraram um terapeuta compreensivo que não só aceitou as histórias ao pé da letra, como sabia muitas outras histórias de corpos alienígenas e acobertamento de UFOs em altos níveis do governo.

Um típico terapeuta de UFO encontra pacientes de três maneiras: eles lhe escrevem cartas, enviadas a um endereço fornecido na lombada de seus livros; eles lhe são recomendados por outros terapeutas (principalmente por aqueles que também são especialistas em raptos por alienígenas); ou eles o procuram depois de uma palestra. Eu me pergunto se algum paciente bate à sua porta ignorando totalmente os relatos populares de sequestro e os métodos e as opiniões do terapeuta. Antes de trocar qualquer palavra, eles já sabem muita coisa um do outro.

Outro terapeuta ilustre dá a seus pacientes os seus próprios artigos sobre raptos por alienígenas, para ajudá-los a se "lembrar" de suas experiências. E fica satisfeito quando o que eles finalmente recordam sob hipnose é semelhante ao que está descrito nos artigos dele. A semelhança dos casos é uma das principais razões para ele acreditar que os raptos realmente ocorrem.

Um importante especialista em UFO comenta: "Quando o hipnotizador não tem um conhecimento adequado do assunto [do rapto por alienígenas], a verdadeira natureza do sequestro talvez nunca seja revelada". Não é possível discernir nessa observação o quanto o paciente pode ser guiado sem que o terapeuta tenha consciência de estar guiando?

\* \* \*

Às vezes, ao "adormecer", temos a sensação de estar caindo de uma altura, e nossos membros se movem por si. O reflexo do sobressalto, assim é chamado. Talvez seja um resíduo dos tempos em que nossos antepassados dormiam nas árvores. Por que deveríamos imaginar que nossa capacidade de recordar (uma palavra maravilhosa) é melhor do que a de saber quando estamos de fato com os pés no chão? Por que deveríamos supor que, do imenso tesouro de memórias armazenado em nossas cabeças, nenhuma poderia ter sido implantada depois do acontecimento — pela maneira como uma pergunta é formulada quando nos encontramos num estado de espírito sugestionável, pelo prazer de contar ou escutar uma boa história, pela confusão com alguma coisa que certa vez lemos ou ouvimos por acaso?

## 10. O DRAGÃO NA MINHA GARAGEM

> [*A*] *mágica, devemos lembrar, é uma arte que requer colaboração entre o artista e seu público.*
> E. M. Butler, *The myth of the magus* (1948)

— UM DRAGÃO QUE COSPE FOGO pelas ventas vive na minha garagem.

Suponhamos (estou seguindo uma abordagem de terapia de grupo proposta pelo psicólogo Richard Franklin) que eu lhe faça seriamente essa afirmação. Com certeza você iria querer verificá-la, ver por si mesmo. São inumeráveis as histórias de dragões no decorrer dos séculos, mas não há evidências reais. Que oportunidade!

— Mostre-me — você diz. Eu o levo até a minha garagem. Você olha para dentro e vê uma escada de mão, latas de tinta vazias, um velho triciclo, mas nada de dragão.

— Onde está o dragão? — você pergunta.

— Oh, está ali — respondo, acenando vagamente. — Esqueci de lhe dizer que é um dragão invisível.

Você propõe espalhar farinha no chão da garagem para tornar visíveis as pegadas do dragão.

— Boa ideia — digo eu —, mas esse dragão flutua no ar.

Então você quer usar um sensor infravermelho para detectar o fogo invisível.

— Boa ideia, mas o fogo invisível é também desprovido de calor.

Você quer borrifar o dragão com tinta para torná-lo visível.

— Boa ideia, só que é um dragão incorpóreo e a tinta não vai aderir.

E assim por diante. Eu me oponho a todo teste físico que você propõe com uma explicação especial de por que não vai funcionar.

Ora, qual é a diferença entre um dragão invisível, incorpóreo, flutuante, que cospe fogo atérmico, e um dragão inexistente?

Se não há como refutar a minha afirmação, se nenhum experimento concebível vale contra ela, o que significa dizer que o meu dragão existe? A sua incapacidade de invalidar a minha hipótese não é absolutamente a mesma coisa que provar a veracidade dela. Alegações que não podem ser testadas, afirmações imunes a refutações não possuem caráter verídico, seja qual for o valor que possam ter por nos inspirar ou estimular nosso sentimento de admiração. O que estou pedindo a você é tão somente que, em face da ausência de evidências, acredite na minha palavra.

A única coisa que você realmente descobriu com a minha insistência de que há um dragão na minha garagem é que algo estranho está se passando na minha mente. Você se perguntaria, já que nenhum teste físico se aplica, o que *me* fez acreditar nisso. A possibilidade de que foi sonho ou alucinação passaria certamente pela sua cabeça. Mas, nesse caso, por que eu levo a história tão a sério? Talvez eu precise de ajuda. Pelo menos, talvez eu tenha subestimado seriamente a falibilidade humana.

Apesar de nenhum dos testes ter funcionado, imagine que você queira ser escrupulosamente liberal. Você não rejeita de imediato a noção de que há um dragão que cospe fogo na minha garagem. Apenas deixa a ideia cozinhando em banho-maria. As evidências presentes são fortemente contrárias a ela, mas, se surgirem novos dados, você está pronto a examiná-los para ver se são convincentes. Decerto não é correto de minha parte ficar ofendido por não acreditarem em mim; ou criticá-lo por ser chato e sem imaginação — só porque você apresentou o veredicto escocês de "não comprovado".

Imagine que as coisas tivessem acontecido de outra maneira. O dragão é invisível, certo, mas aparecem pegadas na farinha enquanto você observa. O seu detector infravermelho lê dados fora da escala. A tinta borrifada revela um espinhaço denteado oscilando à sua frente. Por mais cético que você pudesse ser a respeito da existência dos dragões — ainda mais dragões invisíveis —, teria de reconhecer que existe alguma coisa no ar, e que de forma preliminar ela é compatível com um dragão invisível que cospe fogo pelas ventas.

Agora outro roteiro: vamos supor que não seja apenas eu. Vamos supor que vários conhecidos seus, inclusive pessoas que você tem certeza de que não se conhecem, lhe dizem que há dragões nas suas garagens — mas, em todos os casos, a evidência é enlouquecedoramente impalpável. Todos nós admitimos nossa perturbação quando ficamos tomados por uma convicção tão estranha e tão mal sustentada pela evidência física. Nenhum de nós é lunático. Especulamos sobre o que isso significaria, caso dragões invisíveis estivessem realmente se escondendo nas garagens em todo o mundo, e nós, humanos, só agora estivéssemos percebendo. Eu gostaria que *não* fosse verdade, acredite. Mas talvez todos aqueles antigos mitos europeus e chineses sobre dragões não fossem mitos afinal...

Motivo de satisfação, algumas pegadas compatíveis com o tamanho de um dragão são agora noticiadas. Mas elas nunca surgem quando um cético está observando. Outra explicação se apresenta: sob exame cuidadoso, parece claro que podem ter sido simuladas. Outro crente nos dragões aparece com um dedo queimado e atribui a queimadura a uma rara manifestação física do sopro ardente do animal. Porém, mais uma vez, existem outras possibilidades. Sabemos que há várias maneiras de queimar os dedos além do sopro de dragões invisíveis. Essa "evidência" — por mais importante que seja para os defensores da existência do dragão — está longe de ser convincente. De novo, a única abordagem sensata é rejeitar em princípio a hipótese do dragão, manter-se receptivo a futuros dados físicos e perguntar-se qual poderia ser a razão para tantas pessoas aparentemente normais e sensatas partilharem a mesma delusão estranha.

A mágica requer cooperação tácita entre o público e o mágico — um abandono do ceticismo, ou o que é às vezes descrito como a suspensão voluntária da descrença. Segue-se imediatamente que, para compreender a mágica, para expor o truque, devemos parar de colaborar.

Como se pode fazer algum progresso nesse assunto aflitivo,

controverso e carregado de emoções? Os pacientes poderiam se acautelar contra terapeutas prontos a deduzir ou confirmar raptos por alienígenas. Os que tratam de sequestrados poderiam explicar a seus pacientes que as alucinações são normais, e que o abuso sexual na infância é desconcertantemente comum. Poderiam lembrar que nenhum cliente deixa de ser contaminado pelos alienígenas na cultura popular. Poderiam tomar um cuidado escrupuloso para não influenciar sutilmente a testemunha. Poderiam ensinar ceticismo a seus clientes. Poderiam recarregar os seus próprios estoques escassos dessa mercadoria.

Os supostos raptos por alienígenas perturbam muitas pessoas e em mais de uma forma. O tema é uma janela para a vida interior de nossos companheiros. Se muitos informam falsamente terem sido raptados, isso é causa para preocupação. Mas muito mais preocupante é o fato de que muitos terapeutas aceitam esses relatos ao pé da letra — sem dar a devida atenção à sugestionabilidade dos clientes e às deixas inconscientes de seus interlocutores.

Surpreende-me que psiquiatras e outros profissionais que têm pelo menos algum treinamento científico, que conhecem as imperfeições da mente humana, descartem a ideia de que essas histórias poderiam ser uma espécie de alucinação, ou um tipo de memória mascarada. Fico ainda mais surpreso com as afirmações de que a história de rapto por alienígenas representa a verdadeira magia, é um desafio à nossa ligação com a realidade ou constitui o fundamento para uma visão mística do mundo. Ou, como a questão é proposta por John Mack: "Há fenômenos importantes o suficiente para justificar uma pesquisa séria, e a metafísica do paradigma científico dominante no Ocidente talvez seja inadequada para fundamentar plenamente essa pesquisa". Numa entrevista para a revista *Time*, ele continua:

> Não sei por que há tanto entusiasmo pela procura de uma explicação física convencional. Não sei por que as pessoas têm tanta dificuldade em simplesmente aceitar o fato de que alguma coisa inusitada está se passando [...]. Per-

demos todos aquela capacidade de conhecer um mundo além do físico.*

Mas sabemos que as alucinações nascem da privação sensorial, das drogas, da doença e da febre alta, da falta de sono do tipo REM, de mudanças na química do cérebro, e assim por diante. E, ainda que, junto com Mack, tomemos os casos ao pé da letra, os seus aspectos extraordinários (passar através das paredes e coisas afins) são mais facilmente atribuíveis a algo bem inserido no reino do "físico" — tecnologia alienígena avançada — do que à bruxaria.

Um amigo meu afirma que a única pergunta interessante sobre o paradigma do rapto por alienígenas é: "Quem está enganando quem?". O cliente está enganando o terapeuta, ou vice-versa? Eu não concordo. Primeiro, há muitas outras perguntas interessantes sobre as histórias de rapto por alienígenas. Segundo, essas duas alternativas não são mutuamente exclusivas.

Alguma coisa sobre casos de sequestro por alienígenas instigava a *minha* memória havia anos. Por fim, lembrei. Era um livro de 1954 que eu tinha lido na universidade, *The fifty-minute hour*. O autor, um psicanalista chamado Robert Lindner, fora convocado pelo Laboratório Nacional de Los Alamos para tratar um jovem e brilhante físico nuclear, cuja pesquisa secreta para o governo estava começando a sofrer interferências de seu sistema delusório. Como se veio a saber, o físico (a quem foi dado o pseudônimo de Kirk Allen) levava uma outra vida além de construir armas nucleares: segundo suas confidências, no futuro distante ele pilotava (ou ia pilotar — os tempos verbais ficam um pouco confusos) espaçonaves interestelares. Ele gostava de aventuras estimulantes e jactanciosas em planetas de outras estrelas. Era o "senhor" de muitos mundos. Talvez o chamassem

---

* Então, numa frase que nos lembra o quanto o paradigma dos raptos por alienígenas está ligado à religião messiânica e milenarista, Mack conclui: "Sou uma ponte entre esses dois mundos".

*202*

de capitão Kirk. Ele não conseguia apenas se "lembrar" dessa outra vida; podia também entrar nela sempre que quisesse. Pela forma correta de pensar, por *desejar*, ele se transportava pelos anos-luz e pelos séculos.

De certa maneira, eu não conseguia entender que, simplesmente por desejar que assim fosse, eu tivesse atravessado as imensidões do espaço, vencido as barreiras do tempo e me incorporado — literalmente me transformado — nesse eu distante e futuro... Não me peça explicações. Não sei, embora Deus saiba que tentei.

Lindner achou-o inteligente, sensível, agradável, cortês e perfeitamente capaz de lidar com os problemas do cotidiano humano. Mas — ao refletir sobre as emoções de sua vida entre as estrelas — Allen começou a se sentir um pouco entediado com a sua existência na Terra, mesmo que ela envolvesse a construção de armas de destruição em massa. Quando admoestado pelos seus supervisores no laboratório por andar distraído e imerso em devaneios, ele pediu desculpas; tentaria, assegurou-lhes, passar mais tempo neste planeta. Foi quando eles entraram em contato com Lindner.

Allen escreveu 12 mil páginas sobre as suas experiências no futuro e dezenas de tratados técnicos sobre a geografia, a política, a arquitetura, a astronomia, a geologia, as formas de vida, a genealogia e a ecologia dos planetas de outras estrelas. Os títulos das seguintes monografias nos dão uma ideia do material: "O original desenvolvimento do cérebro dos crisópodes de Srom Norba x", "O culto e os sacrifícios ao fogo em Srom Sodrat II", "A história do Instituto Científico Intergaláctico" e "A aplicação da teoria do campo unificado e a mecânica do impulso estelar para a viagem espacial". (Este último é o que eu gostaria de examinar; afinal, Allen gozava da reputação de ter sido um físico de primeira categoria.) Fascinado, Lindner leu os textos com atenção.

Allen não hesitou em apresentar seus textos a Lindner ou em discuti-los de forma detalhada. Imperturbável e intelectualmente formidável, ele parecia não estar aceitando nem um centímetro do auxílio psiquiátrico de Lindner. Quando tudo o mais falhou, o psiquiatra tentou algo diferente:

> Tentei [...] evitar que ele tivesse de algum modo a impressão de que eu estava competindo com ele para lhe provar que era psicótico, de que se tratava de uma luta decisiva sobre a questão de sua sanidade mental. Em vez disso, como era óbvio que tanto o seu temperamento como a sua educação eram científicos, decidi tirar partido da única qualidade que ele tinha demonstrado durante toda a sua vida [...] a qualidade que o impelia para a carreira científica: a sua curiosidade [...]. Isso significava [...] que, pelo menos por enquanto, eu "aceitava" a validade de suas experiências [...]. Num repentino lampejo de inspiração, ocorreu-me que, para afastar Kirk de sua loucura, era necessário que eu entrasse na sua fantasia a fim de poder, nessa posição, liberá-lo da psicose.

Lindner apontava certas contradições aparentes nos documentos e pedia que Allen as resolvesse. Isso exigia que o físico voltasse a entrar no futuro para encontrar as respostas. Obedientemente, Allen aparecia na sessão seguinte com um documento esclarecedor, escrito com a sua letra clara. Lindner se viu esperando ansiosamente por cada entrevista, para ser mais uma vez seduzido pela visão de abundância de vida e inteligência na galáxia. Entre si, os dois foram capazes de resolver muitos problemas de incoerência.

Foi então que aconteceu uma coisa estranha: "Os materiais da psicose de Kirk e o calcanhar de aquiles da minha personalidade se encontraram e se engrenaram como o mecanismo de um relógio". O psicanalista tornou-se um conspirador a favor da delusão de seu paciente. Começou a rejeitar as explicações psicológicas da história de Allen. Até que ponto temos certeza de que não podia ser verdade? Ele se viu defendendo a noção de que era possível entrar em outra vida, a de um viajante espacial no futuro distante, por um simples esforço de vontade.

Num ritmo surpreendentemente rápido [...] áreas cada vez maiores da minha mente foram invadidas pela fantasia [...]. Com o auxílio intrigado de Kirk, eu estava participando de aventuras cósmicas, partilhando a alegria da arrebatadora história fantástica que ele tinha tramado.

Mas, finalmente, aconteceu algo ainda mais estranho: preocupado com o bem-estar de seu terapeuta, e reunindo admiráveis reservas de integridade e coragem, Kirk Allen confessou: ele inventara toda a história. O problema tinha raízes na sua infância solitária e em suas relações fracassadas com as mulheres. Ele apagara parcialmente e depois esquecera a fronteira entre a realidade e a imaginação. Inserir os detalhes plausíveis e tecer uma rica tapeçaria sobre outros mundos era desafiador e inebriante. Mas ele lamentava ter induzido Lindner a trilhar esse caminho de prazeres.

— Por quê — perguntou o psiquiatra —, por que você fingiu? Por que continuou a me dizer...?

— Porque sentia que tinha de agir assim — replicou o físico. — Porque sentia que era isso o que *você queria que eu fizesse*.

Lindner explicou que ele e Kirk haviam trocado de papéis

e, num desses desenlaces surpreendentes que transformam o meu trabalho na atividade imprevisível, maravilhosa e compensadora que é, a loucura que partilhamos entrou em colapso [...]. Empreguei a racionalização do altruísmo clínico para fins pessoais, e assim caí na armadilha que aguarda todos os psicoterapeutas incautos [...]. Até Kirk Allen entrar na minha vida, nunca duvidara de minha própria estabilidade. Sempre pensara que as aberrações mentais eram para os outros [...]. Essa presunção me cobre de vergonha. Mas agora, quando escuto o paciente na minha cadeira atrás do divã, sou mais sábio. Sei que minha cadeira e o divã são separados apenas por uma linha tênue. Sei que não passa afinal de uma combinação mais feliz de acasos o que determina, em última análise, quem deve deitar no divã e quem deve sentar atrás dele.

Por esse relato, não sei ao certo se Kirk Allen verdadeiramente enganava as pessoas. Talvez apenas sofresse de alguma desordem de caráter que o fazia sentir prazer em inventar charadas à custa dos outros. Não sei até que ponto Lindner pode ter embelezado ou inventado parte da história. Embora ele tenha escrito sobre "participar" e "entrar" na fantasia de Allen, não há nenhuma sugestão de que imaginava ter viajado para o futuro distante e tomado parte em grandes aventuras interestelares. Da mesma forma, John Mack e os outros terapeutas de raptos por alienígenas não sugerem ter sido sequestrados; apenas seus pacientes o foram.

E se o físico não tivesse confessado? Lindner teria se convencido, sem nenhuma dúvida, de que *era* realmente possível passar para uma era mais romântica? Teria declarado que começou o trabalho como cético, mas acabou sendo convencido pelo mero peso das evidências? Teria feito propaganda de si mesmo como um especialista em ajudar viajantes espaciais do futuro que ficam encalhados no século XX? A existência dessa especialidade psiquiátrica encorajaria os outros a levar a sério fantasias ou delusões dessa espécie? Depois de alguns casos semelhantes, Lindner teria resistido impacientemente a todos os argumentos do tipo "Seja razoável, Bob" e deduzido que estava penetrando num novo nível de realidade?

Seu treinamento científico ajudou a salvar Kirk Allen da loucura. Houve um momento em que terapeuta e paciente trocaram de papéis. Gosto de pensar que, nesse caso, o paciente salvou o terapeuta. Talvez John Mack não tenha sido tão felizardo.

Consideremos um meio bem diferente de encontrar alienígenas — a busca de inteligência extraterrestre por meio do rádio. Em que isso difere da fantasia e da pseudociência? Em Moscou, no início dos anos 60, alguns astrônomos soviéticos deram uma entrevista coletiva à imprensa para anunciar que a intensa emissão de rádio de um misterioso objeto distante chamado CTA-102 estava variando regularmente, como uma onda sinusoidal, com um período de mais ou menos cem dias. Nenhuma fonte periódica distante fora encontrada até então. Por que eles convocaram uma entrevista coletiva à imprensa para anunciar uma descoberta tão misteriosa? Porque achavam que tinham detectado uma civilização extraterrestre de imensos poderes. Sem dúvida, por uma razão dessas vale a pena convocar uma coletiva. A notícia tornou-se logo uma sensação nos meios de comunicação, e o grupo de rock The Byrds chegou até a compor e gravar uma canção a respeito. ["CTA-102, estamos aqui captando você./ Os sinais nos dizem que você está aí./ Podemos ouvi-los em alto e bom som..."]

Emissão de rádio proveniente de CTA-102? Certamente. Mas o que *é* CTA-102? Hoje sabemos que é um quasar distante. Na época, a palavra "quasar" nem sequer fora cunhada. Ainda não sabíamos muito bem o que eram quasares; e há mais de uma explicação mutuamente exclusiva para eles na literatura científica. Ainda assim, nenhum astrônomo hoje em dia — inclusive os envolvidos naquela entrevista coletiva à imprensa de Moscou — afirma seriamente que um quasar como o CTA-102 seja uma civilização extraterrestre a bilhões de anos-luz com acesso a níveis imensos de poder. Por que não? Porque temos explicações alternativas das propriedades dos quasares que são coerentes com as leis físicas conhecidas e que não invocam a vida alienígena. Os extraterrestres representam uma hipótese de última instância. Só a empregamos quando tudo o mais falha.

Em 1967, cientistas britânicos encontraram uma fonte intensa de rádio muito mais próxima, acendendo e apagando-se com precisão espantosa, com um período constante de dez ou mais números significativos. O que era isso? O primeiro pensamento foi que se tratava de uma mensagem endereçada a nós, ou talvez algum sinal de regulagem e navegação para as naves espaciais que atravessam o espaço entre as estrelas. Os cientistas até lhe deram, entre si, na Universidade de Cambridge, a designação desvirtuada de LGM-1 — sendo LGM a sigla inglesa para homenzinhos verdes.

Entretanto, foram mais sábios que seus colegas soviéticos. Não deram uma entrevista coletiva. Logo ficou claro que aquilo que estavam observando era o que agora se chama pulsar, o primeiro pulsar, o pulsar da nebulosa do Caranguejo. E o que é um pulsar? Um pulsar é o estado final de uma estrela maciça, um sol encolhido até o tamanho de uma cidade, que não é mantido, como as outras estrelas, pela pressão de gás, nem pela degeneração dos elétrons, mas por forças nucleares. É, em certo sentido, um núcleo atômico de mais ou menos dezesseis quilômetros de extensão. Ora, eu sustento que *essa* noção é pelo menos tão bizarra quanto a de um sinal de navegação interestelar. A resposta para o que é um pulsar tem de ser algo muitíssimo estranho. Não é uma civilização extraterrestre. É outra coisa: mas algo que nos abre os olhos e as mentes e indica possibilidades não imaginadas na natureza. Anthony Hewish ganhou o prêmio Nobel de física pela descoberta dos pulsares.

O experimento original Ozma (a primeira busca deliberada de inteligência extraterrestre por sinais de rádio), o Programa Meta (Pesquisa de Sinais Extraterrestres em Megacanal) da Universidade de Harvard/Sociedade Planetária, a investigação da Universidade Estadual de Ohio, o Projeto Serendip da Universidade da Califórnia, em Berkeley, e muitos outros grupos têm detectado sinais anômalos no espaço que fazem o coração do observador palpitar um pouco. Pensamos por um momento que captamos um sinal genuíno de origem inteligente, vindo de muito além de nosso sistema solar. Na realidade, não temos a mais pálida ideia do que se trata, porque o sinal não se repete. Alguns minutos mais tarde, ou no dia seguinte, ou anos depois, vira-se o mesmo telescópio para o mesmo lugar no céu, com a mesma frequência, banda, polarização e tudo o mais, e não se ouve nada. Não se deduz, nem muito menos se anuncia, a existência de alienígenas. Pode ter sido uma onda eletrônica repentina estatisticamente inevitável, uma anomalia no sistema de detecção, uma espaçonave (da Terra), ou uma aeronave militar passando por aquele espaço e transmitindo em canais supostamente reservados para a radioastronomia. Talvez tenha sido até o mecanismo que abre a porta da garagem no final da rua, ou uma estação de rádio a cem quilômetros de distância. Há muitas possibilidades.

Devem-se checar sistematicamente todas as alternativas, verificar quais as que podem ser eliminadas. Não se deve declarar que foram encontrados alienígenas, quando a única evidência é um sinal enigmático que não se repete.

E, se o sinal se repetisse, divulgaríamos a notícia para a imprensa e o público? Não faríamos tal coisa. Talvez seja uma brincadeira de alguém. Talvez seja algo em nosso sistema de detecção que não conseguimos compreender. Talvez seja alguma fonte astrofísica até então desconhecida. Em vez disso, chamaríamos os cientistas de outros radioobservatórios e os informaríamos de que nesse lugar específico do céu, com essa frequência, banda e tudo o mais, estamos captando algo estranho. Eles fariam o favor de verificar se podem confirmar os dados? Somente quando vários observadores independentes — todos plenamente cientes da complexidade da Natureza e da falibilidade de si mesmos — captam o mesmo tipo de informação, no mesmo lugar do céu, é que consideramos seriamente ter detectado um sinal genuíno de seres alienígenas.

Deve haver certa disciplina. Não podemos simplesmente sair gritando "homenzinhos verdes" toda vez que detectamos algo que a princípio não compreendemos, porque ficaríamos com cara de tolos — como aconteceu com os radioastrônomos soviéticos no caso do CTA-102 — quando se revelasse que o sinal era algo diferente. São necessárias cautelas especiais quando há grandes interesses em jogo. Não somos obrigados a decidir coisa alguma antes de ter as evidências. É permitido não ter certeza.

Frequentemente me perguntam: "Você acredita que existe inteligência extraterrestre?". Respondo com os argumentos padrões — há muitos lugares no espaço, as moléculas da vida estão por toda parte, emprego a palavra *bilhões*, e assim por diante. Depois digo que ficaria espantado se não houvesse inteligência extraterrestre, mas que ainda não há absolutamente nenhuma evidência convincente de que ela existe.

Muitas vezes me perguntam a seguir:
— O que você realmente acha?
Respondo:

— Acabei de lhe dizer o que realmente acho.
— Sim, mas qual é a sua opinião visceral?
Mas eu tento não pensar com as minhas vísceras. Se levo a sério minha tentativa de compreender o mundo, pensar com algum órgão que não seja o meu cérebro, por mais tentador que possa ser, provavelmente complicará a minha vida. Na verdade, é correto guardar a opinião para quando houver evidências.


Eu ficaria muito feliz se os advogados dos discos voadores e os defensores dos raptos por alienígenas tivessem razão e houvesse evidências reais de vida extraterrestre para examinarmos. No entanto, eles não nos pedem que acreditemos na fé, mas na força de suas evidências. Sem dúvida, é nosso dever examinar as supostas evidências pelo menos tão cuidadosa e ceticamente quanto os radioastrônomos que estão procurando sinais de rádio alienígenas.

*Nenhuma* afirmação assombrosa — por mais sincera, por mais sensível, por mais exemplar que seja a vida das testemunhas — tem grande relevância para uma questão de tamanha importância. Como nos antigos casos de UFO, os relatos fantásticos estão sujeitos a erros irremediáveis. Essa não é uma crítica pessoal àqueles que dizem ter sido sequestrados, nem aos que os interrogam. Não equivale a desrespeitar supostas testemunhas.\* Não é — ou não deveria ser — uma rejeição arrogante de testemunhos sinceros e comoventes. É simplesmente uma reação relutante à falibilidade humana.

Se é possível atribuir todo e qualquer poder aos alienígenas — pelo fato de sua tecnologia ser tão avançada —, podemos explicar *qualquer* discrepância, incoerência ou implausibilidade. Por exemplo, um ufologista acadêmico sugere que tanto os alienígenas como os sequestrados se tornam invisíveis du-

---

\* Não podem ser chamados simplesmente de testemunhas — porque muitas vezes o ponto em discussão é exatamente se testemunharam alguma coisa (ou, pelo menos, alguma coisa no mundo exterior).

rante o rapto (embora não fiquem invisíveis uns para os outros); *é por isso* que tantos vizinhos nada perceberam. Essas "explicações" podem explicar qualquer coisa e, por isso, não explicam realmente nada.

O procedimento da polícia norte-americana não se baseia em assombros, mas em evidências. Como nos lembram os julgamentos das bruxas na Europa, os suspeitos podem ser intimidados durante o interrogatório; as pessoas confessam crimes que nunca cometeram; testemunhas oculares podem estar enganadas. Esse é também o elemento que estrutura muitos romances policiais. Mas provas reais e autênticas — marcas de pólvora, impressões digitais, testes de DNA, pegadas, cabelos sob as unhas da vítima que se debate — têm muita importância. Os criminalistas empregam algo bastante parecido com o método científico, e pelas mesmas razões. Assim, no mundo dos UFOs e dos raptos por alienígenas, é lícito perguntar: onde está a evidência — a prova concreta real e inequívoca, os dados que convenceriam um júri que ainda não decidiu o seu veredicto?

Alguns entusiastas afirmam que há "milhares" de casos de solo "alterado" onde os UFOs supostamente pousaram, e por que essa evidência não é suficiente? Não é suficiente porque há outras maneiras de alterar o solo além de alienígenas em UFOs — seres humanos empregando pás é uma possibilidade que logo vem à mente. Um ufologista me repreende por ignorar "4400 casos de vestígios concretos em 65 países". Mas, que eu saiba, nenhum desses casos foi analisado, nem revistas de física ou química, metalurgia ou geologia, cujos artigos passam pelo crivo de colegas cientistas, publicaram resultados indicando que os "vestígios" não poderiam ter sido gerados por seres humanos. É uma fraude bastante modesta — comparada, por exemplo, aos círculos das plantações de Wiltshire.

Da mesma forma, as fotografias não só podem ser facilmente falsificadas, como um enorme número de supostas fotografias de UFOs sem dúvida o foram. Alguns entusiastas saem para o descampado noite após noite, procurando luzes no céu. Quando veem uma luz, acionam seus flashes. Às vezes, dizem, aparece um lampejo no céu em resposta. Bem, pode ser. Mas aeronaves de baixa altitude produzem luzes no céu, e os pilotos são capazes de fazê-las piscar em resposta, se assim o desejarem. Nada disso constitui algo que chegue perto de uma evidência séria.

Onde está a evidência física? Como nas denúncias de abuso em rituais satânicos (e lembrando as "marcas do diabo" nos julgamentos das bruxas), a mais comum das evidências físicas apontadas são as cicatrizes e as "marcas fundas" nos corpos dos sequestrados — que dizem não saber de onde elas vêm. Mas esse ponto é crucial: se os seres humanos têm a capacidade de produzir cicatrizes, elas não podem ser evidência física convincente de abusos cometidos por alienígenas. Na verdade, há desordens psiquiátricas bem conhecidas em que as pessoas se raspam, se marcam, se rasgam, se cortam e se mutilam (ou aos outros). E alguns de nós, com grande resistência à dor e memória fraca, podemos nos machucar acidentalmente sem nos lembrar do que aconteceu.

Uma das pacientes de John Mack afirma ter, por todo o corpo, cicatrizes que são totalmente desconcertantes para seus médicos. Como é que elas são? Oh, não podem ser mostradas; como na caça às bruxas, estão em partes íntimas. Mack considera essa afirmação uma evidência convincente. Ele viu as cicatrizes? Podemos ver fotografias delas tiradas por um médico cético? Mack diz conhecer um quadriplégico com marcas fundas, e considera esse fato uma *reductio ad absurdum* da posição cética; como ele pode produzir cicatrizes em si mesmo? O argumento só tem valor se o quadriplégico estiver hermeticamente trancado num quarto em que nenhum outro ser humano pode entrar. Podemos ver as suas cicatrizes? Um médico independente pode examiná-lo? Outra paciente de Mack diz que os alienígenas têm extraído óvulos seus desde que ela amadureceu sexualmente, e que seu sistema reprodutivo desconcerta o ginecologista. Será suficientemente desconcertante para se escrever sobre o caso e submeter o artigo de pesquisa ao *The New England Journal of Medicine*? Aparentemente não é tão desconcertante assim.

E ainda temos o fato de que um de seus pacientes inventou toda a história, sem que Mack desconfiasse, como foi noticiado pela revista *Time*. Ele caiu como um patinho. Quais são os seus padrões de escrutínio crítico? Se ele se deixou enganar por um paciente, como podemos saber se isso não acontece com todos?

Mack fala sobre esses casos, os "fenômenos", como se fizesse um desafio fundamental ao pensamento ocidental, à ciência, à própria lógica. Provavelmente, diz ele, as entidades que raptam não são seres alienígenas de nosso próprio Universo, mas visitantes de "outra dimensão". Eis uma passagem típica e reveladora de seu livro:

> Quando os sequestrados chamam a sua experiência de "sonhos", o que acontece com frequência, um interrogatório minucioso pode revelar que isso talvez seja um eufemismo para encobrir o que eles têm certeza de que não pode ser sonho, isto é, um acontecimento em outra dimensão do qual não há como despertar.

Ora, a ideia de outras dimensões não surgiu do intelecto da ufologia, nem da Nova Era. Ao contrário, é parte integrante da física do século XX. Desde a relatividade geral de Einstein, um truísmo da cosmologia é que o espaço-tempo se dobra ou curva através de outra dimensão física. A teoria de Kaluza-Klein postula um universo de onze dimensões. Mack apresenta uma ideia inteiramente científica como a chave para "fenômenos" que estão fora do alcance da ciência.

Temos uma noção do que aconteceria a um objeto de outra dimensão que encontrasse o nosso universo tridimensional. Por motivos de clareza, vamos diminuir uma dimensão: ao passar por um plano, uma maçã deve mudar a forma como será percebida pelos seres bidimensionais confinados no plano. Primeiro, parece ser um ponto, depois aparecem cortes transversais maiores da maçã, em seguida cortes transversais menores, um ponto mais uma vez — e finalmente, puf!, desaparece. De modo análogo, um objeto de quarta dimensão ou de uma dimensão ainda superior — desde que não seja uma figura muito simples, como um hipercilindro passando pelas três dimensões ao longo de seu eixo — terá sua geometria tremendamente alterada, à medida que o virmos passar pelo nosso universo. Se fosse sistematicamente relatado que os alienígenas mudam de forma, eu poderia pelo menos entender por que Mack persegue a noção da origem em outras dimensões. (Outro problema é tentar compreender o que significa o cruzamento genético entre um ser tridimensional e um quadridimensional. Os filhos pertencerão à 3ª, 5ª dimensão?)

Quando fala sobre seres de outras dimensões, o que Mack realmente quer dizer é que — apesar de seus pacientes às vezes descreverem as suas experiências como sonhos e alucinações — não tem a menor ideia do que eles sejam. Mas, reveladoramente, quando tenta descrevê-los, ele procura a física e a matemática. Ele quer as duas coisas — a linguagem e a credibilidade da ciência, mas sem ficar limitado pelo seu método e suas regras. Parece não compreender que a credibilidade é consequência do método.

O principal desafio proposto pelos casos de Mack é a velha questão acerca de como ensinar o pensamento crítico de forma mais difundida e mais profunda numa sociedade — que inclui até, concebivelmente, professores de psiquiatria de Harvard — inundada de credulidade. A ideia de que o pensamento crítico é a última moda no Ocidente é tola. Se compramos um carro usado em Cingapura ou Bangcoc — ou uma quadriga na antiga Susa ou Roma —, temos que tomar as mesmas precauções que tomaríamos em Cambridge, Massachusetts.

Quando compramos um carro usado, pode ser muito grande a nossa vontade de acreditar no que o vendedor está dizendo: "Um veículo tão maravilhoso por tão pouco dinheiro!". E, de qualquer maneira, dá bastante trabalho ser cético; temos de saber alguma coisa sobre carros, e é desagradável fazer com que o vendedor se zangue conosco. Apesar de tudo isso, entretanto, reconhecemos que o vendedor poderia ter motivos para ocultar a verdade, e sabemos de histórias de outras pessoas que, em situações semelhantes, foram enganadas. Por isso, damos chutes nos pneus, olhamos embaixo do capô, damos uma volta de teste, fazemos perguntas minuciosas. Podemos até levar junto conosco um amigo com talento para mecânica. Sabemos que é necessário algum ceticismo, e compreendemos a razão. Em geral, há pelo menos um pequeno grau de confronto hostil em toda compra de carro usado, e ninguém afirma que é uma experiência especialmente animadora. Mas se não exercemos uma dose mínima de ceticismo, se temos uma credulidade sem limites, teremos de pagar por isso mais tarde. Então nos arrependeremos de não nos termos investido desde o início de um pouco de ceticismo.

Muitas casas na América do Norte têm hoje em dia sistemas modernamente sofisticados de alarme contra ladrões, inclusive sensores infravermelhos e câmaras acionadas por movimento. Um autêntico videoteipe, com indicação de hora e data, que mostrasse uma incursão alienígena — especialmente quando eles se introduzem através das paredes — seria uma evidência muito boa. Se milhões de norte-americanos foram sequestrados, não é estranho que nenhum morasse numa casa dessas?

Algumas mulheres, segundo se diz, são engravidadas por ETs ou por esperma deles; os fetos são então removidos pelos alienígenas. Inúmeros casos desse tipo são citados. Não é estranho que nada anômalo tenha sido percebido nas ultrassonografias rotineiras desses fetos, ou na amniocentese, nem que nunca tenha ocorrido um aborto natural revelando um ser alienígena híbrido? Ou os médicos são tão estúpidos que olham negligentemente para o feto meio humano, meio alienígena e vão atender a próxima paciente? Uma epidemia de fetos desaparecidos é algo que certamente causaria sensação entre os ginecologistas, as parteiras, as enfermeiras obstétricas — sobretudo numa era de intensa consciência feminista. Mas não temos nem um único registro médico que comprove essas afirmações.

Alguns ufologistas consideram revelador o fato de algumas mulheres que afirmam não ter vida sexual ativa engravidarem, e atribuem seu estado à fecundação alienígena. Um bom número dessas pessoas parece ser de adolescentes. Tomar as suas histórias ao pé da letra não é a única opção possível para o investigador sério. Compreendemos, certamente, que, na angústia de uma gravidez indesejada, uma adolescente que vive numa sociedade inundada por relatos de visitas de alienígenas poderia inventar essa história. Nesse caso, há também possíveis antecedentes religiosos.

Alguns sequestrados dizem que implantes minúsculos, talvez metálicos, foram inseridos em seus corpos — bem no fundo de suas narinas, por exemplo. Esses implantes, é o que nos informam os terapeutas que tratam de rapto por alienígenas, às vezes caem acidentalmente, mas, "exceto em alguns poucos casos, o artefato se perdeu ou foi jogado fora". Esses sequestrados parecem espantosamente desprovidos de curiosidade. Um objeto estranho — possivelmente um transmissor que envia dados obtidos por telemetria sobre o estado do corpo da vítima a uma espaçonave alienígena em algum lugar acima da Terra — cai do nariz; ele o examina negligentemente e depois o joga no lixo. Somos informados de que histórias como essa acontecem na maioria dos casos de rapto.

Alguns desses "implantes" foram apresentados ao público e examinados por especialistas. Nenhum foi confirmado como artefato de fabricação extraterrestre. Nenhum dos componentes é feito de isótopos inusitados, apesar do fato conhecido de que as outras estrelas e os outros mundos são constituídos de proporções isotópicas diferentes das existentes na Terra. Não há metais da "ilha de estabilidade" transuraniana, onde os físicos acham que deve existir uma nova família de elementos químicos não radioativos desconhecidos na Terra.

O melhor caso para os entusiastas do rapto foi o de Richard Price, que afirma ter sido sequestrado aos oito anos por alienígenas que implantaram um pequeno artefato em seu pênis. Um quarto de século mais tarde, um médico confirmou a presença de um "corpo estranho" ali encravado. Depois de mais oito anos, o artefato caiu. Tendo aproximadamente um milímetro de diâmetro e quatro de comprimento, foi cuidadosamente examinado por cientistas do MIT e do Hospital Geral de Massachusetts. A sua conclusão? Colágeno formado pelo corpo em locais de inflamação e fibras de algodão das cuecas de Price.

Em 28 de agosto de 1995, as estações de televisão de Rupert Murdoch apresentaram o que pretendia ser a autópsia de um alienígena morto, filmada em dezesseis milímetros. Alguns patologistas com máscaras e trajes clássicos de proteção contra a radiação (com aberturas de vidro retangulares para os olhos) cortavam uma figura de olhos grandes e doze dedos, e examinavam os órgãos internos. Embora o filme ficasse às vezes fora de foco, e a visão do cadáver fosse frequentemente bloqueada pelos seres humanos que se apinhavam ao seu redor, alguns espectadores acharam o efeito deprimente. O *Times* de Londres, também de Murdoch, não soube o que dizer do filme, embora citasse a opinião de um patologista de que a autópsia fora executada com uma pressa imprópria e irrealista (ideal, entretanto, para a televisão). Dizia-se que a autópsia fora filmada no Novo México, em 1947, por um participante, agora na faixa dos oitenta, que desejava manter-se anônimo. O ponto decisivo parecia ser a notícia de que a guia do filme (seus primeiros centímetros) continha informações codificadas que a Kodak, fabricante da película, dizia ser de 1947. No entanto, veio a se saber que não se apresentou à Kodak todo o filme, apenas a guia cortada. Pelo que sabemos, esta podia ter sido tirada de um cinejornal de 1947, tirado dos arquivos abundantes na América do Norte, e a "autópsia" encenada e filmada em separado e em época mais recente. Há certamente uma pegada de dragão — mas é falsificável. Se for um embuste, como acho bem provável, não requer muito mais inteligência do que os círculos nas plantações e o documento MJ-12.

Em nenhuma dessas histórias, não existe nada que indique com bastante força a origem extraterrestre. Não há certamente a descoberta de máquinas engenhosas que estejam muito além da tecnologia atual. Nenhum sequestrado surripiou uma página do diário de bordo do capitão, um instrumento de exame, nem tirou uma fotografia autêntica do interior da nave, nem retornou com informações detalhadas e verificáveis até então inexistentes na Terra. Por que não? Essas falhas devem ter um significado.

Desde a metade do século XX, os partidários da hipótese extraterrestre nos asseguram que a evidência física — e não se trata de mapas de estrelas de anos atrás, nem de cicatrizes, nem de solo alterado, mas de tecnologia alienígena real — estava à mão. A análise seria liberada a qualquer momento. Essas afirmações remontam à primeira fraude dos discos acidentados de Newton e GeBauer. Já se passaram décadas, e ainda estamos esperando. Onde estão os artigos publicados na literatura científica autorizada, nos periódicos de metalurgia e cerâmica, nas publicações do Instituto dos Engenheiros Elétricos e Eletrônicos, em *Science* ou *Nature*?

Essa descoberta seria de grande importância. Se houvesse artefatos reais, os físicos e os químicos estariam lutando pelo privilégio de descobrir que há alienígenas entre nós — que usam, por exemplo, ligas desconhecidas ou materiais de resistência à ruptura, de ductilidade ou condutividade extraordinárias. As implicações práticas de uma descoberta dessas — independentemente da confirmação de uma invasão alienígena — seriam imensas. É por descobertas desse tipo que os cientistas procuram. A ausência delas deve nos dar uma dica.

Manter a mente aberta é uma virtude — mas, como o engenheiro espacial James Oberg disse certa vez, ela não pode ficar tão aberta a ponto de o cérebro cair para fora. Sem dúvida, devemos estar dispostos a mudar de opinião, quando autorizados por novas evidências. Mas estas devem ser fortes. Nem todas as afirmações têm igual mérito. Na maioria dos casos de raptos por alienígenas, o padrão de evidência é aproximadamente o mesmo dos casos da aparição da Virgem Maria na Espanha medieval.

O psicanalista pioneiro Carl Gustav Jung tinha muita coisa sensata a dizer sobre questões desse tipo. Ele afirmava explicitamente que os UFOs eram uma espécie de projeção do inconsciente. Numa discussão correlata sobre regressão e o que hoje em dia se chama "canalização", ele escreveu:

> Pode-se muito bem [...] tomar esses fenômenos simplesmente como um registro de fatos psicológicos ou como uma

série contínua de comunicações do inconsciente [...]. Eles têm essa característica em comum com os sonhos; pois os sonhos também são declarações sobre o inconsciente [...]. A presente situação contém motivos suficientes para esperarmos calados até que apareçam fenômenos físicos mais impressionantes. Se, depois de descontarmos a falsificação consciente e inconsciente, o autoengano, o preconceito etc., ainda acharmos algo positivo por trás de tudo isso, então as ciências exatas vão certamente conquistar esse campo pelo experimento e pela verificação, como aconteceu em toda outra área da experiência humana.

Sobre aqueles que aceitam esses testemunhos ao pé da letra, ele observou:

Essas pessoas não só têm insuficiência de pensamento crítico, mas também desconhecem as noções mais elementares de psicologia. No fundo, não querem aprender nada, mas simplesmente continuar a acreditar — sem dúvida a mais ingênua das presunções, em vista de nossas falhas humanas.

Talvez algum dia um caso de UFO ou de rapto por alienígenas seja bem testemunhado, acompanhado por evidências concretas convincentes, e somente explicável em termos de visitas extraterrestres. É difícil pensar numa descoberta mais importante. Até agora, entretanto, não houve casos assim, nada que chegasse perto disso. Até agora, o dragão invisível não deixou nenhuma pegada impossível de ser falsificada.

O que é, portanto, mais provável: que estamos sofrendo uma invasão maciça, mas em geral imperceptível, de alienígenas que cometem abusos sexuais, ou que as pessoas estão experimentando um estado mental que desconhecem e não compreendem? Reconhecidamente, somos muito ignorantes tanto em seres extraterrestres, se é que existem, como em psicologia humana. Mas, se essas são de fato as duas únicas alternativas, qual você escolheria?

E, se os relatos de raptos por alienígenas versam principalmente sobre a fisiologia do cérebro, alucinações, lembranças distorcidas da infância e embustes, não temos diante de nós uma questão de suprema importância — que diz respeito às nossas limitações, à facilidade com que podemos ser enganados e manipulados, à formação de nossas crenças, e talvez até às origens de nossas religiões? Há um tesouro científico genuíno nos UFOs e nos raptos por alienígenas — mas tem, a meu ver, um caráter nitidamente nativo e terrestre.

## 11. A CIDADE DAS AFLIÇÕES

> *Como são estranhas, ai de mim, as ruas da cidade das aflições.*
> Rainer Maria Rilke, "A décima elegia" (1923)

Um RESUMO DA ARGUMENTAÇÃO dos sete capítulos precedentes foi publicado na revista *Parade* em 7 de março de 1993. Fiquei impressionado com o número de cartas que suscitou, com as respostas apaixonadas e com a intensidade da dor associada a essa estranha experiência — seja qual for a sua verdadeira explicação. Os relatos de sequestros abrem uma janela inesperada na vida de alguns de nossos concidadãos. Alguns missivistas discutiram o tema, outros fizeram afirmações, uns arengaram, alguns se disseram francamente perplexos, outros profundamente perturbados.

O artigo também foi mal compreendido por muitos. O apresentador de um programa de entrevistas na televisão, Geraldo Rivera, exibiu um exemplar de *Parade* e anunciou que eu achava que estamos sendo visitados por alienígenas. Um crítico de fitas de vídeo do *Washington Post* afirmou que eu teria dito que há um sequestro a cada fração de minuto, deixando de perceber o tom irônico e a frase seguinte ("é surpreendente que tantos vizinhos nada perceberam"). A minha afirmação (capítulo 6) de que, em raras ocasiões, tenho a impressão de escutar as vozes de meus pais já falecidos — o que descrevi como "uma recordação lúcida" — foi interpretada por Raymond Moody, no *New Age Journal* e na introdução de seu livro *Reunions*, como prova de que "sobrevivemos" à morte. O dr. Moody passou a vida tentando encontrar provas de vida após a morte. Se vale a pena citar o meu testemunho, parece claro que ele não encontrou grande coisa. Muitos missivistas concluíram que eu devia "acreditar" em UFOs, por ter trabalhado com a possibilidade de vida extraterrestre; ou, inversamente, que, se não acreditava em UFOs, eu devia aceitar a ideia absurda de que os humanos são os únicos seres inteligentes no Universo. Há alguma coisa sobre esse tema que não contribui para a clareza de pensamento.

Sem mais comentários, eis uma amostragem representativa da correspondência que recebi sobre o assunto:

• Eu me pergunto como alguns de nossos companheiros animais descreveriam os seus contatos conosco. Eles veem um grande objeto pairando no ar e fazendo um barulho terrível acima de suas cabeças. Começam a correr e sentem uma dor aguda no flanco. De repente caem no chão [...]. Várias criaturas humanas se aproximam deles carregando instrumentos que parecem estranhos. Elas lhes examinam os órgãos sexuais e os dentes. Colocam uma rede sob o corpo deles, e com um estranho dispositivo fazem com que essa rede os transporte no ar. Após todos os exames, pregam um estranho objeto de metal na orelha deles. Depois, tão repentinamente como surgiram, desaparecem. Finalmente, o controle muscular retorna, e a pobre criatura desorientada sai cambaleando para a floresta, sem saber [se] o que acabou de acontecer foi pesadelo ou realidade.

• Sofri abuso sexual em criança. Durante minha recuperação, tenho atraído muitos "seres espaciais", e muitas vezes sinto que estou sendo subjugada, impedida de me levantar, e experimento a sensação de ter saído de meu corpo para flutuar pelo quarto. Nenhum dos relatos dos sequestrados é realmente surpresa para quem já lidou com questões de abuso sexual na infância [...]. Acredite-me, eu preferiria culpar um alienígena espacial pela violência a ter de enfrentar a verdade sobre o que aconteceu com os adultos em quem eu devia poder confiar. Alguns de meus amigos falam de suas lembranças, dando a entender que foram raptados por alienígenas, o que está me deixando louca... Não canso de lhes dizer que este papel é o de vítima maior, quando nós, como adultos, ficamos impotentes diante desses homenzinhos cinzentos que vêm ao nosso encontro durante o sono! Isso não é real. O papel de vítima maior é o que surge entre o pai violentador e o filho vitimizado.

• Não sei se essas pessoas são alguma espécie de demônio, nem se de fato não existem. Minha filha disse que lhe colocaram sensores no corpo, quando era pequena. Não sei [...]. Mantemos as portas trancadas e aferrolhadas, e tudo isso realmente me assusta. Não tenho dinheiro para mandá-la a um bom médico, e ela não pode trabalhar por causa dessas histórias [...]. Minha filha está escutando uma voz numa fita. Eles saem à noite, pegam as crianças e as violentam sexualmente. Se você não faz o que eles mandam, alguém na família será ferido. Quem em sã consciência faria mal a criancinhas? Eles sabem tudo o que se passa na casa [...]. Alguém falou que há muitos e muitos anos rogaram uma praga contra a nossa família. Se é verdade, como é que nos livramos dela? Sei que tudo isso parece estranho e bizarro, mas, acredite-me, é assustador.

• Quantas mulheres que sofreram a desgraça de ser estupradas tomaram a precaução de tirar a carteira de identidade de seu atacante, um retrato do estuprador, ou qualquer outra coisa que pudesse ser usada como prova do alegado estupro?

• Eu, por exemplo, vou passar a dormir com a minha polaroide daqui por diante, na esperança de que, na próxima vez em que for sequestrada, poderei providenciar a prova necessária [...]. Por que competiria aos raptados provar o que está acontecendo?

• Sou a prova viva do que Carl Sagan afirma sobre a possibilidade de os raptos por alienígenas ocorrerem nas mentes de pessoas que sofrem de paralisia no sono. Elas realmente acreditam que é verdade.

• No ano 2001 d.C., naves estelares dos 33 planetas da Confederação Interplanetária pousarão na Terra trazendo 33 mil Irmãos! Eles são professores e cientistas extraterrestres que ajudarão a expandir a nossa compreensão da vida interplanetária, visto que o nosso planeta Terra se tornará o 33º membro da Confederação!

• Essa arena é grotescamente desafiadora [...]. Estudei UFOs durante vinte anos. No final fiquei muito desiludido com o culto e com os grupos periféricos a ele.

• Sou uma avó de 47 anos que tem sido vítima desses fenômenos desde a primeira infância. Não aceito — nem jamais aceitei — as histórias ao pé da letra. Não afirmo — nem jamais afirmei — que compreendo o que são [...]. Aceitaria de bom grado um diagnóstico de esquizofrenia, ou de alguma outra patologia conhecida, em troca dessa incógnita [...]. Concordo plenamente que a ausência de evidências físicas é muito frustrante tanto para as vítimas como para os investigadores. Infelizmente, a busca dessa evidência se torna sobremaneira difícil pela forma como as vítimas são sequestradas. Frequentemente sou carregada de camisola (que é mais tarde retirada) ou já nua. Isso torna totalmente impossível esconder uma máquina fotográfica [...]. Tenho acordado com talhos profundos, feridas de perfurações, tecido escalavrado, olhos machucados, sangramento no nariz e nos ouvidos, queimaduras, além de marcas de dedos e contusões que persistem durante dias após o fato. Todos esses sinais foram examinados por médicos qualificados, mas nenhum foi satisfatoriamente explicado. Não tenho a tendência de me automutilar; não se trata de estigmas [...]. Por favor, compreenda que a maioria dos sequestrados afirma não ter sentido nenhum interesse anterior por UFOs (estou entre eles), não ter história de abusos sexuais na infância (estou entre eles), não ter desejo de publicidade ou notoriedade (estou entre eles), e, na realidade, ter feito de tudo para não reconhecer o seu envolvimento na história, chegando a assumir a possibilidade de um colapso nervoso ou qualquer outra desordem psicológica (estou entre eles). Certo, muitos dos que se dizem raptados (e contatados) buscam a publicidade para ganhar dinheiro ou para satisfazer sua necessidade de atenção. Eu seria a última pessoa a negar que essas pessoas existem. O que nego é que TODOS os sequestrados estejam imaginando ou falseando esses acontecimentos para satisfazer seus interesses pessoais.

• Os UFOs não existem. Acho que isso requer uma fonte de energia eterna, o que não existe [...]. Tenho falado com Jesus.

• O comentário na revista *Parade* é muito destrutivo, você sente prazer em assustar a sociedade, mas eu lhe peço que pense mais abertamente, porque os seres inteligentes do espaço existem, e eles são os nossos criadores [...]. Eu também fui raptado. Para ser honesto, esses seres queridos me fizeram mais bem que mal. Eles salvaram a minha vida [...]. O problema com os seres terrestres é que eles querem provas, provas e provas!

• Na Bíblia, fala-se de corpos terrestres e celestes. Isso não quer dizer que Deus esteja empenhado em abusar sexualmente das pessoas, nem que estejamos loucos.

• Já faz 27 anos que sou intensamente telepático. Eu não recebo — transmito [...]. As ondas estão vindo de algum lugar do espaço — irradiando por meio da minha cabeça e transmitindo pensamentos, palavras e imagens para a mente de qualquer um que esteja ao meu alcance [...]. Surgem na minha cabeça imagens que *eu ali não coloquei*, e com a mesma subitaneidade desaparecem. Os sonhos já não são sonhos — parecem antes produções de Hollywood [...]. Eles são criaturas inteligentes e não vão desistir [...]. O que esses homenzinhos querem é talvez apenas se comunicar [...]. Se eu acabar psicótico por causa de toda essa pressão — ou se tiver outro ataque do coração —, lá se vai a sua última evidência segura de que há vida no espaço.

• Acho que descobri uma explicação terrestre científica e plausível para vários registros de UFO. [O missivista discute a seguir o fogo de santelmo.] Se você gostar da minha matéria, poderia me ajudar a publicá-la?

• Sagan se recusa a levar a sério os testemunhos de qualquer coisa que a ciência do século XX não consegue explicar.

• Agora os leitores se sentirão livres para tratar os sequestrados [...] como se fossem vítimas de uma simples ilusão. Os raptados sofrem o mesmo tipo de trauma que a vítima de estupro tem de suportar, e o fato de suas experiências serem rejeitadas pelos que lhes são mais próximos é uma segunda vitimização que os deixa sem nenhum sistema de apoio. O encontro com alienígenas é uma experiência difícil de enfrentar; as vítimas não precisam de racionalização, mas de apoio.

• Meu amigo Frankie quer que eu traga de volta um cinzeiro ou uma caixa de fósforos, mas acho que esses visitantes são provavelmente inteligentes demais para fumar.

• Minha ideia é que os raptos por alienígenas não são mais do que uma sequência onírica extraída vicariamente das lembranças armazenadas na memória. Os homenzinhos verdes ou os discos voadores só existem nas imagens desses fenômenos já armazenadas em nossos cérebros.

• Quando pretensos cientistas conspiram para censurar e intimidar os que se empenham em oferecer novas hipóteses inteligentes sobre teorias convencionais [...] já não devem ser considerados cientistas, mas simplesmente os impostores inseguros e interesseiros que aparentam ser [...]. E, por sinal, devemos também supor que J. Edgar Hoover foi um excelente diretor do FBI, e não o que realmente era, o instrumento homossexual do crime organizado?

• A sua conclusão de que inúmeras pessoas neste país, talvez até 5 milhões, são vítimas de uma alucinação em massa idêntica é asinina.

• Graças à Suprema Corte [...] os Estados Unidos estão agora bem abertos às religiões pagãs orientais, sob a égide de Satã e seus demônios, por isso temos atualmente seres cinzentos de um metro e vinte de altura raptando os filhos da Terra e executando toda sorte de experimentos com os humanos, e esses seres estão sendo divulgados por aqueles que são excessivamente instruídos e deveriam saber o erro que estão cometendo [...]. A sua pergunta ["Estamos sendo visitados?"] não é nenhum problema para aqueles que *conhecem* a palavra de Deus, são cristãos renascidos e estão à procura do Redentor Celeste, que virá nos livrar deste mundo de pecado, doença, guerra, AIDS, crime, aborto, homossexualidade, doutrinação da Ordem-da-Nova-Era-e-do-Novo-Mundo, lavagem cerebral da mídia, perversão e subversão no governo, educação, negócios, finanças, sociedade, religião etc. Aqueles que rejeitam o Deus criador da Bíblia se deixam fatalmente enganar por esses contos de fadas que o seu artigo tenta divulgar como verdade.

• Se não há razão para se levar a sério a questão das visitas alienígenas, por que esse é o assunto mais confidencial do governo dos Estados Unidos?

• Talvez uma raça alienígena muito mais antiga, de um sistema estelar relativamente deficiente em metal, esteja procurando prolongar a sua existência invadindo um mundo melhor e mais jovem, e cruzando com os seus habitantes.

• Se eu gostasse de apostas, arriscaria que a sua caixa do correio vai se encher de histórias como a que acabei de contar.

Suspeito que o psiquismo [a psique] cria esses demônios e anjos, essas luzes e círculos como parte de nosso desenvolvimento. Fazem parte de nossa natureza.
- A ciência tornou-se a "mágica que funciona". Os ufologistas são hereges que devem ser excomungados ou queimados na fogueira.
- [Vários leitores escreveram para dizer que os alienígenas são demônios enviados por Satã, que tem o poder de toldar a nossa inteligência. Uma leitora propõe que o insidioso propósito de Satã é nos deixar preocupados com a invasão alienígena, de modo que, quando Jesus e seus anjos aparecerem sobre Jerusalém, ficaremos mais assustados do que alegres.] Espero que você não me rejeite [escreve ela], como mais uma louca religiosa. Sou bem normal e conhecida na minha pequena comunidade.
- O senhor está em posição de optar por uma das duas alternativas: conhecer os sequestros e acobertá-los, ou sentir que, por não ter sido raptado (talvez eles não estejam interessados no senhor), os sequestros não ocorrem.
- [Foi arquivado] um processo de traição contra o presidente e o Congresso dos Estados Unidos a respeito de um tratado assinado, no início dos anos 40, com alienígenas que mais tarde se revelaram hostis [...]. O tratado concordava em proteger o sigilo dos alienígenas em troca de parte de sua tecnologia [aeronaves secretas e fibra ótica, revela outro missivista].
- Alguns desses seres são capazes de interceptar o corpo espiritual quando ele está viajando.
- Estou me comunicando com um ser alienígena. Essa comunicação começou no início de 1992. Que mais posso dizer?
- Os alienígenas são capazes de se colocar um ou dois passos à frente do pensamento dos cientistas, e sabem deixar pistas insuficientes que satisfariam os tipos como Sagan, até a sociedade estar mais preparada mentalmente para enfrentar tudo isso [...]. Talvez você partilhe a visão de que seria demasiado traumático pensar no que está acontecendo em relação a UFOs e alienígenas, se os fenômenos fossem considerados reais. Entretanto [...] eles têm aparecido por aqui desde um passado de 5 mil-15 mil anos

ou mais, quando estiveram na Terra por longos períodos, gerando a mitologia dos deuses/deusas de todas as culturas. O fundamental é que durante todo esse tempo não se apoderaram da Terra; não nos sujeitaram, nem nos eliminaram.

• O *homo sapiens* foi geneticamente moldado, criado a princípio para ser o trabalhador substituto e o empregado doméstico dos SENHORES DO CÉU (DINGIRS/ELOHIM/ANUNNAKI).

• A explosão que as pessoas viram era do combustível de hidrogênio de uma nave estelar, a cena do pouso devia ser o norte da Califórnia [...]. As pessoas naquela nave estelar se pareciam com o sr. Spock da série de televisão *Jornada nas estrelas*.

• Sejam do século XV ou do século XX, uma linha comum une os relatos. Os indivíduos que sofreram trauma sexual têm grande dificuldade em compreender e vencer o trauma. Os termos usados para descrever as alucinações [resultantes] podem ser incoerentes e incompreensíveis.

• Descobrimos que não somos tão inteligentes como nos julgávamos, embora ainda sejamos obstinados e o orgulho seja o nosso maior pecado. E nem sequer sabemos que estamos sendo conduzidos a Armagedon. A estrela localizou uma única choupana, deslocou-se pelo céu levando os sábios àquela choupana, atemorizou os pastores com as palavras "Não temai". Sua luz era a glória de Deus proclamada por Ezequiel, a luz de Paulo que temporariamente o cegou [...]. Era a nave em que os homenzinhos levaram o velho Rip, os homenzinhos chamados duendes, gnomos, elfos, essas "criações" de criadores a quem são atribuídas tarefas específicas [...]. Os Povos de Deus ainda não estão preparados a se revelar para nós. Primeiro, Armagedon, e só então, depois de CONHECERMOS, poderemos partir sozinhos. Quando nos humilharmos, quando não os abatermos, Deus há de retornar.

• A resposta para esses alienígenas do espaço é simples. Ela está no ser humano. No ser humano que droga as pessoas. Nos hospícios em todo o país, há pessoas que não têm controle sobre suas emoções e seu comportamento. Para controlá-los, é-lhes dada uma variedade de drogas antipsicóticas [...]. Se você se droga com frequência [...] vai começar a ter o que é chamado de "esvaziamentos". Começarão a aparecer na sua mente lampejos de imagens em que pessoas de aparência estranha se aproximam de você. Isso o levará a procurar saber o que os alienígenas estavam fazendo com você. Você será um dos milhares de sequestrados por UFOs. As pessoas vão dizer que você é louco. A razão de você estar vendo essas estranhas criaturas é que a torazina distorce a visão de sua mente subconsciente [...]. O autor foi zombado, ridicularizado, sofreu ameaças contra a sua vida [por apresentar essas ideias].

• A hipnose prepara a mente para a invasão de demônios, diabos e homenzinhos cinzentos. Deus nos quer vestidos e com a cabeça no lugar [...] Qualquer coisa que os "homenzinhos cinzentos" podem fazer, Cristo faz melhor!

• Espero nunca me sentir tão superior a ponto de não poder reconhecer que a Criação não se limita a mim, mas abrange o Universo e todas as suas entidades.

• Em 1977, um ser celeste me falou de um dano à minha cabeça que aconteceu em 1968.

• [Uma carta de um homem que teve 24 contatos diferentes com] um veículo em forma de disco que sempre pairava silencioso, [e que em consequência] experimentei um desenvolvimento e amplificação constantes de funções mentais como a clarividência, a telepatia e a estimulação da energia da vida universal para fins de cura.

• Durante anos tenho visto "fantasmas" e conversado com eles, tenho sido visitado (embora ainda não sequestrado) por alienígenas, tenho visto cabeças tridimensionais flutuando ao redor da minha cama, tenho escutado pancadas na minha porta [...]. Essas experiências pareciam tão reais quanto a própria vida. Jamais pensei nelas como algo além do que elas certamente são: a minha mente pregando peças em si mesma.*

• Uma alucinação poderia explicar 99% dos casos, mas será capaz de explicar 100%?

---

* De uma carta recebida por *The Skeptical Inquirer*, cortesia de Kendrick Frazier.

- Os UFOs são [...] um tema de fantasia profunda que não tem NENHUMA BASE FACTUAL. Peço que não dê crédito a um embuste.
- O dr. Sagan trabalhou na comissão da Força Aérea que avaliou as investigações governamentais sobre os UFOs, e ainda quer que acreditemos que não existe nenhuma prova substancial de que eles existem. Por favor, explique então por que o governo precisava ser avaliado.
- Vou pressionar meu representante no Congresso para tentar cancelar o financiamento desse programa de procura de sinais alienígenas no espaço, porque seria um desperdício de dinheiro. Eles já estão entre nós.
- O governo gasta milhões de dólares dos impostos para pesquisar os UFOs. O projeto SETI (procura de inteligência extraterrestre) seria um desperdício de dinheiro, se o governo realmente acreditasse que os UFOs não existem. Estou pessoalmente entusiasmado com o projeto SETI, porque ele mostra que estamos indo na direção correta; procurando nos comunicar com os alienígenas, em vez de sermos observadores involuntários.
- Os súcubos, que identifiquei com estupro astral, ocorreram de 78 a 92. Foi muito difícil para uma católica que é moral e seriamente praticante, foi desmoralizante, desumanizador, e, bem literalmente, fizeram com que eu me preocupasse com a consequência física dos efeitos das doenças.
- Os povos do espaço estão chegando! Eles esperam salvar todos os que puderem, especialmente as crianças, que são as "sementes" da próxima geração da humanidade, junto com os pais, os avós e outros adultos que cooperarem, antes do futuro *grande* pico de manchas solares/planetas, que já se encontra logo além do horizonte. A Nave Espacial é visível todas as noites e está bem próxima para nos ajudar, quando os Grandes Clarões Solares se manifestarem, antes que comece a turbulência na atmosfera. O Deslocamento Polar deve acontecer agora, à medida que passa para a sua nova posição preparando-se para a Era de Aquário [...] [Os autores também me informam que estão] trabalhando com o Comando Ashtar, e que Jesus Cristo dá instru-

ções para os que estão a bordo. Muitos dignitários estão presentes, inclusive os arcanjos Miguel e Gabriel.

• Tenho grande experiência com o trabalho de energia terapêutica, que envolve remover padrões de bloqueio, cordas de memória negativas e implantes alienígenas dos corpos humanos e de seus campos energéticos circundantes. Meu trabalho é basicamente utilizado como um auxílio subordinado à psicoterapia. Meus clientes consistem em homens de negócios, donas de casa, artistas profissionais, terapeutas e crianças [...]. A energia alienígena é muito fluida, tanto dentro do corpo como depois de ser removida, e deve ser refreada assim que possível. Os bloqueios de energia ficam frequentemente trancados ao redor do coração ou numa formação triangular sobre os ombros.

• Depois de uma experiência dessas, não sei como eu poderia simplesmente me virar e voltar a dormir.

• Acredito em final feliz. Sempre acreditei. Depois de ter visto uma figura da altura do quarto, de cabelos loiros, brilhando como uma árvore de Natal acesa, pegando nos braços a criancinha ao nosso lado, como poderia deixar de acreditar? Eu compreendi a mensagem que a figura estava retransmitindo — para a criancinha —, e era sobre mim. Sempre tínhamos conversado. De que outro modo poderíamos suportar a vida — num lugar como este? [...] Estados mentais desconhecidos? Você põe o dedo na questão.

• Quem é *realmente* responsável por este planeta?

## 12. A ARTE REFINADA DE DETECTAR MENTIRAS

> *A compreensão humana não é um exame desinteressado, mas recebe infusões da vontade e dos afetos; disso se originam ciências que podem ser chamadas "ciências conforme a nossa vontade". Pois um homem acredita mais facilmente no que gostaria que fosse verdade. Assim, ele rejeita coisas difíceis pela impaciência de pesquisar; coisas sensatas, porque diminuem a esperança; as coisas mais profundas da natureza, por superstição; a luz da experiência, por arrogância e orgulho; coisas que não são comumente aceitas, por deferência à opinião do vulgo. Em suma, inúmeras são as maneiras, e às vezes imperceptíveis, pelas quais os afetos colorem e contaminam o entendimento.*
>
> Francis Bacon, *Novum organon* (1620)

**MEUS PAIS MORRERAM HÁ ANOS.** Eu era muito ligado a eles. Ainda sinto uma saudade terrível. Sei que sempre sentirei. Desejo acreditar que sua essência, suas personalidades, o que eu tanto amava neles, ainda existe — real e verdadeiramente — em algum lugar. Não pediria muito, apenas cinco ou dez minutos por ano, para lhes contar sobre os netos, pô-los ao corrente das últimas novidades, lembrar-lhes que eu os amo. Uma parte minha — por mais infantil que pareça — se pergunta como é que estarão. "Está tudo bem?", desejo perguntar. As últimas palavras que me vi dizendo a meu pai, na hora de sua morte, foram: "Tome cuidado".

Às vezes sonho que estou falando com meus pais, e de repente — ainda imerso na elaboração do sonho — sou tomado pela consciência esmagadora de que eles não morreram de verdade, de que tudo não passou de um erro horrível. Ora, ali estão eles, vivos e bem de saúde, meu pai fazendo piadas inteligentes, minha mãe muito séria me aconselhando a usar uma manta porque está frio. Quando acordo, passo de novo por um processo abreviado de luto. Evidentemente, existe algo dentro de mim que está pronto a acreditar na vida após a morte. E que não está nem um pouco interessado em saber se há alguma evidência séria que confirme tal coisa.

Por isso, não rio da mulher que visita o túmulo do marido e conversa com ele de vez em quando, talvez no aniversário de sua morte. Não é difícil de compreender. E se tenho dificuldades com o status ontológico daquele com que ela está falando, não faz mal. Não é isso que importa. O que importa é que os seres humanos são humanos. Mais de um terço dos adultos norte-americanos acreditam que em algum nível estabeleceram contato com os mortos. O número parece ter dado um pulo de 15% entre 1977 e 1988. Um quarto dos norte-americanos acredita em reencarnação.

Mas isso não significa que estou disposto a aceitar as pretensões de um "médium", que afirma canalizar os espíritos dos seres amados que partiram, quando tenho consciência de que a prática está cheia de fraudes. Sei o quanto desejo acreditar que meus pais só abandonaram os cascos de seus corpos, como insetos ou cobras na muda, e partiram para outro lugar. Compreendo que esses sentimentos poderiam me tornar uma presa fácil até de um trapaceiro pouco inteligente, de pessoas normais que desconhecem suas mentes inconscientes, ou dos que sofrem de uma desordem psiquiátrica dissociativa. Relutantemente, ponho em ação algumas reservas de ceticismo.

Como é, pergunto a mim mesmo, que os canalizadores nunca nos dão informações verificáveis que nos são inacessíveis por outros meios? Por que Alexandre, o Grande, nunca nos informa sobre a localização exata de sua tumba, Fermat sobre o seu último teorema, James Wilkes Booth sobre a conspiração do assassinato de Lincoln, Hermann Goering sobre o incêndio do Reichstag? Por que Sófocles, Demócrito e Aristarco não ditam as suas obras perdidas? Não querem que as gerações futuras conheçam as suas obras-primas?

Se fosse anunciada alguma evidência real de vida após a morte, desejaria muito examiná-la; mas teria de ser uma evidência real científica, e não simples anedota. Em casos como A Face em Marte e os raptos por alienígenas, eu diria que é melhor a verdade dura do que a fantasia consoladora. E, no cômputo final, revela-se frequentemente que os fatos são mais consoladores que a fantasia.

A premissa fundamental da "canalização", do espiritismo e de outras formas de necromancia é que não morremos quando experimentamos a morte. Não exatamente. Continua a existir alguma parte de nós que pensa, sente e tem memória. Seja o que for — alma ou espírito, nem matéria nem energia, mas alguma outra coisa —, essa parte pode entrar novamente em corpos humanos ou de outros seres, e assim a morte perde grande parte da sua ferroada. E ainda mais: se as afirmações do espírita ou canalizador são verdadeiras, temos uma oportunidade de entrar em contato com os seres amados que morreram.

J. Z. Knight, do estado de Washington, afirma estar em contato com um ser de 35 mil anos chamado Ramtha. Ele fala inglês muito bem, usando a língua, os lábios e as cordas vocais de Knight, com um sotaque que me parece ser hindu. Como a maioria das pessoas sabe como falar, e muitas — de crianças a atores profissionais — têm um repertório de vozes a seu dispor, a hipótese mais simples sugere que é a própria sra. Knight que faz Ramtha falar, e que ela não tem contato com entidades desencarnadas da época plistocena glacial. Se há provas em contrário, gostaria muito de conhecer. Seria consideravelmente mais impressionante se Ramtha pudesse falar por si mesmo, sem a ajuda da boca da sra. Knight. Isso não sendo possível, como podemos testar a afirmação? (A atriz Shirley MacLaine afirma que Ramtha foi seu irmão em Atlântida, mas isso já é outra história.)

Vamos supor que Ramtha pudesse ser interrogado. Poderíamos verificar se ele é quem afirma ser? Como é que ele sabe que viveu há 35 mil anos, mesmo aproximadamente? Que calendário emprega? Quem está tomando nota dos milênios intermediários? Trinta e cinco mil mais ou menos o quê? Como é que eram as coisas há 35 mil anos? Ou Ramtha tem realmente essa idade, e nesse caso vamos descobrir alguma coisa sobre esse período, ou é uma fraude e ele (ou melhor, ela) vai se trair.

Onde é que Ramtha vivia? (Sei que fala inglês com sotaque hindu, mas onde é que falavam assim há 35 mil anos?) Como era o clima? O que Ramtha comia? (Os arqueólogos têm alguma noção do que as pessoas comiam nessa época.) Quais eram as línguas autóctones, e qual era a estrutura social? Com quem mais Ramtha vivia — com a mulher, mulheres, filhos, netos? Qual era o ciclo da vida, a taxa de mortalidade infantil, a expectativa de vida? Eles tinham controle populacional? Que roupas vestiam? Como elas eram fabricadas? Quais os predadores mais perigosos? Os instrumentos e as estratégias da caça e da pesca? Armas? Sexismo endêmico? Xenofobia e etnocentrismo? E, se Ramtha descendia da "elevada civilização" de Atlântida, onde estão os detalhes linguísticos, tecnológicos, históricos e de outra natureza? Como era a sua escrita? Respondam. Em lugar disso, a única coisa que recebemos são homilias banais.

Para dar outro exemplo, eis um conjunto de informações que não foram canalizadas de um morto antigo, mas de entidades não humanas desconhecidas que fazem círculos nas plantações, assim como foi registrado pelo jornalista Jim Schnabel:

> Estamos muito ansiosos por essa nação pecadora estar espalhando mentiras sobre nós. Não viemos em máquinas, não pousamos na Terra em máquinas [...]. Viemos como o vento. Somos a Força Vital. A Força Vital do solo [...]. Viemos até aqui [...]. Estamos apenas a um sopro de distância [...] a um sopro de distância [...] não estamos a milhões de milhas de distância [...] uma Força Vital que é mais potente que as energias no corpo humano. Mas nós nos reunimos num nível mais elevado de vida [...]. Não precisamos de nome. Vivemos num mundo paralelo ao seu, ao lado do seu [...]. Os muros se romperam. Dois homens surgirão do passado [...] o grande urso [...] o mundo encontrará a paz.

As pessoas dão atenção a essas maravilhas pueris, principalmente porque elas prometem algo parecido com a religião dos velhos tempos, mas sobretudo a vida depois da morte, até a vida eterna.

O versátil cientista britânico J. B. S. Haldane, que foi, entre muitas outras coisas, um dos fundadores da genética populacional, propôs certa vez uma perspectiva muito diferente para algo semelhante à vida eterna. Haldane imaginava um futuro distante em que as estrelas se obscureceram e o espaço foi preenchido em sua maior parte por um gás frio e fino. Ainda assim, se esperarmos bastante tempo, ocorrerão flutuações estatísticas na densidade desse gás. Ao longo de imensos períodos, as flutuações serão o suficiente para reconstituir um Universo parecido com o nosso. Se o Universo é infinitamente antigo, haverá um número infinito dessas reconstituições, apontava Haldane.

Assim, num Universo infinitamente antigo com um número infinito de nascimentos de galáxias, estrelas, planetas e vida, deve reaparecer uma Terra idêntica em que você e todos os seus seres queridos voltarão a se reunir. Serei capaz de rever meus pais e apresentar-lhes os netos que eles não conheceram. E tudo isso não acontecerá apenas uma vez, mas um número infinito de vezes.

Entretanto, de certo modo isso não oferece os consolos da religião. Se nenhum de nós vai lembrar o que aconteceu *desta* vez, a época que o leitor e eu estamos partilhando, as satisfações da ressurreição do corpo, pelo menos aos meus ouvidos, soam ocas.

Mas nessa reflexão subestimei o que significa infinidade. Na imagem de Haldane, haverá universos, na verdade um número infinito de universos, em que nossas mentes recordarão perfeitamente todas as vidas anteriores. A satisfação está à mão — moderada, no entanto, pela ideia de todos esses outros universos que também passarão a existir (novamente, não uma vez, mas um número infinito de vezes) com tragédias e horrores que superam em muito qualquer coisa que já experimentei desta vez.

Entretanto, o Consolo de Haldane depende do tipo de universo em que vivemos, e talvez de arcanos, como, por exemplo, saber se há bastante matéria para finalmente reverter a expansão do universo, e o caráter das flutuações no vácuo. Ao que parece, aqueles que sentem um profundo desejo de vida após a morte poderiam se dedicar à cosmologia, à gravidade quântica, à física das partículas elementares e à aritmética transfinita.

Clemente de Alexandria, um dos padres da Igreja primitiva, em suas *Exortações aos gregos* (escritas em torno do ano 190), rejeitava as crenças pagãs em termos que pareceriam hoje em dia um pouco irônicos:

> Estamos realmente longe de permitir que os homens adultos deem ouvidos a essas histórias. Mesmo aos nossos filhos, quando eles berram de cortar o coração, como se diz, não temos o hábito de contar histórias fabulosas para acalmá-los.

Em nossa época, temos padrões menos severos. Contamos às crianças histórias sobre Papai Noel, o coelhinho da Páscoa e a fada do dente por razões que achamos emocionalmente sadias, mas depois, antes de crescerem, nós os desiludimos sobre esses mitos. Por que nos desdizemos? Porque o seu bem-estar como adultos depende de eles conhecerem o mundo tal como é. Nós nos preocupamos, e com razão, com os adultos que ainda acreditam em Papai Noel.

Sobre as religiões doutrinárias, escreveu o filósofo David Hume que

> os homens não ousam confessar, nem mesmo a seus corações, as dúvidas que têm a respeito desses assuntos. Eles valorizam a fé implícita; e disfarçam para si mesmos a sua real descrença, por meio das afirmações mais convictas e do fanatismo mais positivo.

Essa descrença tem consequências morais profundas, como escreveu o revolucionário americano Tom Paine em *The age of reason*:

A descrença não consiste em acreditar, nem em desacreditar; consiste em professar que se crê naquilo que não se crê. É impossível calcular o dano moral, se é que posso chamá-lo assim, que a mentira mental tem causado na sociedade. Quando o homem corrompeu e prostituiu de tal modo a castidade de sua mente, a ponto de empenhar a sua crença profissional em coisas que não acredita, ele está preparado para a execução de qualquer outro crime.

A formulação de T. H. Huxley foi:

O fundamento da moralidade é [...] renunciar a fingir que se acredita naquilo que não comporta evidências, e a repetir proposições ininteligíveis sobre coisas que estão além das possibilidades do conhecimento.

Clement, Hume, Paine e Huxley estavam todos falando de religião. Mas grande parte do que escreveram tem aplicações mais gerais — por exemplo, para as importunidades disseminadas no pano de fundo de nossa civilização comercial: há um tipo de comercial de aspirina em que atores fingindo ser médicos revelam que o produto do concorrente tem apenas determinada fração do ingrediente analgésico que os médicos mais recomendam — eles não dizem qual é o misterioso ingrediente. Enquanto o *seu* produto tem uma quantidade drasticamente maior (1,2 a duas vezes mais por comprimido). Por isso, comprem esse produto. Mas por que não tomar dois comprimidos do concorrente? Ou considere-se o caso do analgésico que funciona melhor do que o produto de "potência regular" do concorrente. Por que não tomar o produto de "potência extra" do outro fabricante? E eles certamente não falam nada sobre as mais de mil mortes por ano causadas pelo uso da aspirina nos Estados Unidos ou os aparentes 5 mil casos anuais de disfunção renal provocados pelo uso de acetaminofeno, de que a marca mais vendida é o Tylenol. (Isso, contudo, talvez represente um caso de correlação sem causalidade.) Ou quem se importa em saber quais os cereais que têm mais vitamina, quando podemos tomar uma pílula de vitamina no café da manhã? Da mesma forma, que importa saber que um antiácido contém cálcio, se o cálcio serve para a nutrição e é irrelevante para a gastrite? A cultura comercial está cheia de informações errôneas e subterfúgios semelhantes à custa do consumidor. Não se devem fazer perguntas. Não pensem. Comprem.

As explicações pagas de produtos, especialmente se feitas por verdadeiros ou pretensos especialistas, constituem uma saraivada constante de logros. Revelam menosprezo pela inteligência dos clientes. Criam uma corrupção insidiosa das atitudes populares a respeito da objetividade científica. Hoje, existem até comerciais em que cientistas reais, alguns de considerável distinção, atuam como garotos-propaganda para as empresas. Eles nos ensinam que também os cientistas mentem por dinheiro. Como alertou Tom Paine, o fato de nos acostumarmos com mentiras cria o fundamento para muitos outros males.

Enquanto escrevo, tenho diante de mim o programa da Whole Life Expo, a exposição anual da Nova Era realizada em San Francisco. É comumente visitada por dezenas de milhares de pessoas. Ali especialistas muito questionáveis fazem propaganda de produtos muito questionáveis. Eis algumas das apresentações: "Como proteínas presas no sangue produzem dor e sofrimento". "Cristais, talismãs ou pedras?" (Tenho a minha opinião.) Prossegue: "Assim como um cristal focaliza as ondas sonoras e luminosas para o rádio e a televisão" — o que é um erro insípido de quem não compreende como o rádio e a televisão funcionam —, "ele pode amplificar as vibrações espirituais para o ser humano afinado". Ou mais esta: "O retorno da deusa, um ritual de apresentação". Outra: "Sincronismo, a experiência do reconhecimento". Essa é fornecida pelo "irmão Charles". Ou, na página seguinte: "Você, Saint-Germain e a cura pela chama violeta". E assim continua, com milhares de anúncios sobre as "oportunidades" — percorrendo a gama estreita que vai do dúbio ao espúrio — que se acham à disposição na Whole Life Expo.

Algumas vítimas de câncer, perturbadas, fazem peregrinações às Filipinas, onde "cirurgiões mediúnicos", depois de esconder na palma da mão pedaços de fígado de galinha ou coração de bode, fingem tocar nas entranhas do paciente e retirar o tecido doente, que é então triunfantemente exibido. Certos líderes de democracias ocidentais consultam regularmente astrólogos e místicos antes de tomar decisões de Estado. Sob a pressão pública por resultados, a polícia, às voltas com um assassinato não solucionado ou um corpo desaparecido, consulta "especialistas" de ESP (percepção extrassensorial) (que nunca adivinham nada além do esperado pelo senso comum, mas a polícia, dizem os ESPs, continua a chamá-los). Anuncia-se a previsão de uma divergência com nações adversárias, e a CIA, estimulada pelo Congresso, gasta dinheiro dos impostos para descobrir se podemos localizar submarinos nas profundezas do oceano concentrando o pensamento neles. Um "médium" — usando pêndulos sobre mapas e varinhas rabdomânticas em aviões — finge descobrir novos depósitos minerais; uma companhia mineira australiana lhe adianta elevada soma de dólares, irrecuperável em caso de fracasso, garantindo-lhe uma participação na exploração do minério em caso de sucesso. Nada é descoberto. Algumas estátuas de Jesus ou murais de Maria ficam manchados de umidade, e milhares de pessoas bondosas se convencem de que testemunharam um milagre.

Todos esses são casos de mentiras provadas ou presumíveis. Acontece um logro, ora de forma inocente, mas com a colaboração dos envolvidos, ora com premeditação cínica. Em geral, a vítima se vê presa de forte emoção — admiração, medo, ganância, dor. A aceitação crédula da mentira talvez nos custe dinheiro; é o que P. T. Barnum apontou, ao afirmar: "Nasce um otário a cada minuto". Mas pode ser muito mais perigoso que isso, e quando os governos e as sociedades perdem a capacidade de pensar criticamente os resultados podem ser catastróficos — por mais que deploremos aqueles que engoliram a mentira.

Na ciência, podemos começar com resultados experimentais, dados, observações, medições, "fatos". Inventamos, se possível, um rico conjunto de explicações plausíveis e sistematicamente confrontamos cada explicação com os fatos. Ao longo de seu treinamento, os cientistas são equipados com um *kit* de detecção de mentiras. Este é ativado sempre que novas ideias são apresentadas para consideração. Se a nova ideia sobrevive ao exame das ferramentas do *kit*, nós lhe concedemos aceitação calorosa, ainda que experimental. Se possuímos essa tendência, se não desejamos engolir mentiras mesmo quando são confortadoras, há precauções que podem ser tomadas; existe um método testado pelo consumidor, experimentado e verdadeiro.

O que existe no *kit*? Ferramentas para o pensamento cético.

O pensamento cético se resume no meio de construir e compreender um argumento racional e — o que é especialmente importante — de reconhecer um argumento falacioso ou fraudulento. A questão não é se *gostamos* da conclusão que emerge de uma cadeia de raciocínio, mas se a conclusão *deriva* da premissa ou do ponto de partida e se essa premissa é verdadeira.

Eis algumas das ferramentas:

• Sempre que possível, deve haver confirmação independente dos "fatos".

• Devemos estimular um debate substantivo sobre as evidências, do qual participarão notórios partidários de todos os pontos de vista.

• Os argumentos de autoridade têm pouca importância — as "autoridades" cometeram erros no passado. Voltarão a cometê-los no futuro. Uma forma melhor de expressar essa ideia é talvez dizer que na ciência não existem autoridades; quando muito, há especialistas.

• Devemos considerar mais de uma hipótese. Se alguma coisa deve ser explicada, é preciso pensar em todas as maneiras diferentes pelas quais *poderia* ser explicada. Depois devemos pensar nos testes que poderiam servir para invalidar sistematicamente cada uma das alternativas. O que sobreviver, a hipótese que resistir a todas as refutações nessa seleção darwiniana entre as "múltiplas hipóteses eficazes", tem uma chance muito melhor de ser a resposta correta do que se tivéssemos simplesmente adotado a primeira ideia que prendeu nossa imaginação.*

---

* Esse é um problema que afeta os júris. Estudos retrospectivos mostram que

- Devemos tentar não ficar demasiado ligados a uma hipótese, só por ser a nossa. É apenas uma estação intermediária na busca do conhecimento. Devemos nos perguntar por que a ideia nos agrada. Devemos compará-la imparcialmente com as alternativas. Devemos verificar se é possível encontrar razões para rejeitá-la. Se não, outros o farão.
- Devemos quantificar. Se o que estiver sendo explicado é passível de medição, de ser relacionado a alguma quantidade numérica, seremos muito mais capazes de discriminar entre as hipóteses concorrentes. O que é vago e qualitativo é suscetível de muitas explicações. Há certamente verdades a serem buscadas nas muitas questões qualitativas que somos obrigados a enfrentar, mas encontrá-las é mais desafiador.
- Se há uma cadeia de argumentos, *todos* os elos na cadeia devem funcionar (inclusive a premissa) — e não apenas a maioria deles.
- A Navalha de Occam. Essa maneira prática e conveniente de proceder nos incita a escolher a mais simples dentre duas hipóteses que explicam os dados com *igual eficiência*.
- Devemos sempre perguntar se a hipótese pode ser, pelo menos em princípio, falseada. As proposições que não podem ser testadas ou falseadas não valem grande coisa. Considere-se a ideia grandiosa de que o nosso Universo e tudo o que nele existe é apenas uma partícula elementar — um elétron, por exemplo — num Cosmos muito maior. Mas, se nunca obtemos informações de fora de nosso Universo, essa ideia não se torna impossível de ser refutada? Devemos poder verificar as afirmativas. Os céticos inveterados devem ter a oportunidade de seguir o nosso raciocínio, copiar os nossos experimentos e ver se chegam ao mesmo resultado.

A confiança em experimentos cuidadosamente planejados e controlados é de suma importância, como tentei enfatizar an-

---

alguns jurados tomam a sua decisão muito cedo — talvez durante a argumentação de abertura; depois guardam na memória as provas que parecem sustentar suas impressões iniciais e rejeitam as contrárias. O método das hipóteses eficazes alternativas não está em funcionamento nas suas cabeças.

tes. Não aprenderemos com a simples contemplação. É tentador ficar satisfeitos com a primeira explicação possível que passa pelas nossas cabeças. Uma é muito melhor que nenhuma. Mas o que acontece se podemos inventar várias? Como decidir entre elas? Não decidimos. Deixamos que a experimentação faça as escolhas para nós. Francis Bacon indicou a razão clássica: "A argumentação não é suficiente para a descoberta de novos trabalhos, pois a sutileza da natureza é muitas vezes maior do que a sutileza dos argumentos".

Os experimentos de controle são essenciais. Por exemplo, se alegam que um novo remédio cura uma doença em 20% dos casos, temos de nos assegurar se uma população de controle, ao tomar um placebo pensando que ingere a nova droga, também não experimenta cura espontânea da doença em 20% das vezes.

As variáveis devem ser separadas. Vamos supor que nos sentimos mareados, e nos dão uma pulseira que pressiona os pontos indicados pela acupuntura e cinquenta miligramas de meclizina. Descobrimos que o mal-estar desaparece. O que causou o alívio — a pulseira ou a pílula? Só ficaremos sabendo se tomarmos uma sem usar a outra, na próxima vez em que ficarmos mareados. Agora vamos imaginar que não somos tão dedicados à ciência a ponto de querer ficar mareados. Nesse caso, não separamos as variáveis. Tomamos os dois remédios de novo. Conseguimos o resultado prático desejado; aprofundar o conhecimento, poderíamos dizer, não vale o desconforto de atingi-lo.

Frequentemente o experimento deve ser realizado pelo método "duplo-cego", para que aqueles que aguardam uma certa descoberta não fiquem na posição potencialmente comprometedora de avaliar os resultados. Ao testar um novo remédio, por exemplo, queremos que os médicos que determinam os sintomas a serem mitigados não fiquem sabendo a que pacientes foi ministrada a nova droga. O conhecimento poderia influenciar a sua decisão, ainda que inconscientemente. Em vez disso, a lista dos que sentiram alívio dos sintomas pode ser comparada com a dos que tomaram a nova droga, cada uma determinada independentemente. Só então podemos estabelecer a correlação existente. Ou, ao comandar uma identificação policial pelo reconhecimento de fotos ou dos suspeitos enfileirados, o oficial encarregado não deveria saber quem é o principal suspeito, para não influenciar a testemunha consciente ou inconscientemente.

Além de nos ensinar o que fazer na hora de avaliar uma afirmação, qualquer bom *kit* de detecção de mentiras deve também nos ensinar o que *não* fazer. Ele nos ajuda a reconhecer as falácias mais comuns e mais perigosas da lógica e da retórica. Muitos bons exemplos podem ser encontrados na religião e na política, porque seus profissionais são frequentemente obrigados a justificar duas proposições contraditórias. Entre essas falácias estão:

• *ad hominem* — expressão latina que significa "ao homem", quando atacamos o argumentador e não o argumento (por exemplo: *A reverenda dra. Smith é uma conhecida fundamentalista bíblica, por isso não precisamos levar a sério suas objeções à evolução*);

• argumento de autoridade (por exemplo: *O presidente Richard Nixon deve ser reeleito porque ele tem um plano secreto para pôr fim à guerra no Sudeste da Ásia* — mas, como era secreto, o eleitorado não tinha meios de avaliar os méritos do plano; o argumento se reduzia a confiar em Nixon porque ele era o presidente: um erro, como se veio a saber);

• argumento das consequências adversas (por exemplo: *Deve existir um Deus que confere castigo e recompensa, porque, se não existisse, a sociedade seria muito mais desordenada e perigosa — talvez até ingovernável.*\* Ou: *O réu de um caso de homicídio amplamente divulgado pelos meios de comunicação deve ser julgado culpado; do contrário, será um estímulo para os outros homens matarem as suas mulheres*);

---

\* Uma formulação mais cínica feita pelo historiador romano Políbio: "Como as massas são inconstantes, presas de desejos rebeldes, apaixonadas e sem temor pelas consequências, é preciso incutir-lhes medo para que se mantenham em ordem. Por isso, os antigos fizeram muito bem ao inventar os deuses e a crença no castigo depois da morte".

• apelo à ignorância — a afirmação de que qualquer coisa que não provou ser falsa deve ser verdade, e vice-versa (por exemplo: *Não há evidência convincente de que os* UFOs *não estejam visitando a Terra; portanto, os* UFOs *existem — e há vida inteligente em outros lugares no Universo*. Ou: *Talvez haja setenta quasilhões de outros mundos, mas não se conhece nenhum que tenha o progresso moral da Terra, por isso ainda somos o centro do Universo*). Essa impaciência com a ambiguidade pode ser criticada pela expressão: a ausência de evidência não é evidência da ausência;

• alegação especial, frequentemente para salvar uma proposição em profunda dificuldade teórica (por exemplo: *Como um Deus misericordioso pode condenar as gerações futuras a um tormento interminável, só porque, contra as suas ordens, uma mulher induziu um homem a comer uma maçã?* Alegação especial: *Você não compreende a doutrina sutil do livre-arbítrio*. Ou: *Como pode haver um Pai, um Filho e um Espírito Santo igualmente divinos na mesma Pessoa?* Alegação especial: *Você não compreende o mistério da Santíssima Trindade*. Ou: *Como Deus permitiu que os seguidores do judaísmo, cristianismo e islamismo — cada um comprometido a seu modo com medidas heroicas de bondade e compaixão — tenham perpetrado tanta crueldade durante tanto tempo?* Alegação especial: *Mais uma vez você não compreende o livre-arbítrio. E, de qualquer modo, os movimentos de Deus são misteriosos*);

• petição de princípio, também chamada de supor a resposta (por exemplo: *Devemos instituir a pena de morte para desencorajar o crime violento*. Mas a taxa de crimes violentos realmente cai quando é imposta a pena de morte? Ou: *A bolsa de valores caiu ontem por causa de um ajuste técnico e da realização de lucros por parte dos investidores*. Mas há alguma evidência *independente* do papel causal do "ajuste" e da realização de lucros? Aprendemos realmente alguma coisa com essa pretensa explicação?);

• seleção das observações, também chamada de enumeração das circunstâncias favoráveis, ou, segundo a descrição do filósofo Francis Bacon, contar os acertos e esquecer os fracassos*

---

* Meu exemplo favorito é a história que se conta sobre o físico italiano En-

(por exemplo: *Um Estado se vangloria do presidente que gerou, mas se cala sobre os seus assassinos que matam em série*);

• estatística dos números pequenos — falácia aparentada com a seleção das observações (por exemplo: "*Dizem que uma dentre cada cinco pessoas é chinesa. Como é possível? Conheço centenas de pessoas, e nenhuma delas é chinesa. Atenciosamente*". Ou: *Tirei três setes seguidos. Hoje à noite não tenho como perder*).

• compreensão errônea da natureza da estatística (por exemplo: *O presidente Dwight Eisenhower expressando espanto e apreensão ao descobrir que metade de todos os norte-americanos tem inteligência abaixo da média*);

• incoerência (por exemplo: *Prepare-se prudentemente para enfrentar o pior na luta com um potencial adversário militar, mas ignore parcimoniosamente projeções científicas sobre perigos ambientais, porque elas não são "comprovadas"*. Ou: *Atribua a diminuição da expectativa de vida na antiga União Soviética aos fracassos do comunismo há muitos anos, mas nunca atribua a alta taxa de mortali-

---

rico Fermi, recém-chegado às praias norte-americanas, membro do Projeto Manhattan de armas nucleares, e tendo de se defrontar com chefes de esquadra norte-americanos no meio da Segunda Guerra Mundial.

— Fulano de tal é um grande general — disseram-lhe.

— Qual é a definição de um grande general? — perguntou Fermi na sua maneira característica.

— Acho que é um general que ganhou muitas batalhas consecutivas.

— Quantas?

Depois de alguma hesitação, decidiram-se por cinco.

— Quantos dos generais norte-americanos são grandes generais?

Depois de mais alguma hesitação, decidiram-se por uma pequena porcentagem.

— Mas imaginem — replicou Fermi — que não exista isso que vocês chamam de grande general, que todos os exércitos tenham forças iguais, e que vencer uma batalha seja uma simples questão de sorte. Nesse caso, a probabilidade de vencer uma batalha é de uma em duas, ou 1/2; duas batalhas, 1/4; três, 1/8; quatro, 1/16; e cinco batalhas consecutivas, 1/32 — o que é mais ou menos 3%. Vocês *esperam* que uma pequena porcentagem dos generais norte-americanos ganhe cinco batalhas consecutivas — por uma simples questão de sorte. Agora, algum deles já ganhou *dez* batalhas consecutivas...?

*dade infantil nos Estados Unidos (no momento, a taxa mais alta das principais nações industriais) aos fracassos do capitalismo.* Ou: *Considere razoável que o Universo continue a existir para sempre no futuro, mas julgue absurda a possibilidade de que ele tenha duração infinita no passado)*;

• *non sequitur* — expressão latina que significa "não se segue" (por exemplo: *A nossa nação prevalecerá, porque Deus é grande*. Mas quase todas as nações querem que isso seja verdade; a formulação alemã era "Gott mit uns"). Com frequência, os que caem na falácia *non sequitur* deixaram simplesmente de reconhecer as possibilidades alternativas;

• *post hoc, ergo propter hoc* — expressão latina que significa "aconteceu após um fato, logo foi por ele causado" (por exemplo, Jaime Cardinal Sin, arcebispo de Manila: "*Conheço* [...] *uma moça de 26 anos que aparenta sessenta porque ela toma a pílula* [*anticoncepcional*]". Ou: *Antes de as mulheres terem o direito de votar, não havia armas nucleares)*;

• pergunta sem sentido (por exemplo: *O que acontece quando uma força irresistível encontra um objeto imóvel?* Mas se existe uma força irresistível, não pode haver objetos imóveis, e vice-versa);

• exclusão do meio-termo, ou dicotomia falsa — considerando apenas os dois extremos num *continuum* de possibilidades intermediárias (por exemplo: *Claro, tome o partido dele; meu marido é perfeito; eu estou sempre errada.* Ou: *Ame o seu país ou odeie-o.* Ou: *Se você não é parte da solução, é parte do problema)*;

• curto prazo *versus* longo prazo — um subconjunto da exclusão do meio-termo, mas tão importante que o separei para lhe dar atenção especial (por exemplo: *Não temos dinheiro para financiar programas que alimentem crianças mal nutridas e eduquem garotos em idade pré-escolar. Precisamos urgentemente tratar do crime nas ruas.* Ou: *Por que explorar o espaço ou fazer pesquisa de ciência básica, quando temos tantas pessoas sem teto?)*;

• declive escorregadio, relacionado à exclusão do meio-termo (por exemplo: *Se permitirmos o aborto nas primeiras semanas da gravidez, será impossível evitar o assassinato de um bebê no final da gravidez.* Ou, inversamente: *Se o Estado proíbe o aborto até no nono*

*mês, logo estará nos dizendo o que fazer com os nossos corpos no momento da concepção*);
• confusão de correlação e causa (por exemplo: *Um levantamento mostra que é maior o número de homossexuais entre os que têm curso superior do que entre os que não o possuem; portanto, a educação torna as pessoas homossexuais.* Ou: *Os terremotos andinos estão correlacionados com as maiores aproximações do planeta Urano; portanto* — apesar da ausência de uma correlação desse tipo com respeito ao planeta Júpiter, mais próximo e mais volumoso — *o planeta Urano é a causa dos terremotos*);*
• espantalho — caricaturar uma posição para tornar mais fácil o ataque (por exemplo: *Os cientistas supõem que os seres vivos simplesmente se reuniram por acaso* — uma formulação que ignora propositadamente a ideia darwiniana central, de que a natureza se constrói guardando o que funciona e jogando fora o que não funciona. Ou — isso é também uma falácia de curto prazo/ longo prazo — *os ambientalistas se importam mais com anhingas e corujas pintadas do que com gente*);
• evidência suprimida, ou meia verdade (por exemplo: *Uma "profecia" espantosamente exata e muito citada do atentado contra o presidente Reagan é apresentada na televisão*; mas — detalhe importante — foi gravada antes ou depois do evento? Ou: *Esses abusos do governo pedem uma revolução, mesmo que não se possa fazer uma omelete sem quebrar alguns ovos.* Sim, mas será uma revolução que causará muito mais mortes do que o regime anterior? O que sugere a experiência de outras revoluções? Todas

---

\* Ou: As crianças que assistem a programas violentos na televisão tendem a ser mais violentas na vida adulta. Mas a TV causou a violência, ou crianças violentas preferem assistir a programas violentos? Muito provavelmente, as duas coisas. Os defensores comerciais da violência na TV argumentam que qualquer um sabe distinguir entre a televisão e a realidade. Mas os programas infantis das manhãs de sábado têm hoje em dia uma média de 25 atos de violência por hora. No mínimo, isso torna as crianças insensíveis à agressão e à crueldade gratuita. E, se podemos implantar falsas lembranças nos cérebros de adultos impressionáveis, o que não estamos implantando em nossos filhos, quando os expomos a uns 100 mil atos de violência antes de terminarem a escola primária?

as revoluções contra regimes opressivos são desejáveis e vantajosas para o povo?);

• palavras equívocas (por exemplo, a separação dos poderes na Constituição norte-americana especifica que os Estados Unidos não podem travar guerra sem uma declaração do Congresso. Por outro lado, os presidentes detêm o controle da política externa e o comando das guerras, que são potencialmente ferramentas poderosas para que sejam reeleitos. Portanto, os presidentes de qualquer partido político podem ficar tentados a arrumar disputas, enquanto desfraldam a bandeira e dão outros nomes às guerras — "ações policiais", "incursões armadas", "ataques de reação protetores", "pacificação", "salvaguarda dos interesses norte-americanos" e uma enorme variedade de "operações", como a "Operação da Causa Justa". Os eufemismos para a guerra são um dos itens de uma ampla categoria de reinvenções da linguagem para fins políticos. Talleyrand disse: "Uma arte importante dos políticos é encontrar novos nomes para instituições que com seus nomes antigos se tornaram odiosas para o público").

Conhecer a existência dessas falácias lógicas e retóricas completa o nosso conjunto de ferramentas. Como todos os instrumentos, o *kit* de detecção de mentiras pode ser mal-empregado, aplicado fora do contexto, ou até usado como uma alternativa mecânica para o pensamento. Mas, aplicado judiciosamente, pode fazer toda a diferença do mundo — ao menos para avaliar os nossos próprios argumentos antes de os apresentarmos aos outros.

A indústria do tabaco norte-americana fatura cerca de 50 bilhões de dólares por ano. Há uma correlação estatística entre o fumo e o câncer, admite a indústria do fumo, mas não existe, dizem, uma relação causal. Uma falácia lógica está sendo cometida, é o que afirmam. O que significa tudo isso? Talvez as pessoas com predisposições hereditárias para contrair câncer tenham predisposições hereditárias para drogas que viciam — assim, poderia haver uma correlação entre o câncer e o fumo, mas aquele não seria causado por este. Podem-se inventar conexões desse tipo, cada vez mais forçadas. Essa é exatamente uma das razões por que a ciência insiste em fazer experimentos de controle.

Vamos supor que se pintassem as costas de um grande número de camundongos com alcatrão de cigarro, e que também se observasse a saúde de um número quase idêntico de camundongos que não foram pintados. Se os primeiros contraem câncer e os segundos não, pode-se ter bastante certeza de que a correlação é causal. Trague a fumaça de tabaco, e a chance de contrair câncer aumenta; não trague, e a taxa permanece no nível básico. O mesmo vale para o enfisema, a bronquite e as doenças cardiovasculares.

Quando, em 1953, se publicou a primeira obra na literatura científica mostrando que as substâncias presentes na fumaça do cigarro, quando espargidas nas costas de roedores, produzem tumores malignos, a reação das seis maiores companhias de tabaco foi começar uma campanha de relações públicas para impugnar a pesquisa, patrocinada pela Fundação Sloan Kettering. Uma reação semelhante à da Du Pont Corporation, quando em 1974 foi publicada a primeira pesquisa mostrando que seu produto Freon ataca a camada protetora de ozônio. Há muitos outros exemplos.

É de se pensar que, antes de denunciar descobertas científicas indesejadas, as principais companhias deveriam empregar os seus consideráveis recursos para verificar a segurança dos produtos que se propõem fabricar. E, se perdessem algo, se cientistas independentes sugerissem um perigo, por que as companhias se oporiam? Prefeririam matar pessoas a perder lucros? Se, nesse mundo incerto, um erro precisa ser cometido, ele não deveria ter o objetivo de proteger os clientes e o público? E, por outro lado, o que esses casos revelam sobre a capacidade de o sistema de livre empresa policiar a si mesmo? Não são exemplos em que a interferência do governo é claramente a favor do interesse público?

Um relatório interno da Brown and Williamson Tobacco Corporation, de 1971, lista como objetivo da companhia "afastar das mentes de milhões a falsa convicção de que fumar cigarros causa câncer de pulmão e outras doenças; uma convicção baseada em pressupostos fanáticos, rumores falaciosos, afirmações sem fundamento e declarações não científicas de oportunistas que buscam notoriedade". Eles se queixam do

> ataque incrível, sem precedentes e abominável contra o cigarro, constituindo o maior libelo e a maior difamação já perpetrados contra um produto na história da livre empresa; um libelo criminoso de tão grandes proporções e implicações que é de se perguntar como essa cruzada de calúnias pode se acomodar sob a Constituição pode ser tão desrespeitada e violada [*sic*].

Essa retórica é apenas um pouco mais inflamada do que a das declarações que a indústria de tabaco emite de tempos em tempos para consumo público.

Há muitas marcas de cigarros que anunciam baixo nível de alcatrão (dez miligramas ou menos por cigarro). Por que isso é uma virtude? Porque é no alcatrão refratário que os hidrocarbonetos aromáticos policíclicos e algumas outras substâncias cancerígenas se concentram. As propagandas que enfatizam baixos teores de alcatrão não são uma admissão tácita das companhias de tabaco de que os cigarros realmente causam câncer?

A Healthy Building International é uma organização lucrativa, que recebe há anos milhões de dólares da indústria do fumo. Ela realiza pesquisas sobre fumo passivo, e presta declarações para as companhias de tabaco. Em 1994, três de seus técnicos reclamaram que altos executivos teriam falsificado dados sobre partículas de cigarro inaláveis no ar. Em todos os casos, os dados inventados ou "corrigidos" faziam a fumaça de cigarro parecer mais segura do que as medições dos técnicos haviam indicado. Os departamentos de pesquisa da companhia ou as firmas do ramo contratadas já descobriram alguma vez que um produto é mais perigoso do que a empresa de tabaco declarou publicamente? Em caso positivo, mantiveram o emprego?

O tabaco vicia; segundo muitos critérios, ainda mais do que a heroína e a cocaína. Havia uma razão para as pessoas "caminharem uma milha por um Camel", como diziam os anúncios da década de 40. Já morreram mais pessoas por causa do fumo do que em toda a Segunda Guerra Mundial. Segundo a Organização Mundial de Saúde, o fumo mata 3 milhões de pessoas por ano em todo o mundo. Esse número vai chegar a 10 milhões de mortes por ano em 2020 — em parte devido a uma grande campanha publicitária que pinta o tabagismo como um hábito avançado e elegante para as jovens mulheres do mundo em desenvolvimento. É em parte por causa da falta disseminada de conhecimento sobre a detecção de mentiras, o pensamento crítico e o método científico que a indústria de tabaco consegue ser o fornecedor bem-sucedido dessa mistura de venenos que viciam. A credulidade mata.

# 13. OBCECADO PELA REALIDADE

*Um proprietário de navios estava prestes a mandar para o mar um navio de emigrantes. Ele sabia que o navio estava velho, e nem fora muito bem construído; que vira muitos mares e climas, e com frequência necessitara de reparos. Dúvidas de que possivelmente não estivesse em condições de navegar lhe haviam sido sugeridas. Essas dúvidas lhe oprimiam a mente e o deixavam infeliz. Ele chegou a pensar que o navio talvez tivesse de ser totalmente examinado e reequipado, ainda que isso lhe custasse grandes despesas. No entanto, antes que a embarcação partisse, conseguiu superar essas reflexões melancólicas. Disse para si mesmo que o navio passara por muitas viagens e resistira a muitas tempestades em segurança, que era infundado supor que não voltaria a salvo também dessa viagem. Ele confiaria na Providência, que não podia deixar de proteger todas essas famílias infelizes que estavam abandonando a sua terra natal em busca de dias melhores em outro lugar. Tiraria de sua cabeça todas as suspeitas mesquinhas sobre a honestidade dos construtores e empreiteiros. Dessa forma, ele adquiriu uma convicção sincera e confortável de que o seu navio era totalmente seguro e capaz de resistir às intempéries; assistiu à sua partida de coração leve e cheio de votos bondosos para o sucesso dos exilados naquele que seria o seu estranho novo lar; e embolsou o dinheiro do seguro, quando o navio afundou no meio do oceano, sem contar histórias a ninguém.*

*O que devemos dizer desse homem? Sem dúvida, o seguinte: que ele foi de fato culpado da morte desses homens. Admite-se que ele acreditava sinceramente nas boas condições de seu navio; mas a sinceridade de sua convicção não o ajuda de modo algum, porque* ele não tinha o direito de acreditar na evidência que estava diante de si. *Não adquirira a sua opinião conquistando-a honestamente pela investigação paciente, mas reprimindo as suas dúvidas...*

William K. Clifford, *The ethics of belief* (1874)

NAS FRONTEIRAS DA CIÊNCIA — e às vezes como um resto de pensamento pré-científico — move-se furtivamente uma série de ideias que são atraentes, ou pelo menos causam um modesto espanto na mente, mas que não têm sido examinadas com cuidado pelo *kit* de detecção de mentiras, ao menos pelos seus defensores: por exemplo, a noção de que a superfície da Terra está no interior de uma esfera, e não no exterior; ou as afirmações de que é possível levitar meditando, e de que os bailarinos e os jogadores de basquete costumam se elevar tão alto por meio da levitação; ou a proposição de que eu tenho uma coisa chamada alma, que não é feita nem de matéria, nem de energia, mas de algo diferente que não comporta nenhuma outra evidência, e de que depois da minha morte eu talvez volte para animar uma vaca ou um verme.

Produtos típicos da pseudociência e da superstição — essa não é uma lista abrangente, mas apenas representativa — são a astrologia; o Triângulo das Bermudas; o Pé Grande e o monstro do lago Ness; os fantasmas; o "mau-olhado"; as "auras" multicoloridas, semelhantes a halos, que supostamente circundam a cabeça de todas as pessoas (as cores são personalizadas); a percepção extrassensorial (ESP), o que inclui a telepatia, a precognição, a telecinesia e a "visão remota" de lugares distantes; a crença de que 13 é um número de "azar" (razão pela qual muitos hotéis e edifícios comerciais na América do Norte passam diretamente do 12º para o 14º andar — por que correr o risco?); estátuas que sangram; a convicção de que andar com uma pata de coelho traz boa sorte; as varinhas divinatórias, a rabdomancia e a hidroscopia; a "comunicação facilitada" no autismo; a crença de que as lâminas de barbear ficam mais afiadas quando mantidas dentro de pequenas pirâmides de papelão, e outros dogmas da "piramidologia"; os telefonemas dos mortos (nenhum deles a cobrar); as profecias de Nostradamus; a alegada descoberta de que platelmintos não treinados conseguem aprender uma tarefa comendo os restos moídos de outros platelmintos mais bem-educados; a noção de que o número de crimes aumenta com a lua cheia; a quiromancia; a numerologia; a poligrafia; os cometas, as folhas do chá e os partos de seres "monstruosos" como prodígios que anunciam eventos futuros (além de divinações correntes em épocas mais primitivas, realizadas pela observação das entranhas, da fumaça, das formas das chamas, das sombras e dos excrementos; pela escuta de estômagos borbulhantes e até, durante um breve período, pelo exame das tábuas de logaritmos); a "fotografia" de eventos passados, como a crucificação de Jesus; um elefante russo que fala fluentemente; "sensitivos" que, depois de terem os olhos cuidadosamente vendados, leem livros com as pontas dos dedos; Edgar Cayce (que predisse que, nos anos 60, o continente "perdido" de Atlântida "apareceria") e outros "profetas", adormecidos e acordados; a charlatanice das dietas; as experiências fora do corpo (por exemplo, a quase morte) interpretadas como acontecimentos reais no mundo externo; a fraude dos que curam pela fé; as mesas Ouija; a vida emocional dos gerânios, revelada pelo uso intrépido de um "detector de mentiras"; a água que recorda as moléculas que costumavam ser nela dissolvidas; a leitura do caráter pelas feições faciais ou pelos galos na cabeça; a confusão do "centésimo macaco" e outras afirmações que confirmam tudo o que uma pequena fração de nossa espécie quer que seja verdade; os seres humanos que se incendeiam espontaneamente e são queimados; grande parte dos biorritmos; as máquinas de movimento perpétuo, que prometem suprimentos ilimitados de energia (mas, por uma ou outra razão, são mantidas à distância do exame cuidadoso de um cético); as predições sistematicamente ineptas de Jeane Dixon (que em 1953 "predisse" uma invasão soviética do Irã, e em 1965 que a URSS venceria os Estados Unidos, colocando o primeiro ser humano sobre a Lua\*) e de outros "médiuns" profissionais; a predição das Testemunhas de Jeová de que o mundo terminaria em 1917, e muitas profecias semelhantes; a dianética e a cientologia; Carlos Castañeda e a

---

\* Violando as regras para os "oráculos e magos", formuladas por Thomas Ady em 1656: "Em assuntos duvidosos, eles davam respostas duvidosas [...]. Quando havia probabilidades mais seguras, eles davam respostas mais seguras".

"feitiçaria"; as afirmações de que foram encontrados os restos da arca de Noé; o "Horror de Amityville" e outras assombrações; e os relatos de que um pequeno brontossauro anda esmagando as árvores da floresta tropical da República do Congo no presente. [Uma discussão em profundidade de muitas dessas afirmações pode ser encontrada em *Encyclopedia of the paranormal*, Gordon Stein, ed., Buffalo, Prometheus Books, 1996.]

Muitas dessas doutrinas são logo rejeitadas pelos cristãos fundamentalistas e pelos judeus, porque a Bíblia assim o prescreve. O Deuteronômio (18: 10,11) diz:

Não se ache no meio de ti quem faça passar pelo fogo seu filho ou sua filha, nem quem se dê à adivinhação, à astrologia, aos agouros, ao feiticismo, à magia, ao espiritismo, à adivinhação ou à evocação dos mortos...

A astrologia, a canalização, as mesas Ouija, a predição do futuro e muitas coisas mais são proibidas. O autor do Deuteronômio não afirma que essas práticas deixem de cumprir o que prometem. Mas são "abominações" — talvez adequadas para outras nações, mas não para os discípulos de Deus. E até o apóstolo Paulo, tão crédulo a respeito de muitas questões, nos aconselha a "comprovar todas as coisas".

O filósofo judeu do século XII Moisés Maimônides vai ainda além do Deuteronômio, na medida em que deixa explícito que essas pseudociências não funcionam:

É proibido se envolver com astrologia, utilizar talismãs, sussurrar sortilégios [...]. Todas essas práticas nada mais são do que mentiras e logros usados pelos antigos pagãos para enganar as massas e desviá-las do bom caminho [...]. Os sábios e inteligentes têm mais discernimento. [De *Mishneh Torah*, *Avodah Zara*, capítulo 11.]

Algumas afirmações são difíceis de verificar — por exemplo, se uma expedição não consegue encontrar o fantasma ou o brontossauro, isso não significa que ele não existe. A ausência de evidência não é evidência de ausência. Outras são mais fáceis — por exemplo, o aprendizado canibalesco dos platelmintos ou a declaração de que, submetidas a um antibiótico num prato de ágar, as colônias de bactérias vingam se alguém reza pela sua prosperidade (em comparação a bactérias de controle não redimidas por orações). Algumas — por exemplo, as máquinas de movimento perpétuo — podem ser excluídas com base na física fundamental. À exceção desses casos, não é que saibamos, *antes* de examinar a evidência, que as noções são falsas; coisas mais estranhas são rotineiramente integradas no corpo da ciência.

Como sempre, a questão é: qual é o valor da evidência? O ônus da prova recai com certeza sobre os ombros daqueles que propõem as afirmações. Reveladoramente, alguns deles sustentam que o ceticismo é um perigo, que a ciência verdadeira é uma investigação *sem* ceticismo. Talvez estejam parcialmente certos. Mas certezas parciais não bastam.

A parapsicóloga Susan Blackmore descreve um dos passos da sua transformação no sentido de adotar uma atitude mais cética a respeito de fenômenos "mediúnicos":

> A mãe e a filha escocesas afirmavam que conseguiam captar imagens mentais uma da outra. Decidiram usar cartas de baralho para os testes, porque era o que estavam acostumadas a fazer em casa. Deixei que escolhessem a sala em que seriam testadas e me assegurei de que não houvesse nenhuma maneira normal de a "receptora" ver as cartas. Fracassaram. Não conseguiram acertar mais do que o previsível pelo acaso, e ficaram muito desapontadas. Tinham honestamente acreditado que possuíam esse poder, e comecei a compreender como é fácil ser enganado pelo próprio desejo de acreditar.
>
> Tive experiências semelhantes com vários rabdomantes, com crianças que diziam poder mover os objetos psicocineticamente, e com várias pessoas que afirmavam ter poderes telepáticos. Todos fracassaram. Até hoje ainda tenho na minha cozinha um número de cinco dígitos, uma palavra e um

pequeno objeto. O lugar e os itens foram escolhidos por um jovem que diz poder "vê-los", enquanto viaja fora do corpo. Eles já estão ali (embora eu os mude regularmente de lugar) há três anos. Até agora, entretanto, ele não teve sucesso.

"Telepatia" refere-se literalmente a sentir à distância — assim como "telefone" a escutar à distância e "televisão" a ver à distância. A palavra não sugere a comunicação de pensamentos, mas de sentimentos, emoções. Cerca de um quarto de todos os norte-americanos acreditam que experimentaram algo parecido com a telepatia. As pessoas que se conhecem muito bem, que vivem juntas, que estão acostumadas com a intensidade dos sentimentos, com as associações e com os estilos de pensar umas das outras, podem frequentemente prever o que o parceiro vai dizer. Isso nada mais é do que os cinco sentidos habituais mais empatia, sensibilidade e inteligência humana em operação. Pode parecer extrassensorial, mas não é de modo algum o que se quer dizer com a palavra "telepatia". Se algo desse tipo fosse algum dia definitivamente demonstrado, teria, acho eu, causas físicas discerníveis — talvez correntes elétricas no cérebro. A pseudociência, correta ou erradamente rotulada, não é de forma nenhuma o mesmo que o sobrenatural, que é por definição algo fora da natureza.

É muito pequena a possibilidade de que algumas dessas afirmações paranormais sejam um dia verificadas por sólidos dados científicos. Mas seria tolice aceitar qualquer uma delas sem evidências adequadas. No espírito dos dragões na garagem, é muito melhor, para as afirmações que ainda não foram refutadas ou apropriadamente explicadas, conter a nossa impaciência, nutrir certa tolerância em relação à ambiguidade, e esperar — ou, ainda melhor, procurar — a evidência que as confirme ou conteste.

*Numa terra distante nos mares do Sul, começou a circular a notícia de um sábio, um homem que curava doenças, um espírito encarnado. Ele podia falar através do tempo. Era um mestre ascenso. Ele estava vindo, diziam. Ele estava vindo...*

Em 1988, os jornais, as revistas e as estações de televisão começaram a receber a boa nova por meio de *kits* da imprensa e videoteipes. Uma folha volante dizia:

CARLOS
EM BREVE NA AUSTRÁLIA

Aqueles que o viram jamais esquecerão. O jovem e brilhante artista que lhes falava de repente parece vacilar, o seu pulso diminui de forma perigosa e virtualmente se detém no ponto da morte. O assessor médico qualificado, que tem a tarefa de exercer uma vigilância constante, está prestes a soar o alarme.

Mas nesse momento, com uma explosão de fazer bater o coração, sente-se o pulso de novo — mais rápido e mais forte do que nunca. A força vital claramente voltou ao corpo — mas a entidade dentro do corpo já não é Jose Luis Alvarez, o jovem de dezenove anos cuja original cerâmica decorativa é destaque em algumas das casas mais ricas da América do Norte. Em seu lugar, o corpo foi assumido por Carlos, uma alma antiga, cujos ensinamentos constituem tanto um choque como uma inspiração. Um ser passa por uma espécie de morte para dar lugar a outro; esse é o fenômeno que tornou Carlos, canalizado por meio de Jose Luis Alvarez, a nova figura dominante na consciência da Nova Era. Como disse até um crítico cético de Nova York: "O primeiro e único caso de um canalizador que apresenta provas físicas tangíveis de alguma mudança misteriosa em sua fisiologia humana".

Agora Jose, que já passou por mais de 170 dessas pequenas mortes e transformações, recebeu ordens de Carlos para visitar a Austrália — nas palavras do Mestre, "a antiga terra nova" que deve ser a fonte de uma revelação especial. Carlos já previu que, em 1988, muitas catástrofes vão assolar a Terra, dois importantes líderes mundiais morrerão e, mais para o fim do ano, os australianos estarão entre os primeiros a ver o nascimento de uma grande estrela que terá profunda influência sobre a vida futura na Terra.

DOMINGO 21
15:00
ÓPERA
TEATRO DRAMÁTICO

Num acidente de motocicleta em 1986, explicava o *kit* da imprensa, Jose Alvarez — então com dezessete anos — sofreu uma concussão leve. Depois de sua recuperação, aqueles que o conheciam podiam ver que ele tinha mudado. Às vezes emanava dele uma voz muito diferente. Desnorteado, Alvarez procurou a ajuda de um psicoterapeuta, um especialista em desordens de múltipla personalidade. O psiquiatra "descobriu que Jose estava canalizando uma entidade distinta que era conhecida como Carlos. Essa entidade assume o corpo de Alvarez quando a força vital do corpo é relaxada até o grau apropriado". Carlos, veio a se saber, é um espírito desencarnado de 2 mil anos, um fantasma sem forma corpórea, que invadiu pela última vez um corpo humano em Caracas, Venezuela, em 1900. Infelizmente, esse corpo morreu com a idade de doze anos devido a uma queda de cavalo. Essa pode ser a razão, explicou o terapeuta, de Carlos ter sido capaz de entrar no corpo de Alvarez depois do acidente de motocicleta. Quando Alvarez entra em transe, o espírito de Carlos, focalizado por um grande e raro cristal, assume o corpo e profere a sabedoria das eras.

Junto com o *kit* da imprensa, vinham uma lista das principais apresentações em cidades norte-americanas, um videoteipe da tumultuada recepção dada a Alvarez/Carlos num teatro da Broadway, a sua entrevista na estação de rádio WOOP de Nova York, e outras indicações de que ali estava um formidável fenômeno norte-americano da Nova Era. Dois pequenos detalhes comprovadores. Um artigo de um jornal do sul da Flórida afirmava: "NOTA DO TEATRO: A temporada de três dias do canalizador Carlos foi prorrogada no Auditório do Memorial da Guerra

[...] em resposta aos pedidos de novas apresentações". E um trecho extraído de um guia de programas de televisão listava um especial sobre "A ENTIDADE CARLOS: Esse estudo em profundidade revela os fatos por trás de uma das personalidades mais populares e controversas da atualidade".

Alvarez e seu empresário chegaram a Sydney na primeira classe de Qantas. Viajaram por toda parte numa enorme limusine branca. Ocuparam a suíte presidencial num dos hotéis mais prestigiados da cidade. Alvarez trajava uma elegante bata branca com um medalhão dourado. Na primeira entrevista concedida à imprensa, Carlos imediatamente apareceu. A entidade era vigorosa, instruída, dominadora. Os programas de televisão australianos logo se candidataram a apresentações de Alvarez, com seu empresário e seu enfermeiro (para checar o pulso e anunciar a presença de Carlos).

No *Today show* da Austrália, eles foram entrevistados pelo apresentador George Negus. Quando Negus fez algumas perguntas céticas e racionais, os adeptos da Nova Era mostraram-se muito sensíveis. Carlos lançou uma maldição contra o apresentador. O empresário encharcou Negus com um copo de água. Ambos se retiraram altivamente do local da entrevista. Foi um escândalo na imprensa sensacionalista, e repercutiu sob várias formas na televisão australiana. "Explosão na TV: água contra Negus", era a manchete da primeira página do *Daily Mirror* em 16 de fevereiro de 1988. As estações de televisão foram inundadas de telefonemas. Um cidadão de Sydney avisou que a maldição contra Negus deveria ser levada a sério: o exército de Satã já assumira o controle das Nações Unidas, dizia ele, e a Austrália poderia ser a próxima vítima.

A aparição seguinte de Carlos se deu na versão australiana de *A current affair*. Também compareceu ao programa um cético que descreveu um truque mágico capaz de causar uma breve parada do pulso numa das mãos: é só colocar uma bola de borracha sob a axila e apertá-la. Quando a autenticidade de Carlos foi questionada, ele ficou ofendido: "Esta entrevista está terminada!", berrou.

No dia marcado, o Teatro Dramático da Ópera de Sydney estava quase lotado. Uma multidão excitada, de jovens e velhos, movia-se expectante. A entrada era franca — o que tranquilizava aqueles que se perguntavam vagamente se o espetáculo não poderia ser uma fraude. Alvarez sentou-se num sofá baixo. Seu pulso foi monitorado. De repente, parou. Aparentemente, ele estava perto da morte. Ruídos baixos e guturais emergiam de suas profundezas. A plateia estava boquiaberta de admiração e terror. De repente, o corpo de Alvarez adquiriu força. Sua postura irradiava confiança. Uma perspectiva ampla, humanitária e espiritual fluiu da boca de Alvarez. Carlos estava presente! Entrevistados mais tarde, muitos membros da plateia confessaram ter ficado comovidos e encantados.

No domingo seguinte, o programa mais popular da TV australiana — chamado *Sixty minutes* em alusão a seu equivalente norte-americano — revelava que o caso Carlos era uma brincadeira, do começo ao fim. Os produtores acharam que seria instrutivo verificar com que facilidade se poderia criar um guru ou um curandeiro da fé para enganar o público e a mídia. Assim, naturalmente, eles entraram em contato com um dos principais especialistas em enganar o público (pelo menos, entre os que não detêm cargos políticos, nem os assessoram) — o mágico James Randi.


"[C]omo há muitas desordens que se curam por si mesmas, e como existe nos homens uma predisposição para enganar a si próprios e uns aos outros", escreveu Benjamin Franklin em 1784,

> ... e como a vida longa me deu frequentes oportunidades de ver certos remédios serem apregoados como capazes de curar qualquer coisa, para pouco depois serem totalmente abandonados como inúteis, não posso deixar de temer que a expectativa de grandes vantagens em relação a esse novo método de tratar doenças se revelará uma ilusão. Em alguns casos, entretanto, essa ilusão pode ser útil enquanto dura.

Ele estava se referindo ao mesmerismo. Mas "cada época tem a sua loucura peculiar".

Ao contrário de Franklin, a maioria dos cientistas sente que não lhes cabe desmascarar fraudes pseudocientíficas — muito menos autoenganos apaixonadamente alimentados. Tampouco tendem a ser bons nisso. Os cientistas estão acostumados a lutar com a natureza, que pode relutar em entregar os seus segredos, mas trava uma luta limpa. Frequentemente, não estão preparados para enfrentar esses profissionais inescrupulosos do "paranormal" que obedecem a regras diferentes. Por outro lado, os mágicos atuam no negócio dos enganos. Praticam uma das muitas ocupações — como desempenho teatral, publicidade, religião burocrática e política — em que se tolera, por estar a serviço de um bem mais elevado, aquilo que um observador ingênuo poderia entender erroneamente como mentira. Muitos mágicos dizem que não trapaceiam, fazendo alusões a poderes conferidos por fontes místicas ou, mais recentemente, por generosidade alienígena. Alguns usam seu conhecimento para desmascarar charlatães dentro e fora de suas fileiras. Contrata-se um ladrão para apanhar o ladrão.

Poucos respondem a esse desafio com tanta energia quanto James "O Incrível" Randi, que se autodescreve acuradamente como um homem zangado. O que lhe provoca a ira não é tanto a sobrevivência, até os nossos dias, do misticismo e da superstição antediluvianos, mas o fato de a aceitação acrítica do misticismo e da superstição contribuir para que se trapaceie, humilhe e às vezes até se mate. Como todos nós, ele é imperfeito: às vezes Randi é intolerante e arrogante, incapaz de empatia para com as fraquezas humanas que estão por baixo da credulidade. Em geral é pago pelas suas palestras e apresentações, mas nada que se compare ao que poderia receber se declarasse que seus truques provêm de poderes mediúnicos ou de influências divinas ou extraterrestres. (A maioria dos magos profissionais, em todo o mundo, parece acreditar na realidade dos fenômenos mediúnicos — segundo pesquisas de opinião.) Como mago, ele já fez muito para desmascarar pessoas que alegam poder ver à distância, curar pela fé e ser "telepáticos", e que desse modo têm enganado o público. Demonstrou os logros simples e as informações erradas que os entortadores de colher mediúnicos empregam para levar teóricos da física de renome a inferir novos fenômenos físicos. Randi tem boa reputação entre a maioria dos cientistas, e recebeu a bolsa prêmio (apelidada de "gênio") da Fundação MacArthur. Um crítico o repreendeu por ser "obcecado pela verdade". Gostaria que o mesmo pudesse ser dito de nossa nação e de nossa espécie.

Nos últimos tempos, Randi tem contribuído mais do que qualquer outra pessoa para desmascarar a pretensão e a fraude no lucrativo negócio da cura pela fé. Ele examina cuidadosamente os refugos. Reporta os boatos. Intercepta a corrente de informações "miraculosas" que chega ao curandeiro itinerante — não pela inspiração espiritual de Deus, mas pela frequência de rádio de 39,17 megahertz, transmitida pela esposa nos bastidores.* Descobre que todos aqueles que se levantam de suas cadeiras de roda e são declarados curados nunca estiveram confinados em cadeiras de roda — foram convidados por um funcionário a sentar-se nelas. Desafia os que curam pela fé a apresentar evidências médicas sérias para validar as suas afirmações. Convida os órgãos do governo local e federal a aplicar as leis contra a fraude e a imperícia médica. Critica os programas de notícias por evitarem estudadamente a questão. Revela o profundo menosprezo dos que curam pela fé para com seus pacientes e seguidores. Muitos são charlatães conscientes — usando a linguagem e os símbolos da Nova Era ou dos cristãos evangélicos para explorar a fraqueza humana. Talvez haja alguns que não tenham motivos venais.

Ou estou sendo muito duro? Qual é a diferença entre o charlatão ocasional que cura pela fé e a fraude ocasional na ciência?

---

* Seus agentes tinham entrevistado os pacientes crédulos apenas uma ou duas horas antes. Como, a não ser com o auxílio de Deus, o pregador poderia conhecer os sintomas e os endereços dos pacientes? Essa fraude de Peter Popoff, cristão fundamentalista que cura pela fé, foi desmascarada por Randi e recebeu um tratamento ficcional superficial no filme *Leap of faith*, de 1993.

É justo suspeitar de toda uma profissão por causa de algumas maçãs podres? Há pelo menos duas diferenças importantes, a meu ver. Primeiro, ninguém duvida de que a ciência realmente funcione, mesmo que de tempos em tempos sejam propostas teses erradas e fraudulentas. Mas é muito controversa a existência de *alguma* cura "miraculosa" pela fé que extrapole a capacidade curativa do próprio corpo. Segundo, a revelação da fraude e do erro na ciência é feita quase exclusivamente por ela mesma. A disciplina se policia — o que significa que os cientistas estão conscientes do potencial de charlatanismo e erros. Mas o desmascaramento da fraude e do erro na cura "milagrosa" quase nunca é feito pelos que curam pela fé. Na verdade, é impressionante como as igrejas e as sinagogas relutam em condenar os enganos demonstráveis no seu meio.

Quando a medicina convencional fracassa, quando temos de nos confrontar com a dor e a morte, é claro que estamos abertos a outras perspectivas que mantenham a esperança. E, afinal, algumas doenças são psicogênicas. Muitas podem ser pelo menos amenizadas pelo pensamento positivo. Os placebos são imitação de drogas, em geral pílulas de açúcar. As companhias de medicamentos comparam rotineiramente a eficácia de suas drogas com placebos, ministrados a pacientes que têm a mesma doença e não sabem distinguir umas dos outros. Estes podem ser espantosamente eficientes, sobretudo para gripes, ansiedade, depressão, dor e sintomas que podem ser gerados pela mente. É concebível que as endorfinas — as pequenas proteínas do cérebro que têm efeitos semelhantes aos da morfina — possam ser produzidas pela convicção. Um placebo só funciona se o paciente acredita que é um remédio eficaz. Dentro de limites restritos, a esperança, ao que parece, pode ser transformada em bioquímica.

Como exemplo típico, considerem-se a náusea e o vômito que com frequência acompanham a quimioterapia ministrada a pacientes de câncer e AIDS. A náusea e o vômito também podem ser causados psicogeneticamente — por exemplo, pelo medo. A droga hidrocloreto de ondansetron reduz bastante a incidência desses sintomas; mas será realmente a droga ou a expectativa de alívio? Num estudo duplamente cego, 96% dos pacientes acharam a droga eficaz. A mesma opinião de 10% dos pacientes que tomaram um placebo que se parecia com a droga.

Numa aplicação da falácia de selecionar as observações, as orações não atendidas tendem a ser esquecidas ou abandonadas. Mas há um ônus real: alguns dos pacientes que não são curados pela fé se acusam — talvez a culpa seja deles mesmos, talvez não tenham acreditado bastante. O ceticismo, informam-lhes corretamente, é um impedimento tanto para a fé como para a cura (pelo placebo).

Quase a metade de todos os norte-americanos acredita que a cura espiritual ou mediúnica é uma realidade. Durante toda a história humana, as curas miraculosas têm sido associadas a uma ampla variedade de seres, reais e imaginados, que têm o dom de curar. A escrófula, um tipo de tuberculose, era chamada na Inglaterra de o "mal do rei", e supostamente só era curável pelo toque da mão do rei. As vítimas pacientemente formavam filas para ser tocadas; o monarca submetia-se durante breves instantes a mais uma obrigação penosa de seu alto cargo, e — apesar de ninguém, ao que parece, ser realmente curado — a prática continuou por séculos.

Valentine Greatraks foi um famoso curandeiro irlandês do século VII. Descobriu, um pouco para sua surpresa, que tinha o poder de curar doenças, inclusive gripes, úlceras, "pisaduras" e epilepsia. A procura por seus serviços se tornou tão grande que ele não tinha tempo para nada mais. Fora *forçado* a se tornar curandeiro, queixava-se. Seu método era expulsar os demônios responsáveis pela doença. Todos os males, afirmava, eram causados por espíritos maus — muitos dos quais ele reconhecia e chamava pelo nome. Um cronista contemporâneo, citado por Mackay, anotava que

> ele se vangloriava de ter mais familiaridade com as intrigas dos demônios do que com os negócios dos homens [...]. Tão grande era a confiança que inspirava que os cegos fantasiavam estar vendo a luz que não viam — os surdos imaginavam

estar escutando —, os coxos acreditavam que estavam caminhando direito e os paralíticos que tinham recuperado o controle de seus membros. Uma ideia de saúde fazia os doentes esquecerem por algum tempo seus males; e a imaginação, que não era menos ativa naqueles meramente atraídos pela curiosidade do que nos doentes, dava a um dos grupos uma falsa visão, gerada pelo desejo de ver, assim como operava no outro uma falsa cura, gerada pelo forte desejo de ser curado.

Na literatura mundial de exploração e antropologia, há inúmeros relatos não só de doenças que são curadas pela fé no curandeiro, mas também de pessoas que definham e morrem quando amaldiçoadas por um feiticeiro. Um exemplo mais ou menos típico é dado por Alvar Nuñez Cabeza de Vaca, que com alguns companheiros e sob condições de terrível privação errou por terra e mar, da Flórida ao Texas e ao México, em 1528-36. As diversas comunidades de norte-americanos nativos com que ele entrou em contato ansiavam por acreditar nos poderes curativos sobrenaturais dos estrangeiros diferentes de pele clara e barba escura e de seu companheiro de pele escura do Marrocos, Estebanico. Vilas inteiras acabaram indo ao encontro deles, para depositar toda a sua riqueza aos pés dos espanhóis e implorar humildemente curas. Tudo começou de modo bastante modesto:

> [E]les tentavam nos transformar em médicos, sem nos examinar, nem pedir credenciais, pois eles curam as doenças soprando no paciente [...] e eles nos mandavam fazer o mesmo e ser de alguma forma úteis [...]. O nosso modo de curar era fazer o sinal da cruz sobre eles, soprar neles e recitar um padre-nosso e uma ave-maria [...]. [A]ssim que fazíamos o sinal da cruz sobre eles, todos aqueles para quem rezávamos diziam aos outros que estavam bem e saudáveis...

Logo estavam curando aleijados. Cabeza de Vaca relata que ressuscitou um homem dentre os mortos. Depois disso, ficávamos muito tolhidos pelo grande número de pessoas que nos seguiam [...] sua ânsia por chegar perto e nos tocar era muito grande, e sua insistência tão extrema que levávamos mais de três horas para persuadi-los a nos deixar em paz.

Quando uma tribo pediu que os espanhóis não a abandonassem, Cabeza de Vaca e seus companheiros se zangaram. Então,

aconteceu algo estranho [...]. [M]uitos deles ficaram doentes, e oito homens morreram no dia seguinte. Por toda parte, nos lugares em que correu a notícia desse episódio, eles demonstravam tanto pavor de nós que pareciam quase morrer de medo pelo simples fato de nos ver.

Eles nos imploravam para que não ficássemos zangados, nem desejássemos a morte de mais nenhum deles; e estavam totalmente convencidos de que os matávamos pelo simples ato de desejar.

Em 1858, uma aparição da Virgem Maria foi relatada em Lourdes, França; a Mãe de Deus confirmou o dogma de sua imaculada conceição que fora proclamado pelo papa Pio IX havia somente quatro anos. Centenas de milhões de pessoas têm ido a Lourdes desde então na esperança de ser curadas, muitas com doenças que a medicina da época era incapaz de tratar. A Igreja católica romana rejeitou a autenticidade de um grande número de pretensas curas milagrosas, aceitando em quase um século e meio apenas 65 (de tumores, tuberculose, oftalmia, bronquite, paralisia e outras doenças, mas nenhuma regeneração de membro ou de medula espinhal rompida). Nos 65 casos, o número de mulheres superava o de homens numa proporção de dez para um. Portanto, a probabilidade de cura em Lourdes é de cerca de uma em 1 milhão; é mais ou menos tão provável ser curado em Lourdes quanto ganhar na loteria, ou morrer no acidente de um avião de linha regular e selecionado ao acaso — inclusive o que se destina a Lourdes.

A taxa de regressão espontânea de todos os cânceres, em conjunto, é estimada entre uma em 10 mil e uma em 100 mil. Se apenas 5% dos que vão a Lourdes ali estivessem para tratar de seus cânceres, deveria haver entre cinquenta e quinhentas curas "miraculosas" só de câncer. Como apenas três das 65 curas autenticadas são de câncer, a taxa de regressão espontânea em Lourdes parece ser inferior à que existiria se as vítimas tivessem simplesmente ficado em casa. É claro que, se você é um dos 65 casos, vai ser muito difícil convencê-lo de que a viagem a Lourdes não foi a causa da regressão de sua doença... *Post hoc, ergo propter hoc*. Algo semelhante parece valer para os indivíduos que curam doenças.

Depois de ouvir muitas histórias de seus pacientes sobre alegadas curas pela fé, um médico de Minnesota chamado William Nolen passou um ano e meio tentando rastrear os casos mais notáveis. Havia claras evidências médicas de que a doença realmente existia antes da "cura"? Em caso positivo, a doença *realmente* desaparecera depois da cura, ou tínhamos que nos fiar apenas nas afirmações do paciente e daquele que o curou? Ele revelou muitos casos de fraude, tendo inclusive desmascarado pela primeira vez na América do Norte uma "cirurgia mediúnica". Mas não encontrou nenhum caso de cura de uma doença orgânica séria (não psicogênica). Não havia nenhum caso de cura de pedras na vesícula ou artrite reumatoide, por exemplo, muito menos de câncer ou doença cardiovascular. Quando o baço de uma criança é partido, observou Nolen, basta fazer uma simples operação cirúrgica, e a criança se recupera totalmente. Mas se levarem a criança a alguém que cura pela fé, ela morre em um dia. A conclusão do dr. Nolen: "Quando os que curam [pela fé] tratam de doenças orgânicas graves, são responsáveis por incalculáveis angústias e infelicidade [...]. Os curandeiros transformam-se em assassinos".

Mesmo um livro recente que defende a eficácia da reza no tratamento de doenças (Larry Dossey, *Healing words*) se vê em dificuldades pelo fato de algumas serem mais facilmente curadas ou amenizadas do que outras. Se a reza funciona, por que Deus não consegue curar o câncer ou repor um membro amputado?

Por que tanto sofrimento evitável, que Deus poderia impedir com facilidade? E, afinal, por que se tem que rezar a Deus? Ele já não sabe as curas que precisam ser realizadas? Dossey também começa com uma citação do médico Stanley Krippner (apresentado como "um dos investigadores mais autorizados dos vários métodos de cura não ortodoxos empregados em todo o mundo"): "[O]s dados da pesquisa sobre curas à distância, baseadas em orações, são promissores, mas demasiado esparsos para que se possa tirar uma conclusão sólida". Isso depois de trilhões de orações ao longo dos milênios.

Como sugere a experiência de Cabeza de Vaca, a mente pode *causar* certos males, até doenças fatais. Quando pacientes de olhos vendados são induzidos a acreditar que estão sendo tocados por uma folha de trepadeira ou arbusto venenosos, desenvolvem uma dermatite de contato feia e vermelha. A cura pela fé pode caracteristicamente ajudar esse tipo de doenças placebo ou mediadas pela mente: algumas dores nas costas e nos joelhos, dores de cabeça, gagueira, úlceras, estresse, febre de feno, asma, paralisia e cegueira histéricas, falsa gravidez (com interrupção das menstruações e inchaço abdominal). São todas doenças em que o estado de espírito pode desempenhar um papel-chave. Nas curas da alta Idade Média associadas com as aparições da Virgem Maria, a maior parte era de curas repentinas e pouco duradouras de paralisias parciais ou do corpo inteiro, que são plausivelmente psicogênicas. Além disso, afirmava-se por toda parte que só os crentes devotos podiam ser curados. Não causa surpresa que recorrer a um estado de espírito chamado fé possa aliviar sintomas causados, pelo menos em parte, por outro estado de espírito que talvez não seja muito diferente.

Mas há mais uma coisa: o festival da Lua Cheia do Equinócio de Outono é um feriado importante nas comunidades chinesas tradicionais dos Estados Unidos. Verificou-se que, na semana anterior ao festival, a taxa de mortalidade na comunidade cai em 35%. Na semana seguinte, a taxa de mortalidade dá um pulo de 35%. Grupos de controle formados por pessoas que não são chinesas não acusam esse efeito. Poder-se-ia pensar que os suicídios são responsáveis pela diferença, mas somente são contadas as mortes por causas naturais. Poder-se-ia pensar que o estresse ou excessos na alimentação seriam a causa, mas isso não explicaria a queda na taxa de mortalidade antes da lua cheia do equinócio de outono. O maior efeito se verifica entre as pessoas com doenças cardiovasculares, que são reconhecidamente influenciadas pelo estresse. O câncer apresentou um efeito menor. Depois de estudos mais pormenorizados, revelou-se que as flutuações na taxa de mortalidade ocorriam exclusivamente entre mulheres de 75 anos ou mais velhas. O festival da Lua Cheia do Equinócio de Outono é presidido pelas mulheres mais velhas das casas. Elas conseguiam protelar a morte por uma ou duas semanas para desempenhar o seu papel na cerimônia. Um efeito semelhante é verificado entre os homens judeus nas semanas ao redor da Páscoa — uma cerimônia em que os homens mais velhos desempenham o papel principal — e o mesmo acontece, por toda parte, com aniversários, formaturas e festas afins.

Num estudo mais controverso, psiquiatras da Universidade de Stanford dividiram 86 mulheres com câncer de mama metastático em dois grupos: no primeiro, elas eram encorajadas a examinar o seu medo da morte e a tomar conta de suas vidas, enquanto no outro não recebiam nenhum apoio psiquiátrico especial. Para surpresa dos pesquisadores, o grupo que recebeu apoio não só experimentou menos dor, mas também viveu mais tempo — em média, dezoito meses mais.

O coordenador do estudo de Stanford, David Spiegel, especula que a causa pode ser o cortisol e outros "hormônios do estresse", que danificam o sistema imunológico protetor do corpo. As pessoas profundamente deprimidas, os estudantes durante o período de provas e os que sofreram perdas de pessoas amadas têm contagens reduzidas de glóbulos brancos. Um bom apoio emocional talvez não faça muito efeito em formas avançadas de câncer, mas pode ajudar a reduzir as chances de infecções secundárias numa pessoa já muito enfraquecida pela doença ou pelo seu tratamento.

Em sua obra quase esquecida de 1903, *Christian science*, Mark Twain escreveu:

> O poder que a imaginação humana tem sobre o corpo, de curá-lo ou fazê-lo adoecer, é uma força que nenhum de nós deixou de receber ao nascer. O primeiro homem a possuía, o último a possuirá.

De vez em quando, parte da dor e da ansiedade ou outros sintomas de doenças mais graves podem ser aliviados pelos que curam pela fé — sem, no entanto, deter o progresso da doença. Mas isso não é pouca coisa. A fé e as orações podem aliviar alguns sintomas da doença e do seu tratamento, minorar o sofrimento dos doentes, e até prolongar um pouco as vidas. Ao avaliar a religião chamada ciência cristã, Mark Twain — seu crítico mais severo na época — não deixava de admitir que os corpos e as vidas que ela "tornara íntegros" pelo poder da sugestão mais do que compensavam todos aqueles que matara por impedir o tratamento médico ao priorizar a oração.

Depois de sua morte, vários norte-americanos informaram ter estabelecido contato com o fantasma do presidente John F. Kennedy. Diante de altares domésticos com o seu retrato, curas milagrosas começaram a ser registradas. "Ele deu a vida pelo seu povo", explicou um adepto dessa religião malograda. Segundo a *Encyclopedia of American religions*, "para os crentes, Kennedy é considerado um deus". Algo semelhante pode ser encontrado no fenômeno Elvis Presley, e no grito sincero: "O Rei vive". Esses sistemas de crenças nasceram espontaneamente, imagine-se do que não seria capaz uma campanha bem organizada, e sobretudo uma que fosse inescrupulosa.

Em resposta a uma indagação, Randi sugeriu ao programa australiano *Sixty minutes* que eles gerassem um logro a partir do nada — usando alguém que não soubesse fazer mágicas, nem falar em público, sem experiência de púlpito. Enquanto estava elaborando a fraude, seu olhar caiu sobre Jose Alvarez, o jovem artista que era inquilino de Randi. Por que não?, respondeu Alvarez, que me pareceu um jovem inteligente, bem-humorado e atencioso, quando o conheci. Ele passou por um treinamento intensivo, inclusive simulações de aparições na TV e entrevistas coletivas à imprensa. Entretanto, ele não precisava pensar nas respostas, mas simplesmente pronunciá-las — porque tinha um fone de rádio quase invisível em seu ouvido, pelo qual Randi lhe soprava o que devia dizer. Alguns agentes de *Sixty minutes* checavam o desempenho de Alvarez, detectando pontos fracos que poderiam trair a farsa.

Quando Alvarez e seu "empresário" — igualmente recrutado para o trabalho sem ter experiência prévia — chegaram a Sydney, lá estava James Randi, curvado e oculto, sussurrando em seu transmissor, à margem da ação. A documentação comprovadora fora toda falsificada. A maldição, a água atirada contra Negus e todo o resto foram ensaiados para atrair a atenção da mídia. Alcançaram seu objetivo. Muitas das pessoas que apareceram na Ópera foram ver o espetáculo por causa da atenção que recebeu da televisão e da imprensa. Uma cadeia australiana de jornais chegou até a imprimir doações literais da "Fundação Carlos".

Depois que *Sixty minutes* revelou a farsa, o resto da mídia australiana ficou furiosa. Eles tinham sido usados, queixavam-se, enganados. "Assim como há diretrizes legais a respeito do emprego policial de provocadores", trovejou Peter Robinson na *Australian Financial Review*,

> deve haver limites para as situações enganosas criadas pela mídia [...]. Eu, por exemplo, simplesmente não posso aceitar que contar uma mentira seja uma forma aceitável de informar a verdade [...]. Toda pesquisa de opinião mostra que o público em geral suspeita que os meios de comunicação não lhe contam toda a verdade, distorcem os fatos, exageram ou são tendenciosos.

O sr. Robinson temia que Carlos tivesse reforçado essa percepção errônea tão difundida. As manchetes variavam de "Como Carlos enganou todo mundo" a "Brincadeira idiota". Os jornais que não tinham dado destaque a Carlos se congratulavam pela sua reserva. Sobre *Sixty minutes*, Negus disse que "até as pessoas íntegras podem cometer erros", e negou ter sido enganado. Qualquer um que se diga canalizador, disse ele, é "uma fraude por definição".

*Sixty minutes* e Randi enfatizaram que a mídia australiana não fizera nenhum esforço sério para checar a autenticidade de Carlos. Ele nunca se apresentara em nenhuma das cidades listadas. O videoteipe de Carlos no palco de um teatro de Nova York fora um favor prestado pelos mágicos Penn e Teller, que ali se apresentavam. Eles simplesmente pediram que a plateia desse uma salva de palmas: Alvarez, de bata e medalhão, subiu ao palco; a plateia obedientemente aplaudiu, Randi gravou o seu videoteipe, Alvarez acenou despedindo-se, o espetáculo continuou. E não existe nenhuma estação de rádio na cidade de Nova York com a sigla WOOP.

Outros motivos de suspeita podiam ser facilmente garimpados nos escritos de Carlos. Mas, como a moeda intelectual tem sido tão desvalorizada, como a credulidade — da Antiga e da Nova Era — é tão desenfreada, como o pensamento cético é tão raramente praticado, nenhuma paródia é demasiado implausível. A Fundação Carlos punha à venda (foram escrupulosos o suficiente para não vender nada de verdade) um "Cristal de Atlântida":

> Até agora, cinco desses cristais singulares foram encontrados pelo mestre ascenso durante as suas viagens. Inexplicados pela ciência, cada um dos cristais utiliza energia quase pura [...] [e tem] enormes poderes curativos. Essas formas são realmente energia espiritual fossilizada, que beneficia sobremaneira a preparação da Terra para a Nova Era [...]. Dos cinco, o mestre ascenso sempre usa um cristal de Atlântida junto a seu corpo, para obter proteção e para intensi-

ficar todas as atividades espirituais. Dois foram adquiridos por suplicantes caridosos nos Estados Unidos, em troca de uma substancial contribuição solicitada pelo mestre ascenso.

Ou, com o título de "As águas de Carlos":

De vez em quando, o mestre ascenso descobre água de tal pureza que se empenha em energizar uma quantidade desse líquido para o bem de todos, um processo intensivo. Para produzir o que é sempre muito pouco, o mestre ascenso purifica a si mesmo e a uma quantidade de cristais de quartzo puro moldados em forma de frascos. Entra então, junto com os cristais, numa grande bacia de cobre, polida e aquecida. Durante um período de 24 horas, o mestre ascenso despeja energia no repositório espiritual da água [...]. A água não precisa ser retirada do frasco para ser utilizada espiritualmente. O simples ato de segurar o frasco e de se concentrar na cura de uma ferida ou doença produzirá resultados espantosos. Entretanto, se uma desgraça séria acontecer a você ou a uma pessoa querida, um leve borrifo da água energizada ajudará imediatamente na recuperação.

Ou, "As lágrimas de Carlos":

A cor vermelha conferida aos frascos que o mestre ascenso moldou para as lágrimas já é prova suficiente do poder que elas contêm, mas o afeto [sic] das lágrimas durante a meditação tem sido descrito por aqueles que o experimentaram como uma sensação de "unidade gloriosa".

Depois há um livrinho, *Os ensinamentos de Carlos*, que começa assim:

EU SOU CARLOS.
VENHO DE MUITAS ENCARNAÇÕES PASSADAS
AO SEU ENCONTRO

TENHO UMA GRANDE LIÇÃO
PARA LHE ENSINAR.
OUÇA COM ATENÇÃO.
LEIA COM ATENÇÃO.
PENSE COM ATENÇÃO.
A VERDADE ESTÁ AQUI.

O primeiro ensinamento é a pergunta: *"Por que estamos aqui...?"*. *A resposta: "Quem pode dar uma única resposta? Há muitas respostas para essa pergunta, e todas as respostas estão corretas. É assim. Compreende?"*.

O livro recomenda que não passemos para a página seguinte antes de ter compreendido a que estamos lendo. Esse é um dos vários fatores que tornam difícil terminar a sua leitura.

"Sobre os que duvidam", revela mais tarde, "só posso dizer o seguinte: que tirem do assunto apenas as conclusões que desejarem. Eles acabam sem nada — com a mão vazia, talvez. E o que possuem aqueles que acreditam? TUDO! Todas as perguntas são respondidas, pois toda e qualquer resposta é correta. E as respostas estão certas! Argumente contra essa verdade, ó, você que duvida."

Ou: "Não peça explicações para tudo. Os ocidentais, em particular, estão sempre exigindo descrições longas e complicadas do motivo por que isso é assim ou assado. A maior parte do que se pergunta é óbvia. Por que perder tempo investigando esses assuntos? [...] Pela fé, todas as coisas se tornam verdadeiras".

A última página do livro apresenta uma única palavra em letras gigantescas: somos exortados a "PENSAR!".

Todo o texto de *Os ensinamentos de Carlos* foi, é claro, escrito por Randi. Ele o rabiscou no seu *laptop* em algumas horas.

A mídia australiana se sentiu traída por um dos seus pares. O principal programa de televisão do país saíra da sua rotina para desmascarar padrões inferiores de verificação de fatos e uma credulidade disseminada em instituições consagradas às notícias e aos temas públicos. Alguns analistas da mídia desculparam-se afirmando que o caso não era evidentemente importante; se *fosse*, eles o teriam checado. Alguns fizeram mea-culpa.

Nenhum dos que tinham sido enganados quis participar de uma retrospectiva do caso Carlos, programada para o domingo seguinte em *Sixty minutes*.

É claro que não há nada de especial contra a Austrália em toda essa história. Alvarez, Randi e seus colegas conspiradores poderiam ter escolhido qualquer nação sobre a Terra, e a farsa teria funcionado. Mesmo aqueles que proporcionaram a Carlos a aparição num programa de TV visto em todo o território nacional sabiam o bastante para fazer algumas perguntas céticas — mas não resistiram à ideia de convidá-lo a se apresentar. A luta destrutiva dentro da mídia dominou as manchetes depois da partida de Carlos. Alguns comentários perplexos foram escritos sobre o desmascaramento. Qual era o objetivo? O que fora provado?

Alvarez e Randi provaram que não é preciso grande coisa para brincar com nossas crenças, que somos prontamente influenciados, que é fácil enganar o público quando as pessoas estão solitárias e famintas de algo em que acreditar. Se Carlos tivesse permanecido mais tempo na Austrália, se tivesse se concentrado em curar, não há dúvida de que muita gente teria registrado a cura de diversas doenças, especialmente das psicogênicas — pelas orações, por acreditar nele, por fazer pedidos em nome de suas lágrimas engarrafadas, por esfregar seus cristais. Mesmo que não houvesse outras fraudes além de sua apresentação, ensinamentos e produtos auxiliares, algumas pessoas teriam melhorado por causa de Carlos.

Ainda uma vez, esse é o efeito placebo provocado por quase todos os que curam pela fé. Acreditamos que estamos tomando um remédio potente e a dor desaparece — pelo menos, por algum tempo. E, quando cremos ter recebido uma cura espiritual potente, a doença às vezes também desaparece — pelo menos por algum tempo. Algumas pessoas anunciam espontaneamente que estão curadas, quando na verdade não estão. Nolen, Randi e muitos outros acompanharam com cuidado alguns casos de pessoas que foram declaradas curadas e que concordavam com esse parecer — em serviços televisivos de curandeiros norte-americanos —, mas não conseguiram encontrar ninguém com alguma doença orgânica séria que tivesse sido de fato curado. Até as melhoras significativas de sua condição são duvidosas. Como sugere a experiência de Lourdes, talvez seja preciso examinar 10 mil a 1 milhão de casos antes de encontrar uma cura verdadeiramente surpreendente.

Aquele que cura pela fé pode pensar ou não em fraude, no início. Mas, para sua surpresa, os pacientes parecem realmente melhorar. Suas emoções são genuínas, sua gratidão sincera. Quando os curandeiros são criticados, essas pessoas se apressam em defendê-los. Vários idosos presentes à canalização na Ópera de Sydney ficaram indignados depois da revelação de *Sixty minutes*: "Não importa o que eles digam", confidenciaram a Alvarez, "nós acreditamos em você".

Esses sucessos podem ser o suficiente para convencer muitos charlatães — por mais cínicos que sejam no início — de que realmente *têm* poderes místicos. Talvez não consigam bons resultados todas as vezes. Os poderes vêm e vão, alegam. Eles têm de compensar os tempos magros. Se precisam trapacear um pouco de vez em quando, é por um motivo nobre, dizem a si mesmos. Seu discurso é testado pelos consumidores. Funciona.

A maioria dessas figuras só quer o dinheiro das pessoas. Essa é a boa notícia. Mas o que me preocupa é que vai surgir um Carlos vendendo um peixe bem maior — atraente, dominador, patriótico, transpirando liderança. Todos nós ansiamos por um líder competente, incorruptível, carismático. Não deixaremos de nos agarrar à oportunidade de nos fortalecermos, de acreditarmos, de nos sentirmos bem. A maioria dos repórteres, editores e produtores — arrebatados como todos nós — se esquivará de um verdadeiro exame cético. Ele não vai vender orações, cristais ou lágrimas. Venderá talvez uma guerra, um bode expiatório ou um amontoado muito mais abrangente de crenças que o de Carlos. Seja o que for, esse fenômeno será acompanhado por alertas sobre os perigos do ceticismo.

No famoso filme *O mágico de Oz*, o Espantalho, o Homem de Lata e o Leão Covarde ficam intimidados — na verdade, aterrorizados — pela enorme figura oracular do Grande Oz. Mas Totó, o cachorrinho de Dorothy, morde uma cortina dissimuladora e revela que o Grande Oz é na realidade uma máquina operada por um homenzinho assustado e atarracado, um desterrado naquele país estranho assim como eles.

Acho que temos sorte de James Randi estar puxando a cortina. Mas seria tão perigoso deixar sobre os seus ombros a responsabilidade de desmascarar todos os curandeiros, impostores e farsantes do mundo, quanto acreditar nesses mesmos charlatães. Se não queremos ser enganados, nós é que temos de fazer o trabalho.

Uma das lições mais tristes da história é a seguinte: se formos enganados por muito tempo, a nossa tendência é rejeitar qualquer evidência do logro. Já não nos interessamos em descobrir a verdade. O engano nos aprisionou. É simplesmente doloroso demais admitir, mesmo para nós mesmos, que fomos enganados. Se deixamos que um charlatão tenha poder sobre nós, quase nunca conseguimos recuperar nossa independência. Por isso, os antigos logros tendem a persistir, enquanto surgem outros novos.

Assim, as sessões espíritas são realizadas apenas em salas escurecidas, onde os participantes têm, quando muito, uma visão vaga dos fantasmas visitantes. Se acendemos um pouco as luzes, para ter uma chance de ver o que está se passando, os espíritos desaparecem. São tímidos, é o que nos dizem, e alguns de nós acreditamos nessa história. Nos laboratórios de parapsicologia do século XX, há o "efeito do observador": os que são considerados médiuns talentosos acham que seus poderes diminuem bastante sempre que surgem os céticos, desaparecendo totalmente na presença de um mago tão experiente quanto James Randi. Eles precisam é de escuridão e credulidade.

Uma menina que participara de um logro famoso no século XIX — pancadas de espíritos, quando os fantasmas respondem perguntas por meio de pancadas sonoras — cresceu e confessou que tudo não passava de impostura. Ela estalava a articulação do dedão do pé. Demonstrou como se fazia. Mas as desculpas públicas foram em grande parte ignoradas e, quando reconhecidas, denunciadas. As pancadas dos espíritos eram demasiado tranquilizadoras para ser abandonadas só por causa das declarações de uma menina que se dizia causadora das ocorrências, ainda que tivesse sido a primeira a inventar toda a história. Começou a circular o boato de que a confissão fora obtida sob coerção por racionalistas fanáticos.

Como relatei antes, dois impostores britânicos confessaram ter feito os "círculos nas plantações", figuras geométricas geradas em campos de cereais. Não se tratava de artistas alienígenas usando o trigo como material, mas de dois sujeitos com uma prancha, uma corda e uma propensão para cometer extravagâncias. No entanto, mesmo quando demonstraram como faziam os desenhos, não conseguiram impressionar os que acreditavam. Talvez *parte* dos círculos das plantações fosse embuste, argumentavam, mas muitos deles e alguns dos pictogramas eram demasiado complexos. Só extraterrestres poderiam criá-los. Então, outras pessoas confessaram na Grã-Bretanha. Mas e os círculos de plantações em países estrangeiros, objetava-se — por exemplo, na Hungria —, como se podia explicar *esse fato*? Então, adolescentes húngaros imitadores confessaram. Mas e que dizer...?

Para testar a credulidade de um psiquiatra que trata de sequestros por alienígenas, uma mulher afirma ter sido raptada. O terapeuta fica entusiasmado com as fantasias que ela inventa. Mas, quando ela declara que tudo não passava de uma farsa, qual é a reação do terapeuta? Ele procura reexaminar os seus dados ou a sua compreensão do que esses casos significam? Não. Conforme sua vontade, ele sugere (1) que, mesmo sem ter consciência do fato, ela foi na verdade sequestrada; ou (2) que ela está louca — afinal, procurou um psiquiatra, não é mesmo?; ou (3) que ele sabia da farsa desde o início e apenas deu a ela bastante corda para que se enforcasse.

Se às vezes é mais fácil rejeitar uma evidência forte do que admitir que estávamos errados, essa é outra informação sobre nós mesmos que vale a pena conhecer.

* * *

Um cientista coloca um anúncio num jornal parisiense oferecendo horóscopo grátis. Recebe cerca de 150 respostas, cada uma, conforme solicitado, dando os detalhes do lugar e da hora do nascimento. A cada um dos solicitantes é então enviado o mesmo horóscopo, junto com um questionário para verificar o grau de exatidão dele. Dos que receberam o horóscopo, 94% (e 90% de suas famílias e amigos) respondem que pelo menos podiam se reconhecer nas características nele expressas. Entretanto, o horóscopo fora traçado para um *serial killer* francês. Se um astrólogo pode ir tão longe sem sequer ter contato com seus clientes, imagine-se do que não seria capaz alguém sensível às nuanças humanas que não fosse exageradamente escrupuloso.

Por que somos tão facilmente enganados por cartomantes, videntes mediúnicos, quiromantes, pelos que leem as folhas de chá, as cartas do tarô, os pauzinhos do I Ching, e por tantos outros do gênero? Eles certamente observam a nossa postura, a expressão facial, a maneira de vestir e nossas respostas a perguntas aparentemente inócuas. Alguns são brilhantes na sua função, e essas são áreas das quais muitos cientistas parecem não ter consciência. Há também uma rede de computadores para a qual os médiuns "profissionais" contribuem, colocando os detalhes da vida de seus clientes imediatamente à disposição de seus colegas. Uma ferramenta-chave é a chamada "leitura fria", um apanhado de predisposições opostas tão sutilmente equilibradas que qualquer um reconhecerá nele um grão de verdade. Eis um exemplo:

> Às vezes você é extrovertido, afável, sociável, ao passo que em outras ocasiões é introvertido, desconfiado e reservado. Descobriu que não vale a pena ser demasiado franco e revelar-se aos outros. Prefere certa dose de mudança e variedade, e fica insatisfeito quando tolhido por restrições e limitações. Aparentemente disciplinado e controlado, você tende a ser ansioso e inseguro por dentro. Embora tenha algumas fraquezas de personalidade, é em geral capaz de compensá-las.

Tem uma grande reserva de talentos que não são usados, dos quais você não tira proveito. Tem uma tendência a se autocriticar. Tem uma forte necessidade de que as outras pessoas o amem e o admirem.

Quase todo mundo acha essa caracterização familiar, e muitos sentem que ela os descreve perfeitamente. Bastante compreensível: somos todos humanos.

A lista de "evidências" que, segundo alguns terapeutas, demonstram abuso sexual infantil reprimido (por exemplo, a apresentada em *The courage to heal*, de Ellen Bass e Laura Davis) é muito longa e prosaica: inclui desordens do sono, o ato de empanturrar-se, anorexia e bulimia, disfunção sexual, ansiedades vagas e até uma incapacidade de lembrar o abuso sexual na infância. Outro livro, escrito pela assistente social E. Sue Blume, lista, entre outros sinais reveladores de incesto esquecido: dores de cabeça, suspeitas ou sua ausência, paixão sexual excessiva ou sua ausência, e o sentimento de adoração pelos pais. Entre os itens de diagnóstico para detectar famílias "desestruturadas" listados pelo médico Charles Whitfield estão "dores e aflições", sentir-se "mais vivo" em meio a uma crise, ter ansiedade diante de "figuras de autoridade", e ter "procurado aconselhamento ou psicoterapia", sentindo, porém, "que falta 'alguma coisa' ou que há 'algo' de errado". Como a leitura fria, se a lista for bastante longa e abrangente, todo mundo terá "sintomas".

O exame cético não é apenas um instrumento para extirpar o charlatanismo e a crueldade que oprimem os que são menos capazes de se proteger e têm mais necessidade de nossa compaixão, as pessoas a quem são oferecidas poucas alternativas de esperança. É também um lembrete oportuno de que os comícios-monstros, o rádio e a televisão, a imprensa, o marketing eletrônico e a tecnologia encomendada pelo correio permitem que outros tipos de mentiras sejam injetados no corpo político — para se tirar proveito dos frustrados, dos incautos e dos indefesos, numa sociedade crivada de males políticos que estão sendo tratados ineficientemente, se é que são objeto de algum cuidado.

Mentiras, fraudes, pensamentos descuidados, imposturas e desejos mascarados como fatos não se restringem à magia de salão, nem a conselhos ambíguos sobre assuntos do coração. Infelizmente, eles estão infiltrados nas questões econômicas, religiosas, sociais e políticas dos sistemas de valores dominantes em todas as nações.

# 14. A ANTICIÊNCIA

> *Não há verdade objetiva. Nós criamos nossa própria verdade. Não há realidade objetiva. Nós criamos nossa própria realidade. Há formas de conhecimento interiores, místicas ou espirituais que são superiores às nossas formas comuns de conhecimento. Se uma experiência parece real, ela é real. Se uma ideia nos parece correta, ela é correta. Somos incapazes de adquirir o conhecimento da verdadeira natureza da realidade. A própria ciência é irracional ou mística. É apenas outro credo, outro sistema de crença ou outro mito, e não tem mais justificação do que qualquer um dos outros. Não importa se as convicções são verdadeiras ou não, desde que elas façam sentido para você.*
>
> Um resumo das ideias da Nova Era, tirado de Theodore Schick Jr. e Lewis Vaughn, *How to think about weird things: critical thinking for a New Age* (Mountain View, CA, Mayfield Publishing Company, 1995)

SE A ESTRUTURA ESTABELECIDA da ciência está plausivelmente errada (por ser arbitrária, irrelevante, impatriótica, ímpia ou por servir sobretudo aos interesses dos poderosos), então podemos nos poupar o trabalho de compreender o que tantas pessoas consideram um corpo de conhecimento complexo, difícil, altamente matemático e contrário à intuição. Então todos os cientistas teriam o castigo merecido. A inveja da ciência poderia ser superada. Aqueles que têm percorrido outros caminhos em busca do conhecimento, aqueles que secretamente têm acolhido convicções que a ciência desprezou, poderiam ter então o seu lugar ao sol.

A velocidade das mudanças na ciência é responsável por parte dos ataques que atrai. Quando por fim compreendemos algo de que os cientistas estão falando, eles nos dizem que aquilo já não é verdade. E, mesmo que fosse, há uma grande quantidade de novos dados — coisas de que nunca ouvimos falar, coisas difíceis de acreditar, coisas com implicações inquietantes — que eles afirmam ter descoberto recentemente. Os cientistas podem ser vistos como criaturas que brincam conosco, que desejam virar tudo de cabeça para baixo, que são socialmente perigosas.

Edward U. Condon foi um ilustre físico norte-americano, pioneiro da mecânica quântica, atuante no desenvolvimento de armas nucleares e radares na Segunda Guerra Mundial, diretor de pesquisas de Corning Glass, diretor do Departamento Nacional de Normas e presidente da Sociedade Norte-Americana de Física (e também, no final da vida, professor de física na Universidade de Colorado, onde coordenou um polêmico estudo científico sobre UFOs financiado pela Força Aérea). Foi um dos físicos que teve a sua lealdade para com os Estados Unidos questionada por membros do Congresso — inclusive pelo congressista Richard M. Nixon, que pediu a revogação de seu atestado de confiabilidade em questões de segurança — no final dos anos 40 e início dos 50. O superpatriótico presidente do Comitê da Câmara contra Atividades Antiamericanas (HCUA), o republicano J. Parnell Thomas, chamava o físico de "dr. Condom", o "elo mais fraco" na segurança norte-americana e — em certo momento — o "elo perdido". Sua opinião sobre as garantias constitucionais pode ser inferida a partir da seguinte resposta dada ao advogado de uma testemunha: "Os direitos que você tem são os direitos que lhe são concedidos por esta comissão. Nós determinaremos quais os direitos que você tem e quais os que você não tem perante a comissão".

Albert Einstein solicitou publicamente que todos os convocados perante o HCUA se recusassem a cooperar. Em 1948, o presidente Harry Truman — no Encontro Anual da Associação Norte-Americana para o Progresso da Ciência, e tendo Condon sentado a seu lado — dirigiu acusações ao republicano Thomas e ao HCUA, pretextando que a pesquisa científica vital "pode se tornar impossível pela criação de uma atmosfera em que ninguém se sente protegido da difusão pública de rumores, boatos e calúnias infundados". Ele rotulou as atividades do HCUA de "a coisa mais antiamericana com que temos de lutar hoje em dia. É o clima de um país totalitário".*

O dramaturgo Arthur Miller escreveu *The crucible* [O sacrifício], sobre os julgamentos das bruxas de Salem, nesse período. Quando o drama estreou na Europa, o Departamento de Defesa negou a Miller o passaporte, alegando que não convinha aos interesses dos Estados Unidos que ele viajasse para o exterior. Na noite de estreia em Bruxelas, a peça foi recebida com estrondosos aplausos, que obrigaram o embaixador norte-americano a se levantar e agradecer. Intimado a se apresentar perante o HCUA, Miller foi censurado por ter sugerido que as investigações do Congresso tivessem algo em comum com os julgamentos das bruxas; ele respondeu: "A comparação é inevitável, senhores". Pouco depois, Thomas foi preso por fraude.

Certo verão, na pós-graduação, fui aluno de Condon. Lembro-me nitidamente de ele contar como foi obrigado a comparecer perante um conselho de avaliação de lealdade:

— Doutor Condon, diz aqui que o senhor tem estado à frente de um movimento revolucionário na física chamado — e nesse ponto o investigador leu as palavras lenta e cuidadosamente — mecânica quântica. O que chama a atenção dessa audiência é que se o senhor esteve à frente de um movimento revolucionário... poderia estar à frente de outro.

Levantando-se rapidamente, Condon respondeu que a acusação não era verdade. Ele não era revolucionário em física. Er-

---

* Mas a responsabilidade de Truman pela atmosfera de caça às bruxas no final dos anos 40 e início dos 50 é considerável. O decreto 9835, de 1947, de sua autoria, autorizava investigações sobre as opiniões e os colegas de todos os funcionários federais, sem que eles tivessem direito à acareação com o acusador ou até, na maioria dos casos, sem que pudessem saber qual era a acusação. Se considerados em falta, os funcionários eram despedidos. Seu ministro da Justiça, Tom Clark, estabeleceu uma lista de organizações "subversivas" tão abrangente que a certa altura incluía até a Agremiação dos Consumidores.

gueu a mão direita: "Acredito no princípio de Arquimedes, formulado no século III a.C. Acredito nas leis de Kepler do movimento planetário, descobertas no século XVII. Acredito nas leis de Newton...". E por aí ele foi, invocando os nomes ilustres de Bernoulli, Fourier, Ampère, Boltzmann e Maxwell. Esse catecismo do físico não foi de grande valia. O tribunal não apreciava tiradas de humor sobre assuntos tão sérios. Mas o máximo que conseguiram atribuir a Condon, pelo que me lembro, foi que na escola secundária ele trabalhara entregando, de bicicleta, um jornal socialista de porta em porta.

Vamos imaginar que alguém queira seriamente compreender o que é a mecânica quântica. É preciso que primeiro adquira uma base, o conhecimento de cada subdisciplina matemática, transportando-o ao limiar da seguinte. Uma a uma, ele deve aprender aritmética, geometria euclidiana, álgebra da escola secundária, cálculo diferencial e integral, equações diferenciais ordinárias e parciais, cálculo vetorial, certas funções especiais da física matemática, álgebra matricial e teoria dos conjuntos. Isso pode ocupar a maioria dos estudantes de física desde a terceira série primária até o início do curso de pós-graduação — aproximadamente quinze anos. Esse plano de estudos não envolve realmente o aprendizado da mecânica quântica, mas apenas estabelece os fundamentos matemáticos necessários para conhecê-la em profundidade.

O trabalho do divulgador da ciência, tentando transmitir uma ideia da mecânica quântica a um público leigo que não passou por esses ritos de iniciação, é desalentador. Na realidade, acho que não existe nenhuma divulgação bem-sucedida da mecânica quântica — em parte por essa razão. Essas complexidades matemáticas se combinam com o fato de a teoria quântica ser definitivamente contrária à intuição. Para abordá-la, o senso comum é quase inútil. Não funciona, disse Richard Feynman certa vez, ao perguntar por que ela *é* assim. Ninguém sabe por que ela é assim. É simplesmente assim.

Agora vamos supor que tivéssemos de abordar ceticamente uma religião obscura, uma doutrina da Nova Era ou um sistema de crença xamanista. Temos uma mente aberta; compreendemos que há algo interessante nessa área; nos apresentamos ao praticante e pedimos um resumo inteligível. Em vez da resposta, somos informados de que o tema é intrinsecamente muito difícil para ser explicado de forma simples, que está repleto de "mistérios", mas, se nos tornarmos acólitos durante quinze anos, ao final desse período poderemos começar a nos preparar para considerar o assunto com seriedade. A maioria de nós, acho eu, diria simplesmente que não dispõe de todo esse tempo; e muitos suspeitariam que essa história de quinze anos só para chegar ao limiar da compreensão é uma prova de que tudo não passa de logro: se é muito difícil de compreender, não se segue que é muito difícil de criticar inteligentemente? Nesse caso, o engano corre solto.

Portanto, qual é a diferença entre uma doutrina xamanista, teológica ou da Nova Era e a mecânica quântica? A resposta é que, mesmo sem a compreender, podemos verificar que a mecânica quântica funciona. Podemos comparar as predições quantitativas da teoria quântica com os comprimentos de onda uniformes das linhas espectrais dos elementos químicos, com o comportamento dos semicondutores e do hélio líquido, com os microprocessadores, com os tipos de moléculas que se formam a partir dos átomos que as compõem, com a existência e as propriedades das estrelas anãs brancas, com o que acontece em masers e lasers, e com materiais que são suscetíveis a determinados tipos de magnetismo. Não precisamos compreender a teoria para ver o que ela prediz. Não temos de ser físicos perfeitos para ler o que os experimentos revelam. Em cada um desses exemplos — como em muitos outros —, as predições da mecânica quântica são impressionantemente confirmadas, e com alto grau de precisão.

Mas o xamã nos diz que a sua doutrina é verdadeira porque também funciona — não em questões misteriosas da física matemática, mas no que realmente importa: ele tem o poder de curar as pessoas. Muito bem, nesse caso vamos conferir as estatísticas sobre curas xamanistas, e ver se elas funcionam melhor do que os placebos. Se a resposta é positiva, vamos conceder de bom grado que há algo importante nessa área — mesmo que se trate apenas do fato de algumas doenças serem psicogênicas e poderem ser curadas ou mitigadas por atitudes e estados de espírito corretos. Podemos também comparar a eficácia de sistemas xamanistas alternativos.

Se o xamã compreende ou não por que as suas curas funcionam, é outra história. Na mecânica quântica, temos uma suposta compreensão da Natureza com base na qual, passo a passo e quantitativamente, fazemos predições sobre o que acontece, se certo experimento, nunca antes tentado, é realizado. Se o experimento confirma a predição — sobretudo se a confirma numérica e precisamente —, nos asseguramos de que sabíamos o que estávamos fazendo. Na melhor das hipóteses, são poucos os exemplos desse tipo entre os xamãs, sacerdotes e gurus da Nova Era.

Outra distinção importante foi sugerida em *Reason and nature*, o livro escrito em 1931 por Morris Cohen, um famoso filósofo da ciência:

> Sem dúvida, a imensa maioria das pessoas sem treinamento científico só pode aceitar os resultados da ciência fiando-se nas declarações de autoridades no assunto. Mas há, obviamente, uma diferença importante entre um sistema aberto que convida todo mundo a se aproximar, estudar os seus métodos e sugerir aperfeiçoamentos, e outro que considera o questionamento de suas credenciais um sinal de maldade no coração, como a que o [cardeal] Newman atribuiu àqueles que questionaram a infalibilidade da Bíblia [...]. A ciência racional trata as suas notas de crédito como se fossem sempre resgatáveis quando solicitado, enquanto o autoritarismo não racional considera o pedido de resgate de suas notas uma desleal falta de fé.

Os mitos e o folclore de muitas culturas pré-modernas têm um valor explicativo ou, pelo menos, mnemônico. Por meio de histórias que todos podem apreciar e até testemunhar, eles codificam o meio ambiente. As constelações que estão nascendo, ou a orientação da Via Láctea em determinado dia do ano, podem ser lembradas numa história sobre amantes reunidos ou sobre uma canoa que atravessa o rio sagrado. Como o reconhecimento do céu é essencial para plantar, colher e caçar, essas histórias têm um valor prático importante. Podem também ser úteis como testes de projeção psicológica ou como reafirmação do lugar da humanidade no Universo. Mas isso não significa que a Via Láctea seja realmente um rio, nem que a canoa o esteja atravessando diante de nossos olhos.

O quinino provém de uma infusão feita com a casca de uma árvore específica da floresta tropical da Amazônia. Como foi que os povos pré-modernos descobriram que um chá feito com essa árvore em particular, dentre todas as plantas da floresta, aliviaria os sintomas da malária? Devem ter experimentado toda árvore e toda planta — raízes, caules, casca, folhas —, devem ter tentado mascá-las, misturá-las, fazer infusões. Isso constitui um sólido conjunto de experimentos científicos continuados ao longo de gerações — experimentos que, aliás, não poderiam ser reproduzidos hoje em dia por razões de ética médica. É só pensar em quantas infusões feitas com a casca de outras árvores devem ter sido inúteis, fazendo o paciente vomitar ou até morrer. Nesse caso, o curandeiro risca da lista esses remédios potenciais e passa para o seguinte. Os dados da etnofarmacologia podem não ser adquiridos sistematicamente, nem sequer de forma consciente. Por testes e erros, e lembrando-se atentamente do que funcionou, eles por fim chegam lá — usando as riquezas moleculares do reino vegetal para acumular uma farmacopeia que funciona. Absolutamente essencial, as informações que salvam vidas só podem ser adquiridas pela medicina popular, não têm como ser obtidas de outro modo. Deveríamos estar fazendo esforços muito maiores para explorar os tesouros desse conhecimento popular em todo o mundo.

O mesmo é válido, por exemplo, para predizer o tempo num vale perto do Orinoco: é perfeitamente possível que os povos pré-industriais tenham notado ao longo dos milênios certas regularidades, indicações premonitórias e relações de causa e efeito em determinado local geográfico, as quais os professores de meteorologia e climatologia em alguma universidade distante desconhecem completamente. Mas isso não significa que os xamãs dessas culturas sejam capazes de predizer o tempo em Paris e Tóquio, muito menos o clima global.

Certos tipos de conhecimento popular são válidos e inestimáveis. Outros são, quando muito, metáforas e codificadores. Etnomedicina, sim; astrofísica, não. É verdade que todas as crenças e todos os mitos merecem ser escutados com respeito. Não é verdade que todas as crenças populares sejam igualmente válidas — isto é, se não estivermos falando de uma perspectiva mental interior, mas da compreensão da realidade externa.


Durante séculos, a ciência tem estado sob uma linha de fogo que, melhor do que pseudociência, pode ser chamada de anticiência. A ciência, a erudição acadêmica em geral, é demasiado subjetiva, afirmam hoje em dia. Alguns até alegam que ela é inteiramente subjetiva, o que também se aplica, dizem eles, à história. A história é em geral escrita pelos vencedores para justificar as suas ações, para despertar o fervor patriótico e para eliminar as reivindicações legítimas dos vencidos. Quando não se dá nenhuma vitória esmagadora, cada lado redige relatos autopromocionais acerca do que *realmente* aconteceu. As histórias inglesas criticavam com severidade os franceses, e vice-versa; as histórias dos Estados Unidos até há bem pouco ignoravam as políticas reais de *lebensraum* (espaço vital) e genocídio para com os norte-americanos nativos; as histórias japonesas sobre os acontecimentos que provocaram a Segunda Guerra Mundial minimizam as atrocidades cometidas pelo Japão e sugerem que seu principal objetivo era libertar altruisticamente a Ásia oriental do colonialismo europeu e norte-americano; a Polônia foi invadida em 1939, afirmavam os historiadores nazistas, porque, de forma cruel e sem ser provocada, atacou a Alemanha; os historiadores soviéticos pretextavam que as tropas soviéticas que reprimiram as revoluções húngara (1956) e tcheca (1968) não foram convocadas por agentes russos, mas por aclamação do povo nas nações invadidas; as histórias belgas tendem a atenuar as atrocidades cometidas quando o Congo era um feudo privado do rei da Bélgica; os historiadores chineses esquecem estranhamente as dezenas de milhões de mortes causadas pelo Grande Salto para a Frente de Mao Tse-tung; que Deus tolera e até defende a escravidão foi repetidamente afirmado no púlpito e nas escolas das sociedades escravagistas, mas os Estados cristãos que libertaram os seus escravos silenciam em grande parte sobre o assunto; um historiador tão brilhante, difundido e equilibrado como Edward Gibbon não quis se encontrar com Benjamin Franklin, quando os dois estavam na mesma estalagem inglesa — por causa da recente situação embaraçosa da revolução norte-americana. (Franklin então se prontificou a fornecer a Gibbon material de pesquisa para quando este passasse, como Franklin não tinha dúvidas de que ele logo passaria, do declínio e queda do Império Romano para o declínio e queda do Império britânico. Franklin tinha razão sobre o Império britânico, mas seu cronograma estava dois séculos adiantado.)

Essas histórias são por tradição escritas por historiadores acadêmicos venerados, em geral pilares da ordem vigente. A dissidência local é sumariamente eliminada. A objetividade é sacrificada em nome de objetivos mais elevados. Com base nesse fato lamentável, alguns chegaram ao ponto de concluir que não existe história, que não há possibilidade de reconstruir os acontecimentos reais; que tudo o que temos são autojustificativas tendenciosas; e que essa conclusão se estende da história para todo o conhecimento, inclusive para a ciência.

Entretanto, quem negaria a existência de sequências verdadeiras de eventos históricos, com linhas causais reais, mesmo que nossa capacidade de reconstruí-las em todo o seu entrelaçamento seja limitada, mesmo que o sinal se perca num oceano de ruído autoelogioso? O perigo da subjetividade e do preconceito tem sido perceptível desde o começo da história. Tucídides alertou contra esse perigo. Cícero escreveu:

A primeira lei é que o historiador jamais deve se atrever a registrar o que é falso; a segunda, que jamais deve se atrever a ocultar a verdade; a terceira, que não deve haver suspeitas de favoritismo ou preconceito na sua obra.

Luciano de Samosata, em *Como a história deve ser escrita*, publicado no ano 170, insistia: "O historiador deve ser corajoso e incorruptível; um homem independente, amante da franqueza e da verdade".

É responsabilidade desses historiadores íntegros tentar reconstruir a sequência real de eventos, por mais desapontadora ou alarmante que seja. Os historiadores aprendem a reprimir a sua indignação natural contra os ataques às suas nações, e reconhecem, quando apropriado, que os líderes nacionais podem ter cometido crimes atrozes. Eles talvez tenham de se esquivar de patriotas enfurecidos, um risco do seu trabalho. Reconhecem que os relatos dos acontecimentos passaram por filtros humanos tendenciosos, e que os próprios historiadores têm vieses. Aqueles que desejam saber o que de fato aconteceu vão se enfronhar nas visões dos historiadores de outras nações, outrora inimigas. O máximo a que podemos aspirar é uma série de aproximações sucessivas: a passos lentos, e melhorando o autoconhecimento, a nossa compreensão dos eventos históricos se aperfeiçoa.

Algo semelhante vale para a ciência. Nós temos vieses; inalamos os preconceitos predominantes em nosso meio como todo mundo. De vez em quando, os cientistas alimentam inúmeras doutrinas nocivas (inclusive a suposta "superioridade" de um grupo étnico ou de um gênero em relação ao outro, com base em medições do tamanho do cérebro, saliências no crânio ou testes de inteligência). Com frequência relutam em ofender os ricos e poderosos. De quando em quando, alguns trapaceiam e roubam. Alguns trabalharam — muitos sem nenhum vestígio de remorso moral — para os nazistas. Os cientistas também apresentam vieses relacionados com os chauvinismos humanos e com as nossas limitações intelectuais. Como já disse, eles são também responsáveis por tecnologias mortíferas — ora inventando-as de propósito, ora sendo insuficientemente cautelosos a respeito de efeitos colaterais imprevistos. Mas foram também os cientistas que, na maioria desses casos, fizeram soar o alarme avisando-nos do perigo.

Os cientistas cometem erros. Por isso, cabe ao cientista reconhecer as nossas fraquezas, examinar o maior número de opiniões, ser impiedosamente autocrítico. A ciência é um empreendimento coletivo com um mecanismo de correção de erro que frequentemente funciona sem embaraços. Ela tem uma esmagadora vantagem sobre a história, porque na ciência podemos fazer experiências. Se não temos certeza de como foram as negociações que resultaram no Tratado de Paris em 1814-5, encenar de novo os acontecimentos não é uma opção possível. Podemos apenas cavar informações em antigos registros. Nem podemos fazer perguntas aos que participaram da ação. Todos estão mortos.

Em muitas questões da ciência, no entanto, podemos reproduzir o evento tantas vezes quantas desejarmos, examiná-lo sob novos ângulos, testar uma ampla série de hipóteses. Quando novas ferramentas são inventadas, podemos executar o experimento de novo e verificar o que resulta de nossa sensibilidade aperfeiçoada. Nas ciências históricas em que não se pode criar uma nova encenação, é possível examinar casos relacionados e começar a reconhecer os seus elementos comuns. Não podemos fazer as estrelas explodirem quando nos convém, nem podemos reproduzir, por meio de muitas tentativas, a evolução de um mamífero a partir de seus antepassados. Mas podemos simular parte da física das explosões de supernovas no laboratório, e podemos comparar com um detalhamento espantoso as instruções genéticas de mamíferos e répteis.

Às vezes também se afirma que a ciência é tão arbitrária ou irracional quanto todas as outras formas de conhecimento, ou que a própria razão é uma ilusão. O revolucionário norte-americano Ethan Allen — líder dos Rapazes da Montanha Verde, quando esses capturaram o Forte Ticonderoga — tinha algumas palavras a dizer sobre o assunto:

Aqueles que invalidam a razão devem seriamente considerar se estão argumentando contra a razão com ou sem razão. Se é com razão, eles estabelecem o princípio que se esforçam para derrubar; mas, se argumentam sem razão (o que, para ser coerentes consigo mesmos, deveriam fazer), ficam fora do alcance da convicção racional e não merecem uma argumentação racional.

O leitor pode julgar a profundidade desse argumento.


Quem testemunha o progresso da ciência em primeira mão observa um empreendimento intensamente pessoal. Há sempre alguns — impelidos por simples admiração e grande integridade, pela frustração com as insuficiências do conhecimento existente, ou simplesmente chateados consigo mesmos pela sua suposta incapacidade de compreender o que todos os outros entendem — que passam a fazer as devastadoras perguntas-chaves. Algumas personalidades de santos se destacam em um mar revolto de inveja, ambição, calúnias, repressão das divergências e vaidades absurdas. Em algumas áreas, altamente produtivas, esse comportamento é quase a norma.

Acho que todo esse turbilhão social e essas fraquezas humanas ajudam o empreendimento da ciência. Há uma estrutura estabelecida na qual qualquer cientista pode provar que o outro está errado, sabendo que tal informação será do conhecimento de todos os demais. Mesmo quando os nossos motivos são vis, não deixamos de tropeçar em algo novo.

Harold C. Urey, o norte-americano laureado com o Nobel de química, me confidenciou certa vez que, ao ficar mais velho (ele tinha então os seus setenta anos), percebia cada vez mais um esforço combinado para provar que ele estava errado. Descreveu a situação como a síndrome de "o gatilho mais rápido do Oeste": o jovem que conseguisse sacar o revólver antes do velho e famoso pistoleiro herdaria a sua reputação e o respeito que inspirava. Era irritante, resmungou, mas ajudava a dirigir os jo-

*295*

vens fedelhos para áreas importantes de pesquisa em que nunca teriam se aventurado sozinhos.

Sendo humanos, os cientistas às vezes também se envolvem na falácia de selecionar as observações: gostam de se lembrar daqueles casos em que tinham razão e esquecer as vezes em que estavam errados. Mas, em muitos exemplos, o que está "errado" é parcialmente certo, ou estimula os outros a descobrir o que está certo. Um dos astrofísicos mais produtivos de nossos tempos é Fred Hoyle, responsável por contribuições monumentais para a compreensão da evolução das estrelas, da síntese dos elementos químicos, da cosmologia e de muito mais. Às vezes, ele teve êxito por estar certo, antes que os outros sequer compreendessem que alguma coisa precisava de explicação. Outras vezes, ele foi bem-sucedido por estar errado — por ser tão provocador, por sugerir alternativas tão escandalosas que os observadores e experimentalistas se sentiam obrigados a checá-las. Ora o esforço apaixonado e combinado de "provar que Fred está errado" tem fracassado, ora tem sido bem-sucedido. Em quase todos os casos, tem alargado as fronteiras do conhecimento. Mesmo as teses mais escandalosas de Hoyle — por exemplo, que o vírus da gripe e o hiv são despejados de cometas sobre a Terra, e que os grãos de poeira interestelar são bactérias — têm propiciado progressos significativos no conhecimento (embora não tenha surgido nada que fundamente essas noções em particular).

Talvez fosse útil que os cientistas listassem de vez em quando alguns de seus erros. Isso poderia ter o papel instrutivo de iluminar e desmitificar o processo da ciência, e de esclarecer os cientistas mais jovens. Até Johannes Kepler, Isaac Newton, Charles Darwin, Gregor Mendel e Albert Einstein cometeram erros sérios. Mas o empreendimento científico providencia para que o trabalho de equipe prevaleça: o que um de nós, talvez até o mais brilhante, deixa de perceber, outro de nosso grupo, até muito menos famoso e capaz, pode detectar e retificar.

Quanto a mim, em livros anteriores me inclinei a relatar algumas das ocasiões em que estava com a razão. Que eu mencione neste livro alguns dos casos em que estava errado: numa época em que nenhuma nave espacial estivera em Vênus, pensei a princípio que a pressão atmosférica lá fosse várias vezes superior à da Terra, e não muitas dezenas de vezes. Pensei que as nuvens de Vênus fossem constituídas principalmente de água, que na verdade representa apenas 25% de sua constituição. Pensei que havia placas tectônicas em Marte, quando as observações colhidas mais de perto pelas espaçonaves mostram que não há vestígio delas. Pensei que as altíssimas temperaturas infravermelhas de Titã fossem causadas por um tremendo efeito estufa nesse satélite de Saturno; em vez disso, como se veio a saber, são provocadas por uma inversão de temperatura estratosférica. Pouco antes de o Iraque incendiar os poços de petróleo no Kuwait em janeiro de 1991, alertei que uma quantidade tão grande de fumaça poderia chegar a altitudes muito elevadas, a ponto de arruinar a agricultura em grande parte do Sul da Ásia; o que aconteceu foi que o céu *ficou* preto como breu ao meio-dia e as temperaturas caíram de 4°C a 6°C sobre o golfo Pérsico, mas pouca fumaça atingiu altitudes estratosféricas e a Ásia foi poupada. Eu não enfatizei bastante a incerteza dos cálculos.

Cada cientista tem um estilo diferente de especular, e alguns são muito mais cautelosos que outros. Se as novas ideias são testáveis e os cientistas não são exageradamente dogmáticos, não há dano; na verdade, pode-se fazer um progresso considerável. Nos primeiros quatro exemplos, eu apenas mencionei em que ponto estava errado. Na ausência de investigações meticulosas feitas pelas espaçonaves, procurava compreender um mundo distante a partir de alguns indícios. No curso natural da exploração planetária, recebemos outras informações e vemos todo um exército de ideias antigas ser abatido pelas armas dos novos fatos.

Os pós-modernos criticam a astronomia de Kepler, porque se originou de suas visões religiosas monoteístas e medievais, a biologia evolutiva de Darwin, porque foi motivada pelo desejo de perpetuar a classe social privilegiada em que ele nasceu, ou para justificar o seu suposto ateísmo anterior, e assim por diante.

Algumas dessas afirmações são justas. Outras não. Mas que importa saber os vieses e as predisposições emocionais que os cientistas levaram a seus estudos — desde que sejam escrupulosamente honestos e outras pessoas com tendências diferentes chequem os seus resultados? Supõe-se que ninguém afirmaria que a visão conservadora da soma de 14 mais 27 seja diferente da visão liberal, nem que a função matemática que é a sua própria derivada seja a função exponencial no hemisfério norte, mas alguma outra função no hemisfério sul. Qualquer função periódica regular pode ser representada com precisão arbitrária por uma série de Fourier tanto na matemática muçulmana como na hindu. Álgebras não comutativas (em que A vezes B não é igual a B vezes A) têm igual coerência interna e significação para os falantes das línguas indo-europeias como para os das fino-úgricas. A matemática pode ser valorizada ou ignorada, mas é verdadeira em toda parte — independentemente da etnia, cultura, língua, religião, ideologia.

Tendendo ao extremo oposto, estão as questões que se propõem saber se o expressionismo abstrato é "grande" arte, ou se o *rap* é "grande" música; se é mais importante domar a inflação ou o desemprego; se a cultura francesa é superior à alemã; ou se as proibições contra o assassinato devem se aplicar ao estado-nação. Nesse caso, as questões são excessivamente simples, as dicotomias falsas, ou as respostas dependentes de pressupostos tácitos. Nesse caso, os vieses locais podem muito bem determinar as respostas.

Em que ponto nesse *continuum* subjetivo, que vai de uma posição quase totalmente independente de normas culturais a uma posição quase totalmente dependente delas, está a ciência? Embora surjam decerto questões de viés e chauvinismo cultural, e embora seu conteúdo esteja sendo sempre aperfeiçoado, a ciência está claramente muito mais perto da matemática que da moda. A afirmação de que suas descobertas são em geral arbitrárias e preconcebidas não é apenas tendenciosa, mas também especiosa.

Os historiadores Joyce Appleby, Lynn Hunt e Margaret Jacob (em *Telling the truth about history*, 1994) criticam Isaac Newton: afirmam que ele rejeitou a posição filosófica de Descartes, porque ela poderia desafiar a religião convencional e provocar o caos social e o ateísmo. Essas críticas equivalem apenas à acusação de que os cientistas são humanos. A maneira como Newton foi esbofeteado pelas correntes intelectuais de seu tempo é certamente uma informação de interesse para o historiador de ideias; mas tem pouca relação com a verdade de suas proposições. Para que sejam aceitas, elas devem convencer tanto ateístas como crentes. Foi exatamente o que aconteceu.

Appleby e seus colegas afirmam que, "quando Darwin formulou sua teoria da evolução, ele era ateísta e materialista", e sugerem que a evolução foi produto de um suposto compromisso ateísta. Confundiram irremediavelmente causa e efeito. Darwin estava prestes a se tornar ministro da Igreja da Inglaterra, quando surgiu a oportunidade de zarpar no *H. M. S. Beagle*. Suas ideias religiosas, como ele próprio as descrevia, eram na época bastante convencionais. Ele considerava todos os Artigos da Fé Anglicana dignos de crédito integral. Pela sua investigação da Natureza, pela ciência, começou lentamente a compreender que pelo menos parte de sua religião era falsa. É por isso que mudou suas opiniões religiosas.

Appleby e seus colegas ficaram estarrecidos com a descrição de Darwin sobre "a baixa moralidade dos selvagens [...] seus poderes insuficientes de raciocínio [...] [seu] fraco poder de autocontrole", e afirmam que "agora muitas pessoas ficam chocadas com o seu racismo". Mas, pelo que me é dado observar, não havia absolutamente nenhum racismo no comentário de Darwin. Ele estava se referindo aos habitantes da Terra do Fogo, que sofrem de penúria extrema na província mais árida e antártica da Argentina. Quando descreveu como uma mulher sul-americana de origem africana se atirou ao encontro da morte em lugar de se submeter à escravidão, observou que apenas o preconceito nos impedia de ver o seu desafio à mesma luz heroica de um ato semelhante praticado pela orgulhosa matrona de uma família romana nobre. Ele próprio quase foi expulso do *Beagle* pelo capitão FitzRoy, por sua oposição militante ao racismo do capitão. Darwin estava muito acima de seus contemporâneos a respeito dessa questão.

Mas de novo, mesmo que ele fosse diferente, como isso afetaria a verdade ou a falsidade da seleção natural? Thomas Jefferson e George Washington eram proprietários de escravos; Albert Einstein e Mahatma Gandhi foram maridos e pais imperfeitos. A lista continua indefinidamente. Somos criaturas de nosso tempo, todos cheios de falhas. Será justo nos julgar pelos padrões desconhecidos do futuro? Alguns dos hábitos de nossa época serão, sem dúvida, considerados bárbaros pelas gerações posteriores — talvez o fato de insistir para que as crianças e até os bebês durmam sozinhos, e não junto com os pais; ou o de alimentar paixões nacionalistas como meio de ganhar aprovação popular e alcançar um alto cargo político; ou o de permitir o suborno e a corrupção como meio de vida; ou o de ter animais de estimação; ou o de comer animais e enjaular chimpanzés; ou o de criminalizar o uso de euforizantes por adultos; ou o de permitir que os nossos filhos cresçam ignorantes.

De vez em quando, num exame retrospectivo, alguém se salienta. Em meu livro, um desses é o revolucionário norte-americano nascido na Inglaterra, Thomas Paine. Ele estava muito à frente de seu tempo. Opôs-se corajosamente à monarquia, à aristocracia, ao racismo, à escravidão, à superstição e ao sexismo, quando tudo isso constituía a sabedoria convencional. Foi inabalável em sua crítica à religião convencional. Escreveu em *The age of reason*: "Sempre que lemos as histórias obscenas, as orgias voluptuosas, as execuções cruéis e torturantes, o espírito inexorável de vingança que impregnam mais da metade da Bíblia, seria mais coerente dizer que ela é a palavra de um demônio do que a palavra de Deus. Ela [...] tem servido para corromper e brutalizar a humanidade". Ao mesmo tempo, o livro demonstrava a mais profunda reverência por um Criador do Universo, cuja existência Paine afirmava ser evidente só de passar os olhos pelo mundo natural. Mas condenar grande parte da Bíblia e aceitar a existência de Deus parecia uma posição impossível para a maioria de seus contemporâneos. Os teólogos cristãos concluíram que ele era alcoólatra, louco ou corrupto. O erudito judeu David Levi proibiu seus colegas de religião até de pôr as mãos no livro, lê-lo então nem se fala. Paine passou por tantos sofrimentos por causa de suas opiniões (foi inclusive preso depois da Revolução Francesa, por ser demasiado coerente em sua oposição à tirania), que se tornou um velho amargurado.*

Sim, a nova ideia darwiniana pode ser virada pelo avesso e grotescamente mal empregada: magnatas ladrões e vorazes podem explicar suas práticas criminosas invocando o darwinismo social; os nazistas e outros racistas podem recorrer à "sobrevivência do mais forte" para justificar o genocídio. Mas Darwin não criou John D. Rockefeller, nem Adolf Hitler. A ganância, a Revolução Industrial, o sistema de livre empresa e a corrupção do governo pelos endinheirados são adequados para explicar o capitalismo do século XIX. O etnocentrismo, a xenofobia, as hierarquias sociais, a longa história do antissemitismo na Alemanha, o Tratado de Versalhes, as práticas de educação das crianças alemãs, a inflação e a Depressão parecem adequados para explicar a ascensão de Hitler ao poder. Muito provavelmente, esses acontecimentos ou outros semelhantes teriam ocorrido com ou sem Darwin. E o darwinismo moderno deixa bem claro que características muito menos cruéis, algumas nem sempre admiradas pelos magnatas ladrões e pelos *Fuhrers* — altruísmo, inteligência geral, compaixão —, podem ser a chave para a sobrevivência.

Se censurássemos Darwin, que outros tipos de conhecimento seriam também censurados? Quem faria a censura? Quem den-

---

\* Paine foi o autor do panfleto revolucionário "Bom senso". Publicado em janeiro de 1776, teve mais de meio milhão de cópias vendidas nos meses seguintes, e despertou muitos norte-americanos para a causa da independência. Ele foi o autor dos três *best-sellers* do século XVIII. As gerações posteriores o vilipendiaram por suas opiniões sociais e religiosas. Theodore Roosevelt o chamava "esse pequeno ateísta sujo" — apesar de sua profunda crença em Deus. Ele é provavelmente o mais ilustre revolucionário norte-americano que não tem monumento comemorativo em Washington, D.C.

tre nós é bastante sábio para saber quais as informações e ideias que podemos descartar sem problemas e quais as que serão necessárias daqui a dez, cem ou mil anos? Certamente podemos exercer algum arbítrio quanto aos tipos de máquinas e produtos que é seguro desenvolver. São decisões que devem ser tomadas de qualquer modo, porque não temos os recursos para pesquisar todas as tecnologias possíveis. Mas censurar o conhecimento, dizer às pessoas o que elas devem pensar, é uma porta aberta ao policiamento das ideias, a tomadas de decisão tolas e incompetentes e à decadência a longo prazo.

Os ideólogos ardorosos e os regimes autoritários acham fácil e natural impor as suas opiniões e reprimir as alternativas. Os cientistas nazistas, como o físico Johannes Stark, laureado com o Nobel, distinguiam a "ciência judaica" imaginária e fantasiosa, inclusive a relatividade e a mecânica quântica, da "ciência ariana" realista e prática. "Uma nova era de explicação mágica do mundo está chegando", disse Adolf Hitler, "uma explicação baseada na vontade, mais que no conhecimento. Não existe verdade, seja no sentido moral, seja no sentido científico." Vejamos outro exemplo.

Como me descreveu três décadas mais tarde, o geneticista norte-americano Hermann J. Muller voou de Berlim a Moscou num aeroplano leve, em 1922, para conhecer a nova sociedade soviética em primeira mão. Deve ter gostado do que viu, porque — depois de sua descoberta de que a radiação causa mutações (uma descoberta que mais tarde lhe valeria um prêmio Nobel) — mudou-se para Moscou a fim de introduzir a genética moderna na União Soviética. Mas, na metade dos anos 30, um charlatão chamado Trofim Lysenko conseguiu captar a atenção e depois o apoio entusiástico de Stalin. Lysenko afirmava que a genética — o que ele chamava de "mendelismo-weissmanismo-morganismo", em referência a alguns dos fundadores desse campo de estudo — tinha uma base filosófica inaceitável, e que a genética filosoficamente "correta", aquela que acatava de forma adequada o materialismo dialético comunista, produziria resultados muito diferentes. Em especial, a genética de Lysenko permitiria uma colheita adicional de trigo no inverno — uma notícia bem-vinda na economia soviética, que cambaleava por causa da coletivização da agricultura imposta por Stalin.

A suposta evidência de Lysenko era suspeita, não havia controles experimentais, e suas conclusões genéricas brotavam de um imenso corpo de dados contraditórios. À medida que o poder de Lysenko crescia, Muller argumentava apaixonadamente que a genética mendeliana clássica estava em plena harmonia com o materialismo dialético, ao passo que Lysenko, que acreditava na hereditariedade das características adquiridas e negava uma base material da hereditariedade, era um "idealista", ou coisa pior. Muller recebeu forte apoio de N. I. Vavilov, ex-presidente da Academia Nacional de Ciências Agrícolas.

Num discurso de 1936 na Academia de Ciência Agrícolas, então presidida por Lysenko, Muller fez um pronunciamento emocionante que incluía as seguintes palavras:

> Se profissionais eminentes vão começar a apoiar teorias e opiniões que são obviamente absurdas, até para quem conhece só um pouco de genética — opiniões como as que foram recentemente apresentadas pelo presidente Lysenko e pelos que seguem seu pensamento —, então a escolha diante de nós vai se parecer com a escolha entre a feitiçaria e a medicina, entre a astrologia e a astronomia, entre a alquimia e a química.

Num país de prisões arbitrárias e terror policial, esse discurso demonstrou integridade e coragem exemplares — muitos as consideraram temerárias. Em *O caso Vavilov* (1984), o historiador soviético emigrado Mark Popovsky diz que essas palavras foram acompanhadas de "estrondosos aplausos por toda a sala" e "permanecem na memória de todos os que participaram da sessão e ainda estão vivos".

Três meses mais tarde, Muller recebeu em Moscou a visita de um geneticista ocidental, que lhe falou de seu espanto diante de uma carta de ampla circulação, assinada por Muller, que condenava o predomínio do "mendelismo-weissmanismo-morganismo" no Ocidente e propunha com insistência um boicote ao próximo Congresso Internacional de Genética. Jamais tendo visto, muito menos assinado, tal carta, um Muller ofendido concluiu que era uma falsificação perpetrada por Lysenko. Muller logo redigiu um artigo irado para o *Pravda* denunciando Lysenko, e mandou uma cópia a Stalin.

No dia seguinte, Vavilov o procurou num estado um tanto agitado, para lhe comunicar que ele, Muller, tinha acabado de se apresentar como voluntário para lutar na Guerra Civil Espanhola. A carta ao *Pravda* pusera a vida de Muller em perigo. Ele saiu de Moscou no dia seguinte, evitando por um triz, como lhe disseram mais tarde, a NKVD, a polícia secreta. Vavilov não teve tanta sorte e faleceu na Sibéria em 1943.

Com o apoio ininterrupto de Stalin e mais tarde de Kruschev, Lysenko reprimiu violentamente a genética clássica. As referências a cromossomos e à genética clássica eram tão escassas nos livros didáticos soviéticos de biologia, no início dos anos 60, quanto o são hoje em dia as referências à evolução nos livros didáticos norte-americanos de biologia. Mas não houve nenhuma colheita de trigo no inverno; as fórmulas mágicas da expressão "materialismo dialético" não foram escutadas pelo dna das plantas domesticadas; a agricultura soviética continuou em depressão; e hoje, em parte por essa razão, a Rússia — com excelência mundial em muitas outras ciências — ainda está quase irremediavelmente atrasada em biologia molecular e engenharia genética. Duas gerações de biólogos modernos foram perdidas. O lysenkoísmo só foi derrubado em 1964, numa série de debates e votações na Academia Soviética de Ciências — uma das poucas instituições que manteve certo grau de independência em relação aos líderes do partido e do Estado — nos quais o físico nuclear Andrei Sakharov desempenhou um papel eminente.

Os norte-americanos tendem a sacudir a cabeça de espanto em face da experiência soviética. Parece impensável que uma ideologia referendada pelo Estado ou um preconceito popular tenha impedido o progresso científico. Há duzentos anos, os norte-americanos têm se orgulhado de ser um povo prático, pragmático e não ideológico. Entretanto, a pseudociência psicológica e antropológica tem florescido nos Estados Unidos — por exemplo, sobre a questão da raça. Sob o pretexto de "criacionismo", continua a ser feita uma séria tentativa de impedir que a teoria da evolução — a ideia integradora mais poderosa de toda a biologia, essencial para muitas outras ciências que vão desde a astronomia até a antropologia — seja ensinada nas escolas.

A ciência é diferente de muitos outros empreendimentos humanos — evidentemente não pelo fato de seus profissionais sofrerem influência da cultura em que se criaram, nem pelo fato de ora estarem certos, ora errados (o que é comum a toda atividade humana), mas pela sua paixão de formular hipóteses testáveis, pela sua busca de experimentos definitivos que confirmem ou neguem as ideias, pelo vigor de seu debate substantivo e pela sua disposição a abandonar as ideias que foram consideradas deficientes. Porém, se não tivéssemos consciência de nossas limitações, se não procurássemos outros dados, se nos recusássemos a executar experimentos controlados, se não respeitássemos a evidência, teríamos muito pouca força em nossa busca da verdade. Por oportunismo e timidez, poderíamos ser então fustigados por qualquer brisa ideológica, sem nenhum elemento de valor duradouro a que nos agarrar.

## 15. O SONO DE NEWTON

> *Que Deus nos guarde de uma visão única e do sono de Newton.*
> William Blake, de um poema incluído numa carta a Thomas Butts (1802)

> [É] *mais frequente que a confiança seja gerada pela ignorância do que pelo conhecimento: são os que conhecem pouco, e não os que conhecem muito, os que afirmam tão positivamente que este ou aquele problema nunca será solucionado pela ciência.*
> Charles Darwin, introdução, *The descent of man* (1871)

COM A EXPRESSÃO "SONO DE NEWTON", o poeta, pintor e revolucionário William Blake parece ter querido se referir à visão extremamente estreita da perspectiva da física de Newton, bem como ao próprio rompimento (incompleto) deste com o misticismo. Blake achava divertida a ideia de átomos e partículas de luz, e julgava "satânica" a influência de Newton sobre a nossa espécie. Uma crítica comum à ciência é o fato de ela ser tão estrita. Por causa de nossas bem comprovadas falibilidades, ela coloca fora de consideração, fora do alcance de qualquer raciocínio sério, uma ampla gama de imagens inspiradoras, noções travessas, misticismo convicto e maravilhas assombrosas. Sem a evidência física, a ciência não admite espíritos, almas, anjos, diabos, os darmas do Buda. Nem visitantes alienígenas.

O psicólogo norte-americano Charles Tart, que acredita ser convincente a evidência de percepção extrassensorial, escreve:

> Um fator importante na popularidade atual das ideias da "Nova Era" é a reação contra os efeitos desespiritualizadores e desumanizadores do *cientificismo*, a crença filosófica

(disfarçada de ciência objetiva e sustentada com a tenacidade emocional do fundamentalismo dos renascidos) de que *nada somos senão* seres materiais. Adotar sem pensar qualquer coisa rotulada de "espiritual", "mediúnico" ou da "Nova Era" é certamente tolice, pois muitas dessas ideias estão de fato erradas, por mais nobres ou inspiradoras que sejam. Por outro lado, esse interesse pela Nova Era é um reconhecimento legítimo de algumas das realidades da natureza humana: as pessoas sempre tiveram e continuam a ter experiências que parecem "mediúnicas" ou "espirituais".

Mas por que as experiências "mediúnicas" questionariam a ideia de que somos feitos de matéria e de nada mais além de matéria? Não há muita dúvida de que, no cotidiano, a matéria (e a energia) existe. A evidência está por toda parte, ao redor de nós. Por outro lado, como mencionei acima, a evidência de algo não material, chamado "espírito" ou "alma", é muito questionável. Sem dúvida, cada um de nós tem uma rica vida interior. No entanto, considerando a estupenda complexidade da matéria, como seria possível provar que aquela não é inteiramente criada por esta? Certo, há muita coisa sobre a consciência humana que não compreendemos plenamente e ainda não podemos explicar em termos de neurobiologia. Os seres humanos têm limitações, e ninguém sabe disso melhor que os cientistas. Mas muitos aspectos do mundo natural, considerados miraculosos apenas algumas gerações atrás, são agora inteiramente compreendidos pela física e química. Pelo menos alguns dos mistérios de nossos dias serão desvendados pelos nossos descendentes. O fato de não podermos ter no momento uma compreensão detalhada dos estados alterados de consciência em termos da química do cérebro não é indicação maior da existência de um "mundo espiritual" do que, antes de conhecermos o fototropismo e os hormônios das plantas, um girassol seguindo o curso do Sol pelo céu era prova de um milagre literal.

E, se o mundo não corresponde em todos os aspectos a nossos desejos, isso é culpa da ciência ou dos que querem impor a sua vontade ao mundo? Todos os mamíferos — e também muitos outros animais — vivenciam emoções: medo, sensualidade, esperança, dor, amor, ódio, a necessidade de ser liderado. Os seres humanos podem meditar mais sobre o futuro, mas não há em nossas emoções nada que seja exclusividade nossa. Por outro lado, nenhuma outra espécie faz ciência tão bem quanto nós. Como é que então a ciência pode ser "desumanizadora"?

Ainda assim, parece muito injusto: alguns de nós morrem de fome antes de completar a primeira infância, enquanto outros — pelo acaso do nascimento — passam a vida na opulência e no esplendor. Podemos nascer numa família violenta ou num grupo étnico hostilizado, ou podemos começar a vida com alguma deformidade física. Vivemos com o baralho viciado contra nós e depois morremos: é só isso? Nada a não ser um sono sem sonhos e sem fim? Onde é que está a justiça nisso tudo? É desolador, brutal, impiedoso. Não deveríamos ter uma segunda chance numa arena nivelada? Como seria melhor se nascêssemos de novo em circunstâncias que levassem em conta o nosso desempenho na última vida, por mais viciado que o baralho tivesse estado contra nós. Ou, se houvesse um julgamento depois da morte, então — desde que representássemos bem as personalidades que nos foram dadas nesta vida, e fôssemos humildes, fiéis e tudo o mais — deveríamos ser recompensados vivendo alegremente até o fim dos tempos num refúgio permanente, longe da agonia e do turbilhão do mundo. Assim seria, se o mundo fosse ideado, pré-planejado, justo. Assim seria, se os que sofrem com a dor e o tormento recebessem o consolo que merecem.

Dessa forma, as sociedades que ensinam a satisfação com o que temos na vida, na expectativa de uma recompensa *post mortem*, tendem a se vacinar contra a revolução. Além disso, o medo da morte, que favorece sob alguns aspectos a adaptação na luta evolutiva pela existência, prejudica a adaptação em tempos de guerra. As culturas que falam de uma futura vida de recompensas para os heróis — ou até para aqueles que apenas cumpriram as ordens das autoridades — podem levar vantagem na luta.

Assim, a ideia de que uma parte espiritual de nossa natureza sobrevive à morte, a noção de uma vida após a morte, deve ser algo que as religiões e as nações não encontram dificuldade em vender. Podemos antever que não será muito difundido o ceticismo a respeito dessa questão. As pessoas vão querer acreditar na vida após a morte, mesmo que a evidência seja escassa e até nula. Sem dúvida, algumas lesões cerebrais podem nos roubar segmentos importantes da memória, ou nos transformar de maníacos em plácidos, ou vice-versa; e certas mudanças na química do cérebro podem nos convencer de que há uma enorme conspiração contra nós, ou nos levar a pensar que escutamos a voz de Deus. Mas, como esse testemunho convincente estabelece que nossa personalidade, caráter, memória — se quiserem, alma — reside na matéria do cérebro, é fácil deixar de considerá-lo e procurar maneiras de evitar o peso da evidência.

E, se há instituições sociais poderosas que insistem na *existência* de uma vida após a morte, não deve causar surpresa que os dissidentes tendam a ser poucos, quietos e ressentidos. Algumas religiões orientais, cristãs e da Nova Era, assim como o platonismo, afirmam que o mundo é irreal, que o sofrimento, a morte e a própria matéria são ilusões; e que nada realmente existe a não ser a "Mente". Em oposição, a visão científica predominante é que a mente constitui o modo como percebemos o funcionamento do cérebro; isto é, constitui uma propriedade das centenas de trilhões de conexões neuroniais no cérebro.

Uma opinião acadêmica estranhamente em ascensão, com raízes nos anos 60, sustenta que todas as visões são igualmente arbitrárias e que o "verdadeiro" ou "falso" é uma delusão. Talvez seja uma tentativa de virar o feitiço contra o feiticeiro e atacar os cientistas que argumentam há muito tempo que a crítica literária, a religião, a estética e grande parte da filosofia e da ética são meras opiniões subjetivas, porque não podem ser demonstradas como um teorema da geometria euclidiana, nem passar por um teste experimental.

Há pessoas que desejam que tudo seja possível, que não querem nenhuma restrição à sua realidade. Elas sentem que a nossa imaginação e as nossas necessidades requerem bem mais que o relativamente pouco que a ciência nos ensina ser razoável ter como certo. Muitos gurus da Nova Era — a atriz Shirley MacLaine entre eles — chegam a abraçar o solipsismo, a afirmar que a única realidade são os seus próprios pensamentos. "Eu sou Deus", é o que dizem na verdade. "Eu realmente acho que criamos nossa própria realidade", disse MacLaine certa vez a um cético. "Acho que estou criando você neste exato momento."

Se sonho que volto a me encontrar com o pai, a mãe ou um filho mortos, quem vai me convencer de que esse encontro não aconteceu *de verdade*? Se tenho uma visão de mim mesmo flutuando no espaço e olhando para a Terra lá embaixo, é possível que eu realmente tenha estado nesse lugar; quem são esses cientistas, que nem sequer partilharam a experiência, para me dizer que tudo se passou na minha cabeça? Se a minha religião ensina que, pela palavra inalterável e infalível de Deus, o Universo tem uns mil anos de idade, então os cientistas estão sendo ofensivos e ímpios, além de estarem enganados, quando afirmam que o Universo tem alguns bilhões de anos.

Irritantemente, a ciência reclama o direito de impor limites ao que podemos fazer, mesmo em princípio. Quem diz que não podemos viajar mais velozmente que a luz? Eles costumavam dizer o mesmo a respeito do som, não é? Se tivermos instrumentos realmente potentes, quem vai nos impedir de medir simultaneamente a posição e o momento de um elétron? Se formos muito inteligentes, por que não podemos construir uma máquina de movimento perpétuo "da primeira espécie" (uma que gera mais energia do que recebe), ou uma máquina de movimento perpétuo "da segunda espécie" (uma que nunca para de funcionar)? Quem ousa impor limites ao engenho humano?

Na realidade, a Natureza impõe esses limites. Na realidade, uma afirmação bastante abrangente e muito concisa das leis da Natureza, de como o Universo funciona, está contida nessa lista de atos proibidos. Reveladoramente, a pseudociência e a superstição tendem a não reconhecer limites na Natureza. Em vez disso, "todas as coisas são possíveis". Elas prometem um orçamento de produção ilimitado, por mais que seus adeptos tenham sido tantas vezes desapontados e traídos.

* * *

Uma queixa correlata é o fato de a ciência ser demasiado simples, demasiado "reducionista"; ela imagina ingenuamente que no cômputo final haverá apenas algumas leis da Natureza — talvez até bem simples — que explicam tudo, que a sutileza refinada do mundo, os cristais de neve, os emaranhados da teia de aranha, as galáxias espirais e os lampejos da intuição humana podem ser, em última análise, "reduzidos" a essas leis. O reducionismo não parece ter bastante respeito pela complexidade do Universo. A alguns parece ser uma mistura curiosa de arrogância e preguiça intelectual.

A Isaac Newton — que nas mentes dos críticos da ciência personifica a "visão única" —, o Universo parecia um mecanismo de relógio. Os movimentos orbitais regulares e previsíveis dos planetas ao redor do Sol, ou da Lua ao redor da Terra, eram descritos com alta precisão, essencialmente pela mesma equação diferencial que prediz o balanço de um pêndulo ou a oscilação de uma mola. Hoje temos a tendência de pensar que ocupamos um ponto de observação privilegiado, e sentimos pena dos pobres newtonianos por terem uma visão de mundo tão limitada. Mas, dentro de certas limitações razoáveis, as mesmas equações harmônicas que descrevem o mecanismo de um relógio traçam realmente os movimentos dos objetos astronômicos por todo o Universo. O paralelismo não é trivial, mas profundo.

É certo que não há engrenagens no sistema solar, e que as partes componentes do relógio gravitacional não se tocam. Em geral, os planetas têm movimentos mais complicados que os pêndulos e as molas. É também verdade que o modelo do relógio não funciona em certas circunstâncias: durante períodos muito longos, os puxões gravitacionais de mundos distantes — puxões que poderiam parecer totalmente insignificantes ao longo de algumas órbitas — podem aumentar, e um mundo pequeno adernar e sair inesperadamente de seu curso costumeiro. Entretanto, também se encontram movimentos caóticos em relógios de pêndulo; se deslocamos o pêndulo para um ponto muito distante da perpendicular, segue-se um movimento desordenado e feio. Mas o sistema solar funciona melhor que qualquer relógio mecânico, e toda a ideia de contar o tempo deriva da observação do movimento do Sol e das estrelas.

O espantoso é que matemática semelhante se aplique tão bem tanto aos planetas como aos relógios. Não precisava ser assim. Não impusemos essa característica ao Universo. É assim que ele funciona. Se isso é reducionismo, que seja.

Até a metade do século XX, havia uma forte convicção — entre os teólogos, filósofos e muitos biólogos — de que a vida não era "redutível" às leis da física e da química, de que havia uma "força vital", uma "enteléquia", um tao, um mana que impulsionava as coisas vivas. "Animava" a vida. Era impossível compreender como simples átomos e moléculas podiam ser responsáveis pela complexidade e elegância, pela adaptação da forma à função de que era capaz um ser vivo. As religiões de todo o mundo eram invocadas: Deus ou os deuses insuflavam a vida, o estofo da alma, na matéria inanimada. O químico oitocentista Joseph Priestley tentou encontrar a "força vital". Pesou um camundongo pouco antes e pouco depois de sua morte. O peso não se alterou. Todas essas tentativas têm falhado. Se existe o estofo da alma, ele evidentemente não pesa nada — isto é, não é feito de matéria.

Contudo, até materialistas biológicos nutriam reservas; ainda que não existissem almas de plantas, animais, fungos e micróbios, talvez fosse necessário algum princípio da ciência ainda não descoberto para compreender a vida. Por exemplo, o fisiólogo britânico J. S. Haldane (pai de J. B. S. Haldane) perguntava em 1932:

> Que explicação inteligível a teoria mecanicista da vida pode dar sobre a [...] cura da doença e de ferimentos? Simplesmente nenhuma, exceto que esses fenômenos são tão complexos e estranhos que ainda não podemos compreendê-los. Acontece exatamente o mesmo com os fenômenos intimamente relacionados da reprodução. Está além de nossa imaginação conceber um mecanismo delicado e complexo que,

como um organismo vivo, seja capaz de se reproduzir com frequência indefinida.

Mas passaram-se somente algumas décadas, e o nosso conhecimento de imunologia e biologia molecular tem esclarecido enormemente esses mistérios outrora impenetráveis.

Quando a estrutura molecular do DNA e a natureza do código genético foram elucidadas pela primeira vez, nos anos 50 e 60, lembro-me muito bem de como os biólogos que estudavam os organismos inteiros acusavam de reducionismo os novos proponentes da biologia molecular. ("Eles jamais compreenderão nem sequer uma minhoca com o seu DNA.") Reduzir tudo a uma "força vital" não é certamente menos reducionista. Mas hoje em dia é claro que toda a vida sobre a Terra, cada um dos seres vivos, tem as suas informações genéticas codificadas em seus ácidos nucleicos, e emprega fundamentalmente o mesmo dicionário de códigos para implementar as instruções hereditárias. Aprendemos a ler o código. O mesmo número de moléculas orgânicas é repetidamente usado na biologia para as mais variadas funções. Os genes significativamente responsáveis pela fibrose cística e pelo câncer de mama têm sido identificados. Os 1,8 milhão de elos na cadeia do DNA da bactéria *Haemophilis influenzae*, que compreendem seus 1743 genes, foram postos em sequência. A função específica da maioria desses genes é maravilhosamente pormenorizada — da manufatura e cultivo de centenas de moléculas complexas à proteção contra o calor e os antibióticos, ao aumento da taxa de mutação, à reprodução de cópias idênticas da bactéria. Grande parte dos genomas de muitos outros organismos (inclusive o nematódeo *Caenorhabditis elegans*) já foi mapeada. Os biólogos moleculares estão registrando laboriosamente a sequência dos 3 bilhões de nucleotídeos que especificam como se constrói um ser humano. Em uma ou duas décadas, terão terminado o trabalho. (Se os benefícios vão, em última análise, superar os riscos, não parece absolutamente certo.)

Estabeleceu-se uma continuidade entre a física atômica, a química molecular e este santuário sacrossanto, a natureza da reprodução e da hereditariedade. Não foi preciso invocar nenhum princípio novo da ciência. É como se *houvesse* um pequeno número de fatos simples que podem ser usados para compreender a enorme complexidade e variedade dos seres vivos. (A genética molecular também ensina que cada organismo tem a sua própria particularidade.)

O reducionismo está ainda mais estabelecido na física e na química. Descreverei mais tarde a coalescência inesperada de nossa compreensão da eletricidade, do magnetismo, da luz e da relatividade numa única estrutura. Sabemos há séculos que um punhado de leis relativamente simples não só explicam, como predizem quantitativa e acuradamente uma variedade surpreendente de fenômenos, e não apenas na Terra, mas em todo o Universo.

Escutamos — por exemplo, do teólogo Langdon Gilkey em seu *Nature, reality and the sacred* — que a noção de que as leis da Natureza são as mesmas por toda parte é apenas uma ideia preconcebida imposta ao Universo por cientistas falíveis e seu ambiente social. Ele deseja outros tipos de "conhecimento", tão válidos em seu contexto quanto a ciência o é no dela. Mas a ordem do Universo não é um pressuposto; é um fato observado. Detectamos a luz de quasares distantes somente porque as leis do eletromagnetismo são as mesmas a 10 bilhões de anos-luz. Os espectros desses quasares são reconhecíveis porque lá se acham presentes os mesmos elementos químicos, e porque lá se aplicam as mesmas leis da mecânica quântica. O movimento das galáxias umas ao redor das outras segue a gravidade newtoniana familiar. As lentes gravitacionais e os *spin-downs* dos pulsares binários revelam a relatividade geral nas profundezas do espaço. *Poderíamos* viver num Universo com leis diferentes em cada região, mas não é o nosso caso. Esse fato só pode provocar sentimentos de reverência e admiração.

Poderíamos viver num Universo em que nada pudesse ser entendido por algumas leis simples, em que a complexidade da Natureza estivesse além de nossa capacidade de compreensão, em que os princípios que se aplicam na Terra fossem inválidos em Marte ou num quasar distante. Contudo, a evidência — não falo de ideias preconcebidas, mas da evidência — prova o contrário. Por sorte, vivemos num Universo em que muita coisa *pode* ser "reduzida" a um pequeno número de leis da Natureza relativamente simples. Caso contrário, talvez não tivéssemos a capacidade intelectual e a inteligência para compreender o mundo.

Sem dúvida, podemos cometer erros ao aplicar um programa reducionista à ciência. Talvez haja aspectos que, pelo que sabemos, não são redutíveis a algumas leis relativamente simples. Mas, à luz das descobertas dos últimos séculos, parece tolice queixar-se de reducionismo. Não é uma deficiência, mas um dos principais triunfos da ciência. E, ao que me parece, suas descobertas estão em perfeita harmonia com muitas religiões (embora a ciência não *prove* a sua validade). Por que algumas leis simples da Natureza explicam tantas coisas e predominam em todo esse vasto Universo? Não é exatamente o que se esperaria de um Criador do Universo? Por que alguns religiosos se opõem ao programa reducionista na ciência, a não ser por um amor inadequado ao misticismo?


As tentativas de conciliar a religião e a ciência têm estado na agenda religiosa ao longo dos séculos — pelo menos para aqueles que não insistem num literalismo da Bíblia e do Corão incapaz de comportar alegorias ou metáforas. As realizações máximas da teologia católica romana são a *Summa theologica* e a *Summa contra gentiles* ("Contra os gentios") de são Tomás de Aquino. No redemoinho da sofisticada filosofia islâmica que caiu sobre a cristandade nos séculos XII e XIII, encontravam-se as obras dos gregos antigos, especialmente de Aristóteles — obras de alta realização, mesmo quando submetidas a um exame casual. Esse conhecimento antigo era compatível com a Sagrada Palavra de Deus?* Na *Summa theologica*, Aquino se impôs a tarefa de conci-

---

\* Isso não constituía dilema para muitos outros. "Creio, portanto compreendo", dizia santo Anselmo no século XI.

liar 631 questões entre as fontes cristãs e clássicas. Mas o que fazer quando surge uma clara disputa? A conciliação não é possível sem um subsequente princípio organizador, algum modo superior de conhecer o mundo. Frequentemente, Aquino apelava para o senso comum e para o mundo natural — isto é, a ciência era usada como um mecanismo de correção de erros. Contorcendo um pouco tanto o senso comum como a natureza, ele conseguiu conciliar todos os 631 problemas. (Embora, em momentos de emergência, a resposta desejada fosse simplesmente suposta. A Fé sempre ganhou da Razão.) Tentativas semelhantes de conciliação permeiam a literatura judaica talmúdica e pós-talmúdica, bem como a filosofia islâmica medieval.

Mas dogmas centrais da religião podem ser testados cientificamente. Em si, esse fato leva alguns crentes e burocratas religiosos a desconfiar da ciência. Será a Eucaristia, como a Igreja ensina, muito mais do que uma metáfora fecunda, na realidade a carne de Jesus Cristo, ou será — química, microscopicamente e de outras maneiras — apenas uma hóstia que o padre dá ao fiel?* O mundo será destruído ao final do ciclo venusiano de 52 anos, a menos que seres humanos sejam sacrificados aos deuses?** O judeu que por acaso não foi circuncidado leva uma vida pior do que seus colegas de religião que aceitam a antiga aliança pela qual Deus exige um pedaço do prepúcio de todo fiel mas-

---

\* Houve uma época em que a resposta a essa pergunta era uma questão de vida e morte. Miles Phillips era um marinheiro inglês, abandonado na colônia espanhola do México. Ele e seus companheiros foram conduzidos perante a Inquisição no ano de 1574. "Se não acreditávamos que a hóstia de pão que o padre elevava acima de sua cabeça e o vinho que havia no cálice eram o verdadeiro, o perfeito corpo e sangue de nosso Salvador Jesus Cristo, sim ou não? Ao que", acrescenta Phillips, "se não respondêssemos 'Sim!', não nos restaria outro caminho senão a morte."

\*\* Como esse ritual da América Central não tem sido praticado há cinco séculos, temos a perspectiva de refletir sobre as dezenas de milhares de seres humanos, sacrificados voluntária ou involuntariamente aos deuses astecas e maias, que se conformavam com os seus destinos pela fé de que morriam para salvar o Universo.

culino? Existem seres humanos povoando inumeráveis outros planetas, como ensinam os Santos do Último Dia? Um cientista louco criou os brancos a partir dos negros, como afirma a Nação do Islã? O Sol realmente não nasceria se não se praticasse o rito de sacrifício hindu (o que o *Satapatha Brahmana* nos assegura que aconteceria)?

Podemos formar alguma ideia das raízes humanas da oração examinando as preces de religiões e culturas pouco familiares. Por exemplo, eis o que está escrito numa inscrição cuneiforme sobre um selo cilíndrico babilônio do segundo milênio a.C.: "Oh, Ninlil, Senhora das Terras, em teu leito nupcial, na morada de teu prazer, interceda por mim junto a Enlil, o teu amado. [Assinado] Mili-Shipak, Shatammu de Ninmah".

Já faz muito tempo que existiu um Shatammu em Ninmah, ou até mesmo uma Ninmah. Apesar do fato de Enlil e Ninlil terem sido deuses importantes — pessoas em todo o mundo ocidental civilizado lhes dirigiram preces durante 2 mil anos —, o pobre Mili-Shipak estava na realidade orando para um fantasma, para um produto socialmente tolerado de sua imaginação? E, nesse caso, que dizer de nós? Ou isso é blasfêmia, uma questão proibida — como era com certeza entre os cultuadores de Enlil?

A oração funciona realmente? Quais?

Em certa categoria de oração, pede-se a Deus que intervenha na história humana ou corrija alguma injustiça, real ou imaginada, ou uma calamidade natural — por exemplo, quando um bispo do oeste norte-americano reza para que Deus aja e acabe com uma seca devastadora. Por que é preciso rezar? Deus não sabia da seca? Não tinha consciência de que era uma ameaça aos paroquianos do bispo? O que fica subentendido sobre as limitações de uma divindade supostamente onipotente e onisciente? O bispo pediu que seus discípulos também rezassem. Deus fica mais inclinado a intervir quando muitos oram pedindo misericórdia ou justiça do que quando apenas alguns rezam? Ou considere-se o seguinte pedido, publicado em *The Prayer and Action Weekly News: Iowa's Weekly Christian Information Source* em 1994:

Você pode se juntar a mim nesta prece para que Deus destrua pelo fogo o planejamento familiar em Des Moines, de tal modo que ninguém possa confundir a ação com um incêndio humano, de tal modo que os investigadores imparciais terão de atribuir o fogo a causas miraculosas (inexplicáveis) e os cristãos terão de atribuir a catástrofe à Mão de Deus?

Já discutimos a cura pela fé. Que dizer da longevidade pela oração? O estatístico vitoriano Francis Galton afirmava que — sendo iguais outras condições — os monarcas britânicos deviam ter vida muito longa, porque milhões de pessoas em todo o mundo entoavam diariamente o mantra sincero "Deus salve a rainha" (ou o rei). Entretanto, ele mostrava que, se havia alguma diferença, era que eles não viviam tanto quanto os outros membros da classe aristocrática rica e mimada. Dezenas de milhões de pessoas em conjunto desejavam publicamente (embora não fosse exatamente uma prece) que Mao Tse-tung vivesse "por 10 mil anos". Quase todo mundo no antigo Egito pedia aos deuses que o faraó vivesse "para sempre". Essas preces coletivas falharam. O seu fracasso constitui dados.

Dando declarações que são, ainda que só em princípio, testáveis, as religiões, embora involuntariamente, entram na arena da ciência. Elas já não podem fazer afirmativas inquestionáveis sobre a realidade — desde que não detenham o poder secular, nem possam coagir a crença. Isso, por sua vez, tem enfurecido alguns adeptos de certas religiões. De vez em quando eles ameaçam os céticos com os castigos mais terríveis que se possa imaginar. Considere-se a seguinte alternativa de alto risco proposta por William Blake em sua obra inofensivamente intitulada *Auguries of innocence*:

> *He who shall teach the Child to Doubt*
> *The rotting Grave shall ne'er get out.*
> *He who respects the Infant's Faith*
> *Triumphs ober Hell & Death*

[Quem ensinar a Criança a Duvidar
Nunca sairá da Cova fétida.
Quem respeita a Fé da Criança
Triunfa sobre o Inferno & a Morte]

Sem dúvida, muitas religiões — consagradas à reverência, ao temor, à ética, ao ritual, à comunidade, à família, à caridade e à justiça política e econômica — não são de forma alguma questionadas, mas antes enaltecidas pelas descobertas da ciência. Não há necessariamente conflito entre a ciência e a religião. Em certo nível, elas partilham papéis semelhantes e harmoniosos, e uma precisa da outra. O debate aberto e vigoroso, até mesmo a consagração da dúvida, é uma tradição cristã que remonta a *Areopagitica* de John Milton (1644). Parte do cristianismo e do judaísmo oficiais adota, e até antecipou, ao menos uma parcela da humildade, autocrítica, debate racional e questionamento da sabedoria recebida que o melhor da ciência oferece. Mas outras seitas, às vezes chamadas conservadoras ou fundamentalistas — e hoje elas parecem estar em ascensão, enquanto as religiões oficiais se mantêm quase inaudíveis e invisíveis —, optaram por tomar posição a respeito de questões sujeitas à refutação, e por isso têm algo a temer da ciência.

As tradições religiosas são com frequência tão ricas e variadas que oferecem uma ampla oportunidade de renovação e revisão, sobretudo, mais uma vez, quando seus livros sagrados podem ser interpretados metafórica e alegoricamente. Existe uma posição intermediária de confissão dos erros do passado — como fez a Igreja católica romana em 1992 ao reconhecer que Galileu afinal tinha razão, que a Terra gira ao redor do Sol: um atraso de três séculos, mas ainda assim uma atitude corajosa e muito bem-vinda. O catolicismo romano moderno não tem nada contra o Big Bang, nem contra um Universo de mais ou menos 15 bilhões de anos, nem contra o fato de os primeiros seres vivos terem surgido de moléculas pré-biológicas, nem contra os humanos terem evoluído de ancestrais semelhantes a macacos — embora tenha opiniões especiais sobre o fato de "o homem ser dotado de uma alma". A maioria dos credos protestantes e judeus oficiais adota a mesma posição inflexível.

Quando discuto teologia com líderes religiosos, pergunto frequentemente qual seria a sua reação se um dogma central de seu credo fosse refutado pela ciência. Quando fiz essa pergunta ao atual dalai-lama, o 14º, ele me deu sem hesitar uma resposta que nenhum líder religioso conservador ou fundamentalista daria: nesse caso, disse ele, o budismo tibetano teria de mudar.

— Ainda que fosse um dogma realmente central — perguntei —, como a reencarnação?

— Ainda assim — ele respondeu. Entretanto — acrescentou com uma piscadela — vai ser difícil refutar a reencarnação.

Sem dúvida, o dalai-lama tem razão. A doutrina religiosa imune à refutação tem poucos motivos para se preocupar com o progresso da ciência. A ideia grandiosa, comum a muitos credos, de um Criador do Universo é uma dessas doutrinas — é igualmente difícil prová-la ou refutá-la.

Moisés Maimônides, em seu *Guia para os perplexos*, dizia que Deus só podia ser conhecido de fato se houvesse um estudo livre e aberto tanto da física como da teologia [I, 55]. O que aconteceria se a ciência provasse que a idade do Universo é infinita? Nesse caso, a teologia teria de ser profundamente readaptada [II, 25]. Na verdade, essa é a única descoberta concebível da ciência que seria capaz de refutar a existência de um Criador — porque um universo de duração infinita nunca teria sido criado. Teria existido desde sempre.

Há outras doutrinas, interesses e preocupações que também demonstram apreensão pelo que a ciência vai descobrir. Talvez seja melhor não saber, é o que sugerem. Se os homens e as mulheres mostram ter propensões hereditárias diferentes, isso não será usado como pretexto para que os primeiros as oprimam? Se há um componente genético da violência, isso justificaria a repressão de um grupo étnico por outro, ou até o encarceramento preventivo? Se a doença mental é apenas química do cérebro, isso não desfaz as nossas tentativas de conhecer a realidade ou de ser responsáveis por nossas ações? Se não somos a obra especial do Criador do Universo, se nossas leis morais básicas são apenas inventadas por legisladores falíveis, a nossa luta para manter uma sociedade ordenada não fica minada?

Em todos esses casos, religiosos ou seculares, a minha sugestão é que estamos em melhor situação se conhecemos a maior aproximação possível da verdade — e se conservamos uma percepção perspicaz dos erros que nosso grupo de interesse ou sistema de crença cometeu no passado. Em todos os casos, são exageradas as supostas consequências terríveis de a verdade ser conhecida. E, mais uma vez, não somos bastante sábios para saber que mentiras ou até que nuanças dos fatos podem servir competentemente a um propósito social mais elevado — sobretudo a longo prazo.

# 16. QUANDO OS CIENTISTAS CONHECEM O PECADO

> *A inteligência do homem — até onde avançará? Em que ponto a sua impudência audaciosa encontrará limites? Se a vileza humana e a vida humana crescem na devida proporção, se o filho sempre supera o pai em maldade, os deuses devem acrescentar outro mundo a esta terra, para que haja bastante espaço para todos os pecadores.*
>
> Eurípides, *Hipólito* (428 a.C.)

**Num encontro pós-guerra** com o presidente Harry S. Truman, J. Robert Oppenheimer — o diretor científico do Projeto Manhattan de armas nucleares — comentou tristemente que os cientistas tinham as mãos ensanguentadas; eles agora conheciam o pecado. Mais tarde, Truman instruiu seus assessores de que não desejava nunca mais se encontrar com Oppenheimer. Ora os cientistas são castigados por fazer o mal, ora por alertar sobre o mau emprego que se pode fazer da ciência.

Com mais frequência, a ciência é repreendida porque ela e seus produtos são considerados moralmente neutros, eticamente ambíguos, empregados com igual presteza tanto para o bem como para o mal. Essa é uma acusação antiga. Remonta talvez às ferramentas de pedra lascada e ao domínio do fogo. Como a tecnologia tem acompanhado a nossa linhagem ancestral desde antes do primeiro ser humano, como somos uma espécie tecnológica, esse problema é menos da ciência que da natureza humana. Com isso não quero dizer que a ciência não tenha responsabilidade pelo mau emprego de suas descobertas. Ela tem uma responsabilidade profunda, e quanto mais poderosos os seus produtos maior a sua responsabilidade.

Como acontece com as armas ofensivas e seus derivados no mercado, as tecnologias que nos permitem alterar o meio ambiente global responsável pela vida deveriam exigir cautela e prudência. Sim, por enquanto são os mesmos velhos seres humanos em ação. Sim, estamos desenvolvendo novas tecnologias, como sempre fizemos. Mas, quando as fraquezas que sempre tivemos se unem a uma capacidade de causar dano numa escala planetária sem precedentes, algo mais é exigido de nós — uma ética emergente que também deve ser estabelecida numa escala planetária sem precedentes.

Às vezes os cientistas tentam conciliar os dois lados: aceitar o crédito por aquelas aplicações da ciência que enriquecem as nossas vidas, mas distanciar-se dos instrumentos causadores de morte, intencional ou inadvertida, que também remontam à pesquisa científica. O filósofo australiano John Passmore escreve em seu livro *Science and its critics*:

> A Inquisição espanhola procurava evitar a responsabilidade direta pela execução dos hereges na fogueira, entregando-os ao poder secular; queimá-los ela própria, explicava com piedade, seria totalmente incoerente com seus princípios cristãos. Poucos de nós permitiríamos que a Inquisição limpasse assim tão facilmente o sangue de suas mãos; ela sabia muito bem o que iria acontecer. Da mesma forma, quando a aplicação tecnológica das descobertas científicas é clara e óbvia — como, por exemplo, quando um cientista trabalha com gases que atacam o sistema nervoso —, ele não pode propriamente alegar que "nada tem a ver" com essas aplicações, sob o pretexto de que são os militares, e não os cientistas, que usam os gases para aleijar ou matar. Isso se torna ainda mais evidente quando o cientista deliberadamente oferece ajuda a governos em troca de financiamentos. Se um cientista, ou um filósofo, aceita financiamento de um órgão como um departamento de pesquisa naval, ele não está sendo honesto se sabe que seu trabalho não será útil para fins militares, e deve assumir parte da responsabilidade pelos resultados se sabe que sua pesquisa terá utilidade. Ele está sujeito, propriamente sujeito, a elogios ou

censuras em relação a qualquer inovação que provenha de seu trabalho.

Um importante estudo de caso é fornecido pela carreira do físico de naturalidade húngara Edward Teller. Teller ficou marcado, ainda muito jovem, pela revolução comunista de Béla Kuhn na Hungria, quando as propriedades de famílias da classe média como a sua foram expropriadas, e por ter perdido parte de uma perna num acidente de bonde, o que lhe acarretou dores constantes. Suas primeiras contribuições abrangiam desde as regras de seleção da mecânica quântica e a física do estado sólido até a cosmologia. Foi ele quem levou o físico Leo Szilard de carro até Albert Einstein, que tirava férias em Long Island em 1931 — um encontro que provocou a carta histórica de Einstein ao presidente Franklin Roosevelt, recomendando com insistência que, em vista dos acontecimentos científicos e políticos na Alemanha nazista, os Estados Unidos desenvolvessem uma bomba de fissão, ou "atômica". Recrutado para trabalhar no Projeto Manhattan, Teller chegou a Los Alamos e de pronto se recusou a cooperar — não porque estivesse apavorado com o que uma bomba atômica poderia provocar, mas exatamente pelo contrário: porque desejava trabalhar numa arma muito mais destrutiva, a bomba de fusão, termonuclear, ou de hidrogênio. (Embora haja um limite superior prático para o rendimento ou energia destrutiva de uma bomba atômica, não existe tal coisa para a bomba de hidrogênio. Mas a bomba de hidrogênio precisa de uma bomba atômica como gatilho.)

Depois que a bomba de fissão foi inventada, depois que a Alemanha e o Japão se renderam, depois que a guerra terminou, Teller continuou a ser um advogado persistente do que era chamado "A Super", projetada especialmente para intimidar a União Soviética. A preocupação com a reconstrução, o endurecimento e a militarização da União Soviética sob Stalin, bem como a paranoia nacional nos Estados Unidos chamada macarthismo, facilitou a trajetória de Teller. Entretanto, um obstáculo substancial se configurou na pessoa de Oppenheimer, que se tornara presidente do Conselho Consultivo Geral da Comissão de Energia Atômica (AEC) pós-guerra. Teller prestou um testemunho crítico numa audiência do governo, questionando a lealdade de Oppenheimer para com os Estados Unidos. A ideia geral é que o envolvimento de Teller teve um papel importante no que se passou a seguir: embora a lealdade de Oppenheimer não fosse exatamente impugnada pelo conselho de segurança, por alguma razão lhe foi negado o atestado de confiabilidade em questões de segurança nacional, além de ter sido afastado do AEC. E o caminho de Teller para A Super foi facilitado.

A técnica para construir uma arma termonuclear é geralmente atribuída a Teller e ao matemático Stanislas Ulam. Hans Bethe, o físico laureado com o Nobel que chefiou o Departamento Teórico do Projeto Manhattan e que desempenhou um importante papel no desenvolvimento da bomba atômica e da bomba de hidrogênio, afirma que a sugestão original de Teller tinha falhas, e que foi necessário o trabalho de muitas pessoas para que a arma termonuclear se tornasse realidade. Com as contribuições técnicas fundamentais de um jovem físico chamado Richard Garwin, o primeiro "dispositivo" termonuclear dos Estados Unidos foi detonado em 1952 — era pesado demais para ser carregado por um míssil ou por um bombardeiro; por isso, apenas permaneceu no lugar em que fora montado e explodiu. A primeira bomba de hidrogênio verdadeira foi uma invenção soviética detonada um ano mais tarde. Tem-se debatido se a União Soviética teria desenvolvido uma arma termonuclear, caso os Estados Unidos não o tivessem feito, e se uma arma termonuclear norte-americana era mesmo necessária para sustar o uso pelos soviéticos de sua bomba de hidrogênio — já que àquela altura os Estados Unidos possuíam um substancial arsenal de armas de fissão. Segundo a maioria das provas, a URSS — mesmo antes de explodir a sua primeira bomba de fissão — tinha um projeto exequível de arma termonuclear. Era "o próximo passo lógico". Mas as pesquisas na URSS sobre armas de fusão receberam um grande incentivo quando os soviéticos tomaram conhecimento, por espionagem, de que os norte-americanos estavam trabalhando nesse tipo de arma.

Segundo meu ponto de vista, as consequências da guerra nuclear global se tornaram muito mais perigosas com a invenção da bomba de hidrogênio, porque as explosões das armas termonucleares no ar são muito mais competentes para incendiar cidades, gerando enormes quantidades de fumaça, resfriando e escurecendo a Terra, e induzindo o inverno nuclear em escala global. Esse foi talvez o debate científico mais controverso em que estive envolvido (a partir de aproximadamente 1983-90). Grande parte da discussão tinha motivações políticas. As implicações estratégicas do inverno nuclear eram perturbadoras para aqueles que abraçavam uma política de retaliação maciça com o objetivo de impedir um ataque nuclear, ou para aqueles que desejavam preservar a opção de um primeiro ataque maciço. Em qualquer um dos casos, as consequências ambientais provocariam a autodestruição de qualquer nação que lançasse um grande número de armas termonucleares, mesmo sem reação do adversário. Um segmento importante da política estratégica durante décadas e a razão para acumular dezenas de milhares de armas nucleares tornaram-se de repente muito menos dignos de crédito.

Os declínios da temperatura global previstos no trabalho científico original sobre o inverno nuclear (1983) eram de 15 a 20°C; as estimativas atuais são de 10 a 15°C. Os dois valores estão em harmonia, considerando-se as incertezas irredutíveis nos cálculos. Os dois declínios de temperatura são muito maiores que a diferença entre as temperaturas globais correntes e as da última era glacial. Uma equipe internacional de duzentos cientistas tem avaliado as consequências a longo prazo da guerra termonuclear global, e eles chegaram à conclusão de que, com o inverno nuclear, a civilização global e a maioria das pessoas na Terra — inclusive as que vivem longe da zona-alvo na meia latitude norte — estariam em perigo, principalmente por não ter o que comer. Se algum dia ocorrer a guerra nuclear em grande escala, tendo cidades como alvo, o trabalho de Edward Teller e seus colegas nos Estados Unidos (e da equipe congênere chefiada por Andrei Sakharov na União Soviética) poderá ser responsável pelo fim do futuro humano. A bomba de hidrogênio é de longe a arma mais terrível já inventada.

Quando o inverno nuclear foi descoberto em 1983, Teller se apressou em afirmar que: (1) a física estava enganada; e (2) a descoberta fora feita anos antes, sob a sua tutela, no Laboratório Nacional Lawrence Livermore. Não há absolutamente nenhuma evidência dessa descoberta anterior, e há provas consideráveis de que, em todas as nações, os encarregados de informar os líderes nacionais sobre os efeitos das armas nucleares haviam com frequência negligenciado o inverno nuclear. Mas, se Teller está com a razão, foi inescrupuloso de sua parte não ter revelado a suposta descoberta às partes atingidas — aos cidadãos e aos líderes de sua nação e do mundo. Como no filme de Stanley Kubrick, *Doutor Fantástico*, ocultar a arma máxima — para que ninguém saiba da sua existência e da sua potência — é o máximo do absurdo.

Parece-me impossível que um ser humano normal não fique perturbado ao ajudar a construir essa invenção, mesmo sem considerar o inverno nuclear. As tensões, conscientes ou inconscientes, daqueles que são responsáveis pelo dispositivo devem ser consideráveis. Quaisquer que tenham sido as suas contribuições reais, Edward Teller é geralmente considerado o "pai" da bomba de hidrogênio. Num artigo elogioso de 1954, a revista *Life* descreveu sua "determinação quase fanática" de construí-la. Acho que grande parte de sua carreira subsequente pode ser compreendida como uma tentativa de justificar o que concebeu. Teller tem afirmado, não sem alguma plausibilidade, que as bombas de hidrogênio mantêm a paz, ou pelo menos impedem a guerra termonuclear, porque as consequências de um conflito entre potências nucleares são agora demasiado perigosas. Ainda não tivemos uma guerra nuclear, não é mesmo? Mas todos esses argumentos supõem que as nações detentoras de armas nucleares são e sempre serão, sem exceção, atores racionais, e que seus líderes (ou os oficiais militares e da polícia secreta delas encarregados) jamais terão acessos de raiva, vingança e loucura. No século de Hitler e Stalin, isso parece ingenuidade.

Teller tem exercido grande influência para impedir um tratado abrangente que proíba os testes de armas nucleares. Criou muitas dificuldades para a assinatura do Tratado Limitado de Interdição dos Testes (acima do solo) em 1963. Seu argumento de que os testes acima do solo são essenciais para manter e "aperfeiçoar" os arsenais nucleares, de que ratificar o tratado significaria "comprometer a futura segurança de nosso país", provou ser enganador. Ele também tem sido um defensor vigoroso da segurança e lucratividade das usinas nucleares de fissão, alegando ter sido a única vítima do acidente nuclear de Three Mile Island, na Pensilvânia, em 1979: teve um ataque do coração, diz ele, debatendo a questão.

Teller defendeu a explosão de armas nucleares, do Alasca à África do Sul, para dragar portos e canais, para eliminar montanhas incômodas, para realizar movimentação pesada de terra. Quando propôs esse plano à rainha Frederica da Grécia, dizem que ela teria respondido: "Obrigada, doutor Teller, mas a Grécia já tem muitas ruínas exóticas". Querem testar a relatividade geral de Einstein? Então detonem uma arma nuclear no lado mais afastado do Sol, propôs Teller. Querem compreender a composição química da Lua? Então enviem uma bomba de hidrogênio à Lua, detonem essa arma e examinem o espectro do clarão e da bola de fogo.

Também nos anos 80, Teller vendeu ao presidente Ronald Reagan a ideia do projeto Guerra nas Estrelas — chamado por eles de Iniciativa Estratégica de Defesa (SDI). Reagan parece ter acreditado na história altamente imaginativa de Teller de que seria possível construir e colocar em órbita um laser compacto de raios X, impulsionado por bomba de hidrogênio, que destruiria 10 mil ogivas soviéticas em pleno voo e providenciaria uma proteção genuína para os cidadãos dos Estados Unidos no caso de uma guerra termonuclear global.

Os apologistas do governo Reagan alegam que, quaisquer que fossem os exageros a respeito de sua capacidade, parte deles intencional, a SDI foi responsável pelo colapso da União Soviética. Não há nenhuma evidência séria que apoie essa afirmação. Andrei Sakharov, Yevgeney Velikhov, Roald Sagdeev e outros cientistas que assessoravam o presidente Mikhail Gorbachev deixaram claro que, se os Estados Unidos de fato levassem adiante o programa Guerra nas Estrelas, a resposta soviética mais segura e mais barata seria simplesmente aumentar o arsenal de armas nucleares e sistemas de lançamento já existentes. Dessa forma, a SDI teria aumentado o perigo de guerra termonuclear, e não diminuído. De qualquer modo, os gastos soviéticos com defesas instaladas no espaço contra mísseis nucleares norte-americanos foram relativamente insignificantes — dificilmente de uma magnitude capaz de provocar o colapso da economia soviética. A queda da URSS tem muito mais a ver com o fracasso da economia dirigida, com a crescente consciência do padrão de vida no Ocidente, com a aversão bem difundida a uma ideologia comunista moribunda e — embora ele não tivesse essa intenção — com o fato de Gorbachev ter estimulado a *glasnost*, isto é, a abertura.

Dez mil cientistas e engenheiros norte-americanos se comprometeram publicamente a não trabalhar no programa Guerra nas Estrelas e a não aceitar dinheiro da SDI. Eis um exemplo de atitude corajosa por parte de muitos cientistas de não cooperar (com algum previsível prejuízo pessoal) com um governo democrático que, pelo menos temporariamente, perdera o rumo.

Teller também defendeu o desenvolvimento de ogivas nucleares escavadoras — para que centros de comando subterrâneos e abrigos construídos nas profundezas da terra para os líderes (e suas famílias) da nação inimiga pudessem ser alcançados e eliminados; e de ogivas nucleares de 0,1 quiloton que saturariam o país inimigo, eliminando a sua infraestrutura "sem uma única baixa": os civis seriam alertados antes. A guerra nuclear seria humana.

Enquanto escrevo, Edward Teller — ainda forte e conservando poderes intelectuais consideráveis já perto dos noventa anos — está envolvido em uma campanha, com seus congêneres do antigo *establishment* soviético do setor, para desenvolver e detonar no espaço novas gerações de armas termonucleares de alto rendimento, com o objetivo de destruir ou defletir os asteroides que poderiam estar em rotas de colisão com a Terra.

Minha preocupação é que a experimentação prematura com as órbitas dos asteroides próximos implique enormes perigos para a nossa espécie.

O dr. Teller e eu já nos encontramos pessoalmente. Debatemos em colóquios científicos, nos meios de comunicação do país e numa sessão fechada do Congresso. Tivemos fortes desavenças, sobretudo sobre a Guerra nas Estrelas, o inverno nuclear e a defesa contra os asteroides. Talvez tudo isso tenha manchado irremediavelmente a visão que tenho dele. Embora ele sempre tenha sido um ardoroso anticomunista e amante da tecnologia, quando penso sobre a sua vida parece-me ver algo mais em sua tentativa desesperada de justificar a bomba de hidrogênio: os efeitos dela não seriam tão ruins como se poderia imaginar. Pode ser usada para defender o mundo de outras bombas de hidrogênio, para promover a ciência e a engenharia civil, para proteger a população dos Estados Unidos contra as armas termonucleares de um inimigo, para travar guerras humanitárias, para salvar o planeta dos perigos aleatórios do espaço. Ele deseja acreditar que de alguma forma, em algum lugar, a espécie humana reconhecerá as armas termonucleares e a ele como salvadores, e não como destruidores.

Quando a pesquisa científica dá poderes formidáveis, de fato terríveis, a nações e a líderes políticos falíveis, surgem muitos perigos: um deles é que alguns dos cientistas envolvidos podem conservar apenas uma aparência superficial de objetividade. Como sempre, o poder tende a corromper. Nessa circunstância, a instituição do sigilo é especialmente perniciosa, e as verificações e os balanços de uma democracia se tornam particularmente valiosos. (Teller, que floresceu na cultura do sigilo, também a atacou muitas vezes.) O diretor geral da CIA comentou em 1995 que "o sigilo absoluto corrompe de forma absoluta". O debate aberto e vigoroso é frequentemente a única proteção contra um perigoso mau uso da tecnologia. O ponto crítico do contra-argumento talvez seja algo óbvio — que muitos cientistas e até leigos poderiam descobrir, se não houvesse punições para quem abre a boca. Ou poderia ser algo mais sutil, algo que seria percebido por um obscuro estudante de pós-graduação em algum lugar distante de Washington, D.C. — alguém que, se os argumentos fossem guardados com cuidado e altamente secretos, nunca teria a oportunidade de examinar a questão.

Que área do empreendimento humano não é moralmente ambígua? Até as instituições populares que pretendem nos dar conselhos sobre comportamento e ética parecem carregadas de contradições. Considerem-se os aforismos. A pressa é inimiga da perfeição; mas um passo dado a tempo vale por nove. Mais vale um pássaro na mão que dois voando; mas quem não arrisca, não petisca. Onde há fumaça, há fogo; mas o hábito não faz o monge. Um centavo poupado é um centavo ganho; mas não se pode levá-lo para o túmulo. Quem hesita está perdido; mas os tolos entram correndo onde os anjos têm medo de pisar. Duas cabeças pensam melhor que uma; mas comida em que muitos mexem, se não sai crua ou queimada, sai insossa ou salgada. Houve época em que as pessoas planejavam ou justificavam suas ações baseando-se nesses lugares-comuns contraditórios. Qual é a responsabilidade moral do aforista? Ou do astrólogo solar, do leitor de tarô, do profeta dos tabloides?

Ou considerem-se as principais religiões oficiais. Em Miqueias, recebemos ordens de agir com justiça e amar a misericórdia; no Êxodo, somos proibidos de cometer homicídio; no Levítico, a ordem é amar o nosso próximo como a nós mesmos; e, nos Evangelhos, somos instados a amar os nossos inimigos. Entretanto, pensem nos rios de sangue derramado pelos seguidores ardorosos dos livros em que se encontram incrustadas essas exortações de boa intenção.

Em José e na segunda metade de Números, celebra-se o assassinato em massa de homens, mulheres, crianças e animais domésticos em inúmeras cidades por toda a terra de Canaã. Jericó é arrasada num *kherem*, uma "guerra santa". A única justificativa oferecida para essa matança é a afirmação dos homicidas de que, em troca da circuncisão de seus filhos e da adoção de um conjunto particular de rituais, os seus ancestrais teriam recebido havia muito tempo a promessa de que a terra era sua. Não se consegue tirar da Sagrada Escritura nem um vestígio de sentimento de culpa, nem um resmungo de inquietação patriarcal ou divina com essas campanhas de extermínio. Em vez disso, José "destruiu tudo o que respirava, como o Senhor Deus de Israel havia ordenado" (José, 10:40). E esses acontecimentos não são incidentais, mas centrais para o principal moto narrativo do Velho Testamento. Histórias semelhantes de assassinatos em massa (e, no caso dos amalecitas, genocídio) podem ser encontradas nos livros de Saul, Ester, e em outros lugares da Bíblia, sem que apareça nenhuma angústia de dúvida moral. Tudo isso certamente perturbou os teólogos liberais de eras posteriores.

Diz-se adequadamente que o diabo pode "citar a Escritura para seus fins". A Bíblia está cheia de tantas histórias de moral contraditória que toda geração encontra nela justificativa para quase todas as ações que propõe — de incesto, escravidão e homicídio em massa ao amor mais refinado, coragem e abnegação. E essa desordem moral de múltipla personalidade não se restringe ao judaísmo e ao cristianismo. Pode-se encontrá-la profundamente entranhada no Islã, na tradição hindu, de fato em quase todas as religiões do mundo. Talvez não sejam os cientistas, mas as pessoas que são moralmente ambíguas.

É tarefa específica dos cientistas, acredito, alertar o público sobre possíveis perigos, especialmente sobre aqueles que emanam da ciência ou são previsíveis pelo uso dela. Tal missão é, poder-se-ia dizer, profética. É evidente que os avisos devem ser judiciosos e não precisam ser mais bombásticos do que a situação exige: mas, se devemos cometer erros, que eles favoreçam, em vista dos riscos, a segurança.

Entre os caçadores-coletores !Kung San, do deserto Kalahari, quando dois homens, talvez inflamados pela testosterona, começavam a brigar, as mulheres pegavam as setas envenenadas e as colocavam fora do seu alcance, onde não podiam causar dano. Hoje as nossas setas envenenadas podem destruir a civilização global e, muito provavelmente, aniquilar a nossa espécie. O preço da ambiguidade moral é agora demasiado elevado. Por essa razão — e não por causa de sua abordagem do conhecimento —, a responsabilidade ética dos cientistas também deve ser elevada, extraordinariamente elevada, ineditamente elevada. Gostaria que os programas científicos de pós-graduação examinassem explícita e sistematicamente essas questões com os cientistas e engenheiros novatos. E às vezes me pergunto se também na nossa sociedade as mulheres — e as crianças — não acabarão por colocar as setas envenenadas fora do alcance de quem pode causar dano.

## 17. O CASAMENTO DO CETICISMO E DA ADMIRAÇÃO

*Nada é maravilhoso demais para ser verdade.*
Comentário atribuído a Michael Faraday (1791--1867)

*A intuição, não testada e não comprovada, é uma garantia insuficiente da verdade.*
Bertrand Russell, *Mysticism and logic* (1929)

**QUANDO NOS PEDEM** nos tribunais norte-americanos o juramento — de que diremos "a verdade, toda a verdade, e nada mais que a verdade"—, estão solicitando-nos o impossível. Está simplesmente além de nossas forças. As nossas memórias são falíveis, até a verdade científica é uma simples aproximação, e somos ignorantes a respeito de quase todo o Universo. Ainda assim, uma vida pode depender do nosso testemunho. Jurar que vamos dizer a verdade, toda a verdade, e nada mais que a verdade, *dentro dos limites de nossas capacidades*, é um pedido justo. Porém, sem a expressão restritiva, está simplesmente fora de nosso alcance. Mas tal restrição, por mais que esteja de acordo com a realidade humana, é inaceitável para qualquer sistema legal. Se todo mundo fala a verdade apenas até certo grau, determinado pelo juízo individual, então os fatos incriminadores ou embaraçosos podem ser negados, os acontecimentos modificados, a culpabilidade escondida, a responsabilidade evitada e a justiça negada. Por isso, a lei luta por um padrão impossível de precisão, e fazemos o possível para atingi-lo.

No processo de seleção do júri, o tribunal precisa se certificar de que o veredicto será baseado em evidências. Faz esforços heroicos para eliminar os vieses. Tem consciência da imperfeição humana. A jurada em potencial conhece pessoalmente o promotor público, o advogado da acusação ou o advogado da defesa? E o juiz ou os outros jurados? Ela já formou uma opinião sobre o caso, não com base nos fatos apresentados no tribunal, mas em publicidade anterior ao julgamento? Atribuirá à evidência dos policiais um peso maior ou menor do que o dispensado à evidência das testemunhas da defesa? Tem preconceito contra o grupo étnico do réu? A jurada em potencial mora no bairro em que foram cometidos os crimes, e isso poderia influenciar o seu julgamento? Tem conhecimentos científicos sobre questões que serão objeto de testemunhos de peritos? (Isso em geral conta um ponto contra ela.) Algum de seus parentes ou dos membros de sua família mais próxima trabalha em órgãos que fazem cumprir a lei ou em foros de direito penal? Ela própria já teve alguma briga com a polícia que poderia influenciar a sua decisão no julgamento? Algum parente seu ou amigo íntimo já foi preso por acusação semelhante?

O sistema norte-americano de jurisprudência reconhece uma ampla gama de fatores, predisposições, preconceitos e experiências que podem enevoar o nosso julgamento ou afetar a nossa objetividade — às vezes sem que disso tenhamos conhecimento. Ele não mede esforços, alguns talvez até extravagantes, para proteger o processo do julgamento penal contra as fraquezas humanas daqueles que devem decidir se o réu é inocente ou culpado. Mesmo com tudo isso, não há dúvida de que o processo às vezes falha.

Por que deveríamos nos conformar com menos ao investigar o mundo natural, ou ao tentar decidir sobre questões vitais da política, economia, religião e ética?


Se é para ser aplicada coerentemente, a ciência impõe, em troca de suas múltiplas dádivas, certo encargo oneroso: por mais incômodo que possa ser, somos obrigados a considerar a *nós mesmos* e às nossas instituições culturais de forma científica — a não aceitar sem crítica qualquer coisa que nos dizem; a superar da melhor maneira possível as nossas esperanças, vaidades e crenças não analisadas; a nos ver como realmente somos. Podemos conscienciosa e corajosamente seguir o movimento planetário ou a genética bacteriana por onde a pesquisa nos levar, mas declarar que a origem da matéria ou do comportamento humano está fora do nosso alcance? Como o poder de explicação do raciocínio científico é muito grande, quando o compreendemos desejamos aplicá-lo em toda parte. Entretanto, ao olhar profundamente para dentro de nós mesmos, podemos questionar noções que fornecem certo alívio diante dos terrores do mundo. Sei que parte da discussão no capítulo anterior talvez tenha esse caráter.

Quando fazem o levantamento das milhares de culturas e etnias diversas que compõem a família humana, os antropólogos ficam impressionados com o pequeno número de características a que se chega, sempre presentes, por mais exótica que seja a sociedade. Há, por exemplo, culturas — os Ik de Uganda são uma delas — em que todos os Dez Mandamentos parecem ser sistemática e institucionalmente ignorados. Há sociedades que abandonam os velhos e os recém-nascidos, que comem os inimigos, que usam conchas, porcos ou moças como moeda. Mas todas têm um forte tabu do incesto, todas usam a tecnologia, e quase todas acreditam num mundo sobrenatural de deuses e espíritos — frequentemente ligado ao ambiente natural que habitam e ao bem-estar das plantas e animais que comem. (Aquelas que têm um deus supremo que vive no céu tendem a ser as mais ferozes — torturam os inimigos, por exemplo. Mas essa é apenas uma correlação estatística; o elo causal não foi estabelecido, embora naturalmente surjam especulações.)

Em cada uma dessas sociedades, há um mundo acalentado de mito e metáfora que coexiste com o mundo prosaico. São feitas tentativas de conciliar os dois, e qualquer aresta nelas tende a ser considerada fora de nosso alcance e ignorada. Nós compartimentamos. É o que alguns cientistas também fazem, movimentando-se sem esforço entre o mundo cético da ciência e o mundo crédulo da crença religiosa sem perder nenhum compasso. Certamente, quanto mais inadequada for a reunião entre essas duas esferas, mais difícil é sentir-se bem, com a consciência tranquila, em ambas.

Numa vida curta e incerta, parece cruel fazer qualquer coisa que possa privar as pessoas do consolo da fé, quando a ciência não pode remediar a sua angústia. Aqueles que não conseguem suportar o peso da ciência têm a liberdade de ignorar os seus preceitos. Mas não podemos fazer ciência aos pedacinhos, aplicando-a quando nos sentimos seguros e ignorando-a quando nos sentimos ameaçados — mais uma vez, porque não temos sabedoria para tanto. A não ser dividindo a mente em compartimentos herméticos separados, como é possível voar em aeroplanos, escutar rádio ou tomar antibióticos, sustentando ao mesmo tempo que a Terra tem cerca de 10 mil anos ou que todos os sagitarianos são gregários e afáveis?

Já ouvi um cético falar de modo superior e desdenhoso? Certamente. Às vezes até escutei, para minha posterior consternação, esse tom desagradável na minha própria voz. Há imperfeições humanas em ambos os lados dessa questão. Mesmo quando é aplicado com sensibilidade, o ceticismo científico pode parecer arrogante, dogmático, cruel, e sem consideração para com os sentimentos e as crenças profundamente arraigadas dos outros. E deve-se dizer que alguns cientistas e céticos diligentes aplicam essa ferramenta como se fosse um instrumento grosseiro, com pouca finura. Às vezes é como se a conclusão cética viesse em primeiro lugar, como se as afirmações fossem rejeitadas antes do exame da evidência, e não depois. Todos nós acalentamos as nossas crenças. Em certo grau, elas definem o nosso eu. Quando aparece alguém que desafia o nosso sistema de crenças, declarando que sua base não é suficientemente boa — ou que, como Sócrates, faz perguntas embaraçosas em que não tínhamos pensado, ou demonstra que varremos para baixo do tapete pressupostos subjacentes de importância capital —, tal fato se torna muito mais do que uma busca do conhecimento. Nós o sentimos como um ataque pessoal.

O cientista que pela primeira vez propôs consagrar a dúvida como uma virtude fundamental da inteligência indagadora deixou claro que ela não era um fim em si mesmo, mas uma ferramenta. René Descartes escreveu:

Não imitei os céticos que duvidam apenas por duvidar, e fingem estar sempre indecisos; ao contrário, toda a minha intenção foi chegar a uma certeza, afastar os sedimentos e a areia para chegar à pedra ou ao barro que está embaixo.

Pela forma como o ceticismo é às vezes aplicado a questões de interesse público, *há* uma tendência para apequenar os opositores, tratá-los com ar de superioridade, ignorar o fato de que, iludidos ou não, os adeptos da superstição e da pseudociência são seres humanos com sentimentos reais que, como os céticos, tentam compreender como o mundo funciona e qual poderia ser o nosso papel nele. Em muitos casos, seus motivos se harmonizam com a ciência. Se a sua cultura não lhes deu todas as ferramentas necessárias para levar adiante essa grande busca, vamos moderar as nossas críticas com bondade. Nenhum de nós nasce plenamente equipado.

Há certamente limites para os usos do ceticismo. Deve-se aplicar uma análise de custo/benefício, e se o alívio, o consolo e a esperança fornecidos pelo misticismo e pela superstição são elevados, e os perigos da crença relativamente baixos, por que não deveríamos guardar as dúvidas para nós mesmos? Mas a questão é delicada. Imagine que você entra num táxi numa grande cidade e, assim que se acomoda no carro, o motorista começa a discursar sobre as supostas iniquidades e inferioridades de outro grupo étnico. O melhor a fazer é ficar calado, tendo em mente que quem cala consente? Ou a sua responsabilidade moral é discutir com o motorista, expressar a sua indignação, até mesmo sair do táxi — porque você sabe que cada consentimento silencioso será um estímulo para o próximo discurso, e que cada discordância vigorosa o levará a pensar duas vezes na próxima vez? Da mesma forma, se calamos demais sobre o misticismo e a superstição — mesmo quando parecem estar fazendo algum bem —, favorecemos um clima geral em que o ceticismo passa a ser considerado descortês, a ciência cansativa e o pensamento rigoroso algo insípido e inapropriado. Encontrar um equilíbrio prudente exige sabedoria.

\* \* \*

A Comissão para a Investigação Científica das Alegações dos Paranormais é uma organização de cientistas, acadêmicos, mágicos e outros que se dedicam a examinar de forma cética as pseudociências emergentes ou já plenamente desenvolvidas. Foi fundada pelo filósofo Paul Kurtz, da Universidade de Buffalo, em 1976. Sou associado a ela desde sua criação. Sua sigla, CSICOP, é pronunciada como *sci-cop*\* — como se fosse uma organização de cientistas que executasse uma função policial. Aqueles que são alvos das análises da CSICOP formulam às vezes exatamente esta queixa: ela é hostil a toda nova ideia, dizem, chega às raias do absurdo com seu desmascaramento previsível, é uma organização de vigilância, uma Nova Inquisição, e assim por diante.

A CSICOP é imperfeita. Em alguns casos, essa crítica é em certa medida justificada. Mas, de meu ponto de vista, ela desempenha uma função social importante — como uma organização bem conhecida a que a mídia pode recorrer quando deseja escutar o outro lado da história, especialmente quando uma afirmação surpreendente da pseudociência é considerada digna de ser noticiada. A regra era (e para grande parte da mídia global ainda é) que todo guru levitador, todo visitante alienígena, todo canalizador e todo aquele que cura pela fé fosse tratado de forma superficial e acrítica. Não havia memória institucional no estúdio de televisão, nos jornais ou nas revistas sobre alegações semelhantes já desmascaradas como fraudes e logros. Embora ainda não seja uma voz bastante forte, a CSICOP representa um contrapeso à credulidade da pseudociência, que parece ser uma segunda natureza de grande parte da mídia.

Uma de minhas caricaturas favoritas mostra uma quiromante examinando as linhas da mão de um cliente e concluindo gravemente: "Você é muito crédulo". A CSICOP publica um periódico

---

\* *Sci* é a forma popular de *science*, ciência; *cop* é a gíria inglesa para policial. (N. T.)

bimensal chamado *The Skeptical Inquirer*. No dia em que o recebo, eu o levo do escritório para casa e leio com atenção, perguntando-me que novos equívocos serão revelados. Há sempre mais uma fraude em que jamais havia pensado. Círculos nas plantações! Os alienígenas vieram e deixaram círculos perfeitos e mensagens matemáticas... no trigo! Quem teria pensado numa coisa dessas? Uma forma de arte tão improvável. Ou eles vieram e estriparam vacas — em grande escala, sistematicamente. Os fazendeiros estão furiosos. A princípio, fiquei impressionado com a inventividade das histórias. Mas, depois de refletir mais seriamente, sempre me espanta o quanto esses relatos são prosaicos e sem graça; uma compilação de ideias, chauvinismos, esperanças e medos antigos e pouco imaginativos, disfarçados como fatos. Desse ponto de vista, as afirmações parecem suspeitas. É só isso o que eles conseguem imaginar que os extraterrestres fazem... círculos no trigo? Que falta de imaginação! Em cada número do periódico, outra faceta da pseudociência é revelada e criticada.

Entretanto, a principal deficiência que vejo no movimento cético está na sua polarização: Nós versus Eles — o sentimento de que *nós* temos o monopólio da verdade; de que as outras pessoas que acreditam em todas essas doutrinas estúpidas são imbecis; de que, se forem sensatas, elas vão nos escutar; e de que, se não o fizerem, estão fora do alcance da redenção. Isso não é construtivo. Não consegue transmitir a mensagem. Condena os céticos a um permanente status de minoria; ao passo que uma abordagem compassiva, que desde o início reconhecesse as raízes humanas da pseudociência e da superstição, poderia ser aceita por muito mais gente.

Se compreendemos tal coisa, sentimos então a incerteza e a dor dos raptados por alienígenas, daqueles que não ousam sair de casa sem consultar o seu horóscopo, ou daqueles que depositam as suas esperanças em cristais de Atlântida. E essa compaixão por espíritos afins empenhados numa busca comum também contribui para tornar a ciência e o método científico menos desagradáveis, especialmente para os jovens.

Muitos sistemas de crença pseudocientífica e da Nova Era nascem da insatisfação com os valores e perspectivas convencionais — sendo, portanto, em si mesmos, um tipo de ceticismo. (O mesmo vale para as origens da maioria das religiões.) David Hess (em *Science and the New Age*) afirma que

> o mundo das crenças e práticas paranormais não pode ser reduzido a excêntricos, birutas e charlatães. Um grande número de pessoas sinceras está explorando abordagens alternativas de questões pessoais, espiritualidade, cura e experiência paranormal em geral. Para o cético, a busca dessas pessoas talvez se baseie, em última análise, numa delusão, mas desmascará-la não é provavelmente um artifício retórico eficaz para o projeto racionalista que pretende fazer com que [as pessoas] reconheçam o que parece equivocado ou fruto de pensamento mágico aos olhos do cético.
>
> [...O] cético poderia aproveitar uma dica da antropologia cultural e desenvolver um ceticismo mais sofisticado, procurando compreender os sistemas de crença alternativos segundo a perspectiva das pessoas que os professam, e situando essas crenças em seus contextos histórico, social e cultural. Como resultado, o mundo do paranormal talvez venha a parecer menos um pendor tolo para o irracionalismo e mais uma linguagem pela qual alguns segmentos da sociedade expressam seus conflitos, dilemas e identidades [...].
>
> Na medida em que os céticos têm uma teoria psicológica ou sociológica das crenças da Nova Era, tudo tende a ser muito simplista: as crenças paranormais são "consoladoras" para as pessoas que não conseguem lidar com a realidade de um universo ateísta, ou as suas crenças são o produto de uma mídia irresponsável que não está encorajando as pessoas a pensar criticamente [...].

Mas a crítica justa de Hess logo se deteriora e se transforma em queixas de que os parapsicólogos "tiveram as suas carreiras arruinadas pelos colegas céticos" e de que estes demonstram ter "uma espécie de zelo religioso em defender a visão de mundo materialista e ateísta, que lembra o que tem sido chamado 'fundamentalismo científico' ou 'racionalismo irracional'".

Essa é uma queixa comum, mas para mim profundamente misteriosa — na verdade, oculta. Repetindo, sabemos muitas coisas sobre a existência e as propriedades da matéria. Se um dado fenômeno já pode ser compreendido em termos de matéria e energia, por que deveríamos formular hipóteses de que alguma outra coisa — para a qual ainda não há uma boa evidência — é responsável por ele? Entretanto, a queixa persiste: os céticos não querem aceitar que há um dragão invisível cuspindo fogo na minha garagem, porque são todos materialistas ateus.

Em *Science and the New Age*, o ceticismo é discutido, mas não é compreendido, nem certamente praticado. Todo tipo de afirmações paranormais é citado, os céticos são "desconstruídos", mas não se fica sabendo, pela leitura, que há meios de decidir se o pretenso conhecimento parapsicológico e da Nova Era é promissor ou falso. Como em muitos textos pós-modernos, tudo é uma questão de saber qual a intensidade dos sentimentos das pessoas e quais os seus vieses.

Robert Anton Wilson (em *The New Inquisition: irrational rationalism and the citadel of science* [Phoenix, Falcon Press, 1986]) descreve os céticos como a "Nova Inquisição". Mas, que eu saiba, nenhum cético obriga os outros a crer. Na verdade, na maioria dos documentários e entrevistas na TV, os céticos recebem pouca atenção e quase nenhum espaço. O que está acontecendo é que algumas doutrinas e métodos estão sendo criticados — na pior das hipóteses, ridicularizados — em revistas como *The Skeptical Inquirer*, com tiragens de dezenas de milhares de exemplares. Os adeptos da Nova Era não são intimados a comparecer perante tribunais penais, como nos tempos antigos, nem são chicoteados por ter visões, e certamente não estão sendo queimados na fogueira. Por que recear um pouco de crítica? Eles não se interessam em verificar como as suas crenças resistem aos melhores contra-argumentos que os céticos conseguem reunir?

\* \* \*

Talvez em 1% das vezes, alguém que aparece com uma ideia que tem o cheiro, a sensação e uma aparência indistinguível da produção habitual da pseudociência provará estar com a razão. Talvez algum réptil desconhecido que restou do período cretáceo seja realmente encontrado no lago Ness ou na República do Congo; ou encontraremos artefatos de uma espécie não humana avançada em outra parte do sistema solar. No momento em que escrevo, acho que três alegações no campo da percepção extrassensorial (ESP) merecem estudo sério: (1) que os seres humanos conseguem (mal) influir nos geradores de números aleatórios em computadores usando apenas o pensamento; (2) que as pessoas sob privação sensorial branda conseguem receber pensamentos ou imagens que foram nelas "projetados"; e (3) que as crianças pequenas às vezes relatam detalhes de uma vida anterior que se revelam precisos ao serem verificados, e que não poderiam ser conhecidos exceto pela reencarnação. Não apresento essas afirmações por achar provável que sejam válidas (não acho), mas como exemplos de afirmações que *poderiam* ser verdade. Elas têm, pelo menos, um fundamento experimental, embora ainda dúbio. Claro, eu posso estar errado.

Na metade dos anos 70, um astrônomo que admiro redigiu um manifesto modesto chamado "Objeções à astrologia", e me pediu que o endossasse. Lutei com o seu fraseado, e por fim me vi incapaz de assinar — não porque achasse que a astrologia tem alguma validade, mas porque sentia (e ainda sinto) que o tom do discurso era autoritário. Ele criticava a astrologia por ter origens encobertas na superstição. Mas isso também é verdade para a religião, a química, a medicina e a astronomia, no mínimo. O problema não é saber de que conhecimento precário e rudimentar a astrologia se originou, mas qual é a sua validade presente. Depois havia uma especulação sobre os motivos psicológicos dos que acreditam na astrologia. Esses motivos — por exemplo, o sentimento de impotência num mundo complexo, penoso e imprevisível — poderiam explicar por que a astrologia não é geralmente submetida ao exame cético que merece, mas ficam à margem da questão que é de saber se ela funciona. A declaração enfatizava ser impensável um mecanismo pelo qual a astrologia pudesse funcionar. Esse ponto é decerto relevante, mas por si só não é convincente. Não se conhecia nenhum mecanismo para o deslocamento dos continentes (agora incluído no movimento das placas tectônicas), antes de ser proposto por Alfred Wegener no primeiro quarto deste século, para explicar uma série de dados enigmáticos na geologia e na paleontologia. (Veios com minérios de rochas e fósseis pareciam passar continuamente do leste da América do Sul para o oeste da África; os dois continentes eram outrora unidos, e o oceano Atlântico seria novo em nosso planeta?) A noção foi totalmente rejeitada por todos os grandes geofísicos, que tinham certeza de que os continentes eram fixos e não flutuavam sobre coisa alguma, sendo por isso incapazes de "se deslocar". Entretanto, a ideia-chave do século XX na geofísica veio a ser o movimento das placas tectônicas; agora compreendemos que as placas continentais na realidade flutuam e "se deslocam" (ou melhor, são carregadas por uma espécie de correia transportadora, impulsionada pela grande usina térmica do interior da Terra), e todos aqueles grandes geofísicos estavam simplesmente errados. As objeções à pseudociência que se baseiam na inexistência de um mecanismo podem estar equivocadas — embora com certeza tenham grande peso se as afirmações violam leis bem estabelecidas da física.

Muitas críticas válidas à astrologia podem ser formuladas em algumas frases: por exemplo, a sua aceitação da precessão dos equinócios ao anunciar uma "Era de Aquário" e a sua rejeição da precessão dos equinócios ao traçar os horóscopos; o fato de negligenciar a refração atmosférica; a sua lista de objetos celestes supostamente significativos, que se limita sobretudo àqueles vistos a olho nu que eram conhecidos de Ptolomeu no século II e ignora uma enorme variedade de novos objetos astronômicos descobertos desde então (onde está a astrologia dos asteroides próximos da Terra?); exigências inconsistentes de informações detalhadas sobre a hora do nascimento em relação à longitude e à latitude do lugar onde ocorreu; o fato de não conseguir passar no teste dos gêmeos idênticos; as grandes diferenças nos horóscopos traçados para os mesmos dados de nascimento por astrólogos diferentes; e a ausência de uma correlação comprovada entre os horóscopos e alguns testes psicológicos, como o Inventário da Personalidade Polifásica de Minnesota.

Eu teria endossado uma declaração que descrevesse e refutasse os principais dogmas da crença astrológica. Ela teria sido muito mais persuasiva do que o manifesto que foi realmente distribuído e publicado. Mas a astrologia, que tem nos acompanhado ao longo de 4 mil anos ou mais, parece hoje mais popular do que nunca. Pelo menos um quarto dos norte-americanos, segundo as pesquisas de opinião, "acredita" na astrologia. Um terço acha que a astrologia solar é "científica". O índice de colegiais que acreditam na astrologia subiu de 40% para 59% entre 1978 e 1984. Talvez haja dez vezes mais astrólogos do que astrônomos nos Estados Unidos. Na França, há mais astrólogos do que padres católicos romanos. A rejeição demonstrada pelos cientistas não entra em contato com as necessidades sociais que a astrologia — por mais inválida que seja — procura satisfazer, e as quais a ciência não leva em conta.


Como tenho tentado enfatizar, no coração da ciência existe um equilíbrio essencial entre duas atitudes aparentemente contraditórias — uma abertura para novas ideias, por mais bizarras ou contrárias à intuição, e o exame cético mais implacável de todas as ideias, antigas e novas. É dessa forma que as verdades profundas são joeiradas dentre profundos disparates. O empreendimento coletivo do pensamento criativo *e* do pensamento cético, atuando em conjunto, mantém a ciência em andamento. No entanto, há certa tensão nessas duas atitudes aparentemente contraditórias.

Considere-se a seguinte afirmação: enquanto caminho, o tempo — medido pelo meu relógio de pulso ou pelo meu processo de envelhecimento — atrasa. E também encolho na direção do movimento. E também me torno mais pesado. Quem já testemunhou uma coisa dessas? É fácil rejeitar tal afirmação sem demora. Eis outra: em todo o Universo, a matéria e a antimatéria estão sendo criadas a partir do nada o tempo todo. Eis uma terceira: uma vez na vida, outra na morte, o carro passará espontaneamente pela parede de tijolos da garagem e será encontrado na rua na manhã seguinte. São todas afirmações absurdas! Mas a primeira é uma declaração da relatividade especial e as outras duas são consequências da mecânica quântica (flutuações no vácuo e efeito túnel,* como são chamadas). Goste-se ou não, o mundo é assim. Se insistirmos que é ridículo, nos fecharemos para sempre a algumas das principais descobertas sobre as leis que regem o Universo.

Se somos apenas céticos, as novas ideias não conseguem penetrar em nossa mente. Nunca aprendemos nada. Nós nos tornamos misantropos mal-humorados, convencidos de que a tolice governa o mundo. (Há, sem dúvida, muitos dados que confirmam essa opinião.) Como as grandes descobertas nas fronteiras da ciência são raras, a experiência tenderá a confirmar a nossa rabugice. Mas de vez em quando uma nova ideia prova ter acertado o alvo, é válida e maravilhosa. Se somos decidida e inflexivelmente céticos, vamos perder (ou ficar ressentidos com) as descobertas transformadoras na ciência, e em qualquer das duas hipóteses estaremos obstruindo a compreensão e o progresso. O mero ceticismo não basta.

Ao mesmo tempo, a ciência requer o ceticismo mais vigoroso e intransigente, porque a imensa maioria das ideias está simplesmente errada, e a única maneira de separar o joio do trigo é pela análise e experiência críticas. Se somos tão abertos a novas ideias a ponto de ser crédulos, e se não temos nem um micrograma de senso cético, não podemos distinguir as ideias promissoras das

---

\* O tempo médio de espera para cada exsudação estocástica é *muito* maior do que a idade do Universo desde o Big Bang. Mas, embora improvável, poderia acontecer amanhã.

que pouco valem. Aceitar acriticamente toda noção, ideia e hipótese professada equivale a não conhecer nada. As ideias se contradizem umas às outras; somente pelo exame cético podemos decidir entre elas. Algumas são de fato melhores do que outras. A mistura judiciosa desses dois modos de pensar é essencial para o sucesso da ciência. Os bons cientistas empregam ambos. Por sua própria conta, falando com os seus botões, eles produzem muitas ideias novas e as criticam de forma sistemática. A maioria delas nunca chega ao mundo exterior. Apenas aquelas que passam por um filtro pessoal rigoroso são divulgadas, para se submeter às críticas feitas pelo resto da comunidade científica.

Devido a essa crítica mútua e a essa autocrítica obstinada, e à própria confiança no experimento como árbitro entre hipóteses conflitantes, muitos cientistas tendem a ser reticentes quanto a descrever o seu próprio sentimento de deslumbramento diante do nascimento de uma hipótese extravagante. É uma pena, porque esses raros momentos exultantes desmistificam e humanizam o trabalho científico.

Ninguém pode ser inteiramente aberto a novas ideias ou completamente cético. Todos temos de traçar o limite em algum lugar.* Um antigo provérbio chinês aconselha: "Melhor ser crédulo demais do que cético demais", mas é um provérbio de uma sociedade extremamente conservadora, em que a estabilidade era muito mais valorizada do que a liberdade e os governantes tinham um forte interesse em não ser desafiados. Acredito que a maioria dos cientistas diria: "Melhor ser cético demais do que crédulo demais". Mas nenhuma das duas atitudes é fácil. O ceticismo responsável, esmerado e rigoroso requer um hábito de pensamento obstinado que só pode ser dominado com a prática e o treinamento. A credulidade — acho que nesse contexto seria melhor dizer "abertura" ou "admiração" — também não se adquire facilmente. Se estamos realmente abertos a ideias contrá-

---

* Em alguns casos, o ceticismo seria simplesmente tolice, como, por exemplo, na alfabetização.

rias à intuição na física, na organização social e em outras áreas, devemos compreender essas ideias. Não adianta estar abertos a uma proposição que não compreendemos.

Tanto o ceticismo como a admiração são habilidades que precisam de aperfeiçoamento e prática. O seu casamento harmonioso na mente de todo colegial deve ser um dos objetivos principais da educação pública. Gostaria de ver essa felicidade doméstica retratada na mídia, sobretudo na televisão: uma comunidade de pessoas realmente concretizando esse casamento — cheias de admiração, generosamente abertas a toda e qualquer noção, nada rejeitando a não ser por boas razões, mas ao mesmo tempo, como uma segunda natureza, exigindo padrões rigorosos de evidência — e esses padrões sendo aplicados, pelo menos com igual rigor, às ideias que lhes são caras e às noções que elas se sentem tentadas a rejeitar com impunidade.

## 18. O VENTO LEVANTA POEIRA

> [O] vento levanta poeira porque sua intenção é soprar, apagando as nossas pegadas.
> Amostra do folclore dos bosquímanos,
> W. H. I. Bleek e L. C. Lloyd, coletores;
> L. C. Lloyd, editor (1911)

> [T]oda vez que um selvagem segue o rastro da caça, ele emprega uma exatidão de observação e uma acuidade de raciocínio indutivo e dedutivo que, aplicadas a outras questões, lhe assegurariam uma boa reputação como homem de ciência [... O] trabalho intelectual de um "bom caçador ou guerreiro" supera consideravelmente o de um inglês comum.
> Thomas H. Huxley, *Collected essays*.
> Volume II, *Darwiniana: Essays*
> (Londres, Macmillan, 1970), pp. 175-6
> [tirado de "Mr. Darwin's critics" (1871)]

POR QUE TANTAS PESSOAS acham difícil aprender e ensinar ciência? Tentei sugerir algumas das razões — a sua precisão, os seus aspectos inquietantes e contrários à intuição, as suas perspectivas de ser mal-empregada, a sua independência da autoridade, e assim por diante. Mas haverá algo mais profundo? Alan Cromer, professor de física na Universidade do Nordeste em Boston, ficou surpreso com o número de estudantes incapazes de compreender os conceitos mais elementares no seu curso de física. Em *Uncommon sense: the heretical nature of science* (1993), Cromer propõe que a ciência é difícil porque é nova. Nós, uma espécie com uns 100 mil anos de idade, só descobrimos o método da ciência há alguns séculos, afirma. Como na escrita, que tem apenas alguns milênios de idade, ainda não pegamos o jeito da coisa — ou, pelo menos, só a dominamos com estudos muito sérios e atentos.

Se não fosse por uma concatenação improvável de eventos históricos, sugere ele, nunca teríamos inventado a ciência:

> Essa hostilidade contra a ciência, em face de seus óbvios triunfos e benefícios, é [...] prova de que ela está fora da corrente principal do desenvolvimento humano, talvez seja um acaso feliz.

A civilização chinesa inventou o tipo móvel, a pólvora, o foguete, a bússola magnética, o sismógrafo, bem como realizou observações sistemáticas e as crônicas dos céus. Os matemáticos indianos inventaram o zero, a chave para uma aritmética confortável e, portanto, para a ciência quantitativa. A civilização asteca desenvolveu um calendário muito melhor do que o da civilização europeia que a invadiu e destruiu; os astecas tinham mais capacidade de predizer onde estariam os planetas, e por períodos mais longos no futuro. Mas nenhuma dessas civilizações, afirma Cromer, desenvolveu o método da ciência cético, investigador e experimental. Isso tudo veio da Grécia antiga:

> O desenvolvimento do pensamento objetivo pelos gregos parece ter exigido certo número de fatores culturais específicos. O primeiro foi a assembleia, onde os homens aprenderam pela primeira vez a persuadir uns aos outros por meio do debate racional. O segundo foi uma economia marítima que impedia o isolamento e o provincianismo. O terceiro foi a existência de um mundo bem amplo de língua grega em que os viajantes e os eruditos podiam perambular. O quarto foi a existência de uma classe mercantil independente que podia contratar os seus próprios professores. O quinto foi a *Ilíada* e a *Odisseia*, obras-primas da literatura que são, em si mesmas, o epítome do pensamento racional liberal. O sexto foi uma religião literária que não era dominada por padres. E o sétimo foi a persistência desses fatores durante mil anos.
> A reunião de todos esses fatores numa grande civilização é totalmente fortuita; não aconteceu duas vezes.

Simpatizo com parte dessa tese. Os antigos jônicos foram os primeiros pensadores de que temos conhecimento a afirmar sistematicamente que são as leis e as forças da Natureza, e não os deuses, os responsáveis pela ordem e até pela existência do mundo. Lucrécio resumiu as suas ideias da seguinte maneira: "A Natureza livre e desembaraçada de seus senhores arrogantes é vista agindo espontaneamente por si mesma, sem a interferência dos deuses". Entretanto, a não ser na primeira semana dos cursos de introdução à filosofia, os nomes e as noções dos antigos jônicos não são quase nunca mencionados na nossa sociedade. Aqueles que rejeitam os deuses tendem a ser esquecidos. Não desejamos ansiosamente preservar a memória desses céticos, muito menos as suas ideias. Os heróis que tentam explicar o mundo em termos de matéria e energia podem ter aparecido muitas vezes, em muitas culturas, só para serem eliminados pelos padres e filósofos encarregados da sabedoria convencional — assim como a forma de pensar jônica desapareceu quase totalmente depois da época de Platão e Aristóteles. Com muitas culturas e muitas experiências desse tipo, é bem possível que só em raras ocasiões a noção crie raízes.

As plantas e os animais foram domesticados e a civilização começou somente há 10 ou 12 mil anos. A experiência jônica tem 2500 anos. Foi quase inteiramente apagada. Podemos encontrar alguns passos em direção à ciência na China antiga, na Índia e em outros lugares, embora fossem precários, incompletos e produzissem menos frutos. Mas vamos supor que os jônicos nunca tivessem existido, nem a ciência e a matemática gregas tivessem florescido. Será possível que a ciência nunca mais surgisse na história da espécie humana? Ou, considerando-se as muitas culturas e as muitas tramas históricas alternativas, não seria provável que a combinação adequada de fatores se manifestasse em outra parte, mais cedo ou mais tarde — nas ilhas da Indonésia, por exemplo, ou no Caribe, na orla de uma civilização centro--americana imperturbada pelos conquistadores, ou em colônias nórdicas nas praias do mar Negro?

O impedimento para o pensamento científico não é, a meu ver, a dificuldade do assunto. As proezas intelectuais complexas têm sido pontos de apoio até de culturas oprimidas. Os xamãs, os mágicos e os teólogos são muito talentosos em suas artes intricadas e misteriosas. Não, o impedimento é político e hierárquico. Nas culturas que não enfrentam desafios desconhecidos, externos ou internos, nas quais a mudança fundamental não é necessária, as ideias novas não precisam ser estimuladas. Na verdade, as heresias podem ser declaradas perigosas; o pensamento pode se tornar rígido; e podem impor-se sanções contra ideias não permitidas — tudo isso sem causar dano à sociedade. Mas, em circunstâncias políticas, biológicas e ambientais variadas e mutáveis, apenas copiar os antigos costumes já não funciona. Nesses casos, existe um prêmio para aqueles que, em vez de seguir docilmente a tradição ou tentar impingir as suas preferências ao Universo social ou físico, estão abertos para o que o Universo ensina. Cada sociedade deve decidir em que ponto no *continuum* entre abertura e rigidez reside a segurança.

A matemática grega foi um brilhante passo à frente. Por outro lado, a ciência grega — os seus primeiros passos rudimentares e frequentemente desassistidos pela experimentação — estava crivada de erros. Apesar de não podermos ver na escuridão total, eles acreditavam que a visão depende de uma espécie de radar que emana do olho, ricocheteia no que estamos vendo e retorna ao globo ocular. (Ainda assim, fizeram um progresso substancial na área da óptica.) Apesar da semelhança óbvia dos filhos com a mãe, eles acreditavam que a hereditariedade fosse transmitida apenas pelo sêmen, sendo a mulher um receptáculo passivo. Julgavam que o movimento horizontal de uma pedra atirada tem de alguma forma o efeito de levantá-la, de modo que ela leva mais tempo para voltar ao chão do que uma pedra que se deixa cair da mesma altura no mesmo momento. Enamorados da geometria simples, eles acreditavam que o círculo é "perfeito"; apesar do Homem na Lua e das manchas solares (ocasionalmente visíveis a olho nu, ao crepúsculo), sustentavam que os céus também são "perfeitos"; portanto, as órbitas planetárias tinham de ser circulares.

Libertar-se da superstição não basta para o crescimento da ciência. Deve-se também ter a ideia de investigar a Natureza, fazer experimentos. Houve alguns exemplos brilhantes — a medição do diâmetro da Terra feita por Eratóstenes, ou o experimento da clepsidra de Empédocles demonstrando a natureza material do ar. Mas numa sociedade em que o trabalho manual é humilhado e tido como apropriado apenas para os escravos, como acontecia no mundo clássico greco-romano, o método experimental não prospera. A ciência requer que nos libertemos tanto da superstição crassa como da injustiça crassa. Muitas vezes, a superstição e a injustiça são impostas pelas mesmas autoridades eclesiásticas e seculares, operando de comum acordo. Não constitui surpresa que as revoluções políticas, o ceticismo em relação à religião e o nascimento da ciência andem juntos. Libertar-se da superstição é uma condição necessária, mas não suficiente, para a ciência.

Ao mesmo tempo, é inegável que figuras centrais na transição da superstição medieval para a ciência moderna foram profundamente influenciadas pela ideia de um Deus Supremo que criou o Universo e estabeleceu não só os mandamentos que devem reger a vida dos homens, mas também as leis a que a própria Natureza deve se sujeitar. O astrônomo alemão do século XVII Johannes Kepler, sem o qual a física newtoniana talvez não existisse, descreveu a sua busca da ciência como um desejo de conhecer a mente de Deus. Em nossa própria época, cientistas influentes, inclusive Albert Einstein e Stephen Hawking, descreveram a sua busca em termos quase idênticos. O filósofo Alfred North Whitehead e o historiador da tecnologia chinesa Joseph Needham têm igualmente sugerido que o elemento que estava faltando no desenvolvimento da ciência nas culturas não ocidentais era o monoteísmo.

Ainda assim, acho que há fortes evidências contra toda essa tese, clamando aos nossos ouvidos através dos milênios...

*O pequeno grupo de caça segue a pista dos cascos e o rastro de outros animais. Param por um momento perto de um grupo de árvores. Acocorados sobre os calcanhares, eles examinam a evidência com muito cuidado. A pista que estão seguindo foi cruzada por outra. Rapida-*

*mente se põem de acordo sobre os animais responsáveis pelos rastros, quantos são, de que idade e sexo, se há algum machucado, a velocidade com que estão se deslocando, há quanto tempo passaram por ali, se há outros caçadores em sua perseguição, se o grupo pode alcançar a caça e, em caso positivo, quanto tempo isso levará. Tomada a decisão, eles golpeiam de leve o rasto que seguirão, emitem um som abafado entre os dentes que soa como vento, e partem com passos longos e elásticos. Apesar de carregar seus arcos e flechas envenenadas, continuam a correr com uma forma física de campeões de maratona durante horas. Quase sempre leram corretamente a mensagem no solo. Os gnus, antílopes ou ocapis estão onde eles imaginaram, na quantidade e nas condições estimadas. A caçada é um sucesso. A carne é levada de volta ao acampamento temporário. Todo mundo festeja.*

Essa vinheta de caçada mais ou menos típica provém do povo !Kung San, do deserto Kalahari, nas repúblicas de Botsuana e Namíbia, hoje tragicamente quase extinto. Mas os antropólogos estudaram esse povo e seus costumes durante décadas. Os !Kung San talvez sejam representativos do modo de vida dos caçadores-coletores, que foi o praticado pelo homem durante a maior parte de nosso tempo — até 10 mil anos atrás, quando as plantas e os animais foram domesticados e a condição humana começou a mudar, talvez para sempre. Suas proezas como rastreadores eram tão lendárias que foram recrutados pelo exército do *apartheid* da África do Sul para caçar presas humanas nas guerras contra os "Estados fronteiriços". Esse encontro com os militares brancos sul-africanos acelerou de várias maneiras a destruição do modo de vida !Kung San — que, de qualquer forma, já fora deteriorado aos poucos pelos contatos com a civilização europeia ao longo dos séculos.

Como é que eles agiam? Como podiam obter tantas informações de pouco mais que uma simples olhadela? Dizer que eram observadores argutos nada explica. O que é que realmente faziam?

Eles examinavam a forma das depressões. O rasto de um animal veloz exibe uma simetria mais alongada. Um animal levemente manco protege a pata machucada, pondo menos peso sobre ela, e deixa uma marca mais fraca. Um animal mais pesado deixa uma depressão mais profunda e mais larga. As funções de correlação estão nas cabeças dos caçadores.

Ao longo do dia, o rastro é em parte destruído pela erosão. As paredes da depressão tendem a desmoronar. A areia soprada pelo vento se acumula no fundo da cavidade. Talvez pedaços de folha, gravetos ou grama ali se introduzam. Quanto mais se espera, maior é a erosão.

Esse método é essencialmente idêntico ao usado pelos astrônomos planetários, quando analisam as crateras criadas por pequenos mundos que sofrem impactos: sendo iguais todas as outras condições, quanto mais rasa a cratera, mais antiga ela é. As crateras com paredes despencadas, com relações modestas entre profundidade e diâmetro, com partículas finas acumuladas em seu interior tendem a ser mais antigas — porque é necessário que tenham muito tempo de existência para que esses processos erosivos se manifestem.

As fontes de degradação podem variar para cada mundo, para cada deserto, para cada época. Mas, se sabemos quais são, podemos determinar muitas coisas observando quão quebradiça ou manchada é a cratera. Se os rastros de insetos ou de outros animais se superpõem às marcas dos cascos, isso também depõe contra o seu frescor. O conteúdo úmido do subsolo e a velocidade com que seca depois de ficar exposto por um casco determinam o grau de fragmentabilidade das paredes da cratera. Todas essas questões são estudadas cuidadosamente pelos !Kung.

O rebanho galopante não gosta do sol quente. Os animais aproveitarão toda e qualquer sombra que puderem encontrar. Vão alterar o seu curso para tirar algum proveito da sombra de um grupo de árvores. Mas o *local* da sombra depende da hora do dia, porque o Sol está se movendo pelo céu. De manhã, como o Sol se levanta a leste, as sombras são formadas a oeste das árvores. À tarde, como o Sol se põe na direção do oeste, as sombras se formam a leste. Pelas guinadas dos rastros, é possível dizer há quanto tempo os animais passaram. Esse cálculo será diferente nas várias estações do ano. Por isso, os caçadores devem carregar na cabeça uma espécie de calendário astronômico que prediz o movimento visível do Sol.

Para mim, todas essas formidáveis habilidades argumentativas de rastreamento são ciência em ação.

Os caçadores-coletores não são apenas peritos em reconhecer os rastros de outros animais; eles também conhecem muito bem as pegadas humanas. Todo membro do bando é reconhecível pelas suas; elas são tão familiares quanto seu rosto. Laurens van der Post relata:

> [A] muitas milhas de casa e separados do resto, Nxou e eu, na pista de um cervo ferido, encontramos de repente outras marcas e rastros que se juntavam aos nossos. Ele deu um profundo grunhido de satisfação e disse que eram as pegadas de Bauxhau, feitas havia pouco tempo. Declarou que Bauxhau estava correndo muito e que logo o veríamos e ao animal. Subimos no topo da duna à nossa frente, e lá estava Bauxhau, já esfolando o animal.

Richard Lee, também entre os !Kung San, conta que, ao observar rapidamente algumas marcas de rasto, um caçador comentou: "Oh, vejam, Tunu está aqui com seu cunhado. Mas onde está o seu filho?".

Isso é realmente ciência? Será que todo rastreador, durante o seu treinamento, fica agachado horas a fio, seguindo a lenta degradação do rasto de um antílope? Quando o antropólogo faz essa pergunta, a resposta dada é que os caçadores sempre usaram esses métodos. Eles observavam os pais e outros caçadores abalizados durante o aprendizado. Aprendiam por imitação. Os princípios gerais eram transmitidos de geração a geração. As variações locais — velocidade do vento, umidade do solo — são atualizadas sempre que necessário em cada geração, a cada nova estação, ou dia a dia.

Mas os cientistas modernos fazem exatamente o mesmo. Toda vez que tentamos estimar a idade de uma cratera na Lua, em Mercúrio ou em Tritão pelo seu grau de erosão, não fazemos os cálculos a partir do nada. Tiramos o pó de certo trabalho científico e empregamos os números testados e verdadeiros que já foram estabelecidos há uma geração. Os físicos não tiram as equações de Maxwell ou a mecânica quântica do nada. Eles tentam compreender os princípios e a matemática, observam a sua utilidade, notam como a Natureza segue essas regras, e levam essas ciências a sério, adotando-as como suas.

Entretanto, alguém teve de descobrir pela primeira vez todos esses esquemas para seguir um rastro, talvez algum gênio paleolítico, ou mais provavelmente uma série de gênios em tempos e lugares bem distantes. Não há vestígio de métodos mágicos no rastreamento dos !Kung — examinar as estrelas na noite anterior ou as entranhas de um animal, lançar os dados, interpretar sonhos, invocar demônios ou qualquer outra das inúmeras formas espúrias de conhecimento que os seres humanos têm intermitentemente levado em consideração. Nesse caso, há uma pergunta específica e bem definida: que direção a caça tomou e quais são as suas características? É necessária uma resposta precisa que a magia e a divinação simplesmente não fornecem — pelo menos não com a frequência necessária para afastar a inanição. Em vez disso, os caçadores-coletores — que não são muito supersticiosos na vida cotidiana, exceto durante danças em transe ao redor do fogo e sob a influência de euforizantes leves — são práticos, rotineiros, motivados, sociáveis e frequentemente muito alegres. Empregam habilidades escolhidas dentre os sucessos e fracassos do passado.

Com quase toda a certeza, o pensamento científico tem nos acompanhado desde o início. É possível observá-lo em chimpanzés, quando seguem rastros ao patrulhar as fronteiras de seu território, ou quando preparam um pedaço de bambu para inseri-lo no morrinho dos cupins, a fim de extrair uma fonte modesta mas muito necessária de proteína. O desenvolvimento das habilidades de rastrear a caça proporciona uma poderosa vantagem no processo de seleção da evolução. Os grupos incapazes de adquiri-las conseguem menos proteína e têm prole menor. Os que têm uma inclinação científica, os que são capazes de observar pacientemente, os que têm o dom de imaginar adquirem mais alimento, sobretudo mais proteína, e vivem em habitats mais variados; eles e suas linhagens hereditárias prosperam. O mesmo vale, por exemplo, para as habilidades de navegação marítima dos polinésios. Uma inclinação científica traz recompensas tangíveis.

A outra atividade principal para acumular alimentos nas sociedades pré-agrárias é ceifar a forragem. Para obter a forragem, é preciso conhecer as propriedades de muitas plantas, e deve-se decerto ter a capacidade de distingui-las umas das outras. Os botânicos e os antropólogos descobrem repetidamente que, em todo o mundo, os povos caçadores-coletores distinguem as várias espécies de plantas com a precisão de taxionômicos ocidentais. Eles mapeiam mentalmente o seu território com a finura de cartógrafos. Mais uma vez, tudo isso é uma precondição da sobrevivência.

Por isso, é tolice afirmar que, assim como as crianças não estão preparadas em seu desenvolvimento para certos conceitos de matemática ou lógica, os povos "primitivos" não são intelectualmente capazes de compreender a ciência e a tecnologia. Esse vestígio de colonialismo e racismo é desmentido pelas atividades diárias de povos que vivem sem residência fixa e quase sem bens, os poucos caçadores-coletores que ainda restam — os guardiães de nosso passado remoto.

Dos fatores citados por Cromer para o "pensamento objetivo", podemos certamente encontrar entre os povos caçadores-coletores o debate vigoroso e substantivo, a democracia de participação direta, as viagens de longo alcance, a ausência de padres e a persistência desses fatores não por mil anos, mas por 300 mil ou mais. Pelos critérios de Cromer, os caçadores-coletores *devem* ter ciência. Acho que eles têm. Ou tinham.


O que a Jônia e a antiga Grécia proporcionaram não foram tanto as invenções, a tecnologia ou a engenharia, mas a ideia da investigação sistemática, a noção de que o mundo é regido por leis da Natureza, e não por deuses cheios de caprichos. A água, o ar, a terra e o fogo, todos tiveram a sua vez como candidatos a "explicações" da natureza e da origem do mundo. Cada uma dessas explicações — identificada com um filósofo pré-socrático diferente — tinha falhas profundas em seus pormenores. Mas o modo da explicação, uma alternativa para a intervenção divina, era produtivo e novo. Da mesma forma, na história da antiga Grécia, podemos ver *quase* todos os eventos significativos serem causados pelo capricho dos deuses em Homero, apenas alguns eventos em Heródoto, e basicamente nenhum em Tucídides. Em aproximadamente cem anos, a história deixou de ser provocada pelos deuses e passou a ser impulsionada pelos humanos.

Alguma coisa semelhante a leis da Natureza foi outrora vislumbrada numa sociedade decididamente politeísta, em que alguns sábios brincavam com uma forma de ateísmo. A partir do século IV a.C. aproximadamente, esse pensamento dos pré-socráticos foi extinguido por Platão, Aristóteles e, mais tarde, pelos teólogos cristãos. Se a trama da causalidade histórica tivesse sido diferente — se as hipóteses brilhantes dos atomistas sobre a natureza da matéria, a pluralidade de mundos, a imensidão do espaço e tempo tivessem sido valorizadas e servido de fundamento para a construção do conhecimento, se a tecnologia inovadora de Arquimedes tivesse sido ensinada e imitada, se a noção de leis invariáveis da Natureza que os humanos devem procurar descobrir e compreender tivesse sido amplamente difundida —, eu me pergunto em que tipo de mundo viveríamos hoje em dia.

Não acho que a ciência seja difícil de ensinar porque os seres humanos não estão preparados para esse tipo de conhecimento, ou porque ela nasceu apenas por um acaso feliz, ou porque, de modo geral, não temos bastante inteligência para compreendê-la. Pelo contrário, o enorme gosto pela ciência que vejo nos alunos da escola primária e a lição dos caçadores-coletores remanescentes falam eloquentemente: a inclinação para a ciência está profundamente entranhada em nós, em todas as épocas, lugares e culturas. Tem sido o meio da nossa sobrevivência. É nosso direito hereditário. Quando, por indiferença, desatenção, incompetência ou medo do ceticismo, dissuadimos as crianças de estudar ciência, nós as privamos de um direito seu, roubando-lhes as ferramentas necessárias para administrar o seu futuro.

# 19. NÃO EXISTEM PERGUNTAS IMBECIS

> *Assim perguntamos, sem parar,*
> *Até um punhado de terra*
> *Cobrir a nossa boca*
> *Mas isso será uma resposta?*
> Heinrich Heine, "Lázaro" (1854)

NA ÁFRICA ORIENTAL, nos registros das pedras que datam de uns 2 milhões de anos atrás, pode-se encontrar uma sequência de ferramentas trabalhadas que os nossos ancestrais projetaram e executaram. As suas vidas dependiam da manufatura e do emprego dessas ferramentas. Eram, é claro, a tecnologia da Idade da Pedra Lascada. Com o tempo, pedras especialmente moldadas foram usadas para apunhalar, picar, lascar, cortar, esculpir. Embora haja muitas maneiras de fabricar ferramentas de pedra, o extraordinário é que em determinada região, durante longos intervalos de tempo, elas foram feitas da mesma maneira — o que significa que devia haver instituições educacionais há centenas de milhares de anos, mesmo que fossem basicamente um sistema de aprendizado. Embora seja fácil exagerar as semelhanças, é também fácil imaginar o equivalente de professores e estudantes vestidos com tangas, cursos de laboratório, exames, reprovações, cerimônias de formatura e pós-graduação.

Quando o treinamento se mantém inalterado por longos períodos, as tradições são transmitidas intactas para a próxima geração. Mas quando o que precisa ser aprendido muda com rapidez, especialmente no curso de uma única geração, torna-se muito mais difícil saber o que ensinar e como ensiná-lo. Então os estudantes se queixam da relevância; diminui o respeito pelos mais velhos. Os professores se desesperam ao constatar como os padrões educacionais se deterioraram e como os estudantes se tornaram apáticos. Num mundo em transição, tanto os estudantes como os professores precisam ensinar a si mesmos uma habilidade essencial — precisam aprender a aprender.

\* \* \*

À exceção das crianças (que não sabem o suficiente para deixar de fazer as perguntas importantes), poucos de nós passam muito tempo pensando por que a Natureza é como é; de onde veio o Cosmos, ou se ele sempre existiu; se o tempo vai um dia voltar atrás, e os efeitos vão preceder as causas; ou se há limites elementares para o que os humanos podem conhecer. Há até crianças, e eu conheci algumas delas, que desejam saber como é um buraco negro; qual é o menor pedaço de matéria; por que nos lembramos do passado, mas não do futuro; e por que *há* um Universo.

De vez em quando, tenho a sorte de lecionar num jardim de infância ou numa classe do primeiro ano primário. Muitas dessas crianças são cientistas natos — embora tenham mais desenvolvido o lado da admiração que o do ceticismo. São curiosas, intelectualmente vigorosas. Perguntas provocadoras e perspicazes saem delas aos borbotões. Demonstram enorme entusiasmo. Sempre recebo uma série de perguntas encadeadas. Elas nunca ouviram falar da noção de "perguntas imbecis".

Mas, quando falo a estudantes do último ano do secundário, encontro algo diferente. Eles memorizam os "fatos". Porém, de modo geral, a alegria da descoberta, a vida por trás desses fatos, se extinguiu em suas mentes. Perderam grande parte da admiração e ganharam muito pouco ceticismo. Ficam preocupados com a possibilidade de fazer perguntas "imbecis"; estão dispostos a aceitar respostas inadequadas; não fazem perguntas encadeadas; a sala fica inundada de olhares de esguelha para verificar, a cada segundo, se eles têm a aprovação de seus pares. Vêm para a aula com as perguntas escritas em pedaços de papel que sub-repticiamente examinam, esperando a sua vez, e sem prestar atenção à discussão em que seus colegas estão envolvidos naquele momento.

Algo aconteceu entre o primeiro ano primário e o último ano secundário, e não foi apenas a puberdade. Eu diria que é, em parte, a pressão dos pares para *não* sobressair (exceto nos esportes); em parte, o fato de a sociedade ensinar gratificações a curto prazo; em parte, a impressão de que a ciência e a matemática não vão dar a ninguém um carro esporte; em parte, que tão pouco seja esperado dos estudantes; e, em parte, que haja poucas recompensas ou modelos de papéis para uma discussão inteligente sobre ciência e tecnologia — ou até para o aprendizado em si mesmo. Os poucos que continuam interessados são difamados como *nerds*, *geeks* ou *grinds*.\*

Mas há outra coisa: conheço muitos adultos que ficam desconcertados quando as crianças pequenas fazem perguntas científicas. Por que a Lua é redonda?, perguntam as crianças. Por que a grama é verde? O que é um sonho? Até onde se pode cavar um buraco? Quando é o aniversário do mundo? Por que nós temos dedos nos pés? Muitos professores e pais respondem com irritação ou zombaria, ou mudam rapidamente de assunto: "Como é que você queria que a Lua fosse, quadrada?". As crianças logo reconhecem que de alguma forma esse tipo de pergunta incomoda os adultos. Novas experiências semelhantes, e mais uma criança perde o interesse pela ciência. Por que os adultos têm de fingir onisciência diante de crianças de seis anos é algo que nunca vou compreender. O que há de errado em admitir que não sabemos alguma coisa? A nossa autoestima é assim tão frágil?

Além do mais, muitas dessas perguntas se referem a problemas profundos da ciência, alguns dos quais ainda não estão plenamente resolvidos. A razão para a Lua ser redonda tem a ver com o fato de a gravidade ser uma força central que puxa para o meio de qualquer mundo, e com o grau de resistência das rochas. A grama é verde por causa do pigmento clorofila, é claro — todos nós tivemos essa informação martelada em nossas cabeças na escola secundária —, mas por que as plantas têm clorofila? Parece tolice, uma vez que o Sol produz sua energia máxima na parte amarela e verde do espectro. Por que as plantas, em todo o mundo, deveriam rejeitar a luz solar em seus comprimentos de onda mais abundantes? Talvez seja um acidente con-

---

\* Gírias norte-americanas para designar pessoas chatas, desinteressantes, esquisitas e, nesse caso, estudantes muito aplicados.

solidado da antiga história da vida sobre a Terra. Mas há algo que ainda não compreendemos sobre a cor da grama.

Há muitas respostas melhores do que fazer a criança sentir que está cometendo um erro social crasso ao propor perguntas profundas. Se temos uma ideia da resposta, podemos tentar explicar. Uma tentativa mesmo incompleta proporciona nova confiança e encorajamento. Se não temos ideia da resposta, podemos procurar na enciclopédia. Se não temos enciclopédia, podemos levar a criança para a biblioteca. Ou podemos dizer: "Não sei a resposta. Talvez ninguém saiba. Quando você crescer, será talvez a primeira pessoa a descobrir tal coisa".

Há perguntas ingênuas, perguntas enfadonhas, perguntas mal formuladas, perguntas propostas depois de uma inadequada autocrítica. Mas toda pergunta é um grito para compreender o mundo.* Não existem perguntas imbecis.

As crianças inteligentes e curiosas são um recurso nacional e mundial. Precisam receber cuidados, ser tratadas com carinho e estimuladas. Mas o mero estímulo não é suficiente. Temos de lhes dar também as ferramentas essenciais com que pensar.

"É oficial", diz a manchete de um jornal: "Nós somos péssimos em ciência". Em testes feitos com adolescentes comuns de dezessete anos em muitas regiões do mundo, os Estados Unidos ficaram em último lugar em álgebra. Em testes idênticos, as crianças norte-americanas conseguiram a média de acertos de 43% e seus colegas japoneses a de 78%. Pelo meu sistema de avaliação, 78% é bastante bom — corresponde a um C+, ou talvez até a um B–; 43% é um F. Num teste de química, apenas os estudantes de duas das treze nações participantes se saíram pior do que os norte-americanos. Grã-Bretanha, Cingapura e Hong Kong

---

* Não estou considerando a rajada de porquês que as crianças de dois anos às vezes disparam contra os pais — tentando talvez controlar o comportamento adulto.

tiveram resultados tão bons que quase ficaram fora da escala, e 25% dos canadenses de dezoito anos sabiam tanta química quanto 1% de norte-americanos seletos do último ano secundário (no seu segundo curso de química, e a maioria deles em programas de classes "avançadas"). As melhores dentre as vinte classes de quinta série em Minneapolis foram ultrapassadas por todas as vinte classes em Sendai, Japão, e por dezenove das vinte classes em Taipei, Taiwan. Os estudantes sul-coreanos ficaram muito à frente dos estudantes norte-americanos em todos os itens de matemática e ciência, e os adolescentes de treze anos da Colúmbia Britânica (a oeste do Canadá) ultrapassaram seus colegas norte-americanos em todos os campos (em algumas áreas, eles se saíram melhor do que os coreanos). Dos garotos norte-americanos, 22% dizem que não gostam da escola; apenas 8% dos coreanos afirmam o mesmo. No entanto, dois terços dos norte-americanos dizem que são "bons em matemática", enquanto apenas um quarto dos coreanos afirma o mesmo.

Essas avaliações pessimistas dos estudantes médios dos Estados Unidos são ocasionalmente contrabalançadas pelo desempenho de alunos brilhantes. Em 1994, os estudantes norte-americanos conseguiram um escore inédito na Olimpíada Internacional de Matemática em Hong Kong, derrotando 360 estudantes de 68 nações em álgebra, geometria e teoria dos números. Um deles, Jeremy Bem, de dezessete anos, comentou: "Os problemas de matemática são charadas lógicas. Não há rotina — é tudo muito criativo e artístico". Porém, o que me interessa no momento não é produzir uma nova geração de cientistas e matemáticos de primeira classe, mas um público cientificamente alfabetizado.

Dos adultos norte-americanos, 63% não sabem que o último dinossauro morreu antes que o primeiro ser humano aparecesse; 75% não sabem que os antibióticos matam as bactérias, mas não matam os vírus; 57% não sabem que "os elétrons são menores que os átomos". As pesquisas de opinião mostram que aproximadamente metade dos adultos norte-americanos não sabe que a Terra gira ao redor do Sol e leva um ano para fazer a volta. Nas minhas classes de graduação na Universidade Cornell, sou capaz de encontrar estudantes inteligentes que não sabem que as estrelas se levantam e se põem à noite, nem tampouco que o Sol é uma estrela.

Devido à ficção científica, ao sistema educacional, à NASA e ao papel que a ciência desempenha na sociedade, os norte-americanos estão muito mais expostos às noções de Copérnico do que o ser humano médio. Uma pesquisa de opinião feita pela Associação de Ciência e Tecnologia da China mostra que, como na América do Norte, apenas metade dos chineses sabe que a Terra dá uma volta ao redor do Sol uma vez por ano. É bem possível, portanto, que mais de quatro séculos e meio após Copérnico a maioria das pessoas na Terra ainda pense, no fundo do coração, que o nosso planeta permanece imóvel no centro do Universo e que somos profundamente "especiais".

Essas perguntas são típicas em "alfabetização científica". Os resultados são estarrecedores. Mas o que elas medem? A memorização de opiniões de autoridades sobre o assunto. O que *se devia* perguntar é *como sabemos* que os antibióticos fazem distinção entre os micróbios, que os elétrons são "menores" que os átomos, que o Sol é uma estrela em torno da qual a Terra descreve uma órbita uma vez por ano. Essas perguntas são um tesouro muito mais verdadeiro da compreensão pública da ciência, e os resultados desses testes seriam indubitavelmente ainda mais desanimadores.

Se aceitamos a verdade literal de toda e qualquer palavra da Bíblia, então a Terra deve ser chata. O mesmo vale para o Corão. Dizer que a Terra é redonda significa ser ateísta. Em 1993, a suprema autoridade religiosa da Arábia Saudita, o xeque Abdel-Aziz Ibn Baaz, emitiu um edito, *fatwa*, declarando que o mundo é chato. Todos os adeptos da hipótese da Terra redonda não acreditam em Deus e devem ser punidos. Entre muitas outras ironias, está o fato de que a evidência lúcida de que a Terra é uma esfera, reunida pelo astrônomo greco-egípcio Cláudio Ptolomeu no século II, foi transmitida para o Ocidente por astrônomos muçulmanos e árabes. No século IX, eles deram ao livro de Ptolomeu em que é demonstrada a esfericidade da Terra o nome de *Almagesto*, "o maior".

Conheço muitas pessoas que se sentem ofendidas com a evolução, que preferem apaixonadamente ser uma obra pessoal de Deus a ter surgido do lodo por forças físicas e químicas cegas ao longo das eras. Elas também tendem a evitar o contato com a evidência. Esta tem pouco a ver com a questão: o que elas querem que seja verdade, elas acreditam que *é* verdade. Somente 9% dos norte-americanos aceitam a descoberta central da biologia moderna de que os seres humanos (e todas as outras espécies) evoluíram lentamente de uma sucessão de seres mais antigos por meio de processos naturais, sem que a intervenção divina fosse necessária ao longo do caminho. (Perguntados se aceitam a evolução, 45% dos norte-americanos respondem que sim. O índice é 70% na China.) Quando o filme *Jurassic Park* [Parque dos dinossauros] foi exibido em Israel, alguns rabinos ortodoxos o condenaram, porque aceitava a evolução e porque ensinava que os dinossauros viveram há 100 milhões de anos — quando, como se afirma claramente em todo Rosh Hashanah e toda cerimônia de casamento judaica, o Universo tem menos de 6 mil anos. A evidência mais clara de nossa evolução pode ser encontrada em nossos genes. Mas a evolução ainda é contestada, ironicamente por aqueles cujo próprio DNA a proclama — nas escolas, nos tribunais, nas editoras de livros didáticos e nas discussões sobre quanta dor podemos infligir a outros animais sem transgredir algum limiar ético.

Durante a Grande Depressão, os professores gozavam de emprego seguro, bons salários, respeitabilidade. Ensinar era uma profissão admirada, em parte porque se reconhecia que a educação era o caminho para sair da pobreza. Pouco disso é verdade hoje em dia. E assim o ensino da ciência (e de outras disciplinas) é muitas vezes ministrado de forma incompetente ou pouco inspirada, pois, espantosamente, seus profissionais têm pouca ou nenhuma formação nas próprias disciplinas, mostram-se impacientes com o método, têm pressa de chegar às descobertas da ciência — e às vezes são eles mesmos incapazes de distinguir a ciência da pseudociência. Aqueles que têm a formação adequada em geral conseguem empregos mais bem pagos em outros lugares.

As crianças precisam de prática com o método experimental. Não basta apenas ler sobre ciência nos livros. Nós podemos receber a informação de que é a oxidação da cera que explica a chama da vela. Mas temos uma ideia muito mais vívida do que acontece se vemos a vela queimar por alguns instantes numa redoma de vidro, até o dióxido de carbono rodear o pavio, bloquear o acesso ao oxigênio, a chama tremeluzir e se apagar. Nós podemos assistir a uma aula sobre as mitocôndrias nas células, sobre o fato de elas mediarem a oxidação dos alimentos como a chama que queima a cera, mas é outra coisa vê-las no microscópio. Nós podemos ouvir que o oxigênio é necessário para a vida de alguns organismos, mas para outros não. Mas começamos realmente a compreender quando testamos a proposição numa redoma de vidro totalmente esvaziada de oxigênio. O que o oxigênio realiza para *nós*? Por que morremos sem oxigênio? De onde vem o oxigênio no ar? Qual é a garantia de nosso suprimento?

A experimentação e o método científico podem ser ensinados em muitas outras disciplinas além da ciência. Daniel Kunitz é um amigo dos meus tempos de universidade. Passou a vida fazendo um trabalho inovador como professor de ciências sociais nos dois últimos anos do curso secundário. Os alunos querem compreender a Constituição dos Estados Unidos? Podemos lhes dar a tarefa de ler a Constituição, artigo por artigo, e depois discutir em aula — mas, lamentavelmente, isso fará a maioria dos estudantes cair no sono. Ou podemos tentar o método Kunitz: proibimos os alunos de ler a Constituição. Em vez da leitura, determinamos que participem de uma assembleia constituinte, dois para cada estado. Damos informações detalhadas a cada um dos treze grupos sobre os interesses particulares de seu estado e região. A delegação da Carolina do Sul, por exemplo, seria informada da primazia do algodão, da necessidade e da moralidade do tráfico de escravos, do perigo representado pelo Norte industrial, e assim por diante. As treze delegações se reúnem e, com um pouco de ajuda dos professores, mas principalmente por sua própria conta, redigem uma constituição em algumas semanas. *Só então* leem a Constituição real. Os estudantes reservaram os poderes de declarar guerra ao presidente. Os delegados de 1787 atribuíram esses poderes ao Congresso. Por quê? Os estudantes libertaram os escravos. A constituinte original não o fez. Por quê? Isso requer mais preparação da parte dos professores e mais trabalho da parte dos alunos, mas a experiência é inesquecível. É difícil não pensar que as nações da Terra estariam em melhor forma se todo cidadão passasse por algo semelhante.

Precisamos de mais dinheiro para a formação e os salários dos professores, e para os laboratórios. Mas, em todos os Estados Unidos, vota-se regularmente contra as emissões de títulos para a educação. Ninguém sugere que impostos sobre a propriedade sejam usados para financiar o orçamento militar, os subsídios agrícolas ou a remoção de lixo tóxico. Por que apenas para a educação? Por que não financiá-la com impostos gerais em âmbito municipal e estadual? E que dizer de um imposto especial da educação para aquelas indústrias que têm necessidades especiais de operários tecnicamente qualificados?

Os colegiais norte-americanos não estudam o suficiente. Há 180 dias no ano escolar padrão nos Estados Unidos, em comparação a 220 na Coreia do Sul, cerca de 230 na Alemanha e 243 no Japão. As crianças, em alguns desses países, vão para a escola aos sábados. O aluno norte-americano médio da escola secundária passa 3,5 horas por semana fazendo dever de casa. O tempo total dedicado aos estudos, dentro e fora da sala de aula, é de aproximadamente vinte horas semanais. Os alunos japoneses da *quinta* série estudam em média 33 horas por semana. O Japão, com metade da população dos Estados Unidos, forma anualmente duas vezes mais cientistas e engenheiros com diplomas superiores.

Durante os quatro anos da escola secundária, os alunos norte-americanos dedicam menos de 1500 horas a disciplinas como matemática, ciência e história. Os japoneses, franceses e alemães gastam com elas mais do que o dobro desse tempo. Um relatório de 1994, encomendado pelo Departamento de Educação dos Estados Unidos, observa:

O dia escolar tradicional deve agora se adaptar a todo um conjunto de exigências, necessárias para o que se tem chamado "o novo trabalho das escolas" — educação acerca de segurança pessoal, questões dos consumidores, AIDS, conservação e energia, vida familiar e curso de motorista.

Assim, devido às deficiências da sociedade e às insuficiências da educação em casa, apenas cerca de três horas por dia são dedicadas, na escola secundária, às disciplinas acadêmicas básicas.

Há uma percepção disseminada de que a ciência é "demasiado difícil" para as pessoas comuns. Podemos ver essa ideia refletida na estatística de que apenas uns 10% dos alunos norte-americanos da escola secundária optam por um curso de física. O que torna a ciência de repente "demasiado difícil"? Por que não é demasiado difícil para os cidadãos de todos esses outros países que têm um desempenho superior ao dos Estados Unidos? O que aconteceu com o talento norte-americano para as ciências, a inovação técnica e o trabalho árduo? Os norte-americanos se orgulhavam outrora de seus inventores, que foram pioneiros ao criar o telégrafo, o telefone, a luz elétrica, o toca-discos, o automóvel e o aeroplano. À exceção dos computadores, tudo isso parece coisa do passado. Para onde foi toda a "engenhosidade ianque"?

A maioria das crianças norte-americanas não é estúpida. Parte da razão de não estudarem muito é que recebem poucos benefícios tangíveis quando o fazem. Hoje em dia, a competência (isto é, conhecer realmente o assunto) em habilidades verbais, matemática, ciência e história não aumenta o salário dos jovens nos primeiros oito anos depois da escola secundária — e muitos não se empregam na indústria, mas no setor de serviços.

Nos setores produtivos da economia, porém, a história é muitas vezes diferente. Há fábricas de móveis, por exemplo, que correm o risco de ser fechadas — não por falta de clientes, mas porque poucos operários novatos sabem fazer as operações aritméticas mais simples. Uma grande companhia de produtos eletrônicos informa que 80% de seus candidatos a postos de trabalho não conseguem passar num teste de matemática da quinta série. Os Estados Unidos já estão perdendo uns 40 bilhões por ano (principalmente em falta de produtividade e no custo da educação corretiva) porque os operários, num grau excessivo, não sabem ler, escrever, contar, nem pensar.

Num levantamento realizado pelo Conselho Nacional de Ciência dos Estados Unidos em 139 companhias norte-americanas de alta tecnologia, as principais causas do declínio da pesquisa e do desenvolvimento, passíveis de ser atribuídas à política nacional, foram (1) falta de uma estratégia de longo prazo para lidar com o problema; (2) pouca atenção dada ao treinamento de futuros cientistas e engenheiros; (3) investimento excessivo na "defesa", e insuficiente na pesquisa e no desenvolvimento civil; e (4) pouca atenção dada à educação básica. A ignorância se alimenta de ignorância. A fobia da ciência é contagiosa.

Nos Estados Unidos, aqueles que têm uma visão mais favorável da ciência tendem a ser homens brancos, jovens, ricos, com educação superior. Mas, na próxima década, três quartos dos novos operários norte-americanos serão mulheres, não brancos e imigrantes. Deixar de despertar o seu entusiasmo — sem falar da discriminação contra eles — não é apenas injusto, é também estúpido e um fracasso infligido à própria nação. Priva a economia de trabalhadores qualificados desesperadamente necessários.

Hoje em dia, os alunos afro-americanos e hispânicos estão conseguindo resultados significativamente melhores em testes de ciência padronizados do que no final dos anos 60, mas são os únicos. Nos testes de matemática, a diferença média entre os norte-americanos brancos e negros que se formam na escola secundária ainda é imensa — de dois a três níveis escolares; mas a diferença entre os norte-americanos brancos que se formam na escola secundária e os formandos do mesmo grau no Japão, Canadá, Grã-Bretanha ou Finlândia é mais do que o dobro (com os alunos norte-americanos em posição de desvantagem). Se alguém é insuficientemente motivado e educado, não vai aprender muito — não há mistério a esse respeito. Os afro-americanos suburbanos que têm pais com educação de nível superior apresentam o mesmo desempenho na escola superior que os brancos suburbanos que têm pais com educação de nível superior. Segundo algumas estatísticas, inscrever uma criança pobre num programa Head Start (Início Favorável) duplica as suas chances de se empregar mais tarde na vida; quem completa um programa Upward Bound (Sequência Ascendente) tem quatro vezes mais probabilidades de conseguir uma educação superior. Se levamos a questão a sério, sabemos o que fazer.

E que dizer da faculdade e da universidade? Há passos óbvios a serem tomados: status mais elevado pelo sucesso do ensino ministrado e promoções de professores baseadas no desempenho de seus alunos em testes padronizados, duplamente cegos; salários de professores que se aproximem do que poderiam ganhar na indústria; mais bolsas de estudos, bolsas de especialização e equipamento de laboratório; currículos e livros didáticos imaginativos e inspiradores, em cujo planejamento os principais membros do corpo docente desempenhem um papel importante; cursos de laboratório obrigatórios para quem deseja se formar; e atenção especial dada aos que são tradicionalmente afastados da ciência. Deveríamos também estimular os melhores cientistas acadêmicos a se dedicar mais à educação pública — livros didáticos, conferências, artigos nos jornais e revistas, apresentações na TV. E talvez valesse a pena tentar um curso obrigatório sobre o pensamento cético e os métodos da ciência no primeiro e segundo anos da faculdade.

O místico William Blake fixou os olhos no Sol e viu anjos, enquanto outros, mais mundanos, "perceberam apenas um objeto que tinha mais ou menos o tamanho e a cor de uma moeda dourada". Blake realmente viu anjos no Sol, ou foi um erro perceptivo ou cognitivo? Não conheço nenhuma fotografia do Sol que mostre alguma coisa desse tipo. Blake viu o que a câmara e o telescópio não conseguem ver? Ou a explicação está muito mais no interior da cabeça dele do que no exterior? E a verdade sobre a natureza do Sol revelada pela ciência moderna não é muito mais maravilhosa? Não se trata apenas de anjos ou de uma moeda de ouro, mas de uma enorme esfera em que 1 milhão de Terras poderiam ser acondicionadas, em cujo âmago os núcleos ocultos dos átomos são comprimidos, o hidrogênio é transfigurado em hélio, a energia latente no hidrogênio há bilhões de anos é liberada, e com isso a Terra e os outros planetas são aquecidos e iluminados, sendo o mesmo processo repetido 400 bilhões de vezes em outras partes da galáxia da Via Láctea.

Para nos construir do nada, os esquemas, as instruções detalhadas e as ordens de tarefas preencheriam uns mil volumes de enciclopédias, se escritos em inglês. No entanto, toda célula de nosso corpo tem um conjunto dessas enciclopédias. Um quasar está tão distante que a luz percebida começou a sua viagem intergaláctica antes de a Terra ser formada. Toda pessoa na Terra descende dos mesmos ancestrais, não exatamente humanos, que viveram na África oriental há milhões de anos, o que nos torna todos primos.

Sempre que penso em qualquer uma dessas descobertas, vibro de alegria. Meu coração dispara. Não posso evitar. A ciência é um assombro e um prazer. Toda vez que uma nave espacial passa por um novo mundo, eu me surpreendo maravilhado. Os cientistas planetários se perguntam: "Oh, ele é *assim*, então? Por que não pensamos nisso?". Mas a Natureza é *sempre* mais sutil, mas intricada, mais elegante do que a nossa imaginação. Considerando-se as nossas manifestas limitações humanas, o surpreendente é termos sido capazes de penetrar tão fundo nos segredos da Natureza.

Quase todos os cientistas experimentaram, num momento de descoberta ou compreensão repentina, um assombro reverente. A ciência — a ciência pura, a ciência sem nenhuma aplicação prática, a ciência pela ciência — é uma questão profundamente emocional para aqueles que a praticam, bem como para aqueles que, mesmo não sendo cientistas, de vez em quando folheiam artigos para ver o que foi descoberto recentemente.

E, como numa história de detetive, é uma alegria formular perguntas-chaves, elaborar as explicações alternativas e talvez até acelerar o processo de descoberta científica. Considerem-se

estes exemplos, alguns muito simples, outros nem tanto, escolhidos mais ou menos ao acaso:
- Poderia haver um número inteiro ainda não descoberto entre 6 e 7?
- Poderia haver um elemento químico ainda não descoberto entre o número atômico 6 (que é o carbono) e o número atômico 7 (que é o nitrogênio)?
- Sim, o novo conservante causa câncer em ratos. Mas e se, para induzir o câncer, for preciso dar a uma pessoa, que pesa muito mais do que um rato, quase quinhentos gramas da substância por dia? Nesse caso, talvez o novo conservante não seja assim tão perigoso. A vantagem de ter alimentos conservados por longos períodos seria mais importante do que o pequeno risco adicional de câncer? Quem decide? Que dados são necessários para tomar uma decisão prudente?
- Numa pedra de 3,8 bilhões de anos, descobre-se uma taxa de isótopos de carbono típica dos seres vivos atuais e diferente dos sedimentos inorgânicos. Deduzimos que havia vida abundante na Terra há 3,8 bilhões de anos? Ou os resíduos químicos de organismos mais modernos teriam se infiltrado na pedra? Ou há outro modo de os isótopos se separarem na pedra, além dos processos biológicos?
- As medições sensíveis das correntes elétricas no cérebro humano mostram que certas regiões dele entram em ação quando surgem determinadas memórias ou ocorrem processos mentais. Serão todos os nossos pensamentos, memórias e paixões gerados por circuitos específicos dos neurônios cerebrais? Será algum dia possível simular esses circuitos num robô? Será algum dia praticável inserir novos circuitos ou alterar antigos circuitos no cérebro, de modo a mudar opiniões, memórias, emoções, deduções lógicas? Essa interferência é terrivelmente perigosa?
- A nossa teoria da origem do sistema solar prediz muitos discos achatados de gás e poeira por toda a galáxia da Via Láctea. Olhamos pelo telescópio e descobrimos discos achatados por toda parte. Concluímos alegremente que a teoria está confirmada. Mas descobre-se que os discos percebidos eram galá-

xias espirais muito além da Via Láctea, grandes demais para ser sistemas solares nascentes. Devemos abandonar a teoria? Ou devemos procurar um tipo diferente de disco? Ou isso é apenas a expressão de nossa relutância em abandonar uma hipótese desacreditada?

• Um câncer em crescimento envia, em todas as direções, um comunicado para as células adjacentes aos vasos sanguíneos: "precisamos de sangue", diz a mensagem. As células endoteliais constroem obsequiosamente pontes de vasos sanguíneos para suprir as células cancerosas de sangue. Como é que isso se processa? A mensagem pode ser interceptada ou cancelada?

• Misturamos as tintas violeta, azul, verde, amarelo, laranja e vermelho, e produzimos um marrom-escuro. Depois misturamos luzes das mesmas cores e obtemos branco. O que se passa?

• Nos genes dos seres humanos e de muitos outros animais, há sequências longas e repetitivas de informações hereditárias (chamadas "bobagens"). Algumas dessas sequências causam doenças genéticas. Será possível que segmentos do DNA sejam ácidos nucleicos estranhos, que se reproduzem por sua própria conta e trabalham para si mesmos, desprezando o bem-estar do organismo que habitam?

• Muitos animais se comportam de forma estranha pouco antes de um terremoto. O que eles sabem que os sismologistas não conhecem?

• As antigas palavras asteca e grega para "Deus" são quase iguais. Isso comprova algum contato ou atributos comuns entre as duas civilizações, ou devemos esperar que essas coincidências ocasionais entre duas línguas sem nenhum parentesco aconteçam simplesmente por acaso? Ou será que certas palavras são construídas dentro de nós a partir do nascimento, como pensava Platão no *Crátilo*?

• A segunda lei da termodinâmica afirma que no Universo como um todo a desordem aumenta com o passar do tempo. (Sem dúvida, mundos, vida e inteligência podem emergir em certos locais à custa de uma diminuição da ordem em outra parte do Universo.) Mas, se vivemos num Universo em que a presente expansão do Big Bang vai se tornar mais lenta, chegar ao fim e ser substituída por uma contração, a segunda lei não poderia ser então anulada? Os efeitos podem preceder as causas?

• O corpo humano usa ácido clorídrico no estômago para dissolver os alimentos e ajudar a digestão. Por que o ácido clorídrico não dissolve o estômago?

• Na época em que escrevo este livro, as estrelas mais antigas parecem ser mais velhas que o Universo. Como na declaração de que uma conhecida tem filhos mais velhos que ela própria, não é preciso muita erudição para reconhecer que alguém cometeu um erro. Quem?

• Existe atualmente a tecnologia para deslocar átomos individuais, de modo que mensagens longas e complexas podem ser escritas numa escala ultramicroscópica. É também possível fazer máquinas do tamanho de moléculas. Exemplos rudimentares dessas duas "nanotecnologias" já são bem demonstrados. Aonde isso nos levará em mais algumas décadas?

• Em vários laboratórios diferentes, descobriram-se moléculas complexas que, em circunstâncias apropriadas, fazem cópias de si mesmas nas provetas. Algumas dessas moléculas são construídas com nucleotídeos, como o DNA e o RNA; outras não. Algumas usam enzimas para acelerar o ritmo da química; outras não. Às vezes há um erro na cópia; daquele ponto em diante o erro é copiado em gerações sucessivas de moléculas. Por isso, começam a aparecer espécies ligeiramente diferentes de moléculas autorreplicantes, algumas das quais se reproduzem com mais rapidez ou mais eficiência do que outras. São as que prosperam preferencialmente. Com o passar do tempo, as moléculas na proveta se tornam mais e mais eficientes. Estamos começando a presenciar a evolução de moléculas. Como isso nos ajuda a compreender a origem da vida?

• Por que o gelo comum é branco, mas o gelo glacial é azul?

• Tem se encontrado vida quilômetros abaixo da superfície da terra. Até que profundidade ela vai?

• Segundo um antropólogo francês, o povo dogon, na República de Mali, tem uma lenda de que a estrela Sírio possui uma estrela companheira extremamente densa. Sírio tem de fato essa companheira, embora seja necessária uma astronomia bastante sofisticada para detectá-la. Assim, (1), o povo dogon descende de uma civilização esquecida que tinha grandes telescópios ópticos e astrofísica teórica? Ou (2) foram instruídos por extraterrestres? Ou (3) os dogons ouviram de um visitante europeu a história da companheira anã branca de Sírio? Ou (4) o antropólogo francês estava enganado e os dogons na realidade nunca tiveram essa lenda?

Por que os cientistas têm dificuldades em transmitir a ciência? Alguns cientistas — inclusive alguns muito bons — me dizem que gostariam de divulgar a ciência, mas sentem que não têm talento nessa área. Saber e explicar, dizem, não é a mesma coisa. Qual é o segredo?

Há apenas um, na minha opinião: não falar para o público em geral como falaríamos com nossos colegas do ramo. Há termos que transmitem instantânea e acuradamente para os especialistas o que queremos dizer. Podemos analisar essas expressões todos os dias no trabalho profissional. Mas elas não fazem mais do que mistificar um público de não especialistas. Usar a linguagem mais simples possível. Acima de tudo, lembrar como é que pensávamos antes de compreender o que estamos explicando. Lembrar os equívocos em que quase caímos, e anotá-los explicitamente. Manter sempre em mente que já houve uma época em que também nada entendíamos do assunto. Recapitular os primeiros passos que nos levaram da ignorância ao conhecimento. Jamais esquecer que a inteligência inata é amplamente distribuída na nossa espécie. Na verdade, é o segredo de nosso sucesso.

O trabalho requerido é pequeno, os benefícios são grandes. Entre as armadilhas potenciais estão a simplificação exagerada, a necessidade de ser econômico com as qualificações (e as quantificações), o crédito inadequado dado aos muitos cientistas envolvidos e as distinções insuficientes traçadas entre as analogias úteis e a realidade. Sem dúvida, algumas soluções de compromisso precisam ser tomadas.

Quanto mais trabalhamos nessas transmissões, mais claro se torna quais as abordagens que funcionam e quais as que não funcionam. Há uma seleção natural de metáforas, imagens, analogias, histórias de casos. Depois de certo tempo, descobrimos que podemos chegar a quase todos os pontos que desejamos alcançar caminhando sobre pedras testadas pelos consumidores. Podemos então adaptar as nossas apresentações às necessidades de determinado público.

Como alguns editores e produtores de televisão, certos cientistas acreditam que o público é demasiado ignorante ou estúpido para compreender a ciência, que o empreendimento da divulgação é fundamentalmente uma causa perdida, ou até que essa tentativa equivale a confraternizar com o inimigo, quando não a francamente coabitar com ele. Entre as muitas críticas que poderiam ser feitas contra esse juízo — além da sua arrogância intolerável e da sua desconsideração de inúmeros exemplos de divulgação científica extremamente bem-sucedida — está a de que ele confirma a si mesmo. E, para os cientistas envolvidos, também é contraproducente.

O apoio governamental em grande escala à ciência é algo bastante novo, que remonta apenas à Segunda Guerra Mundial — embora o patrocínio dado a alguns cientistas pelos ricos e poderosos seja muito mais antigo. Com o fim da Guerra Fria, o trunfo da defesa nacional, que fornecia apoio a todo tipo de ciência básica, tornou-se virtualmente impossível de ser empregado. Apenas em parte por essa razão, acho que a maioria dos cientistas está agora aceitando a ideia de divulgar a ciência. (Como quase todo o apoio à ciência vem dos cofres públicos, seria um estranho flerte com o suicídio se os cientistas se opusessem a uma divulgação competente.) O público fica mais inclinado a apoiar aquilo que compreende e aprecia. Não estou falando de escrever artigos para *Scientific American*, por exemplo, que são lidos por entusiastas da ciência e por cientistas de outras áreas. Não estou simplesmente falando de ministrar cursos de introdução para universitários. Estou falando de tentativas de comunicar a substância e o enfoque da ciência em jornais, em revistas, no rádio e na televisão, em palestras para o público em geral e nos livros didáticos das escolas primária e secundária.

Sem dúvida, há necessidade de empregar o bom senso na questão da divulgação. É importante não mistificar, nem falar com ar de superioridade. Ao tentar estimular o interesse do público, os cientistas têm ido às vezes longe demais — por exemplo, ao tirar conclusões religiosas injustificadas. O astrônomo George Smoot descreveu sua descoberta de pequenas irregularidades na radiação de rádio que restou do Big Bang como "a visão da face de Deus". O físico Leon Lederman, laureado com o Nobel, descreveu o bóson de Higgs, um tijolo hipotético de matéria, como "a partícula de Deus", e deu esse título a um de seus livros. (Na minha opinião, são todos partículas de Deus.) Se o bóson de Higgs não existe, a hipótese de Deus é falsa? O físico Frank Tipler propõe que em futuro remoto os computadores vão provar a existência de Deus e operar a ressurreição de nossos corpos.

Os periódicos e a televisão podem acender centelhas quando nos dão um vislumbre da ciência, o que é muito importante. Mas — à parte o aprendizado ou aulas e seminários bem estruturados — a melhor maneira de divulgar a ciência é por meio de livros didáticos, livros populares, CD-ROMs e toca-discos a laser. Pode-se ruminar a informação, seguir o próprio ritmo, rever as partes mais difíceis, comparar os textos, compreender em profundidade. Mas isso tem de ser feito de forma correta, e, sobretudo nas escolas, não é o que acontece. Ali, como diz o filósofo John Passmore, a ciência é frequentemente apresentada

> como uma questão de aprender princípios e aplicá-los em procedimentos de rotina. Ela é aprendida nos livros escolares. Não se leem as obras dos grandes cientistas, nem as contribuições diárias para a literatura científica [...]. Ao contrário do humanista iniciante, o cientista iniciante não tem contato imediato com o gênio. Na realidade [...] os cursos escolares podem atrair para a ciência o tipo totalmente er-

rado de pessoa — meninos e meninas sem imaginação que *gostam* de rotina.

Sustento que a divulgação é bem-sucedida se, num primeiro momento, não faz mais do que provocar a centelha do sentimento de admiração. Para tal, basta fornecer um vislumbre das descobertas da ciência, sem explicar em todos os seus detalhes como elas foram feitas. É mais fácil retratar o destino que a viagem. Mas, sempre que possível, os divulgadores devem tentar relatar alguns erros, pontos de partida falsos, impasses e a confusão aparentemente irremediável ao longo do caminho. Pelo menos de vez em quando, devemos mostrar a evidência e deixar o leitor tirar a sua própria conclusão. Isso transforma a assimilação obediente do novo conhecimento em descoberta pessoal. Quando alguém faz uma descoberta por si mesmo — mesmo que seja a última pessoa na Terra a ver a luz —, jamais a esquecerá.

Quando era jovem, fui inspirado pelos livros e artigos sobre ciência então populares de George Gamow, James Jeans, Arthur Eddington, J. B. S. Haldane, Julian Huxley, Rachel Carson e Arthur C. Clarke — todos com formação científica, e a maioria deles cientistas profissionais influentes. A popularidade dos livros sobre ciência que são bem escritos, bem explicados, profundamente imaginativos, que falam não só às mentes como aos corações, parece maior do que nunca nos últimos vinte anos, e o número e a diversidade disciplinar dos cientistas que redigem esses livros são igualmente inéditos. Entre os melhores cientistas divulgadores contemporâneos, penso em Stephen Jay Gould, E. O. Wilson, Lewis Thomas e Richard Dawkins, na área de biologia; Steven Weinberg, Alan Lightman e Kip Thorne, em física; Roald Hoffmann, em química; e nas primeiras obras de Fred Hoyle sobre astronomia. Isaac Asimov escreveu competentemente sobre todas as áreas. (E, embora exija cálculo, a divulgação da ciência mais consistentemente estimulante, provocadora e inspiradora das últimas décadas me parece ser o volume 1 de *Introductory lectures on physics*, de Richard Feynman.) Ainda assim, os esforços atuais estão evidentemente longe de corresponder ao bem público. E, sem dúvida alguma, se não sabemos ler, não podemos aproveitar essas obras, por mais inspiradoras que sejam.

O meu desejo é que sejamos capazes de resgatar o "sr. Buckley" e os milhões de seres humanos iguais a ele. Também quero que deixemos de produzir no curso secundário alunos de raciocínio lento, desprovidos de imaginação, senso crítico e curiosidade. A nossa espécie necessita e merece cidadãos com mentes bem abertas e com uma compreensão básica de como o mundo funciona.

A ciência, na minha opinião, é uma ferramenta absolutamente essencial para qualquer sociedade que tenha a esperança de sobreviver bem no próximo século com seus valores fundamentais intactos — não apenas como é praticada pelos seus profissionais, mas a ciência compreendida e adotada por toda a comunidade humana. E se os cientistas não realizarem essa tarefa, quem o fará?

## 20. A CASA EM FOGO*

*O Senhor [Buda] respondeu ao venerável Sariputra:*
"*Numa vila, cidade, empório, distrito, província, reino ou capital vivia um chefe de família, velho, de idade avançada, decrépito, de saúde e forças debilitadas, mas rico, abastado e próspero. A sua casa era grande, tanto em extensão como em altura, e era antiga, construída havia muito tempo. Era habitada por muitos seres vivos, uns duzentos, trezentos, quatrocentos ou quinhentos. Tinha uma única porta. Era coberta de palha, os terraços tinham desmoronado, os alicerces estavam podres, as paredes, as telas entrelaçadas e o reboco estavam num estado adiantado de decomposição. De repente irrompeu uma grande labareda, e a casa começou a queimar por todos os lados. E aquele homem tinha muitos filhos jovens, cinco, dez ou vinte, e foi ele quem conseguiu sair da casa.*

"*Quando viu a sua casa toda em chamas com aquela grande quantidade de labaredas, o homem sentiu medo e tremeu, sua mente ficou agitada, e ele pensou consigo mesmo: 'Eu, é verdade, fui bastante competente para correr porta afora e fugir da casa incendiada, com rapidez e segurança, sem ser molestado, nem chamuscado pelas grandes labaredas. Mas e meus filhos, meus rapazes, meus meninos? Ali, nessa casa em fogo, eles brincam, praticam esportes e se divertem com toda espécie de jogos. Não sabem que a moradia está em chamas, não compreendem, não percebem, não dão atenção às chamas, e por isso não sentem nenhuma perturbação. Embora ameaçados por esse grande [incêndio], embora em íntimo contato com tanto mal, eles não prestam atenção ao perigo, nem se esforçam para sair'.*"

Tirado de *The Saddharmapundarika*,
em *Buddhist scriptures*, Edward Conze, ed.
(Harmondsworth, Middlesex, Inglaterra,
Penguin Books, 1959)

* Escrito com Ann Druyan.

UMA DAS RAZÕES DE SER muito interessante escrever para a revista *Parade* são as cartas que recebo. Com 80 milhões de leitores, pode-se realmente ter uma amostragem da opinião dos cidadãos dos Estados Unidos. Pode-se compreender como as pessoas pensam, quais são as suas ansiedades e esperanças, e talvez até onde é que perdemos o rumo.

Uma versão abreviada do capítulo anterior, enfatizando o desempenho de alunos e professores, foi publicada em *Parade*. Recebi uma enchente de cartas. Algumas pessoas negavam que houvesse algum problema; outras diziam que os norte-americanos estavam perdendo a inteligência e o *know-how* atilado. Alguns achavam que havia soluções fáceis; outros, que os problemas estavam entranhados fundo demais para serem remediados. Muitas opiniões foram uma surpresa para mim.

Em Minnesota, um professor da décima série distribuiu cópias do artigo na sala de aula e pediu que seus alunos me dissessem o que achavam a respeito. Eis o que alguns alunos norte-americanos da escola secundária escreveram (a ortografia, a sintaxe e a pontuação foram mantidas tal como estavam nas cartas originais):

• Nem todos norte-americanos são estúpidos Nós apenas estamos mais atrasados na escola grande coisa.

• Talvez seja bom não sermos tão inteligentes quanto os outros países. Pois assim podemos importar todos os nossos produtos, e depois não temos de gastar todo o nosso dinheiro comprando as partes para as mercadorias.

• E se os outros países estão se saindo melhor, que importa, pois muito provavelmente eles vão acabar vindo para os Estados Unidos?

• A nossa sociedade está indo muito bem com as descobertas que estamos fazendo. É lento, mas a cura para o câncer está vindo.

• Os Estados Unidos têm o seu próprio sistema de ensino. Pode não ser tão adiantado quanto o deles, mas é igualmente bom. No mais, acho que seu artigo é muito educativo.

• Nem um garoto desta escola gosta de ciência. Eu realmente não compreendi a ideia do artigo. Achei muito xato. Não estou a fim de nada disso.

• Estou estudando para ser advogado e francamente concordo com meus pais quando eles dizem que tenho um problema de atitude para com a ciência.

• É verdade que alguns garotos norte-americanos não se esforçam, mas se quiséssemos, poderíamos ser mais inteligentes do que qualquer país.

• Em vez de fazer os deveres, os garotos veem TV. Tenho de concordar que é o que faço. Cortei o tempo da televisão em mais ou menos quatro horas por dia.

• Não acredito que seja falha do sistema da escola, acho que o país inteiro é educado sem bastante ênfase na escola. Sei que minha mãe prefere me ver jogar basquete ou futebol, em vez de me ajudar a fazer um trabalho. A maioria dos garotos que conheço não estão nem aí se estão fazendo o seu dever direito.

• Não acho que os garotos norte-americanos sejam estúpidos. Eles só não estudam bastante, porque a maioria dos garotos trabalha... Muitas pessoas dizem que os povos asiáticos são mais inteligentes que os norte-americanos e que eles são bons em tudo, mas não é verdade. Eles não são bons em esporte. Eles não têm tempo para praticar esportes.

• Eu próprio pratico esportes, e sinto que os outros garotos de meu time pressionam para que a gente se saia melhor no esporte do que na escola.

• Se quisermos ser os primeiros, podemos ir para a escola o dia inteiro e não ter nenhuma vida social.

• Talvez se os professores fossem mais estimulantes, as crianças iam querer aprender... Se a ciência é apresentada de forma divertida, as crianças vão querer aprender. Para isso, é preciso começar a ensinar a ciência bem cedo, e não apenas como uma lista de fatos e números.

• Eu realmente acho difícil acreditar nesses fatos sobre os Estados Unidos na área da ciência.

• Se estamos tão atrasados, como é que Mikhail Gorbachev

veio a Minnesota e Montana, a Control Data, para ver como operamos nossos computadores e outras coisas mais?
• Umas 33 horas para os alunos da quinta série! Na minha opinião isso é muito, é praticamente quase tanto quanto um trabalho integral. Desse jeito, em vez de deveres, poderíamos estar ganhando dinheiro.
• Quando você escreve o quanto estamos atrasados em ciência e matemática, por que não tenta nos dizer isso de um modo um pouco mais gentil?... Tenha um pouco de orgulho de sua terra e das nossas capacidades.
• Acho que seus fatos não foram conclusivos e a evidência é muito inconsistente. Mas, pensando bem, você levantou uma boa questão.

Pensando bem, esses alunos não acham que haja um grande problema; e, se houver, não se pode fazer muita coisa a respeito. Muitos também se queixaram de que as exposições, as discussões na sala de aula e os deveres eram "chatos". Sem dúvida, especialmente para uma geração MTV acossada por problemas de falta de atenção de vários graus de severidade, é chato. Mas passar três ou quatro anos escolares repetindo adição, subtração, multiplicação e divisão de frações chatearia qualquer um — e a tragédia é que a teoria elementar da probabilidade, por exemplo, está ao alcance desses alunos. O mesmo se pode dizer das formas de plantas e animais apresentados sem a sua evolução; da história apresentada como guerras, datas e reis, sem o papel desempenhado pela obediência à autoridade, pela ganância, pela incompetência e pela ignorância; do inglês sem as novas palavras que entram na língua e as antigas palavras que desaparecem; e da química sem indicar de onde vêm os elementos. Os meios de despertar o interesse desses alunos estão à mão e são ignorados. Como a maioria dos colegiais sai da escola apenas com uma minúscula fração do que lhes ensinaram permanentemente gravada em sua memória de longo prazo, não será essencial impregná-los com tópicos comprovadamente atraentes... e com o prazer de aprender?

A maioria dos adultos que me escreveram achava que há um problema substancial. Recebi cartas de pais falando de crianças indagadoras, dispostas a trabalhar muito, apaixonadas pela ciência, mas sem recursos adequados na escola e na comunidade para satisfazer seus interesses. Outras falavam de pais que, apesar de nada saber sobre ciência, sacrificam seu próprio conforto para que seus filhos possam ter livros de ciência, microscópios, telescópios, computadores ou jogos de química; de pais que ensinam a seus filhos que o trabalho duro vai lhes tirar da pobreza; da avó que, tarde da noite, leva chá para o aluno que ainda está fazendo seu dever; da pressão dos colegas para não se sair bem na escola, porque "isso faz com que os outros garotos fiquem com uma péssima imagem".

Eis uma amostragem — não é uma pesquisa de opinião, mas um comentário representativo — de outras respostas dadas por pais:

• Os pais compreendem que ninguém pode ser um ser humano completo, quando é ignorante? Há livros na casa? E uma lente de aumento? Enciclopédia? Eles estimulam os filhos a aprender?

• Os pais têm de ensinar paciência e perseverança. O presente mais importante que podem dar a seus filhos é o etos do trabalho árduo, mas eles não podem ficar apenas nas palavras. Os garotos que aprendem a trabalhar são os que veem os pais trabalharem, sem jamais desistir.

• Minha filha é fascinada pela ciência, mas ela não aprende ciência na escola, nem na TV.

• Minha filha é tida como bem-dotada, mas a escola não tem programa de aperfeiçoamento em ciência. O orientador educacional me falou para mandá-la a uma escola particular, mas não podemos pagar uma escola particular.

• A pressão dos colegas é enorme; as crianças tímidas não querem "chamar a atenção" tendo um desempenho excelente em ciência. Quando minha filha chegou aos treze ou catorze anos, o seu eterno interesse pela ciência como que desapareceu.

Os pais também tinham muito a dizer sobre os professores, e alguns dos comentários feitos pelos professores repercutiam os dos pais. Por exemplo, as pessoas se queixavam de que os professores aprendem *como* ensinar, mas não *o que* ensinar; que um grande número de professores de física e química não tem diploma de física ou química e se mostram "incompetentes e pouco à vontade" ensinando ciência; que os próprios professores também demonstram ter muita ansiedade em relação à ciência e à matemática; que eles resistem às perguntas formuladas, ou respondem: "Está no livro. Procure". Alguns se queixavam de que o professor de biologia era "criacionista"; outros se queixavam de que ele não o era. Eis outros comentários feitos por ou sobre professores:

• Estamos criando um bando de imbecis.

• É mais fácil memorizar do que pensar. Os garotos têm de ser ensinados a pensar.

• Os professores e os currículos estão se "emburrecendo", tendendo ao mínimo múltiplo comum.

• Por que o treinador de basquete ensina química?

• Exige-se dos professores que gastem tempo demais com os "currículos sociais" e disciplinares. Não há incentivo para que usemos o nosso próprio bom senso. Os "superiores" estão sempre espiando por cima de nossos ombros.

• Acabar com a estabilidade dos professores nas escolas secundária e superior. Livrar-se dos ramos podres. Deixar a contratação e a demissão dos professores a cargo dos diretores, reitores e superintendentes.

• Minha alegria de ensinar foi repetidamente frustrada por diretores com características militares.

• Os professores deveriam ser recompensados com base no seu desempenho — especialmente com base no desempenho dos alunos em testes padronizados e nacionais, e nos progressos verificados no desempenho de seus alunos nesse tipo de teste de ano para ano.

• Os professores estão reprimindo as mentes de nossos filhos, dizendo-lhes que não são bastante "inteligentes" — por

exemplo, para uma carreira de físico. Por que não dar aos estudantes uma chance de fazer o curso?
- Meu filho passou de ano, apesar de seu adiantamento ser o de dois níveis abaixo do resto de sua classe. A razão dada foi social, e não educacional. Ele nunca recuperará o atraso, se não ficar para trás.
- A ciência deveria ser obrigatória em todos os currículos escolares (e especialmente na escola secundária). Deveria estar cuidadosamente coordenada com os cursos de matemática que os alunos fazem nesse mesmo tempo.
- A maioria dos deveres é "trabalho para manter o aluno ocupado", e não algo que faça os alunos pensar.
- Acho que Diane Ravitch [*New Republic*, 6 de março de 1989] descreve a realidade: "Como uma aluna da Hunter High School na cidade de Nova York explicou recentemente: 'Tiro sempre A, mas nunca falo sobre isso... É legal não se sair bem na escola. Se alguém se interessa pelos estudos e o demonstra, passa a ser um *nerd*'. A cultura popular — pela televisão, filmes, revistas e vídeos — martela incessantemente na cabeça das jovens a mensagem de que é melhor ser popular, sensual e 'legal' do que ser inteligente, franca e cheia de qualidades... Em 1986, os pesquisadores descobriram um etos antiacadêmico semelhante entre as estudantes do curso secundário em Washington, D.C. Notaram que as alunas competentes enfrentavam forte pressão de suas colegas para não ser bem-sucedidas nos estudos. Se fossem bem nos estudos, poderiam ser acusadas de 'estar agindo como as brancas'".
- As escolas poderiam sem dificuldades propiciar muito mais reconhecimento e recompensas aos garotos que se destacassem em ciência e matemática. Por que não o fazem? Por que não dar blusões especiais com as iniciais da escola? Divulgar notícias sobre o desempenho dos alunos em reuniões, no jornal da escola e na imprensa local? Por que a indústria local e as organizações sociais não dão recompensas especiais? Isso custa muito pouco e poderia vencer a pressão dos colegas para ninguém se distinguir nos estudos.
- Head Start é o único programa eficiente [...] para melhorar a compreensão das crianças na área da ciência e em tudo o mais.

\* \* \*

Havia também muitas opiniões apaixonadas e altamente controversas, que, no mínimo, dão uma ideia de como são profundos os sentimentos das pessoas sobre o assunto. Eis uma amostra superficial:

• Todos os garotos inteligentes estão procurando dinheiro fácil hoje em dia, por isso eles se tornam advogados, e não cientistas.
• Não quero que você melhore a educação. Pois aí não haveria mais ninguém para dirigir os táxis.
• O problema na educação científica é que Deus não é suficientemente glorificado.
• O ensinamento fundamentalista de que a ciência é "humanismo" e não merece confiança é a razão pela qual ninguém compreende a ciência. As religiões têm medo do pensamento cético no âmago da ciência. Os alunos sofrem uma lavagem cerebral para não aceitar o pensamento científico muito antes de chegarem à escola superior.
• A ciência tem se desacreditado. Funciona para os políticos. Inventa armas, mente sobre os "perigos" da maconha, ignora os perigos do agente laranja etc.
• As escolas públicas não funcionam. É melhor abandoná-las. Vamos ter apenas escolas privadas.
• Deixamos os defensores da permissividade, do pensamento obscuro e do socialismo desenfreado destruir o que já foi um grande sistema educacional.
• O sistema escolar tem bastante dinheiro. O problema é que os diretores brancos, em geral treinadores esportivos, jamais (e quero realmente dizer jamais) contratariam um intelectual... Eles se importam mais com a equipe de futebol do que com o currículo, e para ensinar contratam apenas autômatos mais do que medíocres, patrióticos e amantes a Deus. Que tipo de aluno pode sair de escolas que oprimem, punem e negligenciam o pensamento lógico?
• É preciso libertar as escolas da opressão do ACLU [Sindi-

cato Norte-Americano das Liberdades Civis], da NEA [Associação Nacional da Educação] e de outros órgãos, empenhados em provocar o colapso da disciplina e da competência nas escolas.
• Receio que você não compreenda o país em que vive. As pessoas são inacreditavelmente ignorantes e medrosas. Não toleram ouvir nenhuma ideia [nova]... Será que você não entende? O sistema apenas sobrevive porque tem uma população ignorante e temente a Deus. Essa é uma das razões por que muitas [pessoas com formação escolar] estão desempregadas.
• Às vezes sou obrigado a explicar questões tecnológicas a assessores do Congresso. Acredite-me, há um problema na educação científica deste país.

Não há uma solução única para o problema do analfabetismo em ciência — ou em matemática, história, inglês, geografia e muitos dos outros campos de que nossa sociedade mais necessita. As responsabilidades são amplamente partilhadas — os pais, o eleitorado, os conselhos das escolas locais, a mídia, os professores, os administradores, os governos federal, estadual e local, além dos próprios estudantes, é claro. Em cada nível, os professores se queixam de que o problema está nas séries anteriores. E os professores do primeiro ano primário podem com razão entrar em desespero, por ter de ensinar crianças com deficiências de aprendizado causadas por má nutrição, por não ter livros em casa ou por viver numa cultura de violência em que não há tempo livre para pensar.

Pela minha própria experiência, sei muito bem o quanto uma criança pode se beneficiar se tiver pais que possuam um pouco de cultura e sejam capazes de transmiti-la. Até pequenas melhorias na educação, na capacidade de comunicação e na paixão de aprender de uma geração podem operar aperfeiçoamentos muito maiores na geração seguinte. Penso nisso toda vez que escuto a queixa de que os "padrões" escolares e colegiais estão caindo, ou de que um diploma de bacharelado já não "significa" o que significava outrora.

Dorothy Rich, uma professora inovadora de Yonkers, em Nova York, acredita que muito mais importante do que as disciplinas acadêmicas específicas é a promoção de habilidades-chaves que ela enumera da seguinte maneira: "confiança, perseverança, interesse, trabalho de equipe, bom senso e capacidade de solucionar problemas". Ao que eu acrescentaria o pensamento cético e a capacidade de se maravilhar.

Ao mesmo tempo, as crianças com capacidades e habilidades especiais precisam ser nutridas e estimuladas. Elas são um tesouro nacional. Programas desafiadores para os "bem-dotados" são às vezes depreciados como "elitismo". Por que as sessões de prática intensiva para as equipes principais de futebol, beisebol e basquete não são consideradas elitismo? Afinal de contas, somente os atletas mais bem-dotados delas participam. Há nesse caso um padrão duplo contraproducente que se estende por todo o país.

Os problemas da educação pública em ciência e outras áreas são tão profundos que é fácil desesperar-se e concluir que jamais serão corrigidos. Entretanto, há instituições escondidas nas grandes e pequenas cidades que nos dão razões para esperança, lugares que acendem a centelha, despertam curiosidades adormecidas e insuflam o cientista que existe em todos nós:

• O enorme meteorito de ferro metálico à sua frente tem tantos furos quanto um queijo suíço. Cautelosamente, você estende a mão para tocá-lo. É liso e frio ao tato. Ocorre-lhe o pensamento de que é um pedaço de outro mundo. Como foi que chegou até a Terra? O que aconteceu no espaço para deixá-lo tão avariado?

• A exposição mostra mapas da Londres do século XVIII, e a propagação de uma terrível epidemia de cólera. As pessoas de uma das casas pegaram a doença dos moradores das casas vizinhas. Seguindo a onda da infecção de trás para a frente, você consegue ver onde é que começou. É como o trabalho de um detetive. E quando você localiza com precisão a origem, descobre que é um lugar com valas de esgoto abertas. Ocorre-lhe que há uma razão de vida e morte para as cidades modernas terem saneamento adequado. Você pensa em todas as cidades e vilas no mundo sem saneamento. Começa a pensar que talvez haja um modo mais simples e mais barato de prevenir as doenças...

• Você está se arrastando por um longo túnel, escuro como breu. Há curvas repentinas, subidas e descidas. Você passa por uma floresta de coisas emplumadas, coisas cobertas de contas, coisas redondas, grandes e sólidas. Imagina como deve ser perder a visão. Pensa em como empregamos pouco o sentido do tato. No escuro e no silêncio, você está sozinho com seus pensamentos. De alguma forma a experiência é estimulante...

• Você examina uma reconstrução pormenorizada de uma procissão de sacerdotes subindo num dos grandes zigurates da Suméria, ou de uma tumba deslumbrantemente pintada no Vale dos Reis, no antigo Egito, ou de uma casa na Roma antiga, ou de uma rua em escala natural de uma pequena cidade da América do Norte na virada do século. Você pensa em todas essas civilizações, tão diferentes da sua, fica imaginando como você as teria achado completamente naturais, se ali tivesse nascido, e como consideraria a *nossa* sociedade estranha — se tivesse ouvido falar de nossos costumes...

• Você aperta o conta-gotas, e uma gota de água do lago cai sobre a platina do microscópio. Você examina a imagem projetada. A gota está cheia de vida — seres estranhos nadando, rastejando, tropeçando; cenas dramáticas de perseguição e fuga, triunfo e tragédia. É um mundo povoado por seres muito mais exóticos do que os de um filme de ficção científica...

• Sentado no teatro, você se descobre dentro da cabeça de um menino de onze anos. Você vê o mundo pelos olhos dele. Enfrenta suas crises cotidianas típicas: valentões, adultos autoritários, paixões por garotas. Escuta a voz dentro da sua cabeça. Presencia suas reações neurológicas e hormonais ao ambiente social. E começa a se perguntar como é que *você* funciona em seu próprio interior...

• Obedecendo às instruções simples, você digita os comandos. O que acontecerá com a Terra, se continuarmos a queimar carvão, óleo e gás, duplicando a quantidade de dióxido de carbono na atmosfera? Qual será o aumento de temperatura? Quanto gelo polar se derreterá? De que magnitude será a elevação dos oceanos? *Por que* estamos despejando tanto dióxido de carbono na atmosfera? E se colocarmos cinco vezes mais dióxido de carbono nela? E mais, como alguém pode saber como será o clima no futuro? Tudo isso faz você pensar...

Na minha infância, fui levado ao Museu Norte-Americano de História Natural na cidade de Nova York. Fiquei maravilhado com os dioramas — representações em tamanho natural de animais e seus habitats em todo o mundo. Pinguins sobre o gelo antártico pouco iluminado; ocapis na brilhante savana africana; uma família de gorilas, o macho batendo no peito, numa senda sombreada da floresta; um urso norte-americano cinzento, de pé sobre as patas traseiras, com três metros ou três metros e meio de altura, fitando-me bem nos olhos. Eram quadros tridimensionais sem movimento, captados por algum gênio da lâmpada. O urso cinzento acabou de se mover? O gorila piscou? Será que o gênio não vai voltar, para desfazer o encanto e permitir que esse conjunto deslumbrante de seres vivos continue a viver, enquanto, boquiaberto, observo?

As crianças têm um impulso irresistível de tocar nas coisas. Naqueles dias, as duas palavras mais comumente ouvidas nos museus eram "não toque". Décadas atrás, não havia quase nenhuma experiência "direta" nos museus de ciência ou história natural, nem mesmo um aquário em que se pudesse pegar um caranguejo e examiná-lo. O mais próximo de uma exposição interativa que então conheci foram as escalas no Planetário Hayden, uma para cada planeta. Pesando uns insignificantes dezoito quilos na Terra, era de certo modo reconfortante saber que, vivendo em Júpiter, você pesaria 45 quilos. Mas, lamentavelmente, na Lua você pesaria apenas três; pelo visto, na Lua você quase não existiria.

Atualmente, as crianças são estimuladas a tocar, a mexer, a percorrer os ramos probabilísticos de uma árvore de perguntas e respostas via computador, ou a fazer barulhos engraçados para ver o que acontece com as ondas sonoras. Até as crianças que não captam tudo na exposição, ou que nem sequer captam a ideia da exposição, em geral apreendem algo valioso. Quando se vai a esses museus, fica-se impressionado com os olhos arregalados de assombro, com os garotos correndo de uma exposição para outra, com os sorrisos triunfantes de descoberta. Esses museus são extremamente populares. O número de pessoas que os visitam a cada ano é quase igual ao público dos jogos profissionais de beisebol, basquete e futebol, considerados em conjunto.

Essas exposições não substituem a instrução na escola ou em casa, mas despertam o interesse e emocionam. Um grande museu de ciência estimula a criança a ler um livro, a fazer um curso ou a retornar para se envolver num processo de descoberta — e, o que é muito importante, a aprender o método do pensamento científico.

Outra característica deslumbrante de muitos museus de ciência modernos é um cinema que apresenta filmes IMAX ou OMNI-MAX. Em alguns casos, a tela tem dez andares de altura e envolve os espectadores. O Museu Nacional do Ar e do Espaço do Smithsonian, o museu mais popular da Terra, tem apresentado em seu Teatro Langley a estreia de alguns dos melhores desses filmes. *Voar* ainda me tira o fôlego, mesmo depois de já ter visto o filme cinco ou seis vezes. Vi líderes religiosos de muitas seitas assistirem ao *Planeta azul* e se converterem imediatamente à ideia de que é preciso proteger o meio ambiente da Terra.

Nem todas as exposições e museus de ciência são exemplares. Alguns ainda constituem propaganda das firmas que deram contribuições para promover os seus produtos — como funciona um motor de automóvel, ou a "limpeza" de um combustível fóssil em comparação a outro. Muitos museus que dizem ser de ciência são realmente de tecnologia e medicina. Muitas exposições de biologia ainda têm medo de mencionar a ideia-chave da biologia moderna: a evolução. Os seres se "desenvolvem" ou "surgem", mas jamais evoluem. A ausência de seres humanos nos registros fósseis profundos não é enfatizada. Nada nos é revelado sobre a quase identidade anatômica e de DNA entre os seres humanos e os chimpanzés ou gorilas. Nada é apresentado sobre as moléculas orgânicas complexas no espaço e em outros mundos, nem sobre os experimentos que mostram a matéria da vida se formando em quantidades enormes na atmosfera conhecida de outros mundos e na atmosfera presumível da Terra primitiva. Uma exceção notável: o Museu de História Natural da Instituição Smithsonian apresentou certa vez uma exposição inesquecível sobre a evolução. Começava com duas baratas numa cozinha moderna em que havia caixas de flocos de cereais abertas e outros alimentos. Sem ser perturbado durante algumas semanas, o lugar acabou apinhado de baratas, baldes delas por toda parte, competindo pelos poucos alimentos ainda existentes, e a vantagem hereditária que uma barata um pouco mais bem-adaptada poderia ter a longo prazo sobre suas competidoras ficou clara como cristal. Da mesma forma, muitos planetários ainda se destinam a distinguir constelações, e não a viajar a outros mundos e retratar a evolução das galáxias, estrelas e planetas; eles também possuem um projetor semelhante a um inseto, sempre visível, que tira do céu a sua realidade.

Talvez a exposição mais grandiosa não possa ser vista nos museus. Ela não tem residência. George Awad é um dos principais construtores de maquetes arquitetônicas nos Estados Unidos, tendo se especializado em arranha-céus. É também um estudioso aplicado de astronomia e fez uma maquete espetacular do Universo. Começando com uma cena prosaica na Terra, e seguindo um plano originalmente proposto pelos *designers* Charles e Ray Eames, ele passa a aumentar as dimensões progressivamente por fatores de dez para nos mostrar toda a Terra, o sistema solar, a Via Láctea e o Universo. Todo corpo astronômico é meticulosamente pormenorizado. É possível se perder em cada um deles. É uma das melhores ferramentas que conheço para explicar às crianças a escala e a natureza do Universo. Isaac Asimov descreveu-o como "a representação mais imaginativa do Universo que já vi ou seria capaz de conceber. Eu poderia perambular pela maquete durante horas, descobrindo a cada passo alguma coisa nova que ainda não tinha observado antes". Versões dessa maquete deviam ser expostas ao público por todo o país — para despertar a imaginação, inspirar e ensinar. Mas, em vez disso, o sr. Awad não consegue colocar essa exposição em nenhum grande museu de ciência no país. Nenhum está disposto a lhe reservar o espaço necessário. Enquanto escrevo, o projeto continua tristemente encaixotado num depósito.

A população da minha cidade, Ithaca, Nova York, duplica e chega a um total vultoso de uns 50 mil habitantes no período das aulas da Universidade Cornell e do Ithaca College. Etnicamente diversa, rodeada por fazendas, ela sofreu, como tantas cidades do Nordeste dos Estados Unidos, o declínio de sua base manufatureira do século XIX. A metade das crianças na escola primária Beverly J. Martin, que nossa filha frequentou, vive abaixo da linha da pobreza. Eram as crianças que mais preocupação davam a duas professoras voluntárias de ciência, Debbie Levin e Ilma Levine. Não lhes parecia certo que para algumas crianças, os filhos dos professores de Cornell, por exemplo, nem mesmo o céu fosse o limite, ao passo que outras não tinham acesso ao poder liberador da educação científica. A partir dos anos 60, elas passaram a ir regularmente à escola, arrastando o seu carrinho de biblioteca portátil carregado de produtos químicos domésticos e outros itens familiares, para transmitir um pouco da magia da ciência. Sonhavam em criar um lugar onde as crianças pudessem adquirir uma ideia pessoal e direta da ciência.

Em 1983, Levin e Levine colocaram um pequeno anúncio em nosso jornal local convidando a comunidade a discutir a ideia. Cinquenta pessoas se apresentaram. Desse grupo se formou o primeiro conselho de diretores do Sciencenter (Centro de Ciência). Em um ano, eles conseguiram espaço para exposições no primeiro andar de um prédio comercial ainda não alugado. Quando o proprietário encontrou um inquilino pagante, os girinos e o papel de tornassol foram novamente empacotados e carregados para uma loja térrea vazia.

Seguiram-se mais mudanças para outros espaços térreos, até que um habitante de Ithaca chamado Bob Leathers, arquiteto conhecido mundialmente pelos seus projetos de *playgrounds* inovadores construídos pela comunidade, projetou e doou os planos de um Sciencenter permanente. Algumas doações de firmas locais garantiram o dinheiro necessário para comprar um lote abandonado da municipalidade e para contratar um diretor executivo, Charles Trautmann, engenheiro civil formado em Cornell. Ele e Leathers viajaram para o encontro anual da Associação Nacional de Construtores Civis em Atlanta. Trautmann relata que eles contaram a história "de uma comunidade desejosa de se responsabilizar pela educação de seus jovens, e conseguiram doações de muitos itens fundamentais, como janelas, claraboias e madeira".

Antes que pudessem começar a construir, parte da antiga casa de bombas no local tinha de ser demolida. Os membros de uma associação estudantil de Cornell se ofereceram para fazer o trabalho. Com capacetes e marretas, demoliram alegremente a instalação. "É o tipo da coisa que em geral cria encrenca quando se faz", diziam. Em dois dias, removeram duzentas toneladas de entulho.

O que se seguiu foram imagens de uma América do Norte que muitos de nós receamos que tenha desaparecido. Seguindo a tradição de construir estábulos dos antigos pioneiros, todos os membros da comunidade — pedreiros, médicos, carpinteiros, professores universitários, encanadores, fazendeiros, os muito jovens e os muito velhos — arregaçaram as mangas para construir o Sciencenter.

"O cronograma contínuo de sete dias por semana foi mantido", diz Trautmann, "para que todos tivessem a oportunidade de ajudar. Todo mundo recebeu uma tarefa. Os voluntários experientes construíram escadas, instalaram carpetes e ladrilhos e colocaram as janelas. Os outros pintaram, pregaram e carregaram os materiais." Uns 2200 habitantes doaram mais de 40 mil horas de trabalho. Aproximadamente 10% do trabalho de construção foi realizada por pessoas condenadas por pequenos delitos; preferiam fazer alguma coisa pela comunidade a ficar ociosos na cadeia. Dez meses mais tarde, Ithaca tinha o único museu de ciência no mundo que foi construído pela comunidade.

Entre as 75 exposições interativas que enfatizam tanto os processos como os princípios da ciência estão: o Magicam, um microscópio que os visitantes podem usar para ver num monitor em cores, e depois fotografar, qualquer objeto ampliado quarenta vezes; a única conexão pública no mundo com a Rede Nacional de Detecção de Raios baseada num satélite; uma câmara que permite a entrada do espectador nas imagens de 1,82 × 2,74 metros; uma cavidade de fósseis coberta de xisto local, onde os visitantes procuram fósseis de 380 milhões de anos e guardam os seus achados; uma jiboia de dois metros e meio de comprimento chamada Spot; e um deslumbrante conjunto de outros experimentos, computadores e atividades.

Levin e Levine ainda podem ser encontradas ali, voluntárias em tempo integral, ensinando os cidadãos e os cientistas do futuro. O Fundo DeWitt Wallace — Reader's Digest mantém e amplia o seu sonho de atingir crianças a quem normalmente seria negado o direito natural de aprender ciência. Pelo programa nacional Youth-ALIVE do fundo, os adolescentes de Ithaca recebem orientação intensiva para desenvolver suas habilidades científicas e sua capacidade de se empregar e resolver conflitos.

Levin e Levine achavam que a ciência é um direito de todos. A comunidade concordou com elas e se comprometeu a concretizar esse sonho. No primeiro ano do Sciencenter, vieram 55 mil visitantes de todos os cinquenta estados e de sessenta países. Nada mal para uma pequena cidade. Isso nos leva a considerar o que mais não poderíamos estar fazendo, se trabalhássemos juntos para construir um futuro melhor para as nossas crianças.

## 21. O CAMINHO PARA A LIBERDADE*

> *Não devemos acreditar nos muitos que dizem que só as pessoas livres devem ser educadas, deveríamos antes acreditar nos filósofos que dizem que apenas as pessoas educadas são livres.*
> Epicteto, filósofo romano e ex-escravo, *Discursos*

**FREDERICK BAILEY ERA ESCRAVO.** Quando ainda era menino em Maryland, na década de 1820, não tinha nem mãe, nem pai que olhassem por ele. ("É um costume comum", escreveu mais tarde, "separar os filhos das mães [...] antes de a criança completar um ano.") Foi uma das inúmeras crianças escravas cujas perspectivas realistas de uma vida promissora eram nulas.

O que Bailey presenciou e experimentou em seus anos de formação o marcaram para sempre: "Fui muitas vezes despertado ao amanhecer por gritos de cortar o coração, dados por uma tia minha a quem [o capataz] costumava amarrar a uma viga e chicotear-lhe as costas nuas até que ela ficasse literalmente coberta de sangue [...]. Do nascer ao cair do sol, ele rogava pragas, esbravejava, chicoteava e açoitava no meio dos escravos do campo... Parecia sentir prazer em manifestar sua barbárie diabólica".

Tanto nas plantações como no púlpito, nos tribunais e na sede da assembleia estadual, martelava-se na cabeça dos escravos a noção de que eles eram seres inferiores por hereditariedade, que Deus os *destinara* à desgraça. A Bíblia Sagrada, como confirmavam inúmeras passagens, tolerava a escravidão. Dessa forma, a "peculiar instituição" se mantinha apesar de sua natureza monstruosa — algo que até seus praticantes devem ter vislumbrado.

Havia uma regra muito reveladora: os escravos deviam continuar analfabetos. No Sul antes da Guerra Civil, os brancos

---

* Escrito com Ann Druyan.

que ensinassem um escravo a ler eram severamente punidos. "[Para] criar um escravo satisfeito", escreveu Bailey mais tarde, "é necessário criá-lo estúpido. É necessário obscurecer a sua visão moral e intelectual, e, na medida do possível, aniquilar o poder da razão." É por isso que os senhores devem controlar o que os escravos ouvem, veem e pensam. É por isso que a leitura e o pensamento crítico são perigosos, na verdade subversivos, numa sociedade injusta.

Vamos agora imaginar Frederick Bailey em 1828 — um menino afro-americano de dez anos, escravizado, sem direitos legais de espécie alguma, havia muito arrancado dos braços da mãe, vendido entre os remanescentes esfarrapados de sua família extensa como se fosse um bezerro ou um pônei, enviado a uma casa desconhecida na cidade estranha de Baltimore e condenado a uma vida de trabalhos pesados, sem nenhuma perspectiva de alívio.

Bailey foi trabalhar na casa do capitão Hugh Auld e sua esposa, Sophia, mudando-se da plantação para a agitação urbana, do trabalho no campo para o trabalho doméstico. Nesse novo ambiente, ele se deparava todos os dias com letras, livros e pessoas que sabiam ler. Descobriu o que chamava "o mistério" da leitura: havia uma conexão entre as letras na página e o movimento dos lábios do leitor, uma correlação quase de um para um entre os rabiscos pretos e os sons pronunciados. Sub-repticiamente, ele estudava na *Cartilha Webster* do pequeno Tommy Auld. Memorizava as letras do alfabeto. Tentava compreender os sons que elas representavam. Finalmente, pediu a Sophia Auld que o ajudasse a aprender. Impressionada com a inteligência e a aplicação do menino, e talvez desconhecendo as proibições, ela aquiesceu.

Quando Frederick já estava soletrando palavras de três e quatro letras, o capitão Auld descobriu o que estava se passando. Furioso, mandou Sophia parar com as lições. Na presença de Frederick, ele explicou:

"Um preto deve saber apenas obedecer ao seu senhor — deve cumprir as ordens. O conhecimento *estragaria* o melhor preto do mundo. Se você ensinar esse preto a ler, não poderemos ficar com ele. Isso o inutilizaria para sempre como escravo."

Auld repreendeu Sophia dessa maneira, como se Frederick Bailey não estivesse na sala com eles, como se o garoto fosse um pedaço de madeira.

Mas Auld tinha revelado a Bailey o grande segredo: "Eu agora compreendia [...] o poder do homem branco de escravizar o homem negro. A partir daquele momento, eu compreendi qual era o caminho da escravidão para a liberdade".

Sem mais ajuda da agora reticente e intimidada Sophia, Frederick encontrou maneiras de continuar a aprender a ler, inclusive conversando com os colegiais nas ruas. Depois ele começou a ensinar seus colegas escravos: "Suas mentes estavam famintas [...]. Eles estavam fechados na escuridão mental. Eu lhes ensinei, porque esse era o prazer da minha alma".

A capacidade de ler desempenhou um papel-chave na fuga de Bailey para a Nova Inglaterra, onde a escravidão era ilegal e os negros livres. Mudou o nome para Frederick Douglass (em homenagem a uma personagem de *The lady of the lake*, de Walter Scott), esquivou-se dos caçadores de gratificações que perseguiam os escravos fugidos e tornou-se um dos maiores oradores, escritores e líderes políticos na história norte-americana. Durante toda a sua vida, ele teve certeza de que a alfabetização fora o caminho para a liberdade.


Durante 99% do período de existência dos seres humanos, ninguém sabia ler ou escrever. A grande invenção ainda não fora criada. À exceção da experiência em primeira mão, quase tudo o que conhecíamos era transmitido oralmente. Como no brinquedo infantil "telefone sem fio", durante dezenas e centenas de gerações, as informações foram lentamente distorcidas e perdidas.

Os livros mudaram tudo isso. Passíveis de ser adquiridos a um preço barato, eles nos possibilitam interrogar o passado com alto grau de precisão; estabelecer comunicação com a sabedoria de nossa espécie; compreender o ponto de vista de outros, e não apenas o dos que estão no poder; considerar — com os melhores professores — as ideias extraídas a duras penas da Natureza pelas maiores inteligências que já existiram em todo o planeta e em toda a nossa história. Permitem que pessoas há muito tempo mortas falem dentro de nossas cabeças. Os livros podem nos acompanhar por toda parte. Pacientes quando custamos a compreender, eles nos deixam rever as partes difíceis quantas vezes desejarmos, e jamais criticam nossos lapsos. Os livros são essenciais para compreender o mundo e participar de uma sociedade democrática.

Por alguns padrões, os afro-americanos têm feito enormes progressos na questão da alfabetização desde a Emancipação. Em 1860, segundo as estimativas, apenas uns 5% dos afro-americanos sabiam ler e escrever. Já em 1890, 39% eram considerados alfabetizados — pelo censo dos Estados Unidos; e, em 1969, 96%. Entre 1940 e 1992, o índice de afro-americanos que tinham completado o segundo grau aumentou drasticamente, de 7% para 82%. Mas pode-se questionar com razão a qualidade dessa educação e os padrões de alfabetização testados. Isso se aplica a qualquer grupo étnico.

Um levantamento nacional feito pelo Departamento de Educação dos Estados Unidos retrata um país com mais de 40 milhões de adultos sofrivelmente alfabetizados. Outras estimativas são muito piores. O grau de alfabetização dos adultos jovens caiu dramaticamente na última década. Apenas 3% a 4% da população atinge o mais alto dos cinco níveis de leitura (basicamente todos nesse grupo frequentaram a escola superior). A imensa maioria não tem ideia de como é pobre a sua capacidade de leitura. Apenas 4% dos que atingem o nível mais alto de leitura são pobres, mas 43% dos que têm o nível mais baixo de leitura vivem com poucos recursos. Embora não seja o único fator, em geral quanto melhor se lê, mais se ganha — uma média de cerca de 12 mil dólares por ano no mais baixo desses níveis de leitura e cerca de 34 mil no mais alto. Parece ser uma condição necessária, ainda que não suficiente, para ganhar dinheiro. E é muito mais provável que alguém vá para a cadeia se é analfabeto ou pouco alfabetizado. (Ao avaliar esses fatos, devemos tomar cuidado para não deduzir inapropriadamente uma relação causal a partir de uma correlação.)

Da mesma forma, as pessoas mais pobres cuja alfabetização é sofrível tendem a não compreender programas eleitorais que poderiam ajudá-las e a seus filhos, e em números espantosamente desproporcionais deixam de votar. Isso contribui para solapar a democracia em suas raízes.

Se Frederick Douglass, uma criança escravizada, conseguiu ensinar a si mesmo o caminho para o conhecimento e a grandeza, por que alguém em nossos tempos mais esclarecidos continuaria incapaz de ler? Bem, não é assim tão simples — em parte, porque poucos de nós somos tão inteligentes e corajosos quanto Frederick Douglass, mas também por outras razões importantes: se crescemos num lar em que há livros, em que nos leem histórias, em que pais, irmãos, tias, tios e primos leem por prazer, aprendemos naturalmente a ler. Se ninguém perto de nós gosta de ler, onde está a prova de que vale a pena o esforço? Se a qualidade da educação a que temos acesso é inadequada, se não nos ensinam a pensar, mas só a repetir uma decoreba automática, se o conteúdo do que nos dão para ler provém de uma cultura quase alienígena, aprender a ler pode ser um caminho de pedras.

É preciso internalizar, para que se tornem uma segunda natureza, dezenas de letras maiúsculas e minúsculas, símbolos e sinais de pontuação; memorizar milhares de grafias mudas numa base de palavra por palavra; e acostumar-se com uma série de regras de gramática rígidas e arbitrárias. Se estamos preocupados com a falta de apoio familiar básico, ou se somos jogados num mar turvo de raiva, abandono, exploração, perigo e ódio contra nós mesmos, podemos muito bem concluir que ler custa muito esforço e simplesmente não vale a pena. Se ouvimos repetidamente a mensagem de que somos estúpidos demais para aprender (ou, o equivalente funcional, legais demais para aprender), e não há por perto ninguém que a contradiga, podemos muito bem seguir esse conselho pernicioso. Há sempre crianças —

como Frederick Bailey — que vencem as dificuldades. Muitíssimas não conseguem.

Mas, além de tudo isso, há um modo particularmente insidioso de golpear quem é pobre na sua tentativa de ler — e até de pensar.

Ann Druyan e eu somos de famílias que conheceram pobreza aflitiva. Mas nossos pais foram leitores apaixonados. Uma de nossas avós aprendeu a ler porque o pai, agricultor de subsistência, negociou um saco de cebolas com um professor itinerante. Ela leu pelos cem anos seguintes. As escolas públicas de Nova York tinham martelado na cabeça de nossos pais a importância da higiene pessoal e a teoria de que as doenças são causadas por germes. Eles seguiam as recomendações sobre nutrição infantil do Departamento de Agricultura dos Estados Unidos como se elas tivessem sido entregues no monte Sinai. O livro do governo sobre saúde infantil que tínhamos fora colado várias vezes, quando as páginas caíam. Os cantos estavam estragados. Os principais conselhos foram sublinhados. Era consultado em toda crise médica. Por certo tempo, meus pais pararam de fumar — um dos poucos prazeres que lhes era acessível nos anos da Depressão — para que os filhos pequenos pudessem ter vitaminas e suplementos minerais. Ann e eu tivemos muita sorte.

As pesquisas recentes mostram que muitas crianças que não possuem o bastante para comer acabam tendo diminuída a sua capacidade de compreender e aprender ("dano cognitivo"). Elas não precisam estar morrendo de fome para que isso aconteça. Até uma subnutrição leve — o tipo mais comum entre os pobres na América do Norte — pode causar esse dano. Isso pode acontecer antes de o bebê nascer (se a mãe não estiver comendo o suficiente), nos primeiros anos de vida ou na infância. Quando não há comida suficiente, o corpo tem de decidir como vai investir os alimentos limitados que recebe. A sobrevivência vem em primeiro lugar. O crescimento vem em segundo. Nessa triagem nutritiva, o corpo parece obrigado a classificar o aprendizado em último lugar. Melhor ser estúpido e vivo, segundo seu julgamento, do que inteligente e morto.

Em vez de demonstrar entusiasmo, gosto pelo aprendizado — como a maioria dos garotos saudáveis —, a criança subnutrida se aborrece, torna-se apática, sem reação. A subnutrição mais grave causa diminuição do peso no nascimento e, nas suas formas mais extremas, cérebros menores. Entretanto, até uma criança que parece perfeitamente saudável, mas não tem ferro suficiente, por exemplo, sofre uma diminuição imediata na capacidade de se concentrar. A anemia por deficiência de ferro talvez chegue a afetar um quarto de todas as crianças de baixa renda nos Estados Unidos; ela prejudica a atenção e a memória, podendo ter consequências que chegam até a idade adulta.

O que antes se considerava uma subnutrição relativamente leve é agora compreendido como um estado potencialmente associado a danos cognitivos para toda a vida. As crianças que ficam subnutridas mesmo por períodos curtos sofrem diminuição da sua capacidade de aprender. E milhões de crianças norte-americanas passam fome toda semana. O envenenamento por chumbo, que é endêmico nas cidades do interior, também causa sérias deficiências de aprendizado. Segundo muitos critérios, o índice de pobreza nos Estados Unidos tem crescido constantemente desde o início dos anos 80. Quase um quarto das crianças norte-americanas vive agora na pobreza — a taxa mais elevada no mundo industrializado. De acordo com uma estimativa, somente entre 1980 e 1985, o número de bebês e crianças norte-americanos que morreram de doenças evitáveis, subnutrição e outras consequências da pobreza extrema supera o de todas as mortes de norte-americanos em combate na Guerra do Vietnã.

Alguns programas sabiamente instituídos em nível federal ou estadual, nos Estados Unidos, tratam da desnutrição. O Programa Especial de Alimentação Suplementar para Mulheres, Bebês e Crianças (WIC), os programas de merenda escolar, o Programa de Verão para a Alimentação — todos provaram que funcionam, embora não atinjam todas as pessoas que deles necessitam. Um país tão rico é certamente capaz de dar bastante comida a todas as suas crianças.

Alguns efeitos deletérios da desnutrição podem ser anulados; a terapia de reposição de ferro, por exemplo, pode corrigir algumas consequências da anemia por deficiência desse elemento. Mas nem todos os danos são reversíveis. A dislexia — várias desordens que prejudicam a capacidade de ler — talvez afete 15% de nós ou mais, tanto pobres como ricos. Suas causas (biológicas, psicológicas ou ambientais) são frequentemente indeterminadas. Mas existem agora métodos que ajudam muitas pessoas com dislexia a aprender a ler.

Ninguém deveria deixar de aprender a ler por não ter acesso à educação. Mas há muitas escolas nos Estados Unidos em que a leitura é ensinada como um passeio tedioso e relutante pelos hieroglifos de uma civilização desconhecida, e muitas salas de aula em que não se pode encontrar um único livro. Lamentavelmente, a demanda de aulas de alfabetização para adultos supera em muito a oferta. Programas de educação básica de alta qualidade, como o Head Start, podem ter enorme sucesso em preparar as crianças para a leitura. Mas o Head Start atinge apenas de um terço a um quarto das crianças aptas em idade pré-escolar, muitos de seus programas têm sido enfraquecidos por cortes no financiamento, e tanto ele como as ações de nutrição que mencionei estão sob novo ataque do Congresso, no momento em que escrevo.

O Head Start é criticado num livro de 1994, *The bell curve*, de Richard J. Herrnstein e Charles Murray. A sua argumentação foi caracterizada por Gerald Coles, da Universidade de Rochester:

> Primeiro, financia-se inadequadamente um programa para crianças pobres, depois nega-se todo sucesso alcançado em face dos obstáculos esmagadores, e por fim conclui-se que o programa deve ser eliminado porque as crianças são intelectualmente inferiores.

O livro, que recebeu uma atenção surpreendentemente respeitosa da mídia, conclui que há uma diferença hereditária irredutível entre negros e brancos — cerca de dez ou quinze pontos em testes de inteligência. Numa resenha, o psicólogo Leon J. Kamin conclui que "[o]s autores deixam repetidamente de fazer a distinção entre correlação e causação" — uma das falácias em nosso *kit* de detecção de mentiras.

O Centro Nacional de Alfabetização Familiar, com base em Louisville, Kentucky, tem implementado programas que ensinam os filhos e os pais a ler, destinados a famílias de baixa renda. Funcionam da seguinte maneira: a criança, de três a quatro anos, frequenta a escola três vezes por semana junto com um dos pais, ou um dos avós ou uma pessoa responsável. Enquanto o adulto passa a manhã aprendendo habilidades acadêmicas básicas, a criança assiste a uma aula pré-escolar. Os pais e os filhos se encontram para almoçar, e depois passam o resto da tarde "aprendendo a aprender juntos".

Um estudo de acompanhamento de catorze desses programas em três estados revelou: (1) embora todas as crianças tivessem sido apontadas como alunos que corriam o risco de repetência pré-escolar, apenas 10% ainda foram consideradas sujeitas a esse risco pelos seus atuais professores da escola primária; (2) mais de 90% foram considerados alunos motivados a aprender pelos seus atuais professores da escola primária; (3) *nenhuma* das crianças teve de repetir nenhuma série na escola primária.

O desenvolvimento dos pais não foi menos intenso. Instados a descrever como as suas vidas tinham mudado em consequência do programa de alfabetização familiar, as respostas típicas mencionaram maior autoconfiança (quase todos os participantes) e autocontrole, sucesso em exames de cursos equivalentes ao segundo grau, admissão à escola superior, novos empregos e um relacionamento muito melhor com os filhos. As crianças são descritas como mais atenciosas para com os pais, desejosas de aprender e — em alguns casos, pela primeira vez — com esperanças no futuro. Esses programas também podiam ser usados em séries posteriores para ensinar matemática, ciência e muita coisa mais.

Os tiranos e os autocratas sempre compreenderam que a capacidade de ler, o conhecimento, os livros e os jornais são potencialmente perigosos. Podem insuflar ideias independentes e até rebeldes nas cabeças de seus súditos. O governador real britânico da colônia de Virginia escreveu em 1671:

> Graças a Deus não há escolas, nem imprensa livre; e espero que não [as] tenhamos nestes [próximos] cem anos; pois o conhecimento introduziu no mundo a desobediência, a heresia e as seitas, e a imprensa divulgou-as e publicou os libelos contra os melhores governos. Que Deus nos guarde de ambos!

Mas os colonizadores norte-americanos, compreendendo em que consiste a liberdade, não pensavam assim.

Em seus primeiros anos, os Estados Unidos se vangloriavam de ter um dos índices mais elevados — talvez o mais elevado — de cidadãos alfabetizados no mundo. (É claro, escravos e mulheres não contavam naqueles tempos.) Já em 1635, havia escolas públicas em Massachusetts, e em 1647 a educação era obrigatória em todas as cidades com mais de cinquenta "famílias". No século e meio seguinte, a democracia educacional se espalhou por todo o país. Os teóricos políticos vinham do exterior para presenciar a maravilha nacional: multidões de trabalhadores comuns que sabiam ler e escrever. O zelo norte-americano pela educação para todos fomentava as descobertas e as invenções, um vigoroso processo democrático e uma mobilidade social que insuflava a vitalidade econômica da nação.

Atualmente, os Estados Unidos não são o líder mundial em alfabetização. Muitos dos que são considerados alfabetizados não conseguem ler, nem compreender material muito simples — muito menos um livro da sexta série, um manual de instruções, um horário de ônibus, o documento de uma hipoteca ou um programa eleitoral. E os livros da sexta série de hoje são muito menos desafiadores do que os de algumas décadas atrás, ao passo que as exigências de saber ler e escrever nos empregos se tornaram mais rigorosas do que nunca foram.

As rodas dentadas da pobreza, ignorância, falta de esperança e baixa autoestima se engrenam para criar um tipo de máquina do fracasso perpétuo que esmigalha os sonhos de geração a geração. Nós todos pagamos o preço de mantê-la funcionando. O analfabetismo é a sua cavilha.

Ainda que endureçamos os nossos corações diante da vergonha e da desgraça experimentadas pelas vítimas, o ônus do analfabetismo é muito alto para todos os demais — o custo de despesas médicas e hospitalização, o custo de crimes e prisões, o custo de programas de educação especial, o custo da produtividade perdida e de inteligências potencialmente brilhantes que poderiam ajudar a solucionar os dilemas que nos perseguem.

Frederick Douglass ensinou que a alfabetização é o caminho da escravidão para a liberdade. Há muitos tipos de escravidão e muitos tipos de liberdade. Mas saber ler ainda é o caminho.

## FREDERICK DOUGLASS DEPOIS DA FUGA

Quando mal completara vinte anos, ele fugiu para a liberdade. Fixou residência em New Bedford com a noiva, Anna Murray, e começou a ganhar a vida como trabalhador comum. Quatro anos mais tarde, Douglass foi convidado a discursar num encontro. A essa altura, no Norte, não era incomum ouvir os grandes oradores do dia — isto é, os brancos — investir contra a escravidão. Mas até muitos dos que se opunham à escravidão achavam que os escravos eram de alguma forma menos humanos. Na noite de 16 de agosto de 1841, na pequena ilha de Nantucket, os membros da Sociedade contra a Escravidão de Massachusetts, formada principalmente por quacres, se inclinaram para a frente em suas cadeiras para ouvir algo novo: uma voz contra a escravidão vinda de alguém que a conhecia por amarga experiência pessoal.

A sua própria aparência e comportamento destruíam o mito então predominante da "subserviência natural" dos afro-americanos. Todos os presentes foram unânimes em reconhecer que a sua eloquente análise dos males da escravidão foi uma das estreias mais brilhantes na história da oratória norte-americana. William Lloyd Garrison, o principal abolicionista da época, estava sentado na primeira fila. Quando Douglass terminou o seu discurso, Garrison se levantou, virou-se para o público aturdido e desafiou-os com uma pergunta aos altos brados:

— Nós estivemos escutando as palavras de um objeto, de um servo ou de um homem?

— De um homem! De um homem! — rugiu o público em resposta, a uma só voz.

— Um homem desses deve ser escravo numa terra cristã? — bradou Garrison.

— Não! Não! — gritou o público.

Em voz ainda mais alta, Garrison perguntou:

— Um homem desses deve ser banido do solo livre da velha Massachusetts e mandado de volta à escravidão?
Já então de pé, a multidão gritava:
— Não! Não! Não!
Ele nunca voltou à escravidão. Ao contrário, como autor, editor e dono de periódicos, como orador nos Estados Unidos e no exterior, e como o primeiro afro-americano a ocupar um alto cargo consultivo no governo federal, ele passou o resto de sua vida lutando pelos direitos humanos. Durante a Guerra Civil, foi consultor do presidente Lincoln. Douglass defendeu com sucesso a estratégia de armar os ex-escravos para lutarem pelo Norte, a retaliação federal contra os prisioneiros de guerra depois da execução sumária de soldados afro-americanos capturados pelos confederados e a libertação dos escravos como um dos principais objetivos da guerra.

Muitas de suas opiniões eram mordazes e pouco apropriadas para lhe granjear amigos nas altas esferas:

> Afirmo sem a menor hesitação que a religião do Sul é uma simples capa para os crimes mais terríveis — uma justificativa da barbárie mais estarrecedora, uma consagração das fraudes mais odiosas e um abrigo escuro onde os atos mais sombrios, imundos, grosseiros e diabólicos dos senhores de escravos encontram a mais forte das proteções. Se eu fosse de novo submetido às cadeias da escravidão, a par dessa escravização, consideraria ser escravo de um senhor religioso a pior calamidade que poderia me acontecer [...]. Eu [...] odeio o cristianismo hipócrita, parcial, corrupto e escravizador desta terra, defensor do chicote para as mulheres e saqueador de berços.

Em relação a alguns discursos racistas de inspiração religiosa daquela época e de épocas posteriores, os comentários de Douglass não parecem hiperbólicos. "A escravidão é de Deus", costumavam dizer nos tempos anteriores à guerra.

Como um dos muitos exemplos odiosos *pós*-Guerra Civil, *The negro a beast*, de Charles Carroll (St. Louis, American Book and Bible House), ensinava a seus piedosos leitores que "a Bíblia e a Revelação Divina, assim como a razão, tudo demonstrava que o negro não é humano". Mais recentemente, alguns racistas ainda rejeitam o testemunho claro, escrito no DNA, de que todas as raças não são apenas humanas, mas quase indistinguíveis, apelando para a Bíblia como um "baluarte inexpugnável" até contra as tentativas de examinar a evidência.

Vale a pena notar, no entanto, que grande parte do fermento abolicionista surgiu nas comunidades cristãs, especialmente entre os quacres do Norte; que as tradicionais igrejas cristãs negras do Sul desempenharam um papel-chave na histórica luta pelos direitos civis dos anos 60; e que muitos de seus líderes — com destaque para Martin Luther King — eram pastores ordenados nessas igrejas.

Douglass se dirigiu à comunidade branca com estas palavras:

> [A escravidão] restringe o progresso, é hostil ao desenvolvimento; é inimiga mortal da educação; fomenta o orgulho; gera a indolência; promove o vício; dá abrigo ao crime; é uma maldição da terra que a apoia, mas, ainda assim, vocês se agarram à escravidão, como se ela fosse a âncora de salvação de todas as suas esperanças.

Em 1843, numa excursão para proferir palestras pela Irlanda pouco antes da escassez de batata, a extrema pobreza do país o levou a escrever para Garrison nos Estados Unidos: "Vejo aqui muita coisa que me lembra minha antiga condição, e confesso que teria vergonha de levantar minha voz contra a escravidão norte-americana, se não soubesse que a causa da humanidade é uma só em todo o mundo". Ele não teve papas na língua ao se opor à política de extermínio dos americanos nativos. E em 1848, na Convenção de Seneca Falls, quando Elizabeth Cady Stanton\* teve a coragem de pedir o empenho de todos para assegurar o voto das mulheres, ele foi o único homem de qualquer grupo étnico a se levantar para dar o seu apoio.

Na noite de 20 de fevereiro de 1895 — mais de trinta anos depois da emancipação —, depois de comparecer a uma demonstração pelos direitos das mulheres com Susan B. Anthony, ele sofreu um colapso e morreu.

---

\* Anos mais tarde, ela escreveu sobre a Bíblia palavras que lembram as de Douglass: "Não conheço nenhum outro livro que ensine tão cabalmente a sujeição e a degradação das mulheres".

## 22. VICIADOS EM SIGNIFICADOS

> *Nós também sabemos o quanto a verdade é muitas vezes cruel, e nos perguntamos se a ilusão não é mais consoladora.*
>
> Henri Poincaré (1854-1912)

ESPERO QUE NINGUÉM me considere excessivamente cínico se eu afirmar que um excelente modelo de como funciona a programação da televisão pública e comercial é simplesmente o seguinte: o dinheiro é tudo. No horário nobre, a diferença de um único ponto no ibope equivale a milhões de dólares em propaganda. Sobretudo a partir do início dos anos 80, a televisão se tornou quase inteiramente motivada pelo lucro. Pode-se observar esse fato, por exemplo, no declínio dos noticiários ou dos programas especiais de notícias, bem como nas evasivas patéticas que as principais redes deram para fugir à determinação da Comissão Federal de Comunicações de que deviam melhorar o nível da programação infantil. (Por exemplo, encontraram-se virtudes educacionais numa série de desenhos animados que sistematicamente apresenta de forma errada a tecnologia e o estilo de vida de nossos ancestrais do Plistoceno, e que retrata os dinossauros como animais de estimação.) No momento em que escrevo, a televisão pública nos Estados Unidos corre o sério risco de perder o apoio governamental e a programação comercial está caindo vertiginosamente no emburrecimento a longo prazo.

Nessa perspectiva, lutar para que apareça mais ciência verdadeira na televisão parece ingênuo e vão. Mas os donos das redes e os produtores de televisão têm filhos e netos, e o futuro de sua prole lhes inspira justificados cuidados. Eles devem sentir alguma responsabilidade pelo futuro de sua nação. Há evidências de que a programação científica pode ser bem-sucedida, e de que as pessoas estão querendo avidamente mais programas desse tipo. Eu ainda tenho esperanças de que, mais cedo ou mais tarde, veremos a ciência verdadeira, apresentada de forma talentosa e atraente, como um ingrediente regular nas principais redes de televisão em todo o mundo.

O beisebol e o futebol têm antecedentes astecas. O futebol americano é uma reencenação pouco disfarçada da caça; já praticávamos esse jogo antes de sermos humanos. O *lacrosse*\* é um antigo jogo dos americanos nativos, com o qual o hóquei guarda relações. Mas o basquete é novo. Já fazíamos filmes, e ainda não jogávamos basquete.

A princípio, não se pensou em fazer um buraco na cesta de pêssegos, para que a bola pudesse ser recuperada sem o auxílio de uma escada. Mas em curto espaço de tempo, desde então, o jogo evoluiu. Principalmente nas mãos de jogadores afro-americanos, o basquete se tornou — em seus melhores momentos — a síntese esportiva suprema de inteligência, precisão, coragem, audácia, intuição, astúcia, espírito de equipe, elegância e graça.

Muggsy Bogues, de um metro e sessenta, transpõe uma floresta de gigantes; Michael Jordan vem flutuando no ar de algum ponto além da linha de arremesso livre; Larry Bird consegue executar um passe preciso sem olhar; Kareem Abdul-Jabbar faz um gancho em pleno céu. O basquete não é fundamentalmente um esporte de contato, como o futebol. É um jogo de astúcia. A marcação por pressão em toda a quadra, os passes que furam a marcação de dois homens, o corta-luz, as interceptações de passes, a cesta feita com os dedos por um atacante em pleno voo que se eleva do nada, tudo isso constitui uma coordenação de intelecto e atletismo, uma harmonia da mente e do corpo. Não é surpreendente que o jogo tenha se tornado tão popular.

Desde que os jogos da Associação Nacional de Basquete (NBA) se tornaram um produto básico da televisão, tenho pensado que o basquete poderia ser usado para ensinar ciência e matemática.

---

\* Jogo de bola praticado com raquetes e duas equipes de dez jogadores. (N. T.)

Para entender uma média de arremesso livre de 0,926, é preciso saber converter as frações em decimais. Uma bandeja é a primeira lei newtoniana do movimento posta em ação. Todo arremesso representa o lançamento de uma bola de basquete num arco parabólico, uma curva determinada pela mesma física gravitacional que especifica o voo de um míssil balístico, a Terra girando ao redor do Sol ou uma nave espacial indo ao encontro de um mundo distante. Quando o jogador enterra a bola na cesta, o centro de massa de seu corpo fica por breves instantes em órbita ao redor do centro da Terra.

Para enfiar a bola na cesta, é preciso levantá-la exatamente na velocidade correta; 1% de erro, e a gravidade deixa o jogador em má situação. Os arremessadores de três pontos, sabendo ou não, compensam a resistência aerodinâmica. Cada uma das pancadas sucessivas de uma bola solta fica mais próxima do chão por causa da segunda lei da termodinâmica. Daryl Dawkins ou Shaquille O'Neal espatifando a tabela é uma oportunidade para ensinar — entre outras coisas — a propagação de ondas de choque. O arremesso rodopiante que bate no aro vindo de um ponto abaixo da tabela entra na cesta por causa da conservação do momento angular. É uma infração às regras tocar na bola dentro do "cilindro" acima da cesta; estamos agora falando de uma ideia matemática fundamental: gerar objetos n-dimensionais movendo objetos (n–1)-dimensionais.

Na sala de aula, nos jornais e na televisão, por que não usamos os esportes para ensinar ciência?

Na minha infância, meu pai trazia para casa um folheto diário e devorava (em geral com grande prazer) as súmulas dos jogos de beisebol. Lá estavam elas, para mim impenetráveis, com abreviações obscuras (W, SS, K, W-L, AB, RBI), mas faziam sentido para ele. Os jornais as imprimiam por toda parte. Imaginei que talvez não fossem assim tão difíceis. Por fim, eu também passei a compreender o mundo das estatísticas de beisebol. (Sei que me ajudou a aprender os números decimais, e ainda me arrepio um pouco quando escuto alguém dizer, em geral bem no início da temporada de beisebol, que "a média de pontos de um batedor é mil". Mas 1,000 não é 1000. A média de pontos do batedor de sorte é um.)

Ou vejam as páginas financeiras. Algum material introdutório? Notas explicativas ao pé da página? Definições de abreviações? Nada. É afundar ou sair nadando. Todas essas léguas de estatísticas! Entretanto, as pessoas leem voluntariamente as matérias. Não estão acima de suas capacidades. É apenas uma questão de motivação. Por que não podemos fazer o mesmo com a matemática, a ciência e a tecnologia?

Em todo esporte, os jogadores parecem ter o seu desempenho marcado por fases de sorte. No basquete, é o chamado pé-quente. Não se erra nunca. Lembro-me de um jogo de *playoff* em que Michael Jordan, que em geral não é um excelente arremessador de longa distância, estava fazendo, sem a menor dificuldade, tantas cestas consecutivas de três pontos, a partir de todos os lugares da quadra, que encolhia os ombros, surpreso consigo mesmo. Por outro lado, há épocas em que se é pé-frio, e nenhuma bola entra. Quando o jogador está na sua fase de sorte, ele parece estar se comunicando com algum poder misterioso, e quando está de pé-frio parece sofrer os efeitos de algum tipo de azar ou feitiço. Mas isso é pensamento mágico, e não científico.

As fases de sorte, longe de ser extraordinárias, são esperadas, até para eventos aleatórios. O que *seria* surpreendente é a ausência dessas fases. Se jogo uma moeda dez vezes seguidas, posso obter a seguinte sequência de caras e coroas: CA, CA, CA, CO, CA, CO, CA, CA, CA, CA. Oito caras em dez, e quatro consecutivas! Estava exercendo algum controle psicocinético sobre a minha moeda? Estava numa fase de caras? Parece regular demais para ser obra do acaso.

Mas então eu lembro que estava jogando a moeda antes e depois de obter essa série de caras, e que ela se inseria numa sequência muito maior e menos interessante: CA, CA, CO, CA, CO, CO, CA, CA, CA, CO, CA, CO, CA, CA, CA, CA, CO, CA, CO, CO, CA, CO, CA, CO, CO. Se me é permitido prestar atenção a alguns resultados e ignorar os outros, serei sempre capaz de "provar" que há algo de excepcional na minha fase de sorte. Essa é uma das falácias no *kit* de detecção de mentiras, a enumeração de circunstâncias favoráveis. Lembramos os acertos e esquecemos os erros. Se a porcentagem de cestas comuns de um jogador é 50%, e se ele não pode melhorar as suas estatísticas por um ato de vontade, tem tanta probabilidade de ter pé-quente no basquete quanto eu em jogar moedas. Com a mesma frequência com que consigo oito caras em dez, ele vai fazer oito cestas em dez. O basquete pode ensinar alguma coisa sobre a probabilidade e a estatística, e também sobre o pensamento crítico.

Uma investigação feita por meu colega Tom Gilovich, professor de psicologia em Cornell, mostra persuasivamente que nossa compreensão comum das fases de sorte do basquete é uma percepção errônea. Gilovich examinou se os arremessos feitos pelos jogadores da NBA tendem a se agrupar mais do que seria esperado do acaso. Depois de fazer uma, duas ou três cestas, os jogadores não tinham mais probabilidade de marcar um ponto do que depois de uma cesta perdida. Isso valia para os grandes e para os quase grandes, e não só para cestas comuns, como para os arremessos livres — quando não há mão alguma diante do jogador. (Sem dúvida, uma diminuição da sorte nos arremessos pode ser atribuída à maior atenção dada pela defesa ao jogador de "pé-quente".) No beisebol, há o mito correlato, mas oposto, de que o jogador que está rebatendo abaixo de sua média "deve" marcar um ponto. Isso não é mais verdade do que afirmar que a probabilidade de tirar coroa depois de uma sequência de caras é diferente de 50%. Se há fases de sorte além do que se esperaria estatisticamente, elas são difíceis de encontrar.

Mas de algum modo isso não satisfaz. Não parece verdade. Perguntem aos jogadores, aos treinadores ou aos fãs. Nós procuramos significado até em números aleatórios. Somos viciados em significados. Quando o famoso treinador Red Auerbach ouviu falar do estudo de Gilovich, a sua resposta foi: "Quem é este sujeito? Quer dizer que ele fez um estudo. Pois não dou a menor bola para o estudo dele". E sabemos exatamente como ele se sente. Mas, se as fases de sorte do basquete não acontecem com mais frequência do que as sequências de caras ou coroas, não há nada de mágico a respeito delas. Isso reduz os jogadores a simples marionetes, manipulados pelas leis da probabilidade? Claro que não. As porcentagens de suas médias de arremessos são um reflexo verdadeiro de suas habilidades individuais. A nossa conclusão é apenas sobre a frequência e a duração das fases de sorte.

Sem dúvida, é muito mais divertido pensar que os deuses favoreceram o jogador que está com sorte e menosprezaram o de pé-frio. E daí? Qual é o mal de um pouco de mistificação? É certamente muito mais interessante do que as análises estatísticas aborrecidas. No basquete, nos esportes, não há mal algum. Mas, como modo habitual de pensar, ela nos cria problemas em alguns dos outros jogos que gostamos de praticar.


"Cientista, sim; louco, não", diz rindo o cientista louco de *Gilligan's Island*, enquanto ajusta o dispositivo eletrônico que lhe permite controlar as mentes dos outros para realizar seus objetivos nefandos.

"Desculpe, dr. Nerdnik, as pessoas da Terra não vão gostar de se verem encolhidas até sete centímetros de altura, mesmo que isso *poupe* espaço e energia..." O super-herói de desenho animado está explicando pacientemente um dilema ético ao cientista típico apresentado nos programas infantis de televisão nas manhãs de sábado.

Muitos desses assim chamados cientistas — a julgar pelos programas que vi (e por inferência plausível a respeito dos que não vi, como *Mad Scientist's 'Toon Club*) — são aleijados morais, impulsionados pelo desejo do poder ou dotados de uma insensibilidade espetacular aos sentimentos dos outros. A mensagem transmitida para o público infantil é que a ciência é perigosa e os cientistas, piores que excêntricos: eles são loucos.

As aplicações da ciência, é claro, *podem* ser perigosas, e, como tentei enfatizar, virtualmente todo grande avanço tecnológico na história da espécie humana — desde a invenção das ferramentas de pedra e o domínio do fogo — tem sido eticamente ambíguo. Esses progressos podem ser usados por pessoas ignorantes e más para fins perigosos, ou por pessoas sábias e boas para o bem da espécie humana. Mas apenas um lado da ambiguidade parece ser apresentado nesses programas para as nossas crianças.

Em todos esses programas, onde estão as alegrias da ciência? O prazer de descobrir como o universo é formado? A satisfação de conhecer bem algo profundo? E que dizer das contribuições cruciais que a ciência e a tecnologia deram para o bem-estar humano — ou os bilhões de vidas salvas ou viabilizadas pela tecnologia médica e agrícola? (Para ser justo, no entanto, devo mencionar que o professor em *Gilligan's Island* usa frequentemente o seu conhecimento de ciência para resolver problemas práticos dos proscritos.)

Vivemos numa era complexa, em que muitos dos problemas que enfrentamos, quaisquer que sejam suas origens, só têm resoluções que implicam uma profunda compreensão da ciência e tecnologia. A sociedade moderna precisa desesperadamente das inteligências mais capazes para delinear as resoluções desses problemas. Não acho que muitos jovens bem dotados serão estimulados a seguir uma carreira na área de ciência ou engenharia vendo televisão nas manhãs de sábado — ou grande parte do resto da programação norte-americana de TV.

Com o passar dos anos, uma profusão de séries e "especiais" de TV crédulos e acríticos — sobre percepção extrassensorial, canalização, o Triângulo das Bermudas, UFOs, os astronautas antigos, o Pé Grande e outros temas do gênero — tem se multiplicado. *In search of...*, uma série que se tornou padrão, começa rejeitando toda e qualquer responsabilidade de apresentar uma visão equilibrada do assunto. Pode-se constatar uma sede de maravilhas que não é mitigada nem mesmo por um ceticismo científico rudimentar. Quase tudo o que alguém afirma diante das câmaras é verdade. Jamais aparece a ideia de que poderia haver explicações alternativas a ser escolhidas pelo peso da evidência. O mesmo vale para *Sightings* e *Unsolved mysteries* — em que, como o próprio título sugere, as soluções prosaicas não são bem--vindas — e para inúmeras outras cópias desses programas.

*In search of...* aborda muitas vezes um assunto intrinsecamente interessante e distorce de forma sistemática as evidências. Se há uma resposta científica corriqueira e outra que requer a mais extravagante explicação paranormal ou mediúnica, não há dúvida sobre qual delas terá destaque. Um exemplo tomado quase ao acaso: é apresentado um autor que afirma existir um grande planeta além de Plutão. A sua evidência são sinetes cilíndricos da antiga Suméria, esculpidos muito antes da invenção do telescópio. As suas opiniões são cada vez mais aceitas pelos astrônomos profissionais, diz ele. Nem uma palavra sobre o fato de os astrônomos — que estudam os movimentos de Netuno, Plutão e das quatro naves espaciais que foram ainda além — não terem encontrado vestígios do alegado planeta.

As imagens são aleatórias. Quando o narrador discorre em *off* sobre dinossauros, vemos um mamute peludo. O narrador descreve um aerobarco; a tela mostra a decolagem de um ônibus espacial. Ouvimos falar de lagos e planícies aluviais, mas nos mostram montanhas. Não importa. As imagens são tão indiferentes para os fatos quanto a voz que se escuta.

A série *Arquivo X*, que defende o exame cético do paranormal só da boca para fora, tem uma forte tendência para a realidade dos raptos por alienígenas, dos poderes estranhos e da cumplicidade governamental em procurar ocultar quase tudo que é interessante. Quase nunca a afirmação paranormal se revela uma brincadeira, uma aberração psicológica ou uma compreensão errônea do mundo natural. Muito mais perto da realidade, bem como um serviço público de muito mais valia, seria um programa para o público adulto (equivalente ao que é o *Scooby Doo* para o público infantil) em que tais afirmações fossem sistematicamente investigadas e se provasse que todo caso pode ter explicações prosaicas. A tensão dramática estaria em revelar como uma compreensão equivocada e um logro podem gerar fenômenos paranormais aparentemente genuínos. Talvez um dos investigadores acabasse sempre decepcionado, esperando que da *próxima* vez um caso de inequívoca paranormalidade passasse pelo exame cético.

Outras falhas são evidentes na programação de ficção científica na TV. *Jornada nas estrelas*, por exemplo, apesar de seu charme e da forte perspectiva internacional e interespécies, ignora frequentemente os fatos científicos mais elementares. A ideia de que o sr. Spock seria o cruzamento entre um ser humano e uma forma de vida que evoluiu independentemente no planeta Vulcano é muito menos provável em termos genéticos do que um cruzamento bem-sucedido entre um homem e uma alcachofra. Entretanto, a ideia abre um precedente na cultura popular para os híbridos extraterrestres/humanos que mais tarde se tornaram um elemento central nas histórias de sequestros por ETs. Deve haver dezenas de espécies alienígenas nos vários filmes e episódios da série de televisão *Jornada nas estrelas*. Quase todos os que tomam algum tempo de nossa atenção são variantes secundárias de humanos. Isso é causado por uma necessidade econômica, pois o custo é apenas de um ator e uma máscara de látex, mas vai contra a natureza estocástica do processo evolutivo. Se houver alienígenas, acho que quase todos eles vão parecer muitíssimo menos humanos do que os Klingons e os Romulanos (e estarão em níveis de tecnologia extremamente diferentes). *Jornada nas estrelas* não enfrenta os fatos da evolução.

Em muitos programas e filmes de TV, até a ciência casual — as variantes descartáveis, que não são essenciais para uma trama já desprovida de ciência — é feita incompetentemente. Custa muito pouco contratar um estudante de pós-graduação para ler o roteiro e garantir a precisão científica. Mas, que eu saiba, isso jamais é feito. O resultado é que temos disparates como o parsec ser mencionado como uma unidade de velocidade, e não de distância, no filme *Guerra nas estrelas* — sob muitos outros aspectos, exemplar. Se essas coisas fossem feitas com um pouco de cuidado, poderiam até melhorar a trama; sem dúvida, ajudariam a transmitir um pouco de ciência para o grande público.

Há muita pseudociência para os crédulos na TV, uma quantidade razoável de medicina e tecnologia, mas quase nada de ciência — especialmente nas grandes redes comerciais, cujos executivos tendem a pensar que a programação de ciência significa declínio de audiência e perda de lucros, e nada mais importa. Há funcionários das redes que se apresentam como "correspondentes de ciência", e todas mostram um ocasional programa de notícias que se diz dedicado à ciência. Mas quase nunca ouvimos nenhuma informação científica de sua parte, apenas medicina e tecnologia. Duvido que haja em qualquer das redes de TV um único funcionário cuja tarefa seja ler o número semanal de *Nature* ou *Science* para ver se alguma coisa digna de ser noticiada foi descoberta. Quando os vencedores do prêmio Nobel em ciência são anunciados a cada outono, há um excelente "gancho" para noticiar a ciência: uma chance de explicar o motivo dos prêmios. Mas, quase sempre, só o que escutamos é algo semelhante a "... pode um dia levar à cura do câncer. Hoje em Belgrado...".

Quantas informações científicas são transmitidas nos programas de entrevistas do rádio ou da televisão, ou naqueles monótonos programas matinais de domingo em que pessoas brancas de meia-idade se reúnem para concordar uns com os outros? Qual foi a última vez em que se ouviu um comentário inteligente sobre ciência de um presidente norte-americano? Por que, em todos os Estados Unidos, não existe nenhuma série de TV que tenha por herói alguém interessado em descobrir como o Universo funciona? Quando se dá grande publicidade ao julgamento de um homicídio, fazendo com que todo mundo passe a mencionar casualmente os testes de DNA, onde estão os especiais no horário nobre para explicar os ácidos nucleicos e a hereditariedade? Nem me lembro de ver na televisão uma descrição precisa e compreensível de como a *televisão* funciona.

O meio mais eficaz de despertar o interesse pela ciência é de longe a televisão. Mas esse meio de comunicação extremamente poderoso não está fazendo quase nada para transmitir as alegrias e os métodos da ciência, enquanto a máquina do "cientista maluco" continua a soprar e bufar pela estrada.

Em pesquisas de opinião feitas nos Estados Unidos no início dos anos 90, dois terços de todos os adultos não tinham ideia do que fosse a "superinfovia"; 42% não sabiam onde se encontra o Japão; e 38% ignoravam o termo "holocausto". Mas a porcentagem subia a 90 e tantos para quem tinha ouvido falar dos casos criminais de Menendez, Bobbitt e O. J. Simpson; 99% sabiam que o cantor Michael Jackson teria molestado sexualmente um menino. Os Estados Unidos podem ser a nação com a melhor indústria de entretenimento na Terra, mas o preço pago é muito alto.

Levantamentos feitos no Canadá e nos Estados Unidos no mesmo período mostram que os espectadores desejam que haja mais programas sobre ciência. Na América do Norte, há frequentemente uma boa opção na série *Nova*, do Sistema Público de Radiodifusão, e de vez em quando nos canais *Discovery* ou *Learning*, ou na Companhia Canadense de Radiodifusão. Os programas infantis *The science guy*, de Bill Nye, na PBS, têm um bom ritmo, apresentam imagens atraentes, abrangem muitos campos da ciência, e às vezes até iluminam o processo de descoberta. Mas a profundidade do interesse por apresentações corretas e que atraiam a atenção dos telespectadores — para não falar do imenso bem que representaria um melhor entendimento público da ciência — ainda não se reflete na programação das redes.

Como poderíamos colocar mais ciência na televisão? Eis algumas das possibilidades:

• As maravilhas e os métodos da ciência apresentados rotineiramente em programas de notícias e entrevistas. Há um real drama humano no processo de descoberta.

• Uma série chamada *Solved mysteries* [Mistérios solucionados], em que especulações vacilantes tenham resoluções racionais, incluindo casos enigmáticos de medicina forense e epidemiologia.

• *Ring my bells again* [Alertando de novo]: uma série que reviva os casos em que a mídia e o público caíram como um patinho numa mentira coordenada pelo governo. Os dois primeiros episódios poderiam ser o "incidente" da baía de Tonkin e a irradiação sistemática de que foram vítimas, a partir de 1945, por supostas razões de "defesa nacional", funcionários norte-americanos civis e militares que, desprotegidos, de nada suspeitavam.

• Uma série independente sobre os equívocos e erros fundamentais cometidos por cientistas famosos, líderes nacionais e figuras religiosas.

• Exposições regulares sobre a pseudociência perniciosa, e programas de "como fazer" que contem com a participação do público: como entortar colheres, ler as mentes, predizer o futuro, executar cirurgias mediúnicas, adivinhar o que não se vê e controlar as reações pessoais dos telespectadores. Como somos enganados: aprenda fazendo.

• Os recursos mais avançados da computação gráfica, a fim de preparar de antemão as imagens científicas necessárias para uma ampla série de possíveis notícias.

• Um conjunto de debates televisivos pouco dispendiosos, cada um talvez de uma hora; os produtores se encarregariam do orçamento da computação gráfica para os dois lados, o moderador cuidaria dos padrões rigorosos de evidência, e se apresentaria a mais ampla gama de tópicos. Eles poderiam abordar questões em que a evidência científica é esmagadora, como o problema da forma da Terra; temas controversos em que a resposta é menos clara, como a sobrevivência da personalidade depois da morte, o aborto, os direitos dos animais ou a engenharia genética; ou qualquer uma das presumíveis pseudociências mencionadas neste livro.

Há uma necessidade nacional imperiosa de maior conhecimento público da ciência. A TV não tem como providenciá-lo sozinha. Mas, se quisermos melhorar a curto prazo a nossa compreensão da ciência, a televisão é o ponto de partida.

## 23. MAXWELL E OS *NERDS*

> *Por que deveríamos subsidiar a curiosidade intelectual?*
> Ronald Reagan, discurso de campanha eleitoral, 1980

> *Nada é mais digno de nosso patrocínio que o fomento da ciência e da literatura. O conhecimento é, em todo e qualquer país, a base mais segura da felicidade pública.*
> George Washington, discurso no Congresso, 8 de janeiro de 1790

OS ESTEREÓTIPOS SÃO NUMEROSOS. Os grupos étnicos são estereotipados, os cidadãos de outras nações e religiões são estereotipados, os gêneros e as preferências sexuais são estereotipados, as pessoas nascidas em várias épocas do ano são estereotipadas (astrologia solar) e as ocupações são estereotipadas. A interpretação mais generosa atribui esse modo de pensar a uma espécie de preguiça intelectual: em vez de julgar as pessoas pelos seus méritos e deficiências individuais, nós nos concentramos em uma ou duas informações a seu respeito, que depois inserimos num pequeno número de escaninhos previamente construídos.

Isso poupa o trabalho de pensar, embora em muitos casos custe o preço de cometer uma profunda injustiça. Com isso, aquele que pensa por estereótipos também fica protegido do contato com a enorme variedade de pessoas, a multiplicidade de maneiras de ser humano. Mesmo que a estereotipagem seja válida em média, está fadada a fracassar em muitos casos individuais: a variação humana passa por curvas do tipo sino. Há um valor médio de qualquer qualidade, e números menores de pessoas sumindo em ambos os extremos.

Parte da estereotipagem resulta de não se saber controlar as variáveis, de esquecer os outros fatores que podem estar em jogo. Por exemplo, quase não havia mulheres fazendo ciência. Muitos cientistas masculinos eram veementes: isso provava que as mulheres não tinham a capacidade de fazer ciência. Por temperamento, o trabalho não lhes convinha, era demasiado difícil, requeria um tipo de inteligência que as mulheres não têm, elas são emotivas demais para ser objetivas, dá para imaginar grandes físicas teóricas?... e assim por diante. Desde então, as barreiras vêm desmoronando. Hoje as mulheres povoam a maioria das subdisciplinas da ciência. Em minhas próprias áreas de astronomia e estudos planetários, as mulheres têm recentemente irrompido na cena, fazendo descoberta após descoberta e providenciando um sopro de ar fresco de que necessitávamos desesperadamente.

Assim, que dados eles não estavam considerando — todos esses famosos cientistas masculinos das décadas de 50 e 60, e de anos ainda anteriores, que com tanta autoridade davam declarações sobre as deficiências intelectuais das mulheres? Obviamente, a sociedade impedia as mulheres de entrar na ciência, e depois as criticava por isso, confundindo causa e efeito:

— Você quer ser astrônoma, minha jovem? Lamento.

— Por que não pode? Porque você não dá para isso.

— Como sabemos que você não dá para isso? Porque as mulheres nunca foram astrônomas.

Dito de forma tão crua, o caso parece absurdo. Mas as artimanhas do viés podem ser sutis. O grupo menosprezado é rejeitado por argumentos espúrios, apresentados às vezes com tanta confiança e contumácia que muitos de nós, inclusive algumas das próprias vítimas, deixamos de reconhecê-los como uma escamoteação que serve a interesses próprios.

Observadores casuais de encontros de céticos, bem como os que dão uma olhada na lista dos sócios de CSICOP, têm notado uma grande preponderância de homens. Outros afirmam haver um número desproporcional de mulheres entre os que acreditam em astrologia (horóscopos aparecem na maioria das revistas "femininas", mas em poucas revistas "masculinas"), em cristais, ESP e coisas do gênero. Alguns comentadores sugerem que há algo de peculiarmente masculino no ceticismo. É impetuoso, competitivo, confrontador, obstinado — enquanto as mulheres, dizem eles, são mais complacentes, construtoras de consenso, e não têm interesse em questionar a sabedoria convencional. Mas, segundo minha experiência, as cientistas têm sensos céticos tão afiados quanto seus colegas masculinos; isso simplesmente faz parte de ser cientista. Essa crítica, se é que se pode chamá-la assim, é apresentada ao mundo sob o disfarce esfarrapado habitual: se dissuadimos as mulheres de serem céticas e não as treinamos no ceticismo, então com certeza vamos descobrir que muitas delas não o são. Abram as portas e deixem as mulheres entrarem, e elas se mostram tão céticas quanto qualquer outra pessoa.

Uma das ocupações estereotipadas é a ciência. Os cientistas são *nerds*, socialmente inoportunos, trabalham com temas incompreensíveis que nenhuma pessoa normal acharia interessante — mesmo que estivesse disposta a investir nele o tempo exigido, o que, mais uma vez, ninguém com bom senso faria. "Vá viver", é o que se tem vontade de lhes dizer.

Pedi a uma conhecida minha, especialista em crianças de onze anos, que me fizesse uma caracterização esquemática contemporânea dos *nerds* da ciência. Devo enfatizar que ela está apenas relatando, e não necessariamente endossando, os preconceitos convencionais.

Os *nerds* usam os cintos logo abaixo das costelas. As suas camisas de mangas curtas são equipadas com protetores de bolso que exibem um conjunto formidável de canetas e lápis coloridos. Uma calculadora programável é carregada numa bolsinha especial presa ao cinto. Todos eles usam óculos de lentes grossas com armações quebradas em cima do nariz que foram consertadas com band-aids. São destituídos de talentos sociais, fato de que se esquecem ou de que não fazem caso. Quando riem, o que se ouve é um bufo. Conversam uns com os outros numa língua incompreensível. Agarram qualquer oportunidade de conseguir crédito extra em todas as aulas, com exceção da aula de ginástica. Desprezam as pessoas normais, que por sua vez riem deles. A maioria dos *nerds* tem nomes como Norman. (A conquista normanda foi uma horda de *nerds* com cintos no alto da cintura, bolsos protegidos, calculadoras e óculos quebrados que invadiu a Inglaterra.) Há mais *nerds* masculinos do que femininos, mas é grande a quantidade de *nerds* de ambos os sexos. Eles não têm encontros amorosos. Se alguém é *nerd*, não pode ser legal. A recíproca também é verdadeira.

Isso é, sem dúvida, um estereótipo. Há cientistas que se vestem com elegância, que são muitíssimo atraentes, com quem muitas pessoas desejam ter encontros amorosos, que não carregam calculadoras escondidas para os eventos sociais. Pessoas que nunca imaginaríamos que fossem cientistas, se as convidássemos para uma reunião em nossa casa.

Mas outros cientistas correspondem mais ou menos ao estereótipo. São bastante ineptos socialmente. Talvez haja, em proporção, muito mais *nerds* entre os cientistas do que entre os operadores de escavadora, os estilistas de moda ou os policiais rodoviários. Talvez os cientistas sejam mais *nerds* do que os garçons de bar, os cirurgiões ou os cozinheiros de refeições rápidas. Por que seria assim? Talvez as pessoas que não têm talento para o convívio social encontrem refúgio em investigações impessoais, particularmente na matemática e nas ciências físicas. Talvez o estudo sério de temas difíceis requeira tanto trabalho e dedicação que sobra muito pouco tempo para aprender algo além das cortesias sociais mais simples. Talvez seja uma combinação desses dois motivos.

Como a imagem do cientista louco à qual está intimamente associado, o estereótipo do cientista *nerd* está disseminado em nossa sociedade. O que há de errado com um pouco de zombaria bem-humorada à custa dos cientistas? Se, por qualquer razão, as pessoas não gostam do cientista estereotipado, é menos provável que deem apoio à ciência. Por que subsidiar pequenos projetos absurdos e incompreensíveis propostos por malucos? Bem, sabemos a resposta para essa pergunta: a ciência recebe apoio financeiro porque gera benefícios espetaculares em todos os níveis na sociedade, como já afirmei neste livro. Por isso, aqueles que acham os *nerds* desagradáveis, mas ao mesmo tempo desejam os produtos da ciência, enfrentam uma espécie de dilema.

Uma solução tentadora é dirigir as atividades dos cientistas. É só não lhes dar dinheiro para saírem a pesquisar por caminhos estranhos; em vez disso, é preciso dizer-lhes de que precisamos — esta invenção ou aquele processo. Não é o caso de subsidiar a curiosidade dos *nerds*, mas aquilo que trará benefícios à sociedade. Parece bastante simples.

O problema é que dar ordens a alguém para criar uma invenção específica, ainda que o preço não constitua obstáculo, não garante que ela seja realizada. Pode haver uma base de conhecimento ainda ignorada, sem a qual ninguém conseguirá construir o invento que se tem em mente. E a história da ciência mostra que tampouco se pode procurar esses conhecimentos básicos de modo dirigido. Eles podem surgir das cogitações ociosas de um jovem solitário em algum lugar isolado. São ignorados ou rejeitados mesmo por outros cientistas, às vezes até que surja uma nova geração destes. Exigir grandes invenções práticas e, ao mesmo tempo, desencorajar a pesquisa movida pela curiosidade seria espetacularmente contraproducente.

Vamos supor: você é, pela graça de Deus, Vitória, rainha do Reino Unido da Grã-Bretanha e Irlanda, Defensora da Fé, na era mais próspera e triunfante do Império Britânico. Os seus domínios se estendem pelo planeta. O mapa-múndi está todo salpicado com o rosa britânico. Você governa a principal potência tecnológica do mundo. A máquina a vapor é aperfeiçoada na Grã-Bretanha, em grande parte por engenheiros escoceses — que fornecem o conhecimento técnico necessário nas ferrovias e nos vapores que ligam todo o Império.

Vamos supor que no ano de 1860 você tem uma ideia visionária, tão ousada que teria sido rejeitada pelo editor de Júlio Verne. Você quer uma máquina que transporte a sua voz, bem como imagens em movimento da glória do Império, para dentro de cada casa do reino. Além disso, os sons e as imagens não devem passar por condutos ou fios, mas vir pelo ar — para que as pessoas no trabalho e no campo possam receber mensagens inspiradoras instantâneas, destinadas a assegurar a lealdade e a ética no trabalho. A Palavra de Deus também poderia ser transmitida pela mesma invenção. Sem dúvida, outras aplicações socialmente desejáveis seriam encontradas.

Assim, com o apoio do primeiro-ministro, você reúne o gabinete, o estado-maior imperial e os principais cientistas e engenheiros do Império. Você vai alocar 1 milhão de libras para esse projeto, é o que lhes comunica — muito dinheiro em 1860. Se precisarem mais, é só pedir. Você não quer saber como eles vão criar o mecanismo; que o inventem tão somente. Oh, sim, vai ser chamado de Projeto Westminster.

Provavelmente, algumas invenções úteis emergiriam de todo esse empenho — "produtos secundários". Eles sempre aparecem, quando se investem imensas somas em tecnologia. Mas o Projeto Westminster fracassaria com quase toda certeza. Por quê? Porque a ciência subjacente não fora desenvolvida. Em 1860, o telégrafo já existia. Podiam-se imaginar, a um custo muito elevado, aparelhos de telegrafia em cada lar, as pessoas fazendo pontos e traços para enviar mensagens em código Morse. Mas não era isso o que a rainha queria. Ela tinha em mente o rádio e a televisão, mas eles estavam muito fora de alcance.

No mundo real, a física necessária para inventar o rádio e a televisão viria de uma direção que ninguém poderia ter previsto.

James Clerk Maxwell nasceu em Edimburgo, na Escócia, em 1831. Com dois anos de idade, descobriu que podia usar um pedaço de lata para fazer a imagem do Sol ricochetear na mobília e dançar contra as paredes. Quando seus pais chegaram correndo, ele gritava: "É o Sol! Eu peguei o Sol com o pedaço de lata!". Na sua infância, ele era fascinado por insetos, larvas, pedras, flores, lentes, máquinas. "Era humilhante", lembrou mais tarde a sua tia Jane, "ouvir tantas perguntas que não se conseguia responder de uma criança assim."

Naturalmente, quando entrou para a escola, ele já era chamado "Dafty" — sendo *daft* uma expressão britânica para quem não é bom da cabeça. Ele era um jovem excepcionalmente bonito, mas vestia-se com desleixo, procurando antes o conforto que a elegância, e seus regionalismos escoceses no modo de falar e na conduta eram objeto de zombaria, especialmente depois que entrou para a universidade. E ele tinha interesses peculiares.

Maxwell era um *nerd*.

Ele se dava melhor com os professores do que com seus colegas. Eis um dístico pungente que escreveu na época:

> Ó anos, passem e apressem a época tão esperada
> Em que será considerado crime bater nos meninos.

Muitos anos mais tarde, em 1872, em sua aula inaugural como professor de física experimental na Universidade de Cambridge, ele aludiu ao estereótipo do *nerd*:

> Não faz tanto tempo assim que todo aquele que se dedicasse ao estudo da geometria, ou de qualquer ciência que exigisse aplicação continuada, era considerado necessariamente um misantropo, alguém que devia ter abandonado todos os interesses humanos, voltando-se para abstrações tão distantes do mundo da vida e ação que se tornara insensível tanto aos atrativos do prazer como aos apelos do dever.

Suspeito que esse "não faz tanto tempo assim" era a maneira de Maxwell lembrar as experiências da juventude. Ele continuava:

> Nos dias de hoje, os homens de ciência não são considerados com a mesma reverência, nem com a mesma desconfiança. Supõe-se que tenham se aliado ao espírito material da era, formando uma espécie de Partido Radical avançado entre os homens de erudição.

Já não vivemos numa época de otimismo desenfreado sobre os benefícios da ciência e da tecnologia. Compreendemos que há um lado desfavorável. As circunstâncias atuais são muito mais semelhantes àquelas que Maxwell lembrava de sua infância.

Ele deu enormes contribuições para a astronomia e a física —

desde a demonstração conclusiva de que os anéis de Saturno são compostos de pequenas partículas até as propriedades elásticas dos sólidos e as disciplinas agora chamadas teoria cinética dos gases e mecânica estatística. Foi ele quem primeiro mostrou que um grande número de moléculas minúsculas, movendo-se por conta própria, colidindo sem cessar umas com as outras e ricocheteando elasticamente, não gera confusão, mas leis estatísticas precisas. As propriedades desse gás podem ser preditas e compreendidas. (A curva em forma de sino que descreve as velocidades das moléculas num gás é agora chamada distribuição de Maxwell-Boltzmann.) Ele inventou um ser mítico, hoje chamado "demônio de Maxwell", cujas ações geravam um paradoxo que só a moderna teoria da informação e a mecânica quântica conseguiram resolver.

A natureza da luz fora um mistério desde a Antiguidade. Havia debates eruditos mordazes em que se discutia se ela era uma partícula ou uma onda. As definições populares seguiam o seguinte estilo: "A luz é escuridão — iluminada". A maior contribuição de Maxwell foi a sua descoberta de que a eletricidade e o magnetismo, quem diria, se unem para transformar-se em luz. A compreensão agora convencional do espectro eletromagnético — que, em comprimentos de onda, vai dos raios gama aos raios X, à luz ultravioleta, à luz visível, à luz infravermelha e às ondas de rádio — se deve a Maxwell. Assim como o rádio, a televisão e o radar.

Mas Maxwell não estava à procura disso. Estava interessado em saber como a eletricidade gera magnetismo e vice-versa. Quero descrever o que ele fez, mas sua realização histórica é altamente matemática. Em poucas páginas, posso dar quando muito uma vaga ideia. Se o leitor não compreender plenamente o que vou dizer, por favor tenha paciência. Não há como ter uma ideia da realização de Maxwell sem entrar um pouco na matemática.

Mesmer, o inventor do "mesmerismo", acreditava ter descoberto um fluido magnético, "quase igual ao fluido elétrico", que permeava todas as coisas. Mais um de seus equívocos. Sabemos agora que não há fluido magnético especial, e que todo magnetismo — inclusive a energia que reside numa barra ou ferradura imantada — se deve à eletricidade em movimento. O físico dinamarquês Hans Christian Oersted executara uma pequena experiência em que se fazia a eletricidade fluir por um fio, induzindo a agulha de uma bússola próxima a oscilar e tremer. O fio e a bússola não estavam em contato físico. O grande físico inglês Michael Faraday realizara a experiência complementar: fizera uma força magnética ser ativada e desativada, e com isso gerara uma corrente elétrica num fio próximo. O fluxo elétrico variando no tempo de certa forma se propagara pelo espaço e gerara magnetismo, e o magnetismo variando no tempo de certa forma se propagara pelo espaço e gerara eletricidade. Isso foi chamado de "indução", e era profundamente misterioso, quase mágico.

Faraday propunha que o ímã tinha um "campo" invisível de força que se propagava para o espaço circundante, mais forte perto do ímã, mais fraco em pontos mais distantes. Podia-se descobrir a forma do campo colocando limalhas de ferro minúsculas sobre um pedaço de papel e passando um ímã por baixo. Da mesma forma, o cabelo, depois de uma boa escovada num dia de baixa umidade, gera um campo elétrico que invisivelmente se propaga para fora da cabeça, chegando até a fazer com que pedacinhos de papel se movam sozinhos.

A eletricidade num fio, sabemos agora, é causada por partículas elétricas submicroscópicas, chamadas elétrons, que reagem a um campo elétrico e se movem. Os fios são feitos de materiais, como o cobre, que têm muitos elétrons livres — elétrons não ligados dentro de átomos, mas capazes de se mover. Mas, diferentemente do cobre, os materiais, como a madeira, em sua maioria não são bons condutores; são, ao contrário, isoladores ou "dielétricos". Neles, há relativamente poucos elétrons que podem se mover em resposta ao campo magnético ou elétrico. A corrente produzida não é grande coisa. Há certamente algum movimento ou "deslocamento" de elétrons, e quanto maior o campo elétrico maior é a ocorrência de deslocamento.

Maxwell idealizou um modo de registrar o que era conhecido sobre eletricidade e magnetismo na sua época, um método para resumir com precisão todas essas experiências com fios, correntes e ímãs. Aqui estão elas, as quatro equações de Maxwell para o comportamento da eletricidade e do magnetismo na matéria:

$$\nabla \cdot E = \rho/\varepsilon_0$$
$$\nabla \cdot B = 0$$
$$\nabla \times E = - \dot{B}$$
$$\nabla \times B = \mu_0 j + \mu_0\varepsilon_0 \dot{E}$$

São necessários alguns anos de estudo de física em nível universitário para compreender realmente essas equações. Elas são escritas por meio de um ramo da matemática chamado cálculo vetorial. Um vetor, escrito em negrito, é qualquer quantidade que tenha magnitude e direção. Cem quilômetros por hora não é um vetor, mas cem quilômetros por hora rumo ao norte na Highway 1 é um vetor. **E** e **B** representam os campos elétrico e magnético. O triângulo, chamado nabla (por causa de sua semelhança com uma antiga harpa do Oriente Médio), expressa como os campos elétrico ou magnético variam no espaço tridimensional. O "produto indicado pelo ponto" e o "produto indicado pela cruz" depois dos nablas são declarações de dois tipos diferentes de variação espacial.

$\dot{E}$ e $\dot{B}$ representam a variação no tempo, a taxa de variação dos campos elétrico e magnético. j significa a corrente elétrica. A letra grega minúscula $\rho$ (rho) representa a densidade das cargas elétricas, enquanto $\varepsilon_0$ (pronunciado "épsilon zero") e $\mu_0$ (pronunciado "mi zero") não são variáveis, mas propriedades da substância **E** e **B** que são medidas e determinadas na experiência. No vácuo, $\varepsilon_0$ e $\mu_0$ são constantes da Natureza.

Considerando o número de quantidades diferentes que são reunidas nessas equações, é impressionante que sejam tão simples. Podiam ter continuado por páginas a fio, mas não o fazem.

A primeira das quatro equações de Maxwell estabelece como um campo elétrico criado por cargas elétricas (elétrons, por exemplo) varia com a distância (torna-se mais fraco, quanto mais nos afastamos dele). Mas quanto maior a densidade de carga (quanto mais elétrons, por exemplo, num determinado espaço) mais forte é o campo.

A segunda equação nos informa que não há nenhuma declaração comparável no magnetismo, porque as "cargas" magnéticas (ou "unipolares" magnéticos) não existem: serre-se um ímã ao meio e não se obterá um polo "norte" isolado e um polo "sul" isolado; cada pedaço terá os seus próprios polos "norte" e "sul".

A terceira equação nos diz como um campo magnético variável induz um campo elétrico.

A quarta descreve o inverso — como um campo elétrico variável (ou uma corrente elétrica) induz um campo magnético.

As quatro equações são essencialmente destilações de gerações de experiências de laboratório, realizadas sobretudo por cientistas franceses e britânicos. O que acabei de descrever vaga e qualitativamente, as equações descrevem de forma exata e quantitativa.

Maxwell então se fez uma pergunta estranha: como essas equações seriam formuladas no espaço vazio, no vácuo, num lugar onde não houvesse cargas elétricas, nem correntes elétricas? Poderíamos muito bem esperar que não houvesse campos elétricos e magnéticos no vácuo. Em vez disso, ele sugeriu que a forma correta das equações de Maxwell para o comportamento da eletricidade e do magnetismo no espaço vazio é a seguinte:

$$\nabla \cdot \mathbf{E} = 0$$
$$\nabla \cdot \mathbf{B} = 0$$
$$\nabla \times \mathbf{E} = -\dot{\mathbf{B}}$$
$$\nabla \times \mathbf{B} = \mu_0 \varepsilon_0 \dot{\mathbf{E}}$$

Ele deu a $\rho$ o valor de zero, indicando que não há cargas elétricas. E também deu a $\mathbf{j}$ o valor de zero, indicando que não há correntes elétricas. Mas não desconsiderou o último termo na quarta equação, $\mu_0 \varepsilon_0 \dot{\mathbf{E}}$, a fraca corrente de deslocamento em isoladores.

Por que não? Como se pode ver pelas equações, a intuição de Maxwell preservou a simetria entre os campos magnético e elétrico. Mesmo no vácuo, na ausência total de eletricidade, ou até de matéria, um campo magnético variável, segundo sua proposição, provoca um campo elétrico e vice-versa. As equações deviam representar a Natureza, e esta é, acreditava Maxwell, bela e elegante. (Há outra razão mais técnica para preservar a corrente de deslocamento no vácuo, que não vamos mencionar neste ponto.) Esse julgamento em parte estético de um cientista *nerd*, inteiramente desconhecido na época exceto de alguns outros cientistas acadêmicos, foi mais relevante para modelar a nossa civilização do que qualquer um dentre dez presidentes e primeiros-ministros recentes.

Em suma, as quatro equações de Maxwell no vácuo afirmam: (1) não há cargas elétricas no vácuo; (2) não há unipolares magnéticos no vácuo; (3) um campo magnético variável gera um campo elétrico; e (4) vice-versa.

Quando as equações foram escritas dessa maneira, Maxwell não teve dificuldade em mostrar que **E** e **B** se propagavam pelo espaço vazio como se fossem *ondas*. Além disso, ele podia calcular a velocidade da onda. Bastava dividir 1 pela raiz quadrada de $\varepsilon_0$ vezes $\mu_0$. Mas $\varepsilon_0$ e $\mu_0$ tinham sido medidos no laboratório. Quando se inseriam os números, descobria-se que os campos elétrico e magnético no vácuo devem se propagar, espantosamente, com a mesma velocidade que já fora medida para a luz. A concordância era demasiado próxima para ser acidental. De repente, desconcertantemente, a eletricidade e o magnetismo estavam implicados de forma profunda na natureza da luz.

Como a luz agora parecia se comportar como ondas e derivar de campos elétricos e magnéticos, Maxwell chamou-a de eletromagnética. Aquelas experiências obscuras com baterias e fios tinham algo a ver com o brilho do Sol, com o nosso modo de ver, com a natureza da luz. Ruminando sobre a descoberta de Maxwell muitos anos mais tarde, Albert Einstein escreveu: "A poucos homens no mundo tem sido concedida uma experiência dessas".

O próprio Maxwell ficou desconcertado com os resultados. O vácuo parecia atuar como um dielétrico. Ele dizia que o vácuo podia ser "eletricamente polarizado". Vivendo numa era mecânica,

Maxwell sentiu-se obrigado a oferecer uma espécie de modelo mecânico para a propagação de uma onda eletromagnética através do vácuo perfeito. Assim, ele imaginou o espaço preenchido com uma substância misteriosa a que deu o nome de éter, que sustentava e continha os campos magnéticos e elétricos variando no tempo — algo semelhante a uma gelatina vibrante mas invisível que permeava o Universo. O estremecimento do éter era a razão para a luz viajar através dele — assim como as ondas da água se propagam através da água e as ondas de som através do ar.

Mas tinha de ser uma substância muito estranha, este éter, muito fina, fantasmagórica, quase incorpórea. O Sol e a Lua, os planetas e as estrelas tinham de passar por ele sem ter seu curso retardado, sem perceber. No entanto, ele tinha de ser bastante rígido para sustentar todas essas ondas que se propagavam a uma velocidade prodigiosa.

A palavra "éter" ainda é usada de forma vaga — em inglês aparece principalmente no adjetivo "etéreo", o que reside no éter. Tem as mesmas conotações do termo mais moderno "viver no ar" ou "esquisito". Quando, nos primeiros tempos do rádio, eles diziam "No ar", era o éter o que tinham em mente. (A expressão russa é bem literalmente "no éter", *v efir*.) Mas é claro que o rádio viaja sem dificuldades pelo vácuo, um dos principais resultados de Maxwell. Não precisa do ar para se propagar. A presença do ar é antes um impedimento.

Em mais uns quarenta anos, a ideia de que a luz e a matéria se movem pelo éter devia levar à teoria especial da relatividade de Einstein, $E = mc^2$, e a muito mais. A relatividade e as experiências que precederam a formação da teoria mostraram conclusivamente que não há nenhum éter sustentando a propagação das ondas eletromagnéticas, como Einstein escreve no trecho que reproduzi no capítulo 2. A onda viaja por si mesma. O campo elétrico variável gera um campo magnético; o campo magnético variável gera um campo elétrico. Eles se sustentam um ao outro — por seus próprios esforços.

Muitos físicos ficaram profundamente perturbados com a morte do éter "luminífero". Eles tinham sentido necessidade de um modelo mecânico para que toda a noção da propagação da luz no vácuo se tornasse razoável, plausível, compreensível. Mas isso é uma muleta, um sintoma de nossas dificuldades em reconhecer domínios em que o senso comum já não basta. O físico Richard Feynman descreveu a questão da seguinte maneira:

> Hoje compreendemos melhor que o que importa são as próprias equações, e não o modelo usado para formulá-las. Só podemos questionar se as equações são verdadeiras ou falsas. Obtemos a resposta fazendo experiências, e inúmeros experimentos têm confirmado as equações de Maxwell. Se retiramos o andaime que ele usou para construí-lo, descobrimos que o belo edifício de Maxwell se sustenta por si próprio.

Mas o que *são* esses campos magnéticos e elétricos variando no tempo que permeiam todo o espaço? O que $\dot{E}$ e $\dot{B}$ *significam*? Nós nos sentimos muito mais confortáveis com a ideia de coisas que se tocam e sacodem, empurram e puxam, do que com uns "campos" que magicamente movem objetos à distância ou com umas simples abstrações matemáticas. Mas, como Feynman indicou, o nosso sentido de que pelo menos na vida cotidiana podemos confiar no contato físico sólido e sensato — para explicar, por exemplo, por que a faca da manteiga vem até nós, quando a pegamos — é uma concepção equivocada. O que significa ter contato físico? O que acontece exatamente quando alguém pega uma faca, empurra um balanço ou provoca uma onda numa cama de água pressionando-a de vez em quando? Quando investigamos profundamente, descobrimos que não há contato físico. Em seu lugar, as cargas elétricas na mão influenciam as cargas elétricas na faca, no balanço ou na cama de água, e vice-versa. Apesar da experiência cotidiana e do senso comum, mesmo nesses casos há apenas a interação de campos elétricos. Nada toca em nada.

Nenhum físico começou as suas investigações impaciente com as noções do senso comum, ansioso por substituí-las por uma abstração matemática que só podia ser compreendida pela física teórica rarefeita. Ao contrário, eles começaram, como todos nós, com noções confortáveis, padrões, cheias de bom senso. O problema é que a Natureza não obedece. Se deixamos de insistir em nossas noções acerca de como a Natureza *deve* se comportar e nos posicionamos diante dela com uma mente aberta e receptiva, descobrimos que o senso comum frequentemente não funciona. Por que não? Porque as nossas noções, tanto hereditárias como aprendidas, sobre o funcionamento da Natureza foram forjadas nos milhões de anos em que nossos antepassados eram caçadores e coletores. Nesse caso, o senso comum é um guia pouco confiável, porque a vida dos caçadores-coletores jamais dependeu da compreensão dos campos magnéticos e elétricos variando no tempo. Não havia desvantagens evolutivas para a ignorância das equações de Maxwell. Em nossa época, é diferente.

As equações de Maxwell mostram que um campo elétrico que varia rapidamente (aumentando $\dot{E}$) deve gerar ondas eletromagnéticas. Em 1888, o físico alemão Heinrich Hertz fez a experiência e descobriu que tinha gerado um novo tipo de radiação, ondas de rádio. Sete anos mais tarde, cientistas britânicos em Cambridge transmitiram sinais de rádio por uma distância de um quilômetro. Em 1901, Guglielmo Marconi, da Itália, já estava usando ondas de rádio para se comunicar com o outro lado do oceano Atlântico.

A ligação econômica, cultural e política do mundo moderno por meio de torres de radiodifusão, equipamento de transmissão de micro-ondas e satélites de comunicação remonta diretamente à decisão de Maxwell de incluir a corrente de deslocamento em suas equações do vácuo. O mesmo se pode dizer da televisão, que imperfeitamente nos instrui e diverte; do radar, que pode ter sido o elemento decisivo na Batalha da Grã-Bretanha e na derrota nazista na Segunda Guerra Mundial (o que gosto de imaginar como "Dafty", o menino que não encontrava seu lugar na sociedade, deslocando-se até o futuro para salvar os descendentes daqueles que o atormentavam); do controle e navegação de aeroplanos, navios e espaçonaves; da radioastronomia e da busca de inteligência extraterrestre; e de aspectos importantes da energia elétrica e das indústrias microeletrônicas.

Além disso, a noção de campos de Faraday e Maxwell tem exercido enorme influência na compreensão do núcleo atômico, da mecânica quântica e da estrutura fina da matéria. A sua unificação de eletricidade, magnetismo e luz num único conjunto matemático coerente é inspiração para tentativas subsequentes — algumas bem-sucedidas, outras ainda em suas fases rudimentares — de unificar todos os aspectos do mundo físico, inclusive a gravidade e as forças nucleares, numa única grandiosa teoria. Pode-se dizer com justiça que Maxwell inaugurou a era da física moderna.

Uma visão corrente do mundo silencioso dos vetores magnéticos e elétricos variáveis de Maxwell é descrita por Richard Feynman com as seguintes palavras:

> Tentem imaginar como seriam os campos elétricos e magnéticos neste momento, no espaço desta sala de conferências. Em primeiro lugar, há um campo magnético constante; ele provém das correntes no interior da Terra — isto é, o campo magnético constante da Terra. Depois, há alguns campos elétricos irregulares, quase estáticos, produzidos talvez pelas cargas elétricas geradas pela fricção, quando várias pessoas se movem nas suas cadeiras e esfregam nos braços delas as mangas dos casacos. Depois, há outros campos magnéticos produzidos por correntes oscilantes na fiação elétrica — campos que variam numa frequência de sessenta ciclos por segundo, em sincronismo com o gerador em Boulder Dam. Porém, mais interessantes são os campos elétricos e magnéticos que variam em frequências muito mais altas. Por exemplo, como a luz viaja da janela para o chão e de parede a parede, há pequenas oscilações dos campos magnéticos e elétricos que se movem ao longo dessa trajetória a 297 600 quilômetros por segundo. Depois há também as ondas infravermelhas que se deslocam das testas quentes para o quadro-negro frio. E esquecemos a luz ultravioleta, os raios X e as ondas de rádio que se movem pela sala.
>
> Voando pela sala estão as ondas eletromagnéticas que transportam a música de uma banda de jazz. Há ondas mo-

duladas por uma série de impulsos que representam imagens de fatos que estão se passando em outras partes do mundo, ou de aspirinas imaginárias dissolvendo-se em estômagos imaginários. Para demonstrar a realidade dessas ondas, basta ligar o equipamento eletrônico que converte essas ondas em imagens e sons.

Se entramos em maiores detalhes para analisar até as oscilações mais ínfimas, há minúsculas ondas eletromagnéticas que penetraram na sala vindas de enormes distâncias. Há agora pequenas oscilações do campo elétrico, cujas cristas estão separadas por 30,48 centímetros, que vieram de milhões de quilômetros de distância, transmitidas para a Terra pela espaçonave Mariner [2], que acabou de passar por Vênus. Os seus sinais transportam resumos das informações que ela reuniu sobre os planetas (informações obtidas das ondas eletromagnéticas que viajaram do planeta até a espaçonave).

Há oscilações muito pequenas dos campos magnéticos e elétricos que são ondas que se originaram a bilhões de anos-luz — vindas de galáxias nos cantos mais remotos do Universo. Que isso é verdade, descobriu-se "enchendo a sala de fios" — construindo antenas do tamanho desta sala. Essas ondas de rádio foram detectadas a partir de lugares no espaço além do alcance dos maiores telescópios ópticos. Mesmo eles, os telescópios ópticos, são simplesmente coletores de ondas eletromagnéticas. O que chamamos de estrelas são apenas inferências, inferências tiradas da única realidade física que temos delas até agora — a partir de um estudo cuidadoso das ondulações interminavelmente complexas dos campos elétricos e magnéticos que nos atingem na Terra.

Há, é claro, muito mais: os campos produzidos por raios a quilômetros de distância, os campos das partículas de raios cósmicos carregadas que zunem pela sala, e mais, muito mais. Que coisa complicada é o campo elétrico no espaço ao nosso redor!

Se a rainha Vitória tivesse convocado uma reunião urgente de seus conselheiros, ordenando-lhes que inventassem o equivalente do rádio e da televisão, é improvável que qualquer um deles tivesse imaginado o caminho que passou pelas experiências de Ampère, Biot, Oersted e Faraday, pelas quatro equações de cálculo vetorial e pela decisão de preservar a corrente de deslocamento no vácuo. Não teriam, acho eu, chegado a lugar algum. Enquanto isso, por sua própria conta, movido apenas pela curiosidade, custando quase nada ao governo, ele próprio ignorante de que estava estabelecendo os alicerces para o Projeto Westminster, "Dafty" continuava a rabiscar. É até duvidoso que teriam pensado no insociável e discreto sr. Maxwell para realizar esse estudo. E nesse caso o governo provavelmente lhe teria dito o que pensar e o que não pensar, mais impedindo que induzindo a sua grande descoberta.

No final de sua vida, Maxwell teve realmente um encontro com a rainha Vitória. Preocupou-se de antemão com a experiência — sobretudo com a sua capacidade de transmitir conhecimentos científicos a um leigo —, mas a rainha estava distraída, e o encontro foi curto. Como os quatro outros grandes cientistas britânicos da história recente, Michael Faraday, Charles Darwin, P. A. M. Dirac e Francis Crick, Maxwell nunca foi nomeado cavaleiro (embora Lyell, Kelvin, J. J. Thompson, Rutherford, Eddington e Hoyle, na fileira seguinte, o fossem). No caso de Maxwell, não havia nem a desculpa de que ele pudesse ter opiniões dissidentes em relação à Igreja da Inglaterra: era um cristão absolutamente convencional para a sua época, mais devoto do que a maioria. Talvez fosse o seu ar de *nerd*.

Os meios de comunicação — os instrumentos de educação e entretenimento que James Clerk Maxwell tornou possíveis — nunca apresentaram, que eu saiba, nem uma minissérie sobre a vida e o pensamento de seu benfeitor e fundador. Por outro lado, pensem em como é difícil crescer nos Estados Unidos sem que a televisão nos instrua sobre a vida e os tempos de Davy Crockett, Billy the Kid ou Al Capone.

Maxwell se casou jovem, mas a união parece ter sido desapaixonada e sem filhos. As suas emoções ficaram reservadas para a ciência. Esse fundador da era moderna morreu em 1879, com 47 anos. Embora esteja quase esquecido na cultura popular, os astrônomos de radar que mapeiam outros mundos se lembraram dele: a maior cordilheira em Vênus, que descobriram enviando ondas de rádio daqui da Terra, fazendo-as ricochetear em Vênus e detectando os ecos fracos, recebeu o seu nome.

Menos de um século depois de Maxwell ter predito as ondas de rádio, iniciou-se a primeira procura de sinais de possíveis civilizações em planetas de outras estrelas. Desde então têm se realizado várias buscas, algumas já mencionadas aqui, de campos magnéticos e elétricos variando no tempo que cruzam as imensas distâncias interestelares, originários de outras possíveis inteligências — biologicamente muito diferentes de nós — que também se aproveitaram, em alguma época de suas histórias, das intuições de alguns equivalentes locais de James Clerk Maxwell.

Em outubro de 1992 — no deserto de Mojave e num vale carste de Porto Rico — demos início àquela que é de longe a mais promissora, poderosa e abrangente busca de inteligência extraterrestre (SETI). Pela primeira vez, a NASA organizava e executava o programa. Todo o céu seria examinado durante um período de dez anos com uma sensibilidade e uma faixa de frequência inéditas. Se, num planeta de qualquer um dos 400 bilhões de outras estrelas que formam a galáxia da Via Láctea, alguém nos enviasse uma mensagem de rádio, teríamos uma chance bastante boa de captá-la.

Um ano mais tarde, o Congresso desconectou o fio da tomada. SETI não tinha importância urgente; seu interesse era limitado; era demasiado caro. Mas toda civilização na história humana tem destinado parte de seus recursos para investigar questões profundas sobre o Universo, e é difícil imaginar uma mais profunda do que determinar se estamos sozinhos. Mesmo que jamais pudéssemos decifrar o conteúdo da mensagem, captar um desses sinais transformaria a nossa visão do Universo e de nós mesmos. E, se pudéssemos compreender a mensagem de uma civilização técnica avançada, as vantagens práticas seriam inauditas. Longe de ter fundamentos restritos, o programa SETI, apoiado fortemente pela comunidade científica, está também integrado na cultura popular. O fascínio por esse empreendimento é amplo e duradouro, e por boas razões. E, longe de ser caro, o programa teria custado mais ou menos o equivalente a um helicóptero de ataque por ano.

Eu me pergunto por que esses membros do Congresso que se preocupam com as despesas não prestam mais atenção ao Departamento de Defesa — que, com o desaparecimento da União Soviética e o término da Guerra Fria, ainda gasta, quando todos os custos são computados, bem mais de 300 bilhões de dólares por ano. (E, em outros departamentos do governo, há muitos programas que equivalem a promover o bem-estar dos ricos.) Os nossos descendentes vão talvez voltar os olhos para a nossa época e ficar espantados conosco — mesmo de posse da tecnologia para detectar outros seres, fechamos os ouvidos com a insistência em gastar a riqueza nacional para nos proteger de um inimigo que já não existe.*

David Goodstein, físico na Cal Tech, observa que a ciência tem crescido quase exponencialmente por séculos e que não pode manter esse ritmo de crescimento — porque nesse caso todas as pessoas no planeta teriam de ser cientistas, e *então* o crescimento teria de parar. Ele imagina que por essa razão, e não por causa de um desagrado fundamental com a ciência, o crescimento dos recursos destinados a ela tem se tornado mensuravelmente mais lento nas últimas décadas.

Ainda assim, eu me preocupo com a *distribuição* dos fundos para pesquisa. Eu me preocupo com a possibilidade de o cancelamento do financiamento governamental do SETI fazer parte de uma tendência. O governo tem pressionado a Fundação Nacio-

* Em 1995, o programa SETI foi parcialmente ressuscitado, com 7 milhões de dólares em contribuições privadas, sob o nome apropriado de Projeto Fênix.

nal de Ciência a se afastar da pesquisa científica básica e a apoiar a tecnologia, a engenharia, as aplicações. O Congresso está sugerindo pôr fim ao Levantamento Geológico dos Estados Unidos e cortar o apoio ao estudo do meio ambiente frágil da Terra. O apoio da NASA à pesquisa e à análise dos dados já obtidos está cada vez mais apertado. Muitos jovens cientistas não se veem apenas incapazes de encontrar subsídios para financiar a sua pesquisa; eles também não conseguem encontrar trabalho.

O ritmo da pesquisa e do desenvolvimento industrial financiados por companhias norte-americanas tem diminuído por toda parte nos últimos anos. O financiamento governamental para a pesquisa e o desenvolvimento tem declinado no mesmo período. (Somente a pesquisa e o desenvolvimento militares cresceram na década de 80.) Em gastos anuais, o Japão é hoje o primeiro investidor mundial em pesquisa e desenvolvimento civis. Em áreas como computação, equipamento de telecomunicações, aeroespaço, robótica e equipamentos de precisão científica, a participação norte-americana nas exportações globais tem declinado, enquanto a japonesa tem crescido. Nesse mesmo período, os Estados Unidos perderam para o Japão a liderança na maioria das tecnologias de semicondutores. Experimentaram quedas consideráveis em sua participação no mercado de TV em cores, videocassetes, aparelhos de som, telefones e peças para máquinas.

A pesquisa básica é o campo em que os cientistas têm a liberdade de satisfazer a sua curiosidade e interrogar a Natureza, sem ter em vista nenhum objetivo prático de curto prazo, mas buscando o conhecimento pelo conhecimento. Eles têm, é claro, um interesse próprio na pesquisa básica. É o que gostam de fazer, em muitos casos é a razão de terem se tornado cientistas. Mas é do interesse da sociedade apoiar essa pesquisa. É assim que muitas vezes são feitas as grandes descobertas que beneficiam a humanidade. Se uns poucos projetos científicos grandiosos e ambiciosos são um investimento melhor do que um número maior de pequenos programas, é uma questão que vale a pena examinar.

Raramente temos inteligência suficiente para começar a fazer intencionalmente as descobertas que impulsionarão a nossa economia e protegerão as nossas vidas. Muitas vezes, falta-nos a pesquisa fundamental. Em vez disso, realizamos uma ampla série de investigações da Natureza, e surgem aplicações em que jamais havíamos pensado. Nem sempre, é claro. Mas com bastante frequência.

Dar dinheiro a alguém como Maxwell poderia ter parecido o encorajamento mais absurdo da ciência "movida pela curiosidade", e uma decisão imprudente para legisladores práticos. Por que dar dinheiro para que cientistas *nerds*, que falam um jargão incompreensível, possam se entregar a seus *hobbies*, quando há necessidades nacionais urgentes ainda não satisfeitas? Desse ponto de vista, é fácil compreender a afirmação de que a ciência não passa de outro *lobby*, outro grupo de pressão ansioso por manter o dinheiro dos subsídios rolando, para que os cientistas jamais tenham que enfrentar um dia duro de trabalho ou uma folha de pagamento.

Maxwell não estava pensando no rádio, no radar e na televisão quando rabiscou as equações fundamentais do eletromagnetismo; Newton nem sonhava com voos espaciais ou satélites de comunicações quando compreendeu pela primeira vez o movimento da Lua; Roentgen não cogitava em diagnóstico médico quando investigou uma radiação penetrante tão misteriosa que ele a chamou de "raios X"; Curie não pensava na terapia do câncer quando extraiu a duras penas quantidades diminutas de rádio do meio de toneladas de uraninita; Fleming não planejava salvar as vidas de milhões com antibióticos quando observou um círculo sem bactérias ao redor de uma formação de mofo; Watson e Crick não imaginavam a cura de doenças genéticas quando tentavam decifrar a difratometria dos raios X do DNA; Row-land e Molina não planejavam implicar os CFCs na diminuição da camada de ozônio quando começaram a estudar o papel dos halógenos na fotoquímica estratosférica.

De tempos em tempos, os membros do Congresso e outros líderes políticos acham irresistível zombar de propostas de pesquisa científica aparentemente obscuras que solicitam financiamento do governo. Até um senador brilhante como William

Proxmire, formado em Harvard, era às vezes dado a conceder prêmios Velo de Ouro — muitos celebrando projetos científicos ostensivamente inúteis —, inclusive ao SETI. Imagino o mesmo espírito em governos anteriores — um certo sr. Fleming deseja estudar micróbios num queijo fedorento; uma polonesa deseja analisar minuciosamente toneladas de minério da África central, para descobrir quantidades diminutas de uma substância que, segundo ela, brilhará no escuro; um certo sr. Kepler deseja escutar a música dos planetas.

Essas descobertas e milhares de outras que honram e caracterizam o nosso tempo, e a algumas das quais devemos nossas vidas, foram feitas em última análise por cientistas que tiveram a oportunidade de explorar o que, em sua opinião, sob o escrutínio de seus pares, eram questões básicas na Natureza. As aplicações industriais, em que o Japão teve um desempenho tão bom nas últimas duas décadas, são excelentes. Mas elas são aplicações do quê? A pesquisa fundamental, a pesquisa no coração da Natureza, é o meio de adquirirmos o novo conhecimento que passa então a ser aplicado.

Os cientistas têm a obrigação, especialmente quando solicitam grandes somas, de explicar com clareza e honestidade o objetivo de sua pesquisa. O Superacelerador a Supercondutores para Colisões (SSC) teria sido o principal instrumento no planeta para sondar a estrutura fina da matéria e a natureza do Universo primitivo. Seu preço era 10 a 15 bilhões de dólares. Foi cancelado pelo Congresso em 1993, depois de terem sido gastos mais ou menos 2 bilhões — a pior das alternativas. Mas o principal tema *desse* debate não foi, a meu ver, o declínio do interesse em apoiar a ciência. Poucos no Congresso compreendiam para que servem os modernos aceleradores de alta energia. Não servem para fabricar armas. Não têm aplicações práticas. Servem para algo que é chamado, inquietantemente, segundo muitos, "a teoria de tudo". As explicações envolvem entidades chamadas quarks, atrativo, sabor, cor etc., e dão a impressão de que os físicos estão fazendo gracinhas. O que ficou de toda essa história, pelo menos segundo alguns dos congressistas com quem falei, é que "os *nerds* enlouqueceram" — o que acho um modo severo de descrever a ciência fundamentada na curiosidade. Ninguém dentre os que foram solicitados a pagar pelo projeto tinha a mais remota ideia do que fosse um bóson de Higgs. Li parte do material destinado a justificar o SSC. Ao final, nem tudo estava de todo ruim, mas não havia nada que de fato tratasse do objetivo do projeto num nível acessível a não físicos inteligentes, mas céticos. Se estavam pedindo 10 ou 15 bilhões de dólares para construir uma máquina que não tem valor prático, os físicos deveriam, no mínimo, fazer um esforço extremamente sério, com gráficos deslumbrantes, metáforas e emprego competente da língua inglesa, para justificar a sua proposta. Mais do que má administração financeira, restrições orçamentárias e incompetência política, acho que essa foi a principal causa do fracasso do SSC.

Há uma crescente visão de livre mercado do conhecimento humano, segundo a qual a pesquisa básica deve competir, sem apoio do governo, com todas as outras instituições e reivindicações da sociedade. Se não tivessem contato com o suporte governamental, e precisassem competir na economia de livre mercado de seu tempo, é improvável que qualquer um dos cientistas na minha lista tivesse conseguido realizar o seu trabalho pioneiro. E o custo da pesquisa básica é substancialmente maior do que era na época de Maxwell — tanto na área teórica como, sobretudo, na experimental.

Mas, além disso, as forças do livre mercado seriam adequadas para apoiar a pesquisa básica? Apenas aproximadamente 10% das propostas meritórias de pesquisa em medicina são financiadas hoje em dia. O que aconteceria se o governo decidisse sair da área da pesquisa médica?

Uma característica necessária da pesquisa básica é que sua aplicação reside no futuro — às vezes décadas ou até séculos adiante. Além do mais, ninguém sabe que aspectos dela terão valor prático e que aspectos não o terão. Se os cientistas não conseguem fazer essas previsões, é provável que os políticos e os industriais consigam? Se as forças do livre mercado focalizam apenas o lucro a curto prazo — como acontece certamente nos Estados Unidos, que apresentam quedas abruptas na pesquisa das empresas —, essa solução não equivale a abandonar a pesquisa básica?

Cortar a ciência fundamental, movida pela curiosidade, é comer a semente do trigo. Talvez tenhamos um pouco mais para nos alimentar no próximo inverno, mas o que plantaremos para que nós e nossos filhos tenhamos o suficiente para atravessar os invernos futuros?

É claro que há muitos problemas urgentes diante da nossa nação e da nossa espécie. Mas reduzir a pesquisa científica básica não é o meio de resolvê-los. Os cientistas não constituem um bloco votante. Eles não têm um *lobby* eficaz. Entretanto, grande parte do seu trabalho interessa a todo mundo. Deixar de apoiar a pesquisa fundamental constitui falta de coragem, de imaginação e dessa coisa visionária que ainda não parecemos compreender. Talvez ocorra a um desses extraterrestres hipotéticos que estamos planejando não ter futuro.

Sem dúvida, precisamos de alfabetização, educação, empregos, sistema de saúde e segurança adequados, proteção ao meio ambiente, segurança na velhice, um orçamento equilibrado, e uma multidão de outras questões. Mas somos uma sociedade rica. Não podemos também criar os Maxwell de nossa época? Para tomar um exemplo simbólico, será realmente verdade que não podemos arcar com a quantidade de sementes de trigo equivalente a um helicóptero de ataque para escutar as estrelas?

## 24. CIÊNCIA E BRUXARIA*

> Ubi dubium ibi libertas: *Onde há dúvida, há liberdade.*
>
> Provérbio latino

A FEIRA MUNDIAL DE NOVA YORK, em 1939 — que tanto me deslumbrou como pequeno visitante saído das zonas mais pobres do Brooklyn —, era sobre "O mundo do amanhã". Simplesmente por adotar esse tema, ela prometia que *haveria* um mundo do amanhã, e o olhar mais casual afirmava que ele seria melhor que o mundo de 1939. Embora a nuança tivesse me passado inteiramente despercebida, muitas pessoas ansiavam por essa confirmação tranquilizadora às vésperas da guerra mais brutal e calamitosa na história humana. Pelo menos, fiquei sabendo que me tornaria adulto no futuro. O "amanhã" limpo e luzidio retratado pela feira era atraente e cheio de esperanças. E algo chamado ciência constituía evidentemente o meio de atingir esse futuro.

Mas, se as coisas tivessem se passado de forma um pouco diferente, a feira poderia ter me oferecido muitíssimo mais. Uma luta feroz acontecera nos bastidores. A visão que prevaleceu foi a de Grover Whalen, presidente e principal porta-voz do evento — antigo executivo de empresas, chefe de polícia da cidade de Nova York numa época de violência policial nunca vista, e pioneiro em relações públicas. Foi dele que partiu a ideia de que os edifícios das exposições fossem principalmente comerciais, industriais, orientados para os produtos de consumo, e foi ele quem convenceu Stalin e Mussolini a construir luxuosos pavilhões nacionais. (Mais tarde, ele se queixou das muitas vezes em que fora obrigado a fazer a saudação fascista.) O nível das exposições, con-

---

\* Escrito com Ann Druyan. Os dois capítulos seguintes têm um conteúdo mais político que o resto do livro. Não desejo sugerir que a defesa da ciência e do ceticismo conduza necessariamente a todas as conclusões políticas e sociais que apresento. Embora o pensamento cético seja inestimável na política, a política não é uma ciência.

forme a descrição de um projetista, foi estabelecido como aquele adequado à mentalidade de uma criança de doze anos.

Entretanto, como foi narrado pelo historiador Peter Kuznick, da Universidade Americana, um grupo de cientistas notáveis — que incluía Harold Urey e Albert Einstein — advogou a ideia de apresentar a ciência pela ciência, e não apenas como meio de produzir aparelhos para vender; focalizando o modo de pensar, e não apenas os produtos. Eles estavam convencidos de que uma ampla compreensão popular da ciência era o antídoto para a superstição e a intolerância; de que, como disse o divulgador da ciência Watson Davis, "o caminho científico é o caminho democrático". Um dos cientistas até sugeriu que uma ampla valorização pública dos métodos da ciência poderia levar à "vitória final sobre a estupidez" — um objetivo digno, mas provavelmente irrealizável.

Quando se realizou a feira, quase nenhuma ciência verdadeira foi anexada às exposições, apesar dos protestos dos cientistas e de seus apelos a princípios elevados. Ainda assim, parte do pouco que foi acrescentado chegou até mim e ajudou a transformar a minha infância. Mas o foco empresarial e de consumo continuou central, não aparecendo essencialmente nada sobre a ciência como modo de pensar, muito menos como baluarte de uma sociedade livre.


Exatamente meio século mais tarde, nos últimos anos da União Soviética, Ann Druyan e eu nos vimos num jantar em Peredelkino, uma vila perto de Moscou, onde funcionários do Partido Comunista, generais da reserva e alguns intelectuais privilegiados tinham suas casas de veraneio. O ar estava elétrico com a perspectiva de novas liberdades — especialmente o direito de falar o que se pensa, mesmo que o governo não goste do que se diz. A fabulosa revolução de novas expectativas desabrochava.

Mas, apesar da *glasnost*, havia dúvidas muito difundidas. Os que estavam no poder permitiriam realmente que os seus próprios críticos fossem ouvidos? A liberdade de expressão, reunião, imprensa, religião seria realmente permitida? As pessoas sem experiência de liberdade seriam capazes de suportar o seu ônus?

Alguns dos cidadãos soviéticos presentes ao jantar tinham lutado — durante décadas e contra longas dificuldades — pelas liberdades que a maioria dos norte-americanos considera naturais; na verdade, eles tinham se inspirado na experiência norte-americana, a demonstração em um mundo real de que as nações, mesmo aquelas com múltiplas culturas e etnias, podem sobreviver e prosperar com essas liberdades razoavelmente intactas. Chegaram ao ponto de levantar a possibilidade de que a prosperidade se *devia* à liberdade — de que, numa era de alta tecnologia e mudanças rápidas, as duas crescem ou declinam juntas, de que a postura aberta da ciência e da democracia, a sua disposição a serem julgadas pela experiência, eram modos de pensar intimamente aliados.

Houve muitos brindes, como sempre acontece nos jantares nessa parte do mundo. O mais memorável foi feito por um romancista soviético de renome mundial. Ele se levantou, ergueu o copo, nos olhou bem nos olhos e disse: "Aos norte-americanos. Eles têm um pouco de liberdade". Fez uma pausa, e depois acrescentou: "E sabem como mantê-la".

Será verdade?


A tinta ainda não secara na Declaração de Direitos, quando os políticos descobriram um meio de subvertê-la — aproveitando-se do medo e da histeria patriótica. Em 1798, o Partido Federalista, no poder, sabia que o ponto a pressionar era o preconceito étnico e cultural. Explorando as tensões entre a França e os Estados Unidos, e um medo bem difundido de que os imigrantes franceses e irlandeses fossem de certo modo intrinsecamente incapazes de ser norte-americanos, os federalistas aprovaram um conjunto de leis que vieram a ser conhecidas como as Leis dos Estrangeiros e da Sedição.

Uma das leis aumentou o prazo de residência para requerer cidadania norte-americana de cinco para catorze anos. (Os cidadãos de origem francesa e irlandesa em geral votavam com a oposição, o Partido Republicano-Democrático de Thomas Jefferson.) A Lei dos Estrangeiros dava ao presidente John Adams o poder de deportar qualquer estrangeiro que despertasse suspeitas. Deixar o presidente nervoso, disse um membro do Congresso, "é o novo crime". Jefferson acreditava que a Lei dos Estrangeiros fora redigida especialmente para expulsar C. F. Volney,* historiador e filósofo francês; Pierre Samuel du Pont de Nemours, patriarca da famosa família de químicos; e o cientista britânico Joseph Priestley, que descobriu o oxigênio e foi um antepassado intelectual de James Clerk Maxwell. Na opinião de Jefferson, eles eram exatamente o tipo de pessoas de que os Estados Unidos necessitavam.

A Lei da Sedição tornava ilegal publicar críticas "falsas ou maliciosas" ao governo ou inspirar oposição a qualquer um de seus atos. Foram feitas umas duas dúzias de prisões, dez pessoas foram condenadas e muitos mais censurados ou silenciados por intimidação. A lei tentava, dizia Jefferson, "esmagar toda e qualquer oposição política, criminalizando as críticas às autoridades ou às políticas federalistas".

Assim que foi eleito, na verdade na primeira semana de seu mandato em 1801, Jefferson começou a perdoar todas as vítimas da Lei da Sedição, porque, dizia, ela era totalmente contrária ao espírito das liberdades norte-americanas, como se o Congresso tivesse ordenado a todos nós que caíssemos de joelhos e adorássemos um bezerro de ouro. Em 1802, já nada restava das leis dos Estrangeiros e da Sedição nos registros.

Depois de dois séculos, é difícil recapturar a atmosfera delirante que fazia os franceses e os "selvagens irlandeses" pare-

* Uma passagem típica de *Ruins*, livro de Volney publicado em 1791: "Vocês disputam, brigam, lutam pelo que é incerto, pelo que desperta dúvidas. Oh homens! Isso não é loucura? [...] Devemos traçar uma linha de distinção entre aqueles [temas] que são capazes de verificação e aqueles que não o são, e separar por uma barreira inviolável o mundo dos seres fantásticos do mundo das realidades; isto é, todas as questões civis devem ser afastadas das opiniões teológicas e religiosas".

cerem uma ameaça tão grave que estávamos dispostos a renunciar a nossas liberdades mais preciosas. Dar crédito aos triunfos culturais dos franceses e irlandeses, defender direitos iguais para eles eram na verdade atitudes depreciadas nos círculos conservadores como sentimentais — uma correção política irrealista. Mas é sempre assim. Sempre parece uma aberração mais tarde. Mas então já estamos nas garras de outra histeria.

Aqueles que procuram o poder a qualquer preço detectam uma fraqueza social, um medo que podem usar para chegar ao cargo desejado. Podem ser diferenças étnicas, como naquela época, talvez quantidades diferentes de melanina na pele; ou talvez seja o uso de drogas, o crime violento, a crise econômica, a educação religiosa ou a "profanação" da bandeira (literalmente, torná-la profana).

Qualquer que seja o problema, o remédio rápido é suprimir um pouco de liberdade da Declaração de Direitos. Sim, em 1942, os nipo-americanos estavam protegidos pela Declaração de Direitos, mas nós os prendemos de qualquer jeito — afinal, estávamos em guerra. Sim, há proibições constitucionais contra busca e prisão despropositadas, mas estamos em guerra com o tráfico de drogas, e os crimes violentos estão fugindo ao nosso controle. Sim, há liberdade de expressão, mas não queremos autores estrangeiros entre nós, falando de ideologias estranhas, não é mesmo? Os pretextos mudam de ano para ano, mas o resultado continua o mesmo: concentrar mais poder em menos mãos e suprimir a diversidade de opinião — mesmo que a experiência mostre claramente os perigos dessa linha de ação.

Se não sabemos do que somos capazes, não podemos avaliar as medidas tomadas para nos proteger de nós mesmos. Discuti a mania europeia de perseguição às bruxas no contexto dos sequestros por alienígenas; espero que o leitor me perdoe por voltar ao tema em seu contexto político. É uma porta para o autoconhecimento humano. Se verificarmos o que as autoridades religiosas e seculares na caça às bruxas dos séculos XV a XVII consideravam evidência aceitável e um julgamento justo, muitas das características novas e peculiares da Constituição e da Declaração de Direitos norte-americanas do século XVIII se tornam claras: inclusive o julgamento por júri, as proibições contra a autoincriminação e contra castigos cruéis e incomuns, a liberdade de expressão e de imprensa, o processo justo, o equilíbrio dos poderes e a separação entre Igreja e Estado.

Friedrich von Spee (pronuncia-se "Shpê") foi um padre jesuíta que teve a infelicidade de ouvir as confissões das pessoas acusadas de bruxaria na cidade alemã de Wurtzburg (ver capítulo 7). Em 1631, ele publicou *Cautio criminalis* [Precauções para os acusadores], que revelava a essência desse terrorismo da Igreja/Estado contra o inocente. Antes de ser punido, ele morreu da peste — como pároco a serviço dos doentes. Eis um trecho de seu livro de alerta:

> 1. Inacreditavelmente, entre nós, alemães, e especialmente (tenho vergonha de dizer) entre os católicos, existem superstições populares, inveja, calúnias, difamações, insinuações e coisas do gênero, que, sem ser punidas nem refutadas, provocam suspeitas de bruxaria. Já não é Deus, nem a natureza, mas são as bruxas as responsáveis por tudo.
>
> 2. Por isso, ergue-se um clamor da população para que os magistrados investiguem as bruxas — a quem só os mexericos populares tornaram tão numerosas.
>
> 3. Portanto, os príncipes pedem a seus juízes e conselheiros que abram processos contra as bruxas.
>
> 4. Os juízes mal sabem por onde começar, pois não têm evidência [*indicia*] ou prova.
>
> 5. Enquanto isso, as pessoas declaram que essa demora é suspeita; e os príncipes são disso persuadidos por um ou outro informante.
>
> 6. Na Alemanha, ofender esses príncipes é uma falta séria, até o clero aprova tudo o que lhes agrada, sem se importar com quem possa tê-los instigado (ainda que bem-intencionados).

7. Por fim, os juízes se submetem aos desejos dos príncipes e dão um jeito de começar os julgamentos.

8. Aos outros juízes que ainda hesitam, com medo de se envolver nessa questão delicada, é enviado um investigador especial. Nesse campo de investigação, qualquer inexperiência ou arrogância que o agente demonstrar no desempenho de sua tarefa é considerada zelo pela justiça. O seu zelo pela justiça é também estimulado pelas esperanças de lucro, especialmente se for um agente pobre e ganancioso com uma grande família, pois para cada bruxa queimada recebe como estipêndio tantos dólares por cabeça, além de taxas e gratificações incidentais que os agentes investigadores têm permissão de extorquir à vontade daqueles que convocam.

9. Se os delírios de um louco ou um rumor malicioso e fútil (pois a prova do escândalo jamais é necessária) apontam alguma velha indefesa, ela é a primeira a sofrer.

10. No entanto, para evitar a impressão de que ela é indiciada unicamente com base em rumores, sem outras provas, obtém-se certa presunção de culpa propondo-se o seguinte dilema: ou ela levou uma vida imprópria e má, ou ela levou uma vida apropriada e boa. Se foi uma vida má, deve ser culpada. Por outro lado, se levou uma vida boa, isso é igualmente condenador; pois as bruxas disfarçam e tentam parecer especialmente virtuosas.

11. Assim, a velha é encarcerada na prisão. Encontra-se uma nova prova por meio de um segundo dilema: ela tem medo ou não. Se está com medo (ouvindo falar das torturas horríveis empregadas contra as bruxas), isso é uma prova segura; pois a sua consciência a acusa. Se não demonstra medo (confiando na sua inocência), isso também é uma prova; pois as bruxas caracteristicamente fingem inocência e são descaradas.

12. Para que essas não sejam as únicas provas, o investigador manda os seus bisbilhoteiros, frequentemente depravados e infames, vasculharem toda a vida passada da mulher. Isso decerto não será feito sem revelar alguma frase ou

ato, que os homens que tenham essa predisposição podem facilmente alterar e distorcer, transformando-os em evidência de bruxaria.

13. Qualquer pessoa que lhe queira mal tem então uma ampla oportunidade de levantar contra ela todas as acusações que desejar; e todo mundo diz que a evidência é forte contra ela.

14. E assim apressa-se o caminho à tortura, a menos que, como acontece frequentemente, ela seja torturada no mesmo dia da prisão.

15. Nesses julgamentos, ninguém tem permissão para ter advogado ou outro meio de defesa justa, pois a bruxaria é considerada um crime excepcional [de tal gravidade que todas as regras do procedimento legal podem ser suspensas], e quem se aventurar a defender a prisioneira torna-se ele próprio suspeito de bruxaria — assim como todos os que ousarem protestar nesses casos e recomendar que os juízes sejam prudentes, pois eles são imediatamente rotulados de defensores da bruxaria. Assim, todo mundo se cala por medo.

16. Para que pareça ter uma oportunidade de se defender, a mulher é conduzida perante um tribunal e as indicações de sua culpa são lidas e examinadas — se é que se pode dar a isso o nome de exame.

17. Ainda que ela negue essas acusações e responda satisfatoriamente a todas, não se lhe dá nenhuma atenção e suas respostas nem são registradas; todos os indiciamentos retêm a sua força e validade, por mais perfeitas que sejam suas respostas. Ela é mandada de volta à prisão, para considerar mais cuidadosamente se vai persistir em sua obstinação — pois, como já negou a sua culpa, ela é obstinada.

18. No dia seguinte, ela comparece de novo perante o tribunal e ouve uma ordem de tortura — como se ela nunca tivesse refutado as acusações.

19. Antes da tortura, porém, ela é revistada para verificar se não tem amuletos: todo o seu corpo é raspado, e mes-

mo as partes privadas que indicam o sexo feminino são lascivamente examinadas.

20. O que há de tão chocante nisso? Os padres são tratados da mesma maneira.

21. Quando a mulher foi raspada e revistada, ela é torturada para que confesse a verdade — isto é, para declarar o que eles querem ouvir, pois naturalmente nada mais pode ser a verdade.

22. Eles começam com o primeiro grau, isto é, a tortura menos severa. Embora excessivamente severa, ela é leve em comparação com as torturas posteriores. Portanto, se ela confessa, eles dizem que a mulher confessou sem tortura!

23. Ora, que príncipe pode duvidar da culpa da mulher, quando lhe informam que ela confessou voluntariamente, sem tortura?

24. Assim, ela é condenada à morte sem escrúpulos. Mas teria sido executada mesmo que não tivesse confessado; pois, iniciada a tortura, os dados estão lançados; ela não pode escapar, tem forçosamente de morrer.

25. O resultado é o mesmo, quer ela confesse, quer não. Se confessa, a sua culpa é clara: ela é executada. Qualquer retratação é em vão. Se ela não confessa, a tortura é repetida — duas, três, quatro vezes. Em crimes excepcionais, a tortura é ilimitada em duração, severidade ou frequência.

26. Se, durante a tortura, a velha contorce as feições de dor, dizem que ela está rindo; se desmaia, é que está dormindo ou enfeitiçou a si própria, tornando-se taciturna. E, se é taciturna, merece ser queimada viva, como ultimamente tem sido feito com algumas que, embora torturadas várias vezes, não se dispuseram a dizer o que os investigadores queriam ouvir.

27. E até os confessores e os padres concordam que ela morreu obstinada e impenitente; que ela não quis se converter, nem abandonar o seu íncubo, mantendo-se fiel a ele.

28. Entretanto, se ela morre de tanta tortura, eles dizem que o diabo quebrou o seu pescoço.

29. Por isso, o cadáver é enterrado embaixo da forca.

30. Por outro lado, se ela não morre sob tortura, e se um juiz excepcionalmente escrupuloso hesita em torturá-la ainda mais sem novas provas, ou em queimá-la sem a sua confissão, ela é mantida no cárcere e acorrentada mais severamente, para apodrecer na prisão até se render, mesmo que isso leve todo um ano.

31. Ela nunca consegue se ver livre das acusações. A comissão investigadora se sentiria miserável, se absolvesse uma mulher; uma vez presa e acorrentada, ela tem de ser culpada, por meios justos ou infames.

32. Enquanto isso, padres ignorantes e teimosos atormentam a infeliz criatura para que ela se confesse culpada, quer isso seja verdade, quer não; se não confessar, dizem eles, não poderá ser salva, nem receber os sacramentos.

33. Os padres mais compreensivos ou cultos não podem visitá-la na prisão, para que não lhe deem conselhos, nem informem os príncipes do que está se passando. Nada é mais temido do que a possibilidade de ser apresentada alguma evidência que prove a inocência da acusada. Quem tenta tal coisa é rotulado de criador de encrenca.

34. Enquanto ela é mantida na prisão e torturada, os juízes inventam estratagemas inteligentes para criar novas provas de culpa que a condenem sem sombra de dúvida, para que, ao revisar o julgamento, um professor de universidade possa confirmar o castigo de ser queimada viva.

35. Para dar a impressão de muito escrupulosos, alguns juízes mandam que a mulher seja exorcizada, transferida para algum outro lugar e novamente torturada, para quebrar o seu silêncio; se ela continua calada, eles podem finalmente queimá-la. Ora, pelo amor de Deus, eu gostaria de saber, já que aquela que confessa e a que não confessa morrem ambas da mesma forma, como pode alguém escapar, por mais inocente que seja? Oh, infeliz mulher, por que você alimentou precipitadamente esperanças? Ao entrar pela primeira vez na prisão, por que não admitiu tudo o que eles queriam? Oh,

mulher estúpida e louca, por que você quis morrer tantas vezes, quando poderia ter morrido apenas uma vez? Siga o meu conselho, e, antes de passar por todos esses horrores, confesse que é culpada e morra. Você não escapará, pois isso seria uma desgraça catastrófica para o zelo da Alemanha.

36. Depois que, sob o estresse da dor, a bruxa confessa, a sua situação é indescritível. Não só ela não consegue escapar de si mesma, mas é também compelida a acusar outras pessoas que não conhece, cujos nomes são frequentemente colocados na sua boca pelos investigadores ou sugeridos pelo carrasco, ou pessoas de quem ouviu falar como suspeitas ou acusadas. Essas, por sua vez, são forçadas a acusar outras, e essas outras ainda devem acusar mais outras, e assim por diante: quem não vê que o processo deve continuar indefinidamente?

37. Os juízes devem suspender esses julgamentos (e assim negar a sua validade) ou então queimar o seu próprio povo, a eles mesmos e a todos os demais; pois mais cedo ou mais tarde todos são acusados falsamente, e, se torturados, ficará provado que todos são culpados.

38. Assim, finalmente, aqueles que primeiro levantaram bem alto a sua voz para alimentar as chamas acabam eles próprios envolvidos, pois precipitadamente deixaram de ver que a sua vez também chegaria. Assim, o céu pune justamente aqueles que com suas línguas pestilentas criaram tantas bruxas e enviaram tantos inocentes para a fogueira...

Von Spee não é explícito sobre os revoltantes métodos de tortura empregados. Eis um trecho de uma compilação inestimável, *The encyclopedia of witchcraft and demonology*, de Russell Hope Robbins (1959):

Pode-se dar uma olhada em algumas das torturas especiais em Bamberg: por exemplo, fazer a acusada ingerir à força arenques cozidos com sal e depois negar-lhe água — um método sofisticado, empregado lado a lado com a imersão da acusada em banhos de água escaldante a que fora acrescentada cal. Outras maneiras de torturar as bruxas compreendiam o cavalo de madeira, vários tipos de rodas, a cadeira de ferro incandescente, os tornos para as pernas [botas espanholas], e grandes botas de couro ou metal em que se despejava água fervendo e chumbo derretido (com os pés dentro, é claro). Na tortura da água, *question de l'eau*, despejava-se água pela garganta da acusada, junto com um pano macio para que ela se engasgasse. O pano era rapidamente puxado para fora, de modo a lhe dilacerar as entranhas. Os anjinhos [*grésillons*] eram um torno destinado a comprimir o polegar e o dedão do pé até a raiz da unha, para que o esmagamento do dedo causasse uma dor excruciante.

Além disso, e aplicadas mais rotineiramente, havia a estrapada, o achatamento e torturas ainda mais pavorosas que evitarei descrever. Depois disso, e com os instrumentos bem à vista, pedia-se que a vítima assinasse uma declaração. Isso era então descrito como uma "confissão livre", voluntariamente concedida.

Com grande risco pessoal, Von Spee protestou contra a caça às bruxas. Assim também o fizeram alguns outros, principalmente padres católicos e protestantes que presenciaram esses crimes em primeira mão — inclusive Gianfrancesco Ponzinibio na Itália, Cornelius Loos na Alemanha e Reginald Scot na Grã-Bretanha, no século XVI; bem como Johann Mayfurth ["Ouçam, seus juízes famintos de dinheiro e acusadores sedentos de sangue, as aparições do Diabo são todas mentiras"] na Alemanha e Alonzo Salazar de Frias na Espanha, no século XVII. Junto com Von Spee e os quacres em geral, eles são os heróis de nossa espécie. Por que não são mais famosos?

Em *A candle in the dark* (1656), Thomas Ady tratou de uma questão-chave:

> Alguns novamente levantarão objeções e dirão: se as bruxas não podem matar, nem fazer tantas coisas estranhas por meio de bruxarias, por que muitas confessaram ter praticado es-

ses assassinatos e outros atos estranhos de que foram acusadas?

A isso respondo: se Adão e Eva, na sua inocência, foram tão facilmente dominados e tentados a pecar, não é ainda muito mais plausível que agora, depois da Queda, por persuasões, promessas, ameaças, vigílias forçadas e tortura contínua, algumas pobres criaturas sejam levadas a confessar o que é falso e impossível, coisas em que um cristão não deve acreditar?

Foi só no século XVIII que se considerou seriamente a possibilidade de alucinação como um elemento da perseguição às bruxas; o bispo Francis Hutchinson, em sua obra *Historical essay concerning witchcraft* (1718), escreveu: "Muitos homens acreditam verdadeiramente ter visto um espírito externo diante deles, quando tudo não passou de uma imagem interna dançando em seu próprio cérebro".

Devido à coragem dos que foram contra a caça às bruxas, ao fato de ela ter se estendido para as classes privilegiadas, ao perigo que representava para a crescente instituição do capitalismo, e especialmente à difusão das ideias do Iluminismo europeu, as fogueiras das feiticeiras finalmente desapareceram. A última execução por bruxaria na Holanda, berço do Iluminismo, foi em 1610; na Inglaterra, 1684; na América, 1692; na França, 1745; na Alemanha, 1775; e na Polônia, 1793. Na Itália, a Inquisição condenou pessoas à morte até o final do século XVIII, e a tortura inquisitorial só foi abolida na Igreja católica em 1816. O último bastião de apoio à realidade da bruxaria e à necessidade de punição foram as igrejas cristãs.

A caça às bruxas é vergonhosa. Como é que fomos capazes disso? Como pudemos ser tão ignorantes sobre nós mesmos e nossas fraquezas? Como isso foi acontecer nas nações mais "adiantadas" e mais "civilizadas" da Terra? Por que foi resolutamente apoiada pelos conservadores, monarquistas e fundamentalistas religiosos? Por que foi combatida pelos liberais, pelos quacres e pelos adeptos do Iluminismo? Se temos absoluta certeza de que nossas crenças estão certas, e as dos outros erradas; de que somos motivados pelo bem, e os outros pelo mal; de que o Rei do Universo se dirige a nós, e não aos adeptos de credos muito diferentes; de que é pernicioso confrontar as doutrinas convencionais ou fazer perguntas desafiadoras; de que nossa principal tarefa é acreditar e obedecer — então a caça às bruxas vai voltar a acontecer em suas variações infinitas até os tempos do último homem. Observem o primeiro ponto de Friedrich von Spee, e pensem na implicação de que uma melhor compreensão pública da superstição e do ceticismo poderia ter interrompido todo o curso da causalidade. Se não conseguimos compreender como funcionou na última rodada, não vamos reconhecê-lo quando surgir na próxima.

"É direito absoluto do Estado supervisionar a formação da opinião pública", dizia Josef Goebbels, o ministro da propaganda nazista. No romance *1984*, de George Orwell, o Estado "Grande Irmão" emprega um exército de burocratas, cuja única tarefa é alterar os registros do passado, para que estes se ajustem aos interesses dos que estão no poder. *1984* não era apenas uma fantasia política cativante; baseava-se na União Soviética stalinista, onde reescrever a história estava institucionalizado. Pouco depois que Stalin tomou o poder, as imagens de seu rival Leon Trotsky — uma figura monumental nas revoluções de 1905 e 1917 — começaram a desaparecer. Pinturas heroicas e totalmente incompatíveis, do ponto de vista histórico, de Stalin e Lenin comandando juntos a Revolução Bolchevista as substituíram, sem que Trotsky, o fundador do Exército Vermelho, aparecesse em lugar algum. Essas imagens se tornaram ícones do Estado. Podiam ser vistas em todo edifício estatal, em *outdoors* que às vezes tinham dez andares de altura, em selos do correio.

As novas gerações cresceram acreditando que essa *era* a sua história. As gerações mais velhas começaram a sentir que se lembravam de algo parecido, uma espécie de síndrome política de falsa memória. Os que fizeram a conciliação entre as suas memórias reais e aquilo em que as lideranças queriam que eles acreditassem exerceram o que Orwell descreveu como "pensamento duplo". Os que não se acomodaram, os velhos bolcheviques que se lembravam do papel periférico de Stalin na revolução e do papel central de Trotsky, foram denunciados como traidores, burgueses não conformados, "trotskistas" ou "trotskistas-fascistas", aprisionados, torturados, forçados a confessar a sua traição em público, e depois executados. É possível — com o controle absoluto sobre a mídia e a polícia — reescrever as memórias de milhões de pessoas, se temos o espaço de uma geração para realizar a tarefa. Quase sempre, isso é feito para aperfeiçoar o controle que o poderoso tem sobre o poder, ou para servir ao narcisismo, à megalomania ou à paranoia dos líderes nacionais. Joga-se uma chave inglesa dentro do mecanismo de correção de erros. Funciona para apagar da memória pública profundos erros políticos, e assim garantir sua subsequente repetição.

Na nossa época, com a fabricação total de fotografias, filmes e videoteipes realistas tecnologicamente ao nosso alcance, com a televisão em cada casa, e com o pensamento crítico em declínio, parece possível reestruturar as memórias sociais mesmo sem muito auxílio da polícia secreta. O que estou imaginando não é que cada um de nós venha a ter um estoque de lembranças implantadas em sessões terapêuticas especiais por psiquiatras indicados pelo Estado, mas antes que um pequeno número de pessoas terá um controle tão grande sobre as notícias, os livros de história e as imagens profundamente influentes que poderá efetuar enormes mudanças nas atitudes coletivas.

Vimos um pálido eco do que é agora possível em 1990-1, quando Saddam Hussein, o autocrata do Iraque, experimentou uma transição abrupta na consciência norte-americana, passando de um quase aliado obscuro — a quem se concediam mercadorias, tecnologia avançada, armas e até dados do serviço secreto por satélite — a um monstro escravizador que ameaçava o mundo. Pessoalmente, não sou admirador do sr. Hussein, mas foi impressionante a rapidez com que alguém desconhecido de quase todos os norte-americanos pôde ser transformado na encarnação do mal. Nos dias de hoje, a máquina de gerar indignação está funcionando em outro lugar. Que confiança podemos ter de que o poder de conduzir e determinar a opinião pública estará sempre em mãos responsáveis?

Outro exemplo contemporâneo é a "guerra" contra as drogas — em que o governo e grupos cívicos financiados com munificência distorcem sistematicamente a verdade, inventando até evidências científicas de efeitos nocivos (sobretudo da maconha), e em que nenhum funcionário público tem sequer a permissão de propor uma discussão aberta do tema.

Mas é difícil manter verdades históricas potentes reprimidas para sempre. Novos repositórios de dados são revelados. Novas gerações de historiadores, menos ideológicas, se desenvolvem. No final dos anos 80 e antes, Ann Druyan e eu contrabandeávamos rotineiramente exemplares da *História da Revolução Russa* de Trotsky para dentro da URSS — para que nossos colegas pudessem conhecer um pouco sobre seus próprios primórdios políticos. No quinquagésimo aniversário do assassinato de Trotsky (o assassino de Stalin abrira a cabeça de Trotsky com um martelo), *Izvestia* pôde exaltar Trotsky como "um grande e irrepreensível* revolucionário", e uma publicação comunista alemã chegou a descrevê-lo como

> alguém que lutou por todos nós que amamos a civilização humana, para quem essa civilização é a nossa nacionalidade. O seu assassino [...] tentou, ao matá-lo, destruir essa civilização [...] [Esse] foi o homem que tinha na cabeça o cérebro mais valioso e bem organizado que já foi esmagado por um martelo.

As tendências que contribuem, pelo menos marginalmente, para a implantação de uma gama muito estreita de atitudes, me-

---

* Sugerindo que as autoridades nada aprenderam com a sua história, exceto substituir uma figura histórica pela outra na lista dos Irrepreensíveis.

mórias e opiniões compreendem o controle das grandes redes de televisão e jornais por um pequeno número de empresas e indivíduos poderosos com motivações semelhantes, o desaparecimento dos periódicos competitivos em muitas cidades, a substituição do debate substantivo por discussões inconsequentes nas campanhas políticas e a erosão episódica do princípio da separação dos poderes. Estima-se (estimativa de Ben Bagdikian, especialista em mídia norte-americana) que menos de 24 empresas controlam mais da metade "de toda a atividade dos jornais diários, revistas, televisão, livros e filmes". A proliferação de canais de televisão a cabo, telefonemas interurbanos baratos, máquinas de fax, redes e serviço de informações por computador, editoração eletrônica própria e pouco dispendiosa e o que restou do currículo tradicional da universidade de humanidades são tendências que talvez operem na direção contrária.

É difícil dizer o que vai acontecer.

É próprio do ceticismo ser perigoso. Ele desafia as instituições estabelecidas. Se ensinamos a todo mundo, inclusive a estudantes do segundo grau, os hábitos do pensamento cético, eles provavelmente não vão restringir o seu ceticismo aos UFOs, aos comerciais de aspirina e às mentes canalizadas de 35 mil anos de idade. Talvez comecem a fazer perguntas incômodas sobre as instituições econômicas, sociais, políticas ou religiosas. Talvez desafiem as opiniões de quem está no poder. Então o que aconteceria conosco?


O etnocentrismo, a xenofobia e o nacionalismo predominam em muitas partes do mundo nos dias de hoje. A repressão governamental de opiniões impopulares ainda é bastante difundida. Memórias falsas ou desorientadoras são inculcadas. Para os defensores dessas atitudes, a ciência é incômoda. Ela reivindica acesso a verdades que são em grande parte independentes de vieses étnicos ou culturais. Pela sua própria natureza, transcende as fronteiras nacionais. Se colocarmos juntos numa sala cientistas que trabalham na mesma área de estudo, mesmo que eles não falem uma língua comum, acharão um meio de se comunicar. A própria ciência é uma língua transnacional. Os cientistas têm naturalmente uma atitude cosmopolita e são mais inclinados a não se deixar enganar pelas tentativas de dividir a família humana em numerosas facções pequenas e conflitantes. "Não existe ciência nacional", dizia o dramaturgo russo Anton Chekhov, "assim como não há tabuada de multiplicação nacional." (Da mesma forma, para muitos, não existe religião nacional, embora a religião do nacionalismo tenha milhões de adeptos.)

Em números desiguais, encontramos cientistas nas fileiras dos críticos sociais (ou, menos caridosamente, "dissidentes"), desafiando as políticas e os mitos de suas próprias nações. Os nomes heroicos dos físicos Andrei Sakharov* na antiga URSS, Albert Einstein e Leo Szilard nos Estados Unidos e Fang Li-zhu na China vêm logo à mente — o primeiro e o último arriscando as suas vidas. Especialmente depois da invenção das armas nucleares, os cientistas têm sido pintados como cretinos éticos. Isso é uma injustiça, considerando-se todos aqueles que, às vezes correndo um risco pessoal considerável, denunciaram o mau emprego da ciência e da tecnologia em seus próprios países.

Por exemplo, o químico Linus Pauling (1901-1994), mais do que qualquer outra pessoa, foi responsável pelo Tratado Limitado de Interdição de Testes, de 1963, que acabou com as explosões de armas nucleares acima do solo, realizadas pelos Estados Unidos, União Soviética e Reino Unido. Pauling organizou uma intensa campanha de indignação moral e dados científicos,

---

\* Como um herói muito condecorado da União Soviética, e conhecedor de seus segredos nucleares, Sakharov, no ano de 1968, em plena Guerra Fria, escreveu corajosamente — num livro publicado nos Estados Unidos e amplamente distribuído em *samizdat* na URSS: "A liberdade de pensamento é a única garantia contra a infecção dos povos pelos mitos de massa, que, nas mãos de hipócritas e demagogos traiçoeiros, pode se transformar em ditaduras sangrentas". Ele estava pensando tanto no Oriente como no Ocidente. Eu acrescentaria que a liberdade de pensamento é uma condição necessária, mas não suficiente, para a democracia.

que ganhou ainda mais crédito pelo fato de ele ser um laureado do Nobel. Na imprensa norte-americana, ele era em geral difamado pelos seus esforços, e nos anos 50 o Departamento de Estado cancelou o seu passaporte, porque fora insuficientemente anticomunista. O seu prêmio Nobel foi concedido pela aplicação de ideias da mecânica quântica — ressonâncias, e o que se chama hibridização de orbitais — para explicar a natureza da ligação química que reúne os átomos em moléculas. Essas ideias são agora o feijão com arroz da química moderna. Mas, na União Soviética, o trabalho de Pauling sobre química estrutural foi denunciado como incompatível com o materialismo dialético e declarado inacessível aos químicos soviéticos.

Sem se intimidar por essas críticas no Oriente e Ocidente — na verdade, sem sequer diminuir o seu ritmo de trabalho —, ele continuou fazendo pesquisas monumentais sobre como os anestésicos funcionam, identificou a causa da anemia de células falciformes (a substituição de um único nucleotídeo no DNA) e mostrou como se podia ler a história evolutiva da vida comparando os DNAs de vários organismos. Ele estava no rastro certo da estrutura do DNA; Watson e Crick procuravam conscientemente chegar lá antes de Pauling. O veredicto sobre a sua avaliação da vitamina C ainda está aparentemente distante. "Esse homem é um gênio" — foi a avaliação de Albert Einstein.

Durante todo esse tempo, ele continuou a trabalhar pela paz e pela amizade. Quando Ann e eu lhe perguntamos certa vez quais os motivos de sua dedicação às questões sociais, ele deu uma resposta memorável: "Eu fiz tudo isso para ser digno do respeito de minha mulher", Helen Ava Pauling. Ele ganhou um segundo prêmio Nobel, desta vez o da Paz, pelo seu trabalho para proibir os testes nucleares, tornando-se a única pessoa na história a ganhar sozinho dois prêmios Nobel.

Muitos viam Pauling como um criador de encrencas. Os descontentes com a mudança social podem ficar tentados a ver a própria ciência com desconfiança. A tecnologia é segura, eles tendem a pensar, facilmente guiada e controlada pela indústria e pelo governo. Mas a ciência pura, a ciência pela ciência, a ciência enquanto curiosidade, a ciência que pode levar a qualquer lugar e desafiar qualquer coisa, essa é outra história. Certas áreas da ciência pura são o único caminho para as futuras tecnologias — certamente —, mas as atitudes da ciência, se aplicadas de modo geral, podem ser vistas como perigosas. Por meio de salários, pressões sociais e distribuição de prestígio e prêmios, as sociedades tendem a manter os cientistas num meio-termo razoavelmente seguro — entre a escassez de progresso tecnológico a longo prazo e o excesso de crítica social a curto prazo.

Ao contrário de Pauling, muitos cientistas consideram que a sua tarefa é fazer ciência, definida dentro de limites estreitos, e acreditam que o engajamento na política ou na crítica social não significa apenas se desviar da vida científica, mas também se contrapor à ciência. Como já foi mencionado neste livro, durante o Projeto Manhattan, a bem-sucedida tentativa norte-americana de construir armas nucleares antes que os nazistas o fizessem, na Segunda Guerra Mundial, certos cientistas participantes começaram a ter reservas — ainda mais quando ficou claro como essas armas eram terrivelmente poderosas. Alguns, como Leo Szilard, James Franck, Harold Urey e Robert R. Wilson, tentaram chamar a atenção dos líderes políticos e do público (especialmente depois que os nazistas foram derrotados) para os perigos da futura corrida armamentista com a União Soviética, que eles previram com acerto. Outros diziam que as questões políticas estavam fora de sua jurisdição. "Fui colocado na Terra para fazer certas descobertas", dizia Enrico Fermi, "e o que os líderes políticos fazem com elas não é da minha conta." Mesmo assim, Fermi ficou tão apavorado com os perigos da arma termonuclear defendida por Edward Teller que foi coautor de um famoso documento que recomendava com insistência que os Estados Unidos não a construíssem, chamando-a de "maligna".

Jeremy Stone, o presidente da Federação de Cientistas Americanos, descreveu Teller — cujos esforços para justificar as armas termonucleares narrei num capítulo anterior — com as seguintes palavras:

Edward Teller [...] insistia, a princípio por razões intelectuais pessoais e mais tarde por razões geopolíticas, que uma bomba de hidrogênio fosse construída. Usando a tática de exagerar e até difamar, ele manipulou com sucesso o processo de estabelecimento de políticas durante cinco décadas, denunciando todo tipo de medidas para controlar o armamento e promovendo diversos tipos de programas para a escalada da corrida armamentista.

Ao ficar sabendo do projeto da bomba H, a União Soviética construiu a sua bomba H. Como consequência direta da personalidade incomum desse indivíduo específico e do poder da bomba H, o mundo pode ter corrido o risco de um nível de aniquilação que do contrário não teria acontecido, ou talvez só tivesse surgido mais tarde, sob melhores controles políticos.

Se assim é, nenhum cientista teve mais influência sobre os riscos que a humanidade correu do que Edward Teller, e o comportamento geral dele durante toda a corrida armamentista foi repreensível [...].

Por sua fixação na bomba H, Edward Teller pode ter sido aquele que, mais do que qualquer outro indivíduo da nossa espécie, contribuiu para pôr em perigo a vida neste planeta [...].

Comparado com Teller, os líderes da ciência atômica ocidental foram frequentemente bebês no campo político — pois as suas lideranças eram determinadas mais pelas suas habilidades profissionais do que, como nesse caso, pelas suas habilidades políticas.

O meu objetivo neste livro não é repreender um cientista por sucumbir a paixões muito humanas, mas reiterar o novo imperativo: os poderes sem precedentes que a ciência agora torna possíveis devem ser acompanhados por níveis sem precedentes de atenção e interesse éticos por parte da comunidade científica — bem como pela educação pública mais abrangente no que diz respeito à importância da ciência e da democracia.

## 25. OS VERDADEIROS PATRIOTAS FAZEM PERGUNTAS*

> *Não é função de nosso governo impedir que o cidadão caia em erro; é função do cidadão impedir que o governo caia em erro.*
> Robert H. Jackson, juiz da Suprema Corte dos Estados Unidos, 1950

É UM FATO DA VIDA em nosso pequeno planeta sitiado que a tortura disseminada, a fome e a irresponsabilidade criminosa das autoridades sejam mais prováveis nos governos tirânicos do que nos democráticos. Por quê? Porque é muito menos provável que os governantes dos primeiros sejam depostos por seus malefícios do que os governantes dos últimos. Esse é o mecanismo de correção de erros na política.

Os métodos da ciência — com todas as suas imperfeições — podem ser usados para aperfeiçoar os sistemas sociais, políticos e econômicos, e isso vale, na minha opinião, para qualquer critério de aperfeiçoamento que se adotar. Mas como é possível, se a ciência se baseia em experimentos? Os humanos não são elétrons, nem ratos de laboratório. Mas toda lei do Congresso, toda decisão da Suprema Corte, toda diretriz presidencial de segurança nacional, toda mudança na taxa de juro preferencial é um experimento. Toda mudança na política econômica, todo aumento ou decréscimo no financiamento do programa educacional Head Start, todo endurecimento das sentenças criminais é um experimento. Usar agulhas descartáveis, distribuir preservativos grátis ou descriminar a maconha são experimentos. Não fazer nada para ajudar a Abissínia contra a Itália, nem impedir a Alemanha nazista de invadir a Renânia foi um experimento. O comunismo na Europa oriental, na União Soviética e na China foi

---

* Escrito com Ann Druyan.

um experimento. Privatizar o sistema de saúde mental ou as prisões é um experimento. O fato de o Japão e a Alemanha Ocidental terem investido muito em ciência e tecnologia e quase nada na defesa — e terem descoberto que suas economias floresceram — foi um experimento. A venda de armas portáteis para defesa própria é permitida em Seattle, mas não na cidade vizinha de Vancouver, no Canadá; os assassinatos com armas portáteis são cinco vezes mais comuns em Seattle, e a taxa de suicídio com armas portáteis é dez vezes maior em Seattle. As armas facilitam o homicídio impulsivo. Isso também é um experimento. Em quase todos esses casos, não se fazem experimentos de controle adequados, nem as variáveis são suficientemente isoladas. Ainda assim, até certo grau, com frequência útil, as ideias políticas podem ser testadas. O grande desperdício seria ignorar os resultados dos experimentos sociais por parecerem ideologicamente intragáveis.

Não existe atualmente nenhuma nação na Terra em condições ótimas para a metade do século XXI. Enfrentamos uma abundância de problemas sutis e complexos. Portanto, precisamos de soluções sutis e complexas. Como não existe teoria dedutiva da organização social, o nosso único recurso é o experimento científico — tentando às vezes em pequenas escalas (por exemplo, em nível da comunidade, cidade e estado) uma ampla gama de alternativas. Quando alguém se tornava primeiro-ministro na China no século V a.C., uma das prerrogativas do poder era que ele começava a construir um estado-modelo em seu distrito ou província natal. O grande fracasso de sua vida, lamentava Confúcio, foi nunca ter chegado a desfrutar dessa experiência.

Até um exame casual da história revela que nós, humanos, temos uma tendência triste de cometer os mesmos erros mais de uma vez. Temos medo de estranhos ou de qualquer pessoa que seja um pouco diferente de nós. Quando ficamos com medo, começamos a maltratar as pessoas. Temos botões de fácil acesso que liberam emoções poderosas ao ser apertados. Manipulados por políticos inteligentes, podemos chegar até o mais alto grau de irracionalidade. Deem-nos o tipo certo de líder e, como os pacientes mais sugestionáveis dos hipnoterapeutas, faremos alegremente quase tudo o que ele quiser — mesmo coisas que sabemos estarem erradas. Os idealizadores da Constituição eram estudiosos de história. Por reconhecer a condição humana, procuraram inventar um meio de nos manter livres a despeito de nós mesmos.

Alguns dos opositores da Constituição dos Estados Unidos insistiam que ela nunca funcionaria; que era impossível uma forma republicana de governo que abarcasse um país com "tantos climas, economias, morais, políticas e povos diferentes", como dizia o governador George Clinton, de Nova York; que esse governo e essa Constituição, como declarava Patrick Henry, de Virginia, "contradiz toda a experiência do mundo". Mesmo assim, o experimento foi tentado.

As descobertas e as atitudes científicas eram comuns naqueles que inventaram os Estados Unidos. A autoridade suprema, superior a qualquer opinião pessoal, a qualquer livro, a qualquer revelação, eram — como diz a Declaração de Independência — "as leis da natureza e do DEUS da natureza". O dr. Benjamin Franklin era respeitado na Europa e na América como o fundador da nova área da física elétrica. Na Assembleia Constituinte de 1789, John Adams recorreu repetidamente à analogia do equilíbrio mecânico nas máquinas; outros, à descoberta de William Harvey da circulação do sangue. No final da vida, Adams escreveu: "Todos os homens são químicos desde o berço até o túmulo... O Universo Material é uma experiência química". James Madison usou metáforas químicas e biológicas em *The federalist papers*. Os revolucionários norte-americanos eram criaturas do Iluminismo europeu, o que nos dá um pano de fundo essencial para compreender as origens e o objetivo dos Estados Unidos.

"A ciência e seus corolários filosóficos", escreveu o historiador norte-americano Clinton Rossiter,

> foram talvez a força intelectual mais importante que moldou o destino dos Estados Unidos no século XVIII [...]. Fran-

klin era apenas um dentre vários colonos de visão avançada que reconheciam o parentesco do método científico e do procedimento democrático. O livre exame, a livre troca de informações, o otimismo, a autocrítica, o pragmatismo, a objetividade — todos esses ingredientes da futura república já estavam ativos na república científica que floresceu no século XVIII.

Thomas Jefferson era cientista. Era assim que ele se apresentava. Quando se visita a sua casa em Monticello, Virginia, assim que se cruzam os portais, descobre-se muita evidência de seus interesses científicos — não apenas em sua imensa e variada biblioteca, mas nas máquinas copiadoras, portas automáticas, telescópios e outros instrumentos, alguns da vanguarda tecnológica no início do século XIX. Ele inventou alguns, copiou outros, e comprou ainda outros. Comparou as plantas e os animais da América com os da Europa, descobriu fósseis, usou o cálculo para projetar um novo arado. Jefferson dominava a física newtoniana. A natureza o destinara a ser cientista, dizia, mas não havia oportunidades para cientistas da Virginia pré-revolucionária. Outras necessidades mais urgentes tinham prioridade. Ele se atirou nos eventos históricos que estavam acontecendo ao seu redor. Assim que se conquistasse a independência, dizia ele, as gerações posteriores poderiam se dedicar à ciência e aos estudos eruditos.

Jefferson foi um de meus primeiros heróis, não por causa de seus interesses científicos (embora eles tenham ajudado a moldar a sua filosofia política), mas porque, talvez mais do que qualquer outra pessoa, foi responsável pela propagação da democracia em todo o mundo. A ideia — emocionante, radical e revolucionária na época (em muitos lugares do mundo continua a ser) — é que as nações não devem ser governadas pelos reis, nem pelos padres, nem pelos chefões das grandes cidades, nem pelos ditadores, nem por um conluio militar, nem por uma conspiração *de facto* dos ricos, mas pelas pessoas comuns, trabalhando juntas. Jefferson não era apenas um teórico influente dessa causa;

também estava envolvido na prática, ajudando a criar a grande experiência política norte-americana, que desde então tem sido admirada e imitada em todo o mundo.

Jefferson morreu em Monticello em 4 de julho de 1826, exatamente cinquenta anos depois que as colônias publicaram aquele documento perturbador, escrito por ele, chamado a Declaração da Independência. O ato foi atacado pelos conservadores em todo o mundo: a monarquia, a aristocracia e a religião sustentada pelo Estado — era isso o que os conservadores defendiam então. Numa carta redigida alguns dias antes de sua morte, ele anotou que a "luz da ciência" é que tinha demonstrado que "a maioria da humanidade não nascera com selas nas costas", nem uns poucos privilegiados "de botas e esporas". Na Declaração da Independência, escrevera que nós todos devemos ter as mesmas oportunidades, os mesmos direitos "inalienáveis". E, se a definição de "todos" estava vergonhosamente incompleta em 1776, o espírito da declaração era bastante liberal para que hoje esse "todos" seja muito mais inclusivo.

Jefferson era um estudioso da história — não apenas a história submissa e segura que elogia o nosso tempo, país e grupo étnico, mas a história real de seres humanos reais, de nossas fraquezas e nossas forças. A história lhe ensinou que os ricos e poderosos vão roubar e oprimir, se lhes for dada metade de uma chance. Ele descreveu os governos da Europa, que conheceu em primeira mão como embaixador norte-americano na França. Com o pretexto de governar, dizia, eles tinham dividido as suas nações em duas classes: os lobos e os cordeiros. Jefferson ensinou que todo governo degenera, quando fica entregue apenas aos governantes, porque estes — pelo próprio ato de governar — abusam da confiança pública. O próprio povo, dizia ele, é o único depositário prudente do poder.

Mas ele se preocupava com o fato de que o povo — e a afirmação remonta a Tucídides e Aristóteles — é facilmente enganado. Por isso, defendia salvaguardas, políticas de segurança. Uma delas era a separação constitucional dos poderes; assim, vários grupos, alguns buscando satisfazer seus próprios interesses egoístas, se equilibram reciprocamente, impedindo que um deles saqueie o país: o Executivo, o Legislativo e o Judiciário; a Câmara e o Senado; os estados e o governo federal. Ele também enfatizava, apaixonada e repetidamente, que era essencial que o povo compreendesse os riscos e as vantagens do governo, que se educasse e se envolvesse no processo político. Sem isso, dizia ele, os lobos vão tomar conta. Eis como ele expôs essas ideias em *Notes on Virginia*, enfatizando como os poderosos e os inescrupulosos encontram zonas de vulnerabilidade que possam explorar:

> Em todo governo na terra, há um vestígio de fraqueza humana, um germe de corrupção e degeneração, que a astúcia vai descobrir e a maldade vai insensivelmente desenvolver, cultivar e aperfeiçoar. Todo governo degenera, se confiado tão somente aos governantes do povo. Assim, o próprio povo é o seu único depositário seguro. E, para torná-lo ainda mais seguro, a mente do povo deve ser aperfeiçoada [...].

Jefferson teve pouco a ver com a redação concreta da Constituição dos Estados Unidos; quando ela estava sendo formulada, ele servia como embaixador norte-americano na França. Quando a leu, ficou satisfeito, mas fez duas ressalvas. Uma deficiência: não se fixava limite para o número de mandatos que o presidente podia exercer. Isso, temia Jefferson, era o caminho para um presidente se tornar rei de fato, ainda que não pela lei. A outra grande deficiência era a ausência de uma declaração de direitos. O cidadão — a pessoa comum — estava insuficientemente protegido, pensava Jefferson, dos inevitáveis abusos daqueles que detinham o poder.

Ele advogava a liberdade de expressão, em parte para que até opiniões extremamente impopulares pudessem ser expressas, para que divergências da sabedoria convencional pudessem ser apresentadas à consideração de todos. Pessoalmente, era um homem muitíssimo amável, relutante em criticar até seus inimigos declarados. Tinha um busto de seu arquiinimigo Alexander Hamilton no vestíbulo em Monticello. No entanto, acreditava que o hábito do ceticismo é um pré-requisito essencial para a cidadania responsável. Afirmava que o custo da educação é trivial comparado com o ônus da ignorância, de deixar o governo nas mãos dos lobos. Ensinava que só é seguro o país governado pelo povo. Parte dos deveres do cidadão é não se deixar intimidar, não cair no conformismo. Eu gostaria que o juramento de cidadania prestado pelos novos imigrantes e as promessas que os estudantes rotineiramente recitam incluíssem algo parecido a: "Prometo questionar todas as afirmações de meus líderes". Isso estaria, de fato, de acordo com as ideias de Thomas Jefferson. "Prometo usar as minhas faculdades críticas. Prometo desenvolver minha independência de pensamento. Prometo me educar de modo a poder formar as minhas próprias opiniões."

Gostaria também que o Penhor de Lealdade fosse dirigido à Constituição e à Declaração de Direitos, como acontece quando o presidente presta o juramento do cargo, mais do que à bandeira e à nação.

Quando consideramos os fundadores de nossa nação — Jefferson, Washington, Samuel e John Adams, Madison e Monroe, Benjamin Franklin, Tom Paine e muitos outros —, temos diante de nós uma lista de pelo menos dez e talvez até de dezenas de grandes líderes políticos. Eles tinham uma boa educação. Produtos do Iluminismo europeu, eram estudiosos da história. Conheciam a falibilidade, a fraqueza e a corruptibilidade humanas. Eram fluentes na língua inglesa. Escreviam seus próprios discursos. Eram realistas e práticos, e ao mesmo tempo motivados por princípios elevados. Não verificavam as pesquisas de opinião para saber o que pensar naquela semana. Sabiam o que pensar. Tinham familiaridade com o pensamento de longo prazo, planejando um futuro bem mais distante do que a próxima eleição. Eram autossuficientes, não precisando das carreiras do político e lobista para ganhar a vida. Eram capazes de revelar o melhor em nós. Interessavam-se pela ciência, e pelo menos dois deles eram versados nela. Tentaram determinar um rumo para os Estados Unidos a longo prazo — muito menos pelo estabelecimento de leis do que pela imposição de limites aos tipos de lei que podiam ser aprovados.

A Constituição e sua Declaração de Direitos têm funcionado extraordinariamente bem, constituindo, apesar das fraquezas humanas, um mecanismo que, na maioria das vezes, se mostrou capaz de corrigir a própria trajetória.

Naquela época, os cidadãos dos Estados Unidos eram apenas cerca de 2,5 milhões. Hoje há mais ou menos cem vezes mais. Portanto, se havia dez pessoas do calibre de Thomas Jefferson naquela época, hoje deveria haver 10 x 100 = 1000 Thomas Jefferson.

Onde será que eles estão?

Uma das razões para a Constituição ser um documento ousado e corajoso é que ela permite mudança contínua, até da própria forma de governo, se assim desejar o povo. Como ninguém é bastante sábio para prever as ideias que vão suprir necessidades sociais urgentes — mesmo que elas sejam contrárias à intuição e tenham sido perturbadoras no passado —, esse documento tenta garantir a expressão mais plena e livre de todas as opiniões.

Há certamente um preço. A maioria de nós é a favor da liberdade de expressão quando há o perigo de nossas opiniões serem reprimidas. Mas não ficamos assim tão contrariados quando opiniões que desprezamos enfrentam um pouco de censura aqui e ali. No entanto, dentro de certos limites rigorosamente circunscritos — o famoso exemplo do juiz Oliver Wendell Holmes era provocar pânico gritando falsamente "fogo" num teatro lotado —, são permitidas grandes liberdades nos Estados Unidos:

• Os colecionadores de armas têm a liberdade de usar retratos do presidente do tribunal, do presidente da câmara legislativa ou do diretor do FBI para praticar tiro ao alvo; cidadãos indignados que cuidam de interesses cívicos têm a liberdade de queimar a efígie do presidente dos Estados Unidos.

• Ainda que façam troça dos valores judaicos, cristãos e islâmicos, ainda que ridicularizem tudo o que é caro para a maioria de nós, os adoradores do Diabo (se é que existem) têm o direito de praticar a sua religião, desde que não violem nenhuma lei constitucionalmente válida.

• Um pretenso artigo científico ou livro popular que afirme a "superioridade" de uma raça sobre outra não pode ser censurado pelo governo, por mais pernicioso que seja; a cura para um argumento falacioso não é a supressão de ideias, mas um argumento melhor.

• Os indivíduos ou grupos têm a liberdade de afirmar que uma conspiração judaica ou maçônica está tomando conta do mundo, ou que o governo federal fez um pacto com o Diabo.

• Os indivíduos têm a liberdade, se assim quiserem, de elogiar a vida e a política de indiscutíveis assassinos de massas como Adolf Hitler, Josef Stalin e Mao Tse-tung. Até as opiniões detestáveis têm o direito de ser ouvidas.

O sistema fundado por Jefferson, Madison e seus colegas oferece meios de expressão àqueles que não compreendem as suas origens e desejam substituí-lo por algo muito diferente. Por exemplo, Tom Clark, procurador geral da República e, portanto, o principal responsável pelo cumprimento das leis nos Estados Unidos, ofereceu em 1948 a seguinte sugestão: "Aqueles que não acreditam na ideologia dos Estados Unidos não devem ter permissão de permanecer nos Estados Unidos". Mas, se há uma ideologia primordial e característica dos Estados Unidos é que não há ideologias obrigatórias ou proibidas. Alguns casos mais recentes dos anos 90: John Brockhoeft, preso por jogar uma bomba numa clínica de aborto em Cincinatti, escreveu, num boletim "pró-vida":

> Sou um fundamentalista de mente muito estreita, intolerante, reacionário, daqueles que querem inculcar a Bíblia à força [...] um adepto entusiasta e fanático [...]. A razão de os Estados Unidos terem sido outrora uma grande nação, além da bênção de Deus, é que ela teve como fundamentos a verdade, a justiça e a intolerância.

Randall Terry, fundador de Operação Resgate, uma organização que bloqueia clínicas de aborto, disse a uma congregação em agosto de 1993: "Que uma onda de intolerância os inunde [...]. Sim, o ódio é bom [...]. O nosso objetivo é a nação cristã [...]. Somos chamados por Deus para conquistar este país [...]. Não queremos pluralismo". A expressão dessas opiniões é garantida, e com toda a razão, pela Declaração de Direitos, ainda que os adeptos delas fossem abolir a lei, se tivessem a oportunidade. A proteção para o restante de nós é usar essa mesma Declaração de Direitos para transmitir a todos os cidadãos a noção da indispensabilidade dela.

O que significa nos proteger contra a falibilidade humana, que mecanismo de proteção contra erros essas doutrinas e instituições alternativas oferecem? Um líder infalível? Raça? Nacionalismo? Afastamento quase total da civilização, à exceção de explosivos e armas automáticas? Como podem ter *certeza* — especialmente nas trevas do século XX? Não estão precisando de velas?

Em seu famoso livrinho *On liberty*, o filósofo inglês John Stuart Mill afirmava que silenciar uma opinião é "um mal peculiar". Se a opinião é correta, somos roubados da "oportunidade de trocar o erro pela verdade"; e, se está errada, somos privados de uma compreensão mais profunda da verdade em "sua colisão com o erro". Se conhecemos apenas o nosso lado da argumentação, mal sabemos sequer esse pouco; ele se torna desgastado, logo aprendido de cor, não testado, uma verdade pálida e sem vida.

Mill também escreveu: "Se a sociedade deixa um número considerável de seus membros crescer como simples crianças, incapazes de agir sob influência da consideração racional de motivos distantes, a culpa é da própria sociedade". Jefferson expressou a mesma ideia de forma ainda mais vigorosa: "Se uma nação espera ser ignorante e livre num estado de civilização, espera o que nunca foi e nunca será". Numa carta a Madison, ele deu continuidade a esse pensamento: "Uma sociedade que negocia um pouco de liberdade por um pouco de ordem vai perder ambas, e não merece nenhuma das duas".

Sabe-se que as pessoas, quando têm a permissão de escutar opiniões alternativas e participar de debates substantivos, às vezes mudam de opinião. Pode acontecer. Por exemplo, Hugo Black, na sua juventude, era membro da Ku Klux Klan; tornou-se mais tarde juiz da Suprema Corte e foi um dos líderes das históricas decisões, baseadas em parte na 14ª emenda da Constituição, que afirmaram os direitos civis de todos os norte-americanos: dizia-se que, na sua juventude, ele se vestia com mantos brancos e assustava as pessoas negras; quando ficou mais velho, passou a vestir-se com mantos negros e a assustar as pessoas brancas.

Em questões de direito penal, a Declaração de Direitos reconhece a tentação em que podem cair a polícia, os promotores e o Judiciário, no sentido de intimidar as testemunhas e apressar a punição. O sistema de justiça criminal é falível: pessoas inocentes podem ser punidas por crimes que não cometeram; os governos são perfeitamente capazes de forjar acusações falsas contra aqueles que, por razões que nada têm a ver com o suposto crime, não lhes agradam. Assim, a Declaração de Direitos protege os réus. Faz-se uma espécie de análise custo/benefício. Às vezes o culpado pode ser posto em liberdade para que o inocente não seja punido. Isso não é apenas uma virtude moral; também inibe o uso incorreto do sistema de justiça criminal para reprimir opiniões impopulares ou minorias desprezadas. Faz parte do mecanismo de correção de erros.

As novas ideias, a invenção e a criatividade em geral sempre estão na vanguarda da promoção de um tipo de liberdade — um desvencilhar-se das restrições claudicantes. A liberdade é um pré-requisito para continuar a delicada experiência da ciência — tendo sido uma das razões pelas quais a União Soviética não pôde continuar sendo um Estado totalitário e tecnologicamente competitivo. Ao mesmo tempo, a ciência — ou melhor, a sua delicada mistura de abertura e ceticismo, e o seu estímulo à diversidade e ao debate — é um pré-requisito para continuar a delicada experiência da liberdade numa sociedade industrial e altamente tecnológica.

Uma vez questionada a insistência religiosa na visão predominante de que a Terra estava no centro do Universo, por que se deveriam aceitar as afirmativas repetidas e confiantes dos líderes religiosos no sentido de que Deus enviou reis para nos governar? No século XVII, era fácil enfurecer o júri a respeito desta impiedade ou daquela heresia. Eles estavam dispostos a torturar as pessoas até a morte em nome de suas crenças. No final do século XVIII, já não tinham tanta certeza.

Rossiter novamente (tirado de *Seedtime of the Republic*, 1953):

> Sob a pressão do ambiente norte-americano, o cristianismo se tornou mais humanista e moderado — mais tolerante com a luta das seitas, mais liberal com o crescimento do otimismo e do racionalismo, mais experimental com o surgimento da ciência, mais individualista com o advento da democracia. Igualmente importante, um número crescente de colonos, como lamentava uma legião de pregadores aos altos brados, estava adotando uma curiosidade secular e uma atitude cética.

A Declaração de Direitos desatrelou a religião do Estado, em parte porque muitas religiões estavam impregnadas de um espírito absolutista — cada uma convencida de que só ela tinha o monopólio da verdade e, assim, ansiosa para que o Estado impusesse essa verdade aos outros. Muitas vezes, os líderes e os praticantes das religiões absolutistas eram incapazes de perceber qualquer meio-termo ou de reconhecer que a verdade poderia se apoiar em doutrinas aparentemente contraditórias e abraçá-las.

Os idealizadores da Declaração de Direitos tinham diante dos olhos o exemplo da Inglaterra, onde o crime eclesiástico da heresia e o crime secular da traição haviam se tornado quase indistinguíveis. Muitos dos primeiros colonos vieram para os Estados Unidos fugindo da perseguição religiosa, embora alguns deles ficassem bastante contentes em perseguir outras pessoas por causa de *suas* crenças. Os fundadores de nossa nação reconheceram que uma relação estreita entre o governo e qualquer uma das religiões conflitantes seria fatal para a liberdade — *e* prejudicial à religião. O juiz Black (na decisão da Suprema Corte Engel *ver-*

*sus* Vitale, 1962) descreveu a cláusula da Igreja oficial na primeira emenda da seguinte maneira: "O seu objetivo primeiro e mais imediato se baseava na crença de que a união do governo e da religião tende a destruir o governo e a degradar a religião". Além do mais, a separação dos poderes também funciona nesse ponto. Cada seita e culto, como observou certa vez Walter Savage Landor, é um controle moral exercido sobre os outros: "A competição é tão saudável na religião como no comércio". Mas o preço é elevado: essa competição é um obstáculo a que grupos religiosos, agindo em harmonia, tratem do bem comum.

Rossiter conclui:

> as doutrinas gêmeas da separação entre a Igreja e o estado e da liberdade de consciência individual são a essência da nossa democracia, se não realmente a contribuição mais importante dos Estados Unidos para a libertação do homem ocidental.

Ora, não adianta ter esses direitos, se não os usamos — o direito à liberdade de expressão quando ninguém contradiz o governo, à liberdade da imprensa quando ninguém está disposto a fazer as perguntas difíceis, o direito de reunião quando não há protestos, o sufrágio universal quando menos da metade do eleitorado vota, a separação da Igreja e do Estado quando o muro entre eles não passa por uma manutenção regular. Pelo desuso, eles podem se tornar nada mais que objetos votivos, palavreado patriótico. Direitos e liberdades: use-os ou perca-os.

Devido à previsão dos idealizadores da Declaração de Direitos — e ainda mais a todos aqueles que, com risco pessoal considerável, insistiram em exercer esses direitos —, é difícil agora prender a liberdade de expressão numa garrafa. Os comitês das bibliotecas escolares, o serviço de imigração, a polícia, o FBI — ou o político ambicioso à cata de votos — podem tentar reprimi-la de tempos em tempos, porém mais cedo ou mais tarde a rolha explode. A Constituição é afinal a lei da nação, os funcionários públicos juraram preservá-la, e os ativistas e os tribunais de vez em quando impedem o fogo...

Entretanto, devido a padrões educacionais mais baixos, competência intelectual em declínio, gosto diminuído pelo debate substantivo e sanções sociais contra o ceticismo, as nossas liberdades podem sofrer um processo lento de erosão e os nossos direitos podem ser subvertidos. Os fundadores compreenderam tudo isso muito bem: "O momento de estabelecer legalmente todos os direitos essenciais é quando os nossos governantes são honestos e nós mesmos estamos unidos", disse Thomas Jefferson.

A partir da conclusão dessa guerra [revolucionária], começaremos a descer ladeira abaixo. Então já não será necessário recorrer ao apoio do povo a todo momento. Ele será esquecido, e seus direitos desconsiderados. Só se lembrará de si mesmo pela sua faculdade de fazer dinheiro, e jamais pensará em se unir para conseguir o devido respeito pelos seus direitos. Assim, os grilhões, que não serão arrancados ao fim dessa guerra, continuarão conosco por muito tempo, e se tornarão cada vez mais pesados, até que nossos direitos se reanimem ou expirem numa convulsão.

Conhecer o valor da liberdade de expressão e das outras liberdades garantidas pela Declaração de Direitos, saber o que acontece quando não temos esses direitos e aprender a exercê-los e protegê-los deveria ser um pré-requisito essencial para ser cidadão norte-americano — ou, na verdade, cidadão de qualquer nação, ainda mais se esses direitos continuam desprotegidos. Se não podemos pensar por nós mesmos, se não estamos dispostos a questionar a autoridade, somos apenas massa de manobra nas mãos daqueles que detêm o poder. Mas, se os cidadãos são educados e formam as suas próprias opiniões, aqueles que detêm o poder trabalham para *nós*. Em todo país, deveríamos ensinar às nossas crianças o método científico e as razões para uma Declaração de Direitos. No mundo assombrado por demônios que habitamos em virtude de sermos humanos, talvez seja apenas isso o que se interpõe entre nós e a escuridão circundante.

# AGRADECIMENTOS

TEM SIDO PARA MIM um grande prazer ministrar, há muitos anos, um Seminário Avançado sobre Pensamento Crítico na Universidade Cornell. Tenho a oportunidade de selecionar estudantes de toda a universidade, baseando-me tanto nas suas capacidades como na diversidade disciplinar e cultural. Enfatizamos os trabalhos escritos e a argumentação oral. Perto do final do curso, os estudantes selecionam uma série de questões sociais extremamente controversas em que têm grandes investimentos emocionais. Agrupados dois a dois, eles se preparam para uma série de debates orais no final do semestre. Algumas semanas antes dos debates, no entanto, são informados de que a tarefa de cada um é apresentar o ponto de vista oposto de uma forma que seja satisfatória para o opositor — de modo que este possa dizer: "Sim, essa é uma apresentação justa das minhas opiniões". No debate escrito conjunto, eles examinam as suas diferenças, mas também analisam como o processo do debate os ajudou a compreender melhor o ponto de vista oposto. Alguns dos tópicos neste livro foram apresentados pela primeira vez a esses estudantes; tenho aprendido muito com a sua recepção e crítica de minhas ideias, e quero lhes agradecer neste momento. Sou também grato ao Departamento de Astronomia de Cornell, e a seu presidente, Yervant Terzian, pela permissão de ministrar o curso, que — embora rotulado de astronomia 490 — apresenta apenas um pouco de astronomia.

Parte deste livro foi também apresentada na revista *Parade*, um suplemento dos jornais dominicais em toda a América do Norte, com cerca de 83 milhões de leitores por semana. O *feedback* vigoroso que recebi dos leitores de *Parade* me ajudou muito a compreender melhor as questões descritas neste livro e a variedade das atitudes públicas. Em várias partes, citei trechos da correspondência que recebi dos leitores da revista, o que me parece ter providenciado o dedo para medir o pulso da cidadania dos Estados Unidos. Em muitos casos, o redator-chefe de *Parade*, Walter Anderson, e o editor sênior, David Currier, bem como a equipe de redação e pesquisa dessa extraordinária revista, melhoraram bastante a minha apresentação. Eles também permitiram a expressão de opiniões que talvez não conseguissem ser impressas em publicações de massa menos atentas à primeira emenda da Constituição dos Estados Unidos. Algumas partes do texto apareceram pela primeira vez em *The Washington Post* e *The New York Times*. O último capítulo se baseia parcialmente num discurso que tive o prazer de proferir em 4 de julho de 1992, no Pórtico Leste, em Monticello — "o verso do níquel" — por ocasião da admissão à cidadania norte-americana de várias pessoas de 31 nações.

Minhas opiniões sobre a democracia, o método da ciência e a educação pública foram influenciadas por inúmeras pessoas ao longo dos anos, e muitas delas são mencionadas no corpo do texto. Mas gostaria de salientar a inspiração que recebi de Martin Gardner, Isaac Asimov, Philip Morrison e Henry Steele Commager. Não há espaço para agradecer aos muitos outros que ajudaram com seu entendimento e exemplos lúcidos, ou que corrigiram erros de omissão ou execução, mas quero que todos saibam o quanto lhes sou profundamente grato. Entretanto, devo agradecer explicitamente os seguintes amigos e colegas pela revisão crítica da totalidade ou de parte dos primeiros manuscritos deste livro: Bill Aldridge, Susan Blackmore, William Cromer, Fred Frankel, Kendrick Frazier, Martin Gardner, Ira Glasser, Fred Golden, Kurt Gottfried, Lester Grinspoon, Philip Klass, Paul Kurtz, Elizabeth Loftus, David Morrison, Richard Ofshe, Albert Pennybacker, Frank Press, James Randi, Theodore Roszak, Dorion Sagan, David Saperstein, Robert Seiple, Steven Soter, Jeremy Stone, Peter Sturrock e Yervant Terzian.

Sou também muito grato a meu agente literário, Morton Janklow, e aos membros de sua equipe pelos sábios conselhos; a

Ann Godoff e aos outros responsáveis pelo processo de produção em Random House — Enrica Gadler, J. K. Lambert e Kathy Rosenbloom; a William Barnett por cuidar do manuscrito nas suas fases finais; a Andrea Barnett, Laurel Parker, Karenn Gobrecht, Cindi Vita Vogel, Ginny Ryan e Christopher Ruser pela sua ajuda, e ao sistema da Biblioteca de Cornell, inclusive à coleção de livros raros sobre misticismo e superstição, originalmente coligida pelo primeiro presidente da universidade, Andrew Dickson White.

Partes de quatro capítulos deste livro foram escritas com minha esposa e colaboradora de longa data, Ann Druyan, que é também a secretária eleita da Federação dos Cientistas Americanos — uma organização fundada em 1945 pelos cientistas do Projeto Manhattan original, para monitorar o emprego ético da ciência e da alta tecnologia. Ela também contribuiu com orientações, sugestões e críticas extremamente úteis sobre o conteúdo e o estilo de todos os capítulos do livro, em todos os estágios da redação ao longo de quase uma década. Não tenho palavras para dizer o quanto aprendi com ela. Sei o quanto sou feliz por encontrar, na mesma pessoa, alguém cujo conselho e julgamento, senso de humor e visão corajosa eu admiro tanto, e que é também o amor da minha vida.

# REFERÊNCIAS
(*algumas citações e sugestões de leitura*)

## 1. A COISA MAIS PRECIOSA

Martin Gardner. "Doug Henning and the giggling guru", *Skeptical Inquirer* (maio/junho de 1995), pp. 9-11, 54.
Daniel Kahneman e Amos Tversky. "The psychology of preferences", *Scientific American*, vol. 246 (1982), pp. 160-73.
Ernest Mandel. *Trotsky as alternative*. Londres, Verso, 1995, p. 110.
Maureen O'Hara. "Of myths and monkeys: a critical look at critical mass". Em Ted Schultz (ed.). *The fringes of reason* (ver abaixo), pp. 182-6.
Max Perutz. *Is science necessary?: essays on science and scientists*. Oxford, Oxford University Press, 1991.
Ted Schultz (ed.). *The fringes of reason: a whole Earth catalog: a field guide to New Age frontiers, unusual beliefs & eccentric sciences*. Nova York, Harmony, 1989.
Xianghong Wu. "Paranormal in China", *Skeptical Briefs* 1, vol. 5 (1995), pp. 1-3, 14.
J. Peder Zane. "Soothsayers as business advisers", *New York Times*, 11 de setembro de 1994, sec. 4, p. 2.

## 2. CIÊNCIA E ESPERANÇA

Albert Einstein. "On the electrodynamics of moving bodies", pp. 35-65 (publicado originalmente como "Zur Elektrodynamik bewegter Körper", *Annalen der Physik* 17 [1905], pp. 891-921). Em H. Lorentz, A. Einstein, H. Minkowski e H. Weyl. *The principle of relativity: a collection of original memoirs on the special and general theory of relativity*. Nova York, Dover, 1923.
Harry Houdini. *Miracle mongers and their methods*. Buffalo, NY, Prometheus Books, 1981.

## 3. O HOMEM NA LUA E A FACE EM MARTE

John Michell. *Natural likeness: faces and figures in Nature*. Nova York, E. P. Dutton, 1979.

Carl Sagan e Paul Fox. "The canals of Mars: an assessment after Mariner 9", *Icarus*, vol. 25 (1972), pp. 601-12.

## 4. ALIENÍGENAS

E. U. Condon. *Scientific study of unidentified flying objects*. Nova York, Bantam Books, 1969.
Philip J. Klass. *Skeptics UFO Newsletter*. Washington, D.C., vários números. (Endereço: 404 N St. SW, Washington, D.C. 20024.)
Charles Mackay. *Extraordinary popular delusions and the madness of crowds* (primeira edição publicada em 1841). Nova York, Farrar, Straus and Giroux, 1974, 1932. (Também Nova York, Gordon Press, 1991.)
Curtis Peebles. *Watch the skies! A chronicle of the flying saucer myth*. Washington e Londres, Smithsonian Institution Press, 1994.
Donald B. Rice. "No such thing as 'Aurora'", *Washington Post*, 27 de dezembro de 1992, p. 10.
Carl Sagan e Thornton Page (eds.). *UFO's — a scientific debate*. Ithaca, NY, Cornell University Press, 1972.
Jim Schnabel. *Round in circles: physicists, poltergeists, pranksters and the secret history of the cropwatchers*. Londres, Penguin Books, 1994 (publicado pela primeira vez na Grã-Bretanha por Harry Hamilton em 1993).

## 6. ALUCINAÇÕES

K. Dewhurst e A. W. Beard. "Sudden religious conversions in temporal lobe epilepsy", *British Journal of Psychiatry*, vol. 117 (1970), pp. 497-507.
Michael A. Persinger. "Geophysical variables and behavior. LV. Predicting the details of visitor experiences and the personality of experiments: the temporal lobe factor", *Perceptual and Motor Skills*, vol. 68 (1989), pp. 55-65.
R. K. Siegel e L. J. West (eds.). *Hallucinations: behavior, experience and theory*. Nova York, Wiley, 1975.

## 7. O MUNDO ASSOMBRADO PELOS DEMÔNIOS

Katherine Mary Briggs. *An encyclopedia of fairies, hobgoblins, brownies, bogies, and other supernatural creatures*. Nova York, Pantheon, 1976, pp. 239-42.
Thomas E. Bullard. "UFO abduction reports: the supernatural kidnap narrative returns in technological guise", *Journal of American Folklore* 404, vol. 102 (abril/junho de 1989), pp. 147-70.
Norman Cohn. *Europe's inner demons*. Nova York, Basic Books, 1975.

Ted Daniel. *Millennial Prophecy Report*. The Millennium Watch Institute, P. O. Box 34201, Filadélfia, PA 19101-4021, vários números.
Edward Gibbon. *The decline and fall of the Roman Empire*. Volume I, 180 a. D.-395 a. D. Nova York, The Modern Library, s. d., pp. 410, 361, 432.
Martin Kottmeyer. "Entirely unpredisposed", *Magonia* (janeiro de 1990).
──────. "Gauche encounters: badfilms and the UFOs myths" (manuscrito inédito).
John E. Mack. *Abduction: human encounters with aliens*. Nova York, Scribner's, 1994.
──────. *Nightmares and human conflict*. Boston, Little Brown, 1970, pp. 227, 228.
Annemarie de Waal Malefijt. *Religion and culture: an introduction to anthropology of religion*. Prospect Heights, IL, Waveland Press, 1989 (publicado originalmente em 1968 por Macmillan), pp. 286 ss.
Jacques Vallee. *Passport to Magonia*. Chicago, Henry Regnery, 1969.


## 8. SOBRE A DISTINÇÃO ENTRE VISÕES VERDADEIRAS E FALSAS

William A. Christian, Jr. *Apparitions in late Medieval and Renaisssance Spain*. Princeton, NJ, Princeton University Press, 1981.
Ceci, S.; Huffman, M. L., Smith, E.; e Loftus, E. "Repeatedly thinking about a non-event: source misattributions among pre-schoolers", *Consciousness and cognition*, vol. 3 (1994), pp. 388-407.


## 9. TERAPIA

Anônimo. "Trial in woman's blinding offers chilling glimpse of hoodoo", *New York Times*, 25 de setembro de 1994, p. 23.
Ellen Bass e Laura Davis. *The courage to heal: a guide for women survivors of child sexual abuse*. Nova York, Perennial Library, 1988 (segunda e terceira edições, 1993 e 1994).
Richard J. Boylan e Lee K. Boylan. *Close extraterrestrial encounters: positive experiences with mysterious visitors*. Tigard, OR, Wild Flower Press, 1994.
Gail S. Goodman, Jianjian Qin, Bette L. Bottoms e Philip R. Shaver. "Characteristics and sources of allegations of ritualistic child abuse". Relatório final, Subvenção 90CA1405, para o Centro Nacional de Abuso e Abandono Infantil, 1994.
David M. Jacobs. *Secret life: first-hand accounts of UFO abductions*. Nova York, Simon and Schuster, 1992, p. 293.
Carl Gustav Jung. Introdução a *The unobstructed universe*, de Stewart Edward White. Nova York, E. P. Dutton, 1941.

Kenneth V. Lanning. "Investigator's guide to allegations of 'ritual' child abuse" (Washington, FBI, janeiro de 1992).

Elizabeth Loftus e Katherine Ketcham. *The myth of repressed memory*. Nova York, St. Martin's, 1994.

Mike Males. "Recovered memory, child abuse, and media escapism", *Extra* (setembro/outubro de 1994), pp. 10, 11.

Ulric Neisser, discurso programático, "Memory with a grain of salt". Conferência *Memory and reality: emerging crisis*, Valley Forge, PA, relatada por *FMS Foundation* (Filadélfia, PA), *Newsletter* 4, vol. 2 (3 de maio de 1993), p. 1.

Richard Ofshe e Ethan Watters. *Making monsters*. Nova York, Scribner's, 1994.

Nicholas P. Spanos, Patricia A. Cross, Kirky Dixon e Susan C. DuBreuil. "Close encounters: an examination of UFO experiences", *Journal of Abnormal Psychology*, vol. 102 (1993), pp. 624-32.

Rose E. Waterhouse. "Government inquiry decides satanic abuse does not exist", *Independent on Sunday*, Londres, 24 de abril de 1994.

Lawrence Wright. *Remembering satan: a case of recovered memory and the shattering of an American family*. Nova York, Knopf, 1994.

Michael D. Yapko. *True and false memories of childhood sexual trauma: suggestions of abuse*. Nova York, Simon and Schuster, 1994.


## 10. O DRAGÃO NA MINHA GARAGEM

Thomas J. Flotte, Norman Michaud e David Pritchard. Em *Alien discussions*. Andrea Pritchard *et alii* (eds.), pp. 279-95, Cambridge, MA, North Cambridge Press, 1994.

Richard L. Franklin. *Overcoming the myth of self-worth: reason and fallacy in what you say to yourself*. Appleton, WI, R. L. Franklin, 1994.

Robert Lindner. *The fifty-minute hour: a collection of true psychoanalytic tales*. "The jet-propelled couch", Nova York e Toronto, Rinehart, 1954.

James Willwerth. "The man from outer space", *Time*, 25 de abril de 1994.


## 12. A ARTE REFINADA DE DETECTAR MENTIRAS

George O. Abell e Barry Singer (eds.). *Science and the paranormal: probing the existence of the supernatural*. Nova York, Scribner's, 1981.

Robert Basil (ed.). *Not necessarily the New Age*. Buffalo, NY, Prometheus, 1988.

Susan Blackmore. "Confessions of a parapsychologist". Em Ted Schultz (ed.). *The fringes of reason* (ver acima, referências do capítulo 1), pp. 70-4.

Russell Chandler. *Understanding the New Age*. Dallas, Word, 1988.

T. Edward Damer. *Attacking faulty reasoning*, segunda edição, Belmont, CA, Wadsworth, 1987.

Kendrick Frazier (ed.). *Paranormal borderlands of science*. Buffalo, NY, Prometheus, 1981.

Martin Gardner. *The New Age: notes of a fringe watcher*. Buffalo, NY, Prometheus, 1991.

Daniel Goleman. "Study finds jurors often hear evidence with a closed mind", *New York Times*, 29 de novembro de 1994, pp. C-1, C-12.

J. B. S. Haldane. *Fact and faith*. Londres, Watts & Co., 1934.

Philip J. Hilts. "Grim findings on tobacco made the 70's a decade of frustration" (inclusive matéria cercada, p. 12, "Top scientists for companies saw the perils"), *New York Times*, 18 de junho de 1994, pp. 1, 12.

Philip J. Hilts. "Danger of tobacco smoke is said to be underplayed", *New York Times*, 21 de dezembro de 1994, D23.

Howard Kahane. *Logic and contemporary rhetoric: the use of reason in everyday life*, 7ª edição. Belmont, CA, Wadsworth, 1992.

Noel Brooke Moore e Richard Parker. *Critical thinking*. Palo Alto, CA, Mayfield, 1991.

Graham Reed. *The psychology of anomalous experience*. Buffalo, NY, Prometheus, 1988.

Theodore Schick, Jr. e Lewis Vaughn. *How to think about weird things: critical thinking for a New Age*. Mountain View, CA, Mayfield, 1995.

Leonard Zusne e Warren H. Jones. *Anomalistic psychology*. Hillsdale, NJ, Lawrence Erlbaum, 1982.

## 13. OBCECADO PELA REALIDADE

Alvar Nuñez Cabeza de Vaca. *Castways*. Traduzido por Frances M. López-Morillas. Berkeley, University of California Press, 1993.

"Faith healing: miracle or fraud". Número especial de *Free Inquiry* 2, vol. 6 (primavera de 1986).

Paul Kurtz. *The new skepticism: inquiry and reliable knowledge*. Buffalo, NY, Prometheus Books, 1992.

William A. Nolen, M. D. *Healing: a doctor in search of a miracle*. Nova York, Random House, 1974.

David P. Phillips e Daniel G. Smith. "Postponement of death until symbolically meaningful occasions", *Journal of the American Medical Association*, vol. 263 (1990), pp. 1947-51.

James Randi. *The faith healers*. Buffalo, NY, Prometheus Books, 1989.

————. *Flimflam! The truth about unicorns, parapsychology & other delusions*. Buffalo, NY, Prometheus Books, 1982.

David Spiegel. "Psychosocial treatment and cancer survival", *The Harvard Mental Health Letter* 7, vol. 7 (1991), pp. 4-6.

Charles Whitfield. *Healing the child within*. Deerfield Beach, FL, Health Communications, Inc., 1987.

## 14. A ANTICIÊNCIA

Joyce Appleby, Lynn Hunt e Margaret Jacob. *Telling the truth about history*. Nova York, W. W. Norton, 1994.
Morris R. Cohen. *Reason and nature: an essay on the meaning of scientific method*. Nova York, Dover, 1978 (primeira edição publicada por Harcourt Brace em 1931).
Gerald Holton. *Science and anti-science*. Cambridge, Harvard University Press, 1993, caps. 5 e 6.
John Keane. *Tom Paine: a political life*. Boston, Little, Brown, 1995.
Michael Krause. *Relativism: interpretation and confrontation*. South Bend, IN, University of Notre Dame, 1989.
Harvey Siegel. *Relativism refuted*. Dordrecht, Países Baixos, D. Reidel, 1987.

## 15. O SONO DE NEWTON

Henry Gordon. *Channeling into the New Age*. Buffalo, NY, Prometheus, 1988.
Charles T. Tart. "The science of spirituality". Em Ted Schultz (ed.). *The fringes of reason* (ver capítulo 1), p. 67.

## 16. QUANDO OS CIENTISTAS CONHECEM O PECADO

William Broad. *Teller's war: the top-secret story behind the Star Wars deception*. Nova York, Simon and Schuster, 1992.
David Holloway. *Stalin and the bomb*. New Haven, Yale University Press, 1994.
John Passmore. *Science and its critics*. Londres, Duckworth, 1978.
Instituto de Pesquisa pela Paz Internacional em Estocolmo. *SIPRI Yearbook 1994*. Oxford, Oxford University Press, 1994, p. 378.
Carl Sagan. *Pale blue dot: a vision of the human future in space*. Nova York, Random House, 1994.
Carl Sagan e Richard Turco. *A path where no man thought: nuclear winter and the end of the arms race*. Nova York, Random House, 1990.

## 17. O CASAMENTO DO CETICISMO E DA ADMIRAÇÃO

R. B. Culver e P. A. Ianna. *The Gemini syndrome: a scientific explanation of astrology*. Buffalo, NY, Prometheus, 1984.

David J. Hess. *Science in the New Age: the paranormal, its defenders and debunkers, and American culture*. Madison, WI, The University of Wisconsin Press, 1993.
Carl Sagan. "Objections to astrology" (carta ao editor), *The Humanist* 1, vol. 36 (janeiro/fevereiro de 1976), p. 2.
Robert Anton Wilson. *The New Inquisition: irrational rationalism and the citadel of science*. Phoenix, Falcon Press, 1986.


18. O VENTO LEVANTA POEIRA

Alan Cromer. *Uncommon sense: the heretical nature of science*. Nova York, Oxford University Press, 1993.
Richard Borshay Lee. *The !Kung San: men, women, and work in a foraging society*. Cambridge, UK, Cambridge University Press, 1979.


19. NÃO EXISTEM PERGUNTAS IMBECIS

Youssef M. Ibrahim. "Muslim edicts take on new force", *New York Times*, 12 de fevereiro de 1995, p. A14.
Catherine S. Manegold. "U. S. schools misuse time, study asserts", *New York Times*, 5 de maio de 1994, p. A21.
"The competitive strength of U. S. industrial science and technology: strategic issues". Relatório do Conselho Nacional de Ciência sobre o Apoio Industrial a R&D, Fundação Nacional de Ciência, Washington, D.C., agosto de 1992.


21. O CAMINHO PARA A LIBERDADE

Walter R. Adam e Joseph O. Jewell. "African-American education since *An American dilemma*", *Daedalus* 124, 77-100, 1995.
J. Larry Brown (ed.). "The link between nutrition and cognitive development in children". Centro de Políticas para a Fome, Pobreza e Nutrição, Escola de Nutrição, Tufts University, Medford, MA, 1993, e referências ali fornecidas.
Gerald S. Coles. "For whom the bell curves", *The Bookpress* 5 (1), 8-9, 15, fevereiro de 1995.
Frederick Douglass. *Autobiographies: narrative of a life, my bondage & my freedom, life and times*. Henry L. Gates (ed.). Nova York, Library of America, 1994.
Leon J. Kamin. "Behind the bell curve", *Scientific American* (fevereiro de 1995), 99-103.
Tom McIver. "The protocols of creationism: racism, anti-semitism and white supremacy in Christian fundamentalism", *Skeptic* 4, vol. 2, (1994), pp. 76-87.

## 22. VICIADOS EM SIGNIFICADOS

Tom Gilovich. *How we know what isn't so: the fallibility of human reason in everyday life*. Nova York, Free Press, 1991.
"O. J. who?", *New York*, 17 de outubro de 1994, p. 19.


## 23. MAXWELL E OS NERDS

Richard P. Feynman, Robert B. Leighton e Matthew Sands. *The Feynman lectures on physics*. Volume II, *The electromagnetic field*. Reading, MA, Addison-Wesley, 1964. [As passagens citadas aparecem nas pp. 18-2, 10-8 e 20-9.]
Ivan Tolstoy. *James Clerk Maxwell: a biography*. Chicago, University of Chicago Press, 1982 (publicado originalmente por Canongate Publishing Ltd., Edinburgh, 1981).


## 24. CIÊNCIA E BRUXARIA

William Glaberson. "The press: bought and sold and grey all over", *New York Times*, 30 de julho de 1995, seção 4, pp. 1, 6.
Peter Kuznick. "Losing the world of tomorrow: the battle over the presentation of science at the 1939 World's Fair", *American Quarterly* 3, vol. 46 (setembro de 1994), pp. 341-73.
Ernest Mandel. *Trotsky as alternative* (ver acima, capítulo 1).
Russell Hope Robins. *The encyclopedia of witchcraft and demonology*. Nova York, Crown, 1960.
Jeremy J. Stone. "Conscience, arrogation and the atomic sciences" e "Edward Teller: a scientific arrogator of the right". F. A. S. [Federação dos Cientistas Americanos] *Public Interest Report* 4, vol. 47 (julho/agosto de 1994), pp. 1, 11.


## 25. OS VERDADEIROS PATRIOTAS FAZEM PERGUNTAS

I. Bernard Cohen. *Science and the founding fathers*. Cambridge, Harvard University Press, 1995.
Clinton Rossiter. *Seedtime of the Republic*. Nova York, Harcourt Brace, 1953. Trechos citados em Rossiter. *The first American Revolution*. San Diego, Harvest.
J. H. Sloan, F. P. Rivera, D. T. Reay, J. A. J. Ferris, M. R. C. Path e A. L. Kellerman. "Firearm regulations and rates of suicide: a comparison of two metropolitan areas", *New England Journal of Medicine*, vol. 311 (1990), pp. 369-73.
"Post script". *Conscience* 1, vol. 15 (primavera de 1994), p. 77.

# ÍNDICE REMISSIVO

*Abductions* (Mack), 178
Adams, John, 454, 474, 478
Adriano i, papa, 115
Ady, Thomas, 44, 143, 255, 462
afro-americanos, basquete jogado por, 415; direitos civis para, 482; educação de, 371, 402; escravização de, 399-403
*Age of reason, The* (Paine), 237, 300
Agência de Segurança Nacional (NSA), 110-2
Agostinho, santo, 140-1, 143, 146
Alemanha, bruxas na, 456, 461
Alfonso o Sábio, rei de Castela, 171
Alfonso, rei de Nápoles, 115
alienígenas, *ver* extraterrestres e vida extraterrestre
Allen, Ethan, 294
Allen, Kirk, 202-6
alucinações, 40, 95, 102, 118, 121, 127-31, 133-7, 147, 154, 157-8, 171, 179, 181, 201-2, 214, 220, 226, 228-9, 463
Alvarez, Jose Luis, 259-60, 262, 273--4, 277-8
Anne, rainha da Grã-Bretanha, 24
Appleby, Joyce, 298-9, 494
Aristóteles, 15, 139, 315, 351, 359, 476
armas nucleares, 27, 246, 322-30, 468-70; alegados avisos de alienígenas sobre, 123; consequências a longo prazo de, 326-7, 329; justificativas para, 330; tecnologia de lançamento por mísseis, 108; tratados sobre, 328, 468-9
Arnold, Kenneth, 91-2, 94
*Arquivo X* (série), 421
Associação Psicológica Norte-Americana, 185
Associação Psiquiátrica Norte-Americana, 184
asteroides, a Terra ameaçada por, 79
astrologia, 18, 32-3, 35, 37, 61, 186, 254, 256, 303, 343-5, 427
astronomia, 14-5; contribuições de Maxwell para, 432-3, 444; formulando perguntas sobre, 373--7; mulheres em, 427
Atlântida, lenda da, 18-20, 61, 235
Aurora, 119-20
Awad, George, 395-6

Bacon, Francis, 232, 243, 245
Bailey, Frederick, *ver* Douglass, Frederick
Baker, Robert, 134
basquete, 415-9
Bass, Ellen, 184, 282, 491
beisebol, fases de sorte no, 418
*Bell curve, The* (Herrnstein e Murray), 406
biologia: educação em, 387; formulando perguntas em, 374-6; museus e, 394
Black, Hugo, 481, 483
Blackmore, Susan, 257, 487, 492
Blackstone, William, 143
Blake, William, 306, 318, 372

*497*

Blum, Howard, 112
Blume, E. Sue, 282
Bower, Doug, 98-9
Boylan, Lee K., 491
Boylan, Richard, 160, 491
Brockhoeft, John, 480
bruxas, 44, 141, 150-3, 174, 186, 212, 286; acusação e execução sistemáticas de, 143-7; julgamento de, 144-6; marcas do diabo em, 144-6; no contexto político, 148, 455-62; tortura de, 143-7; Von Spee sobre a acusação de, 456-61
Bullard, Thomas E., 157, 490

Cabell, C. B., 106, 108
Cabeza de Vaca, Alvar Nuñez, 267, 270, 493
canalização, 233-5; de informações por entidades não humanas, 235; o caso Carlos e, 274-5, 277; premissa fundamental da, 234
câncer: correlação entre fumo e, 249--51; cura pela fé, 269; curas mediúnicas de, 239, 269; formulando perguntas sobre, 374-5; procura da cura para o, 22
*Candle in the dark, A* (Ady), 44, 143, 462
Carroll, Charles, 412
caso Carlos, 259-60, 262-4, 273-5, 277-9
Castela, visões registradas em, 167, 169
*Cautio criminalis* [Precauções para os acusadores] (Von Spee), 456, 461
Centro Nacional de Alfabetização Familiar, 407
céticos/ceticismo, 14, 20, 30-1, 34-5, 39-40, 45, 50, 62, 67, 78, 80-1, 93, 95, 100, 106, 142, 151-3, 155, 168, 173, 175, 184, 189, 191, 194-5, 199-201, 206, 212, 214-5, 233, 241, 255, 257, 259, 261, 266, 274, 278, 282, 309-10, 334, 336-8, 340-2, 344-8, 350, 353, 360, 362, 372, 389, 391, 420-1, 428, 451, 464, 467, 478, 482, 485; abusos dos cultos satânicos e, 189, 191-2; busca científica de inteligência extraterrestre e, 210; caso Carlos e, 259, 261, 276-8; contatos humanos com alienígenas e, 86, 212; críticas de, 341-2; cura pela fé e, 265; de terapeutas, 194-5; em equilíbrio com a credulidade na antiguidade clássica, 151-2; estereótipos e, 427-8; falácias da lógica e da retórica, 244-9; fenômenos mediúnicos e, 257-8; ferramentas de, 100, 241-9; financiamento da ciência e, 449-50; Jefferson sobre, 476-7; lembranças de abuso sexual e, 184-5; limites aos usos do, 338; magia e, 200; mídia e, 79-80, 341, 348, 420; na educação científica, 362-3; no pensamento científico, 45, 50, 345-8; origens do método, 350; perseguição às bruxas e, 463-4; política e, 240, 467, 482-3; pseudociência e, 19-20, 30-1, 34-5, 39, 337-41, 343-4; religião e, 54, 317, 352-3, 389; síndrome Nós versus Eles e, 340; UFOs e, 94-5, 106; vida após a morte e, 308-9; visões e, 168, 173
chimpanzés, habilidades de seguir o rastro, 357
China, 27, 33, 35-7, 40, 141, 473
Chorley, Dave, 98-9
*Christian science* (Twain), 272
Christian, William A., Jr., 167, 173, 491

chumbo, envenenamento por, 405
Cícero, 292
ciência e cientistas, 17-23, 284-9, 306-14, 316, 426-32; ambiguidade moral da, 330-3; analfabetismo na, 21-2, 28-9, 36-7, 43-4, 364-70, 381, 390-1; capacidades de predição da, 48-9, 52-3; carga onerosa da, 335-6; como críticos sociais, 468-70; como empreendimento pessoal, 295-6; como espada de dois gumes, 26-8; como irracional ou mística, 284; como linguagem transnacional, 467-8; comparações entre a história e a, 293-4; crítica da, 306-11, 313, 322; cultura dos caçadores-coletores e, 353-6; demônios e, 138, 140; desvantagens da, 26-7, 29; divulgação da, 40-1, 58, 287, 377-81, 424-5, 451-2; educação do autor em, 13-6; Einstein sobre, 17; em busca de inteligência extraterrestre, 94-5, 116-7, 206-9, 230, 440, 444-7; emoção e deslumbramento da, 18, 29-30, 47-8, 373, 391-5; ensino e aprendizado da, 349, 359-64, 367-72, 383-91, 393-8, 407, 415-20, 471; equilíbrio entre o pensamento criativo e cético em, 345-8; erros da, 265, 293-7, 352; esperança e, 42-6, 48-60; estereótipos de, 426-32, 437, 440, 443, 447-9; ferramentas do ceticismo e, 100; financiamento da, 445-50; humildade na, 51-2, 54-5; mandamentos da, 47; método das tentativas em, 290; método experimental na, 243-4, 265, 350-3, 368, 472-3, 485; métodos *versus* descobertas da, 40; mudanças na, 284-5; mulheres na, 427; museus de, 393-8; na cultura comercial, 238-9; na detecção de mentiras, 240-9; na Feira Mundial de Nova York, 13, 451-2; na formulação de hipóteses, 39, 45, 305; na mídia, 58-60, 372, 379-80, 414-6, 420-5; origens da, 350, 352, 356, 359; padrões de evidência da, 87, 90-1; pecados da, 322; pensamento na, 44-5; perguntas sobre, 17-8, 362-3, 373-7; política e, 26-8, 45, 48, 58, 284-6, 301-4, 352-3, 378, 389, 444-9, 468-70, 472-9, 481-3; potencial de charlatanismo na, 264; pseudociência *versus*, 30-1, 33-5, 37-40, 57-8, 61; reavaliação de teorias em, 167; reducionismo em, 311-5; religião e, 48, 298-9, 309-10, 315-20, 336, 351-3, 358-9, 366-7, 379, 389, 394; sigilo da, 76, 113; teste das teorias na, 56-7; UFOs discutidos por, 117-8, 126; valor da, 47-9, 58-60, 381, 429-30, 432-3; vieses em, 293-4, 296-9; *ver também* ciências e cientistas específicos

ciências sociais, educação em, 368
círculos nas plantações, 95-100, 211, 217, 235, 280, 340
Clemente de Alexandria, 237
Comissão para a Investigação Científica das Alegações dos Paranormais (CSICOP), 339, 427
Comitê da Câmara contra Atividades Antiamericanas (HCUA), 285-6
*Communion* (Streiber), 154
*Como a história deve ser escrita* (Samosata), 293
Condon, Edward U., 285-7, 490
conhecimento popular, 289-91
Constantino, doação de, 114-5

*499*

Constituição dos Estados Unidos, 249, 251, 368, 456, 474, 477-9, 484, 487
Copérnico, Nicolau, 16, 366
*Courage to heal, The* (Bass e Davis), 184, 282, 491
credo dos apóstolos, 115
crianças: a mídia e, 248, 419, 423; abuso sexual de, 180-1, 184-5, 188-90, 201, 222, 282; como seres vulneráveis à sugestão, 165; educação de, 359-60, 362-3, 368-71, 383, 385-9, 391, 393, 395-8, 400-7, 485; escravização de, 399-403; monstros vistos por, 133; nos museus de ciência, 393-5; nutrição de, 404-6; sonhos de, 131-4; visões de, 168
Cromer, Alan, 349-50, 358, 495
Cromer, William, 487
CTA-102, 206-7, 209
cultura comercial: importância do dinheiro em, 414; informações errôneas e subterfúgios da, 239; o caso Carlos e, 274-5
cura pela fé, 264, 266-7, 269, 271-2, 277-8, 317-8; efeito placebo na, 265, 267, 277-8, 289; história da, 265-9; o caso Carlos e, 275, 277
Cydonia, 73-4

*Daemonialitae, De* (Sinistrari), 142, 146
dalai-lama, 320
Darwin, Charles, 296-7, 299-301, 306, 443
Davis, Laura, 184, 282, 491
Davis, Watson, 452
"Décima elegia, A" (Rilke), 221
Declaração da Independência, 476
Declaração de Direitos, 453, 455-6, 478-9, 481-5
*Declínio e queda do Império Romano*, (Gibbon), 151

deficiência de ferro, anemia por, 405
demônios, 138-59, 222-3; a cura pela fé e, 266; abuso dos cultos satânicos e, 188-90; alienígenas como, 138, 149, 154-6, 226-7; bruxas e, 144-5, 148; céticos sobre, 153; como entidades geradas mentalmente, 142; como sedutores sexuais, 141; crianças assustadas pelos, 133-4; filosofia dos cristãos primitivos sobre, 139--41; na Idade Média, 141; na tradição talmúdica, 150; no mundo antigo, 138-9; opinião pública sobre, 148; visões de, 167
Departamento de Educação dos Estados Unidos, 369, 402
Descartes, René, 299, 337
Deuteronômio, 114, 256
Dickens, Charles, 163
documentos MJ-12, 113-5, 217
doença, *ver* medicina, *doenças específicas*
Dossey, Larry, 269
Douglass, Frederick, 400-1, 403; depois de fugir da escravidão, 410-2
*Doutor Fantástico* (Kubrick), 27, 327
*Doze contos peregrinos* (García Márquez), 178
Druyan, Ann, 54, 382, 399, 404, 451--2, 466, 472, 488
duendes ou fadas: como alienígenas, 151, 153; como alucinações, 157; sexo entre humanos e, 151

Einstein, Albert, 17, 52, 54, 56, 213, 285, 296, 300, 324, 328, 353, 437-8, 452, 468-9, 489
eletromagnetismo, 88; capacidade alegada de curar doenças, 88-90; Maxwell sobre, 55-6, 434-5, 437; no vácuo, 436-7
*Encyclopedia of witchcraft and demonology, The* (Robbins), 461

*Ensinamentos de Carlos, Os* (Alvarez e Randi), 275-6
escravos e escravidão, 399-403, 408--12; analfabetismo e, 400-2, 408--9, 413; Douglass após fugir da, 410-2
espiritualidade, *ver* religião
espiritualismo, *ver* canalização
esporte, educação científica e, 415-9
esquizofrenia, 22, 25, 223
Estados Unidos: abusos de rituais satânicos, 185; educação nos, 364, 369-70, 383-4, 386-90, 396-8, 402-3, 408-9; emburrecimento dos, 43; julgamentos de feiticeiras nos, 286; liberdade nos, 453--4, 479-480; macarthismo nos, 324-5; notificações de abuso infantil nos, 180; pobreza nos, 405
estereótipos, 426-32; de cientistas, 427-32, 437, 440, 443
estupro, 180; abduzidos por alienígenas comparados a vítimas de, 225; astral, 230; evidência de, 223
evolução, 367; ficção científica e, 422; museus e, 394
experimento Ozma, 208
*Extraordinary popular delusions and the madness of crowds* (Mackay), 87, 490
extraterrestres/vida extraterrestre, 68--9, 82-7; a mídia sobre, 73, 75, 78-9, 83-6, 125-6, 176, 207-9, 217, 221, 420-2; alegada autópsia em, 217; alegada fecundação de mulheres por, 155, 215-6; alegados contatos humanos com, 62, 82-6, 102-7, 113, 116-7, 122-7, 131, 134-7, 149, 151, 153-4, 156--60, 164, 166, 174-80, 185, 187, 192-6, 200-2, 205, 209-31, 234, 280, 421-2; aparência física de, 159-61; busca científica de, 93-5, 116, 206-9, 230, 440, 444-8; cartas ao autor sobre, 222-31; círculos nas plantações e, 95-100, 280, 340; colonizando a Terra, 75; como demônios, 138, 149, 153, 156-7, 226-8; cultos satânicos e, 187-8, 225-6; de Marte, 68, 71-6, 136-7, 159; duendes ou fadas como, 150-1, 153; evidência de, 209-12, 216-20, 223-24, 230; informações canalizadas de, 235--6; na Lua, 69-70, 78; opinião pública sobre, 83-4, 135-6; origens em dimensões mais elevadas de, 213; paralisia e, 134-5, 223; preocupação pelo bem-estar da Terra entre, 123, 235; Randi e, 263; terapeutas e, 179-82, 185, 192-6, 201-2, 205-6, 212-3, 216, 231, 280; visões de, 163, 171-2, 174; *ver também* Objetos Voadores não Identificados

falácias: *ad hominem* 244; alegação especial 245; apelo à ignorância 245; argumento das consequências adversas 244; argumento de autoridade 244; compreensão errônea da natureza da estatística 246; confusão de correlação e causa 248; curto prazo *versus* longo prazo 247; declive escorregadio 247; dicotomia falsa 247; enumeração das circunstâncias favoráveis 245; espantalho 248; estatística dos números pequenos 246; evidência suprimida 248; exclusão do meio-termo 247; incoerência 246; meia verdade 248; *non sequitur* 247; palavras equívocas 249; pensamento cético e, 244-9; pergunta sem sentido 247; petição de princípio 245; *post hoc,*

*ergo propter hoc* 247; seleção das observações 245, 266; supor a resposta 245
Fang Li-zhu, 468
fantasmas, *ver* visões
Faraday, Michael, 51, 334, 434, 441, 443
Feira Mundial de Nova York, 13, 42, 451
fenômenos mediúnicos/mediunidade, 239-40; "leituras frias" empregadas por, 28; atitudes céticas para com, 257-8
Fermi, Enrico, 15, 246, 470
festival da Lua Cheia do Equinócio de Outono: taxas de mortalidade associadas com, 270
Feynman, Richard, 287, 380, 439, 441, 496
*Fifty-minute hour, The* (Lindner), 202, 492
física, 13-5, 55-7; assimetrias na, 55-6; contribuições de Maxwell para, 432-3; educação em, 387-8; reducionismo em, 314
força vital, noção da, 312-3
Frankel, Fred. H., 193, 487
Franklin, Benjamin, 57, 89, 262, 292, 474, 478
Franklin, Richard, 198, 492
Freud, Sigmund, 15, 181-2
fumo, correlação entre câncer e, 249

Ganaway, George K., 189
Garrison, William Lloyd, 410, 412
genética: evolução e, 367; formulando perguntas sobre, 375; na União Soviética, 302-4; reducionismo na, 313
Gibbon, Edward, 15, 24, 151-3, 292, 491
Gilkey, Langdon, 314
Gilovich, Thomas, 40, 418, 496

Glenn, John, 69, 119
governo, *ver* política
Grã-Bretanha, 22, 24, 483; armas nucleares da, 468; bruxas na, 145, 148, 153; círculos nas plantações na, 95-9, 280; estudos sobre os abusos dos cultos satânicos na, 191; tecnologia na, 430-1, 440-3
Gray, Thomas, 28
gregos, desenvolvimento do pensamento objetivo pelos, 350-3

Haldane, J. B. S., 236, 312, 380, 493; o consolo de, 236-7
Hammond, Corydon, 191-2
Head Start, programa, 372, 388, 406, 472
heresias, 52, 147, 352, 408, 483
Heródoto, 359
Herrnstein, Richard J., 406
Hesíodo, 138, 141
Hess, David, 341, 495
Hill, Beth e Barney, 124-7, 134, 159
hipnose, 193; alegadas abduções por alienígenas e, 163-4; sugestionabilidade intensificada na, 163-4
Hipócrates de Cós, 23
*Hipólito* (Eurípides), 322
hipóteses, 45, 305; na pseudociência *versus* ciência, 39; no pensamento cético, 241; testando as, 199-200
história, 291-4, 473; comparações entre a ciência e, 293-4; e a formação da opinião pública, 464-7; Jefferson como estudioso da, 476-7; relatos autopromocionais da, 291-2
*Historical essay concerning witchcraft* (Hutchinson), 463
Hitler, Adolph, 34, 183, 301-2, 327, 480
Holocausto, 183, 192

Homero, 359
horóscopo, 24, 43, 281, 340, 344-5, 427
*How to think about weird things* (Schick e Vaughn), 284, 493
*How we know what isn't so* (Gilovich), 40, 496
Hoyle, Fred, 296, 380, 443
Hufford, David, 151
Hulse, Russell, 53
Hume, David, 237-8
Hunt, Dave, 155
Hunt, Lynn, 298, 494
Hussein, Saddam, 465
Hutchins, Robert M., 15-6
Hutchinson, Francis, 463
Huxley, Julian, 380
Huxley, Thomas Henry, 101, 238, 349

*I am with you always* (Sparrow), 175
Idade da Pedra Lascada, tecnologia da, 361
*In search of...* (série), 420-1
Ingram, Paul, 189-91
Iniciativa de Defesa Estratégica (sdi), 116, 328-9
Inocêncio VIII, papa, 142-3, 145
Instituição Smithsonian: Museu de História Natural da, 395; Museu Nacional do Ar e do Espaço da, 394
*International census of waking hallucinations, The*, 127
*Interrupted journey* (Fuller), 127
Inugpasugjuk, 42
inverno nuclear, 326-7, 330
*Isa Upanishad*, 138

Jacob, Margareth, 298, 494
Jacobs, David M., 491
Jaime I, rei da Grã-Bretanha, 153
Jefferson, Thomas, 22, 59, 300, 454, 475-81, 485; interesses científicos de, 475
Joana d'Arc, 146, 150, 167, 172
João Paulo II, papa, 174
jogar a moeda, fases de sorte em, 417-8
Jordan, Michael, 415, 417
*Jornada nas estrelas* (série), 228, 422
Jung, Carl Gustav, 136, 218, 491

Kennedy, John F., 78-9, 272
Kepler, Johannes, 287, 296-7, 353, 448
King, Martin Luther, Jr., 48, 412
Klass, Philip J., 106, 114, 487, 490
Kramer, Henry, 143, 149
Kubrick, Stanley, 327
Kunitz, Daniel, 368

Landor, Walter Savage, 484
Lanning, Kenneth V., 185-6, 191, 492
Larson, Gary, 133
Lawson, Alvin, 164
"Lázaro" (Heine), 361
Lee, Richard Borshay, 356, 495
Lei da Sedição, 454
Lenin, Vladimir Illich, 464
Levin, Debbie, 396, 398
Levine, Ilma, 396, 398
LGM-1, 207
Lidell, Urner, 105
Lindner, Robert, 202-6, 492
Loftus, Elizabeth, 165, 487, 491-2
Londres, epidemia de cólera em, 391
longevidade, 26, 318
Lorenzo de Valla, 115
Lourdes, "milagres" de, 268
Lowell, Percival, 74, 136
Lua, 78; alegadas ruínas de alienígenas na, 78; o homem na, 63, 74; perguntas infantis sobre a, 363; vida imaginada na, 69-70, 78
Lucas, 156

503

Lucrécio, 121, 351
luz: Maxwell sobre a, 433, 437-9, 441, 447; no vácuo, 437-8
Lysenko, Trofim, 302-4

Mack, John E., 131, 178-9, 193, 195, 201-2, 206, 212-4, 491
Mackay, Charles, 87-90, 266, 490
Madison, James, 474, 478, 480-1
magia e magos: cooperação tácita exigida pela, 198, 200; de caçadores-coletores, 357; e as histórias de abduções por alienígenas, 201; e o caso Carlos, 260-1, 263, 274
*Mágico de Oz, O* (Flemming), 278
magnetismo, *ver* eletromagnetismo
Maimônides, Moisés, 142, 256, 320
*Malleus maleficarum* (Kramer e Sprenger), 143-4, 149
Mao Tse-tung, 35, 292, 318, 480
Maria, aparições de, 167-75, 270; em Lourdes, 268
Marte, 81, 297; a face em, 62, 78, 97; alegados alienígenas de, 68, 71-5, 77, 136, 159; tempestades de areia em, 72-3; terreno de, 68, 71-7, 136
matemática, 13-5; dos gregos, 351-2; educação em, 364-5, 370, 385, 387, 407, 415-7; formulando perguntas, 374; ignorância da, 21, 390; Maxwell e, 433; na mídia, 416-7
matéria, 307, 309, 438, 441
Maxwell, James Clerk, 431-8, 440-1, 443-4, 447, 449-50, 454; "demônio de Maxwell", 433; sobre eletromagnetismo, 55-6, 433-43, 447; sobre os estereótipos dos cientistas, 432
mecânica quântica, 285-9, 346, 433, 441; xamanismo comparado com, 287-9

medicina, 23-7; e a alegada capacidade do magnetismo para curar doenças, 88-9; ética na, 290; financiamento para pesquisa em, 449; história da, 23-5; museus e, 394; na mídia, 422-3; os curandeiros da fé e a, 264-5, 267, 269, 271-2
meditação transcendental (tm), 33-4, 37
mentiras, 282; detecção de, 240, 242-4, 249, 252, 254-5, 407, 418; e falácias da lógica e da retórica, 244-9
Mesmer, Franz, 89, 433
metafísica, física *versus*, 57
método "duplo cego", 243, 265-6
Michell, John, 66-7, 489
*Micrômegas: uma história filosófica* (Voltaire), 82
Mill, John Stuart, 481
Miller, Arthur, 286
monstros, *ver* demônios
mortalidade infantil, 23-5
mortos e a morte, 24-6; de bebês, 23; e a longevidade, 25, 318; e o festival da Lua Cheia do Equinócio de Outuno, 270; *ver também* vida após a morte; canalização
Muller, Hermann J., 15, 302-4
Murray, Anna, 410
Murray, Charles, 406
museus, 393-6, 398

Navalha de Occam, 242
Negus, George, 261, 273-4
Neisser, Ulric, 182, 492
Newton, Isaac, 52-3, 287, 296, 298-9, 306, 311, 447; críticas de, 298-9
Newton, Silas, 93, 218
Nietzsche, Friedrich, 29
Nixon, Richard M., 65, 131, 244, 285

Nolen, William, 269, 277, 493
*Nova* (série), 424
números, 13
Nye, Bill, 424

Obasi, Myra, 188
Objetos Voadores não Identificados (UFOs), 30, 66, 101-19, 121-7; a mídia sobre, 86-7, 91-2, 94, 102, 121-2, 154, 158-9; aficionados de, 121-2; alegadas visões de, 90-4, 101-9, 111-7, 119-20, 123-5, 131, 153-4, 164, 210-2, 228-30; Aurora e, 119; balões militares tomados por, 103-7; como ataque simulado de um adversário, 109; debates de cientistas sobre, 117-8, 126; documentos MJ-12 sobre, 113-5, 217; falácias da lógica e da retórica sobre, 245; fotos falsificadas de, 93-4, 211; investigações militares de, 103-4, 106-9, 111-2, 116-7, 119, 230, 285; Jung sobre, 218-9; no incidente de Roswell, 105-7, 112-4; nsa e, 110-2; política e, 102-3, 105-6, 108-10, 112-3, 116-7, 119, 230; provas da existência de, 86-7, 90-1; *ver também* extraterrestres e vida extraterrestre
Ofshe, Richard, 183, 190, 487, 492
ondas, de rádio, 440, 443-4; gravitacionais, 53-4
Oppenheimer, J. Robert, 322, 324-5
oração, 317-8
Orwell, George, 464-5
*Out there* (Blum), 112

Paine, Thomas, 237-9, 300-1, 478
pancadas de espíritos, 279
*Parade* (revista), 221, 224, 383, 486-7
paralisias: abuso sexual de crianças e, 181; alienígenas e, 134-5, 223; cura pela fé da, 270
parapsicologia, efeito do observador em, 279
Passmore, John, 323, 379, 494
Pauling, Linus, 468-70
Paulo, 139, 228, 256
pensamento crítico, *ver* céticos/ceticismo
percepção extrassensorial, 306-7, 343
Pio IX, papa, 268
placas tectônicas, 20, 297, 344
placebos/efeito placebo: comparando a eficácia de drogas com, 265-6; e a cura pela fé, 266-7, 277, 288-9
Platão, 15, 19, 21, 138-9, 150, 351, 359, 375; demônios e, 138-9, 150
pobreza: analfabetismo e, 402-6, 408-9; nutrição e, 404-5
polinésios, habilidades na navegação dos, 358
política, 249-50, 282, 440, 472-8, 480-4; a mídia e, 421, 423-4, 464; alienígenas e, 84, 136, 227; analfabetismo e, 22, 405; armas nucleares e, 325-30; bruxas e, 148, 455-4; ceticismo e, 240, 45, 467, 481-4; ciência e, 26-8, 45, 48, 58-9, 284-6, 301-3, 305, 352-3, 378, 389, 444-8, 450, 468-70, 472-6, 478-9, 482; cura pela fé e, 266, 278; demônios e, 141, 149-50; educação e, 405-6, 408, 477, 484-5; escravidão e, 399-400, 410; espiritualidade e, 308-9; formação da opinião pública e, 464-7; magia e, 263-4; Maxwell e, 443; mecanismo de correção de erros na, 472; na União Soviética, 452-3; nutrição e, 405; pseudociência e, 32-7, 40-1; SETI e, 444; subver-

são da Declaração de Direitos, 453-4; UFOs e, 94, 102, 105-13, 116-7, 119-20, 196, 230; visões falsas *versus* visões verdadeiras e, 166, 168-9, 171-4
população, crescimento da, 26
povo !Kung San, habilidades de caça do, 353-6
povos caçadores-coletores, pensamento objetivo nos, 354-9
Price, Richard, 216
Priestley, Joseph, 312, 454
Projeto Bluebook, 103
Projeto Manhattan, 246, 322, 324--5, 470, 488
Projeto Mogul, 107
projeto SETI (procura de inteligência extraterrestre), 230, 444--5, 448
Projeto Westminster, 431, 443
Proxmire, William, 448
pseudociência, 20, 30-41, 43, 263, 305, 310; ausência de evidência na, 257-8; ciência *versus*, 30-1, 33, 35-41, 57-9, 61; e a busca científica de alienígenas, 206; educação científica e, 367-8; exame cético da, 19, 30-1, 34-5, 39, 337-42, 344; exemplos globais de, 32-7, 40-1; na mídia, 17, 19-20, 37, 339, 420-5; o desejo fazendo acontecer na, 31--2; o sobrenatural *versus*, 258; popularidade da, 31-2; produtos típicos da, 254-6; religião e, 32-5, 38, 81, 256
Ptolomeu, 15, 344, 366
pulsares, 53, 208, 314

quantificação, pensamento cético e, 242
quasares, 207, 314, 373
química: contribuições de Pauling a, 468; educação em, 365, 386-7; formulando perguntas em, 374--6; reducionismo em, 314
quinino, descoberta do, 290

Randi, James, "O Incrível", 263-4; o caso Carlos e, 272, 274-7, 279
Reagan, Ronald, 37, 166, 248, 328, 426
*Reason and nature* (Cohen), 289, 494
reconhecimento de padrões, mecanismo de, 64-7, 69-72
reducionismo, 311-5
reencarnação, 90, 233, 320, 343
relatividade: especial, 52-3, 56, 346; geral, 52-4, 61, 213, 302, 314, 328, 438
religião, 29, 46, 216, 235-8, 262, 283, 288, 335-6; alucinações e, 128-9; ambiguidade moral da, 331-2; as alegadas abduções por alienígenas e, 224-8, 230-1; bruxas e, 143-8, 455, 458-61, 463-4; capacidade de predição da, 48-9; ciência e, 48, 298--9, 310, 315-20, 336-7, 351-3, 358-60, 366-7, 379, 389, 394, 482-3; cultos de rituais satânicos e, 185-90; curandeiros da fé e, 264-9, 271-2; demônios e, 139-43, 149-50, 153-5; Douglass sobre, 411-2; escravidão e, 399, 411-2; humildade na, 54-5; magia e, 263; matéria e, 307-8; mecanismo de reconhecimento de padrões e, 64-5, 67; na União Soviética, 453; noção da força vital em, 312; oração na, 317-8; Paine sobre, 300; política e, 474-6, 479-84; pseudociência e, 32-4, 37-9, 81, 255-6; reducionismo e, 315-6; sobre a vida após a morte, 236, 308-9;

testando as crenças da, 54; UFOs e, 153-7; visões e, 167-75, 218
*Remembering Satan* (Wright), 189, 492
Rilke, Rainer Maria, 221
Robbins, Russell Hope, 461
Rossiter, Clinton, 474, 483-4, 496
Roswell, Novo México, alegado acidente de discos voadores perto de, 105-7, 112-3
Russell, Bertrand, 334
Rússia, pseudociência na, 34-5, 40--1; *ver também* União Soviética

*Saddharmapundarika, The*, 382
Sakharov, Andrei, 304, 326, 328, 468
saúde, *ver* medicina
*Scandal in Bohemia, A* (Doyle), 178
Schnabel, Jim, 100, 235, 490
*Science and its critics* (Passmore), 323, 494
*Science and the New Age* (Hess), 341--2
Sciencenter, Ithaca, N.Y., 396, 398
Shaver, Richard, 66, 94, 491
Silvestre i, papa, 115
Simon, Benjamin, 125-7, 134
Sinistrari, Ludovico, 142, 146
Sírio, estrela companheira de, 376-7
sistema legal 334, 482
sistema solar: formulando perguntas sobre, 374-5; modelo de mecanismo do relógio do, 311-2
sociedades pré-agrárias, atividades de estocar os alimentos, 358
Sócrates, 138-9, 337
Sparrow, G. Scott, 175
Sprenger, James, 143, 149
Sputnik 1, 94
Stalin, Josef, 70, 302-4, 324, 327, 451, 464-6, 480
Streiber, Whitley, 154, 159
Superacelerador a Supercondutores para Colisões (SSC), 448-9

superstição, *ver* pseudociência
Szilard, Leo, 324, 468, 470

tabaco, indústria do, 249-52
Tart, Charles, 306, 494
Teale, Edmund Way, 28
tecnologia, 43, 58, 103-4, 322, 336, 358-9, 453, 469-70; a mídia sobre, 417, 422; alienígenas e, 210, 218, 227; ambiguidade ética de progressos da, 419-20; analfabetismo científico e, 21-2; arbítrio em, 302; benefícios da, 432; da Idade da Pedra Lascada, 361; de armas nucleares lançadas por mísseis, 108; de Atlântida, 19; desvantagens da, 26-7, 293-4; e a formação da opinião pública, 465; educação científica e, 371, 390; financiamento do governo para, 445-6; ignorância da, 43-4; museus e, 394; na Feira Mundial de Nova York, 13; na Grã-Bretanha, 430-1, 440, 443; política e, 445-6, 482; SETI e, 444-5; UFOs e, 104, 110, 113--4, 153-4
telepatia, 149, 229, 254, 258
televisão, *ver* mídia
Teller, Edward, 274, 324-30, 470-1
"teoria de tudo", 448
terapeutas/terapia, 179-85, 189, 192-6; e a questão da abdução por alienígenas, 179-81, 185, 192-3, 196, 201-2, 205, 213-6, 231, 280; e as vítimas de abuso sexual, 180-2, 185, 192-3, 195, 201, 282; e o caso Carlos, 260; e os abusos nos cultos satânicos, 188, 192, 194-5; e repressão, 181-3, 185; falta de ceticismo em, 194-5; para psicoses, 202-5
Teresa de Ávila, santa, 150

*Terror that comes in the night, The* (Hufford) 151
Thomas, J. Parnell, 285-6
Thomas, Lewis, 380
Tomás de Aquino, são, 149, 315, 464
Trotsky, Leon, 34, 465-6
Truman, Harry S., 113, 285-6, 322
Tucídides, 292, 359, 476
Twain, Mark, 272
Tyndale, Wiliam, 147-8

*Uncommon sense* (Cromer), 349, 495
União Soviética, 452; armas nucleares na, 27, 324, 328-9, 468, 471; colapso da, 328; genética na, 302-4; revolução comunista da, 464-6; UFOs como simulações feitas pela, 108-10; *ver também* Rússia
Universidade de Chicago, educação do autor em, 15
universo: exposições nos museus sobre, 395; idade do, 29, 310, 346; modelo de mecanismo de relógio de, 311; reducionismo em, 315; vida após a morte e, 236
Urey, Harold C., 15, 295, 452, 470

Vallee, Jacques, 153, 491
Vavilov, N. I., 303
Vênus: alegados extraterrestres de, 93, 124, 136; imagens da superfície de, 70, 444; pressão atmosférica de, 297; temperatura da superfície de, 136
Via Láctea, 30, 71, 90, 290, 373-5, 395, 444
"Viajando à noite" (Du Fang), 61

vida após a morte, 221, 233-4, 236-7, 308-309; canalização e, 233-5; evidência de, 234-5; religião e, 236, 308
vida, expectativa de 25-6; qualidade de, 23, 26
visões: ao acordar do sono, 170; de alienígenas, 163, 174; detalhes ausentes em, 170; evidência de, 166-7, 169-71, 174, 218; mediadas pela cultura, 163; motivos para a invenção e a aceitação de, 169; nos tempos modernos, 175; percebidas por camponeses, 167-9; religião e, 167-75, 218; verdadeiras *versus* falsas, 162-8, 171-6
Vitória, rainha da Grã-Bretanha, 430, 443
Voltaire, 82
Von Spee, Friedrich, 456, 461-2, 464

Wang, Hongcheng, 36
Washington, George, 300, 426
Wegener, Alfred, 344
Wells, H. G., 159
West, Louis J., 129
Whitehead, Alfred North, 353
Whole Life Expo, 239
Wood, Robert W., 57
Wright, Lawrence, 164, 189, 492

xamanismo, mecânica quântica comparada com, 288-9

Yogi, Maharishi Manesh, 33

Zuckerman, Solly, lord, 97

CARL SAGAN (1934-1996) foi professor de astronomia e ciências espaciais na Cornell University e cientista visitante do Laboratório de Propulsão a Jato do Instituto de Tecnologia da Califórnia. Autor de dezenas de artigos e livros científicos, foi agraciado com várias medalhas e prêmios — incluindo o Pulitzer — por suas contribuições ao desenvolvimento e à divulgação da ciência. Dele, a Companhia das Letras já publicou *Pálido ponto azul*, *Contato*, *Bilhões e bilhões* e *Variedades da experiência científica*.